Einaudi Paperbacks

Titolo originale *Problemy srednevekovoj narodnoj kul'tury*

Traduzione di Luciana Montagnani

ISBN 88-06-59717-5

Aron Ja. Gurevič

Contadini e santi

Problemi della cultura popolare nel Medioevo

Indice

Prefazione

Questo volume dedicato ai Problemi della cultura popolare nel Medioevo si affianca all'altro, già pubblicato da Einaudi, *Le categorie della cultura medievale*[1]. La nuova monografia, come la precedente, è dedicata allo studio della cultura del Medioevo, delle concezioni che l'uomo medievale aveva di sé e del mondo. Il nuovo libro tuttavia non solo continua l'indagine già iniziata, ma la sviluppa seguendo linee alquanto diverse. In precedenza ho tentato di ricostruire una serie di categorie della concezione medievale del mondo e ho raggruppato il materiale intorno ad alcuni dei suoi elementi fondamentali: tempo-spazio, il diritto, il lavoro, proprietà-ricchezza, elementi che, insieme con molti altri, costituivano quel modello storicamente necessario, all'interno del quale venivano a formarsi i vari tipi della personalità umana medievale. Nell'interesse dell'analisi gli elementi elencati sono stati enucleati dal generale tessuto della cultura medievale. Dopo che questo lavoro era stato terminato, sorse naturalmente l'esigenza di riprendere l'analisi della visione medievale del mondo, ma non piú scomponendola in categorie, bensí nell'insieme dei suoi diversi aspetti. Per passare in un certo senso dall'« anatomia » alla « fisiologia » della cultura, era necessario spostare il livello logico d'indagine. Le fonti andavano viste e selezionate secondo principî diversi. Se nelle *Categorie della cultura medievale* il materiale, che si riferiva ai vari elementi della percezione del mondo presi in esame, veniva ricavato da opere eterogenee, in questo studio è invece necessario rivolgersi a generi precisi, relativamente omogenei. Lo studio delle fonti che appartengono a un certo filone della cultura medievale richiede un particolare impegno da parte dello studioso, che deve concentrare la sua attenzione sia sul contenuto, sia sulla forma, sia sulla funzione socio-culturale dell'opera. Un'approfondita penetrazione nel tessuto del materiale comporta un inevitabile restringimento del raggio d'azione.

A ciò è legata un'altra circostanza. Nel libro precedente mi ero attenuto all'ipotesi che l'astrazione «uomo del Medioevo» sia ammissibile in uno studio scientifico e che sia possibile lavorare con tale astrazione. Ma le opere su cui mi potevo basare erano state create prevalentemente da un'élite intellettuale, che monopolizzava la letteratura e l'istruzione. Ho cercato di concentrare l'analisi su quelle enunciazioni degli «intellettuali» medievali che esprimessero non solo e non tanto il loro particolare «quadro del mondo», condizionato in notevole misura dalla loro cultura e dal loro ruolo nella società, quanto i modi in cui gli uomini di quell'epoca vivevano e concepivano la realtà, e le caratteristiche piú generali della loro mentalità. Ciò nondimeno, lo stato delle fonti è tale che l'immagine medievale del mondo, ricostruita dallo studioso moderno, risulta in maggiore o minor misura «spostata» verso la visione dell'élite. Questo spostamento si verifica inevitabilmente in quasi tutti gli studi sulla cultura della società feudale. È lecito domandarsi se esista la possibilità di evitarlo. È possibile vedere il mondo medievale non solo con gli occhi degli autori colti di quell'epoca, ma anche con quelli dell'uomo comune? In altre parole: è accessibile a noi la conoscenza della cultura popolare del Medioevo?

La cultura popolare di quell'età è un tema nuovo e quasi non ancora esplorato. Gli ideologi della società feudale sono riusciti non solo a tener lontano il popolo dagli strumenti con cui fissare i propri pensieri ed umori, ma anche a togliere agli studiosi delle epoche successive la possibilità di ricostruire i tratti fondamentali della sua vita spirituale. «Il grande muto», «il grande assente», «uomini senza archivi e senza volto»: cosí gli storici moderni hanno definito il popolo in un'epoca in cui gli era precluso un accesso diretto agli strumenti con cui fissare per iscritto i valori culturali. La trattazione aristocratica ed elitaria della cultura medievale, che prende in considerazione solo le «grandi menti» – teologi, filosofi, poeti, storiografi, – ha preso saldamente piede e domina ancora oggi. A causa di tale stato delle conoscenze, fino a poco tempo fa era rimasta incrollabile la leggenda di un

Medioevo cristiano: il millennio, che separa la fine dell'antichità dal Rinascimento, veniva tradizionalmente raffigurato come un'epoca di incontrastato, totale dominio dell'ideologia cattolica, e si considerava possibile caratterizzare quest'ultima limitandosi alle enunciazioni degli autori delle «summe» teologiche, ai decreti dei concili, alla storiografia e alla letteratura; era assiomatico attribuire a tutti i membri della società feudale le forme di religiosità che erano proprie dei chierici, dei monaci, dei mistici. Una resistenza all'ideologia dominante veniva riscontrata solo negli eretici, ma anche l'eresia rimaneva nell'ambito di una concezione religiosa del mondo tanto quanto la religione ufficiale, con la sostanziale differenza che gli eretici la recepivano «con segno opposto». Il quadro dell'onnipotenza della Chiesa e del dogma nella letteratura sull'argomento veniva completato mostrando i germogli di una nuova concezione laica del mondo, determinata dallo sviluppo delle città e della borghesia. Per quanto riguarda invece la gran massa della popolazione dell'Europa feudale, i contadini, essa continuò ad essere ignorata dagli storici della cultura, che le hanno negato «il diritto alla storia»[2].

Come si vede, la cultura popolare non ha avuto molta fortuna tra gli studiosi. Di solito, quando se ne parla, si menzionano tutt'al piú le vestigia (assai deformate dall'ideologia cristiana e feudale) degli antichi miti e dell'epos, le sopravvivenze del paganesimo. Ci si limita appunto a questi isolati frammenti quando si parla di cultura «non ufficiale» delle masse: tutto il rimanente spazio culturale viene colmato, di regola, dalla religiosità ufficiale. Gli studiosi riconoscono che il popolo assimilava male e con fatica la dottrina della Chiesa, che la semplificava e l'avviluppava in superstizioni e pregiudizi d'ogni genere, ma il tutto si riduce a differenze piú quantitative che qualitative; la religiosità popolare viene vista semplicemente come la versione volgarizzata del cristianesimo. Nei casi relativamente rari in cui lo specialista di oggi si rivolge alla religiosità popolare del Medioevo, non trova per essa altre definizioni che «ingenua», «primitiva», «grossolana», «rozza», «superficiale», «prelogica», «infantile»; è la religione di un «popolo-bambino», piena di superstizioni e orientata verso il fiabesco e il favoloso[3]. Non è difficile rendersi conto che il criterio per formulare simili valutazioni viene derivato dalla religione «alta» degli uomini colti e che proprio dalle loro posizioni vengono giudicate la coscienza e la vita emozionale del popolo, senza porsi il problema di analizzarla «dall'interno», attenendosi alla *sua logica*[4].

È giusta una simile interpretazione? Nella lettura scientifica degli ultimi anni si osserva a questo proposito un crescente scetticismo, l'esame del problema della cultura popolare medievale è all'ordine del giorno e, benché finora sia stato fatto ancora ben poco, nessuno sembra piú dubitare della viva attualità del problema[5].

In questo mio lavoro sono stato appunto guidato dal desiderio di concentrare l'attenzione sul filone «basso» della cultura medievale, sui modi in cui gli uomini che non si erano istruiti alla scuola dell'eredità antica o patristica percepivano il mondo e mantenevano un vivo legame con la coscienza mitopoietica e folklorico-magica. A tale percezione del mondo, che nasceva come risultato di una complessa e contraddittoria interazione tra il patrimonio folklorico tradizionale e il cristianesimo, viene qui applicata la definizione di «cultura popolare del Medioevo».

Dedicandosi allo studio della cultura popolare ci si rende conto di quanto la problematica e le fonti manchino di un'elaborazione: cercarle e selezionarle è già di per sé un nuovo compito, interessante e non facile.

I problemi della cultura popolare oggi vengono studiati, e abbastanza intensivamente, con particolare riferimento alla fine del Medioevo e all'inizio dell'età moderna[6], ma tale periodo è incomparabilmente piú ricco di fonti che consentono di accostarsi agli orientamenti delle masse e sono qualitativamente diverse rispetto a quelle che si sono conservate del primo Medioevo e del Medioevo classico. La differenza principale sta nel fatto che se nei secoli XV-XVII la cultura popolare acquista un significato abbastanza preciso – è la cultura degli strati sociali inferiori, che si sta secolarizzando, che possiede ormai una propria forma, scritta (o stampata) per fissarsi[7] e un'autocoscienza relativamente elaborata, – il concetto stesso di «cultura popolare», applicato al Medioevo in senso stretto, rimane assai indefinito. È soltanto la cultura delle masse, delle classi sociali oppresse? O è la cultura di tutti gli analfabeti, opposta alla cultura degli uomini istruiti, dei dotti? (Nel Medioevo strati sociali oppressi e analfabeti, com'è noto, non coincidevano, giacché anche un numero considerevole di nobili era analfabeta). Oppure, in senso ancor piú ampio, è un filone della cultura medievale che in un modo o nell'altro era patrimonio di tutti gli uomini di quell'epoca, ma che nell'élite veniva solitamente occultato dalla teologia ufficiale, dall'erudizione, dalla tradizione antica, mentre emergeva negli uomini estranei alla cultura latina? Forse il concetto di « cultura popolare » va interpretato, sull'esempio dei romantici, come una creazione collettiva del popolo? Oppure, infine, è una cultura creata per il popolo, che la riceve da altri strati, il prodotto di una divulgazione delle ricchezze culturali o di una loro immissione nelle viscere popolari? Bisogna riconoscere che se, a quanto sembra, nessuno nega l'esistenza del fenomeno « cultura popolare » dell'epoca feudale, non ne è stata fornita finora una definizione chiara e univoca[8].

L'eminente medievista Jacques Le Goff parla di due culture nella società medievale: la cultura dei chierici, o « cultura dotta », e la cultura popolare, o « folklorica »[9]. I rapporti tra le due culture, secondo Le Goff, sono quanto mai multiformi, comprendono tanto l'antagonismo, l'« assedio » della cultura « folklorica » da parte di quella « dotta », la repressione delle sue tradizioni da parte della Chiesa o il loro travisamente e parziale adeguamento alle esigenze dell'ideologia ufficiale, quanto anche l'incomprensione del clero verso la cultura popolare, incomprensione dovuta al fatto che al « razionalismo » della cultura clericale, che divideva il mondo in bene e male, si contrapponeva l'ambigua e ambivalente « cultura folklorica ». Ma la cultura dominante si rivela incapace di reprimere completamente l'elemento folklorico e in parte lo assimila. Tale interazione tra le due culture era favorita dal fatto che caratteristica comune a entrambe era la mescolanza tra il piano terreno e quello spirituale, tra materiale e spirituale. Di piú, Le Goff ritiene che la condizione per cui il clero potesse compiere la propria missione era il suo adeguamento culturale al popolo, la cultura clericale doveva inserirsi in quella folklorica. Nei ragionamenti di Le Goff svolge un ruolo sostanziale l'idea di un'« acculturazione interna », del reciproco adattarsi delle due culture.

La concezione di Le Goff e dei suoi allievi[10] trasferisce dunque il centro di gravità dalla religiosità popolare a un fenomeno piú vasto e complesso, la «cultura folklorica», di cui un epifenomeno è appunto la religione del popolo. Questa riformulazione del problema ha una grande importanza di principio e merita di essere sostenuta. È ovvio che le concezioni religiose e la pratica religiosa costituivano un aspetto estremamente importante della vita spirituale degli uomini medievali, ma il contenuto della cultura popolare, immersa in un'atmosfera di sacralità, penetrata dal rituale e dalle credenze, non si esauriva affatto in esse. Non solo, l'interpretazione popolare delle verità del cristianesimo dava frutti quanto mai originali, cui si può dare un'esatta valutazione soltanto nel piú ampio contesto della «cultura folklorica».

Non intendo affrettarmi a formulare la mia concezione della cultura popolare medievale; forse questa concezione si chiarirà nel corso dell'analisi. Però è certamente impossibile lavorare senza un'ipotesi preliminare che aiuti a raccogliere il materiale e ad analizzarlo. Mi occuperò in primo luogo dell'*«immagine del mondo» dell'uomo medievale*, del modo in cui egli percepiva il mondo, della sua mentalità, degli orientamenti psicologici collettivi. Qual è l'«equipaggiamento intellettuale» di questi uomini, il loro «outillage spirituale»?[11]. Da ciò che si è detto in precedenza dev'essere chiaro che oggetto dell'analisi non saranno le idee o le dottrine formulate in modo definito, bensí *i modelli di coscienza e di comportamento non palesi*.

Il campo delle mie ricerche comprende i secoli dal VI al XIII, «tempi bui» nella storia della cultura popolare. Il problema non è costituito dal fatto che le fonti siano poche: occorre soltanto accordarsi su che cosa precisamente considerare fonti per lo studio del nostro argomento, cioè trovare queste fonti tra le opere ben note agli specialisti, ma di solito non utilizzate per gli scopi che ci interessano. Se riuscissi a «riaprire» le fonti che caratterizzano la cultura popolare del Medioevo, allora non è escluso che esistano in quantità sufficiente, che sia anzi addirittura impossibile esaminarle tutte, ma ciò evidentemente non è neppure necessario: il male è piuttosto che queste fonti non sono molto varie. Perciò lo studioso non riesce a mutare l'angolo visuale da cui esamina il problema tanto spesso quanto sarebbe desiderabile, e le osservazioni e le conclusioni che il lettore troverà piú avanti in questo libro, sono inevitabilmente frammentarie e unilaterali. Non si può non essere d'accordo con Jean-Claude Schmitt, autore di uno studio sulla cultura popolare del Medioevo quando afferma: « I documenti sono meno carenti degli strumenti concettuali per comprenderli »[12].

A differenza degli autori delle opere a me note, dedicate alla cultura e alla religiosità popolare del Medioevo, non intendo dare di questo problema una visione generale o cercare di esaminarlo da tutti i lati. La scelta delle fonti per la mia ricerca permette di individuare un aspetto specifico, che ciò nonostante merita la massima attenzione. Mi riferisco a quel fenomeno che si può designare come *il paradosso della cultura medievale*. Questo paradosso è generato dall'incontro, dall'intersecarsi della cultura popolare con la cultura dei « dotti », degli uomini istruiti, dall'interazione tra le tradizioni folkloriche e la dottrina ecclesiastica ufficiale. In che modo i due livelli si abbinano, compenetrandosi a vicenda, in una stessa coscienza, e quali trasformazioni subiscono in seguito a questa sovrapposizione e a questo abbinamento? È possibile che il metodo d'indagine da me scelto favorisca la comprensione non solo della coscienza popolare, ma, tramite essa, anche delle particolarità essenziali della coscienza medievale in genere.

L'analisi di questo suddetto paradosso, a mio parere, potrebbe gettar luce anche sulla specificità dell'estetica medievale. È ovvio che, quando si parla dell'estetica di quest'epoca, non s'intende la teoria, bensí l'implicito « non convenuto », ma praticamente effettivo sistema della creazione. (Qui sono applicabili le considerazioni di S. S. Averincev sulla « poetica protobizantina »)[13].

Per la precisione, l'ambito delle fonti in grado di gettar luce sulla cultura popolare del Medioevo si potrebbe notevolmente ampliare, muovendo sulla stessa via seguita ne *Le categorie della cultura medievale*. Là, accanto alle opere dell'epoca propriamente medievale, cristiana, è stato utilizzato materiale germanico e scandinavo, che serviva a caratterizzare un certo stadio di sviluppo tipologicamente anteriore al Medioevo. La letteratura antico-scandinava è appunto particolarmente ricca di dati che riguardano le concezioni popolari del mondo e che inoltre si riferiscono alla coscienza della massa non istruita piú direttamente delle opere latine analizzate in questo libro. Ma in un lavoro sulla cultura popolare l'analisi delle fonti scandinave è difficilmente compatibile con lo studio delle fonti latine, giacché quella tradizione mitopoietica che determinava i tratti principali della cultura germano-scandinava ed era caratterizzata da un'alta produttività, da un'organica integrità e da una combinazione di arcaismo e ricercatezza[14], – questa tradizione, nel contesto della cultura latina ecclesiastica del Medioevo, occupa ormai un posto diverso: da cultura di tutto il popolo in una società preclassista, diventa, in una società classista, cultura «popolare», contrapposta alla cultura clericale «ufficiale»; passa alla posizione di perseguitata e viene respinta alla periferia della vita spirituale; il paganesimo, di cui erano permeati il mito e l'epos, degenera in «superstizione»; sotto i colpi dell'ideologia ufficiale la tradizionale visione del mondo si frammenta, solo in parte riassorbita dalla nuova concezione del mondo. Il trionfo della nuova cultura non significò tuttavia la completa soppressione dell'antichità. La cultura popolare sotto molti aspetti conserva le sue caratteristiche «premedievali». Di piú, la vita spirituale del Medioevo non può essere compresa in modo sufficientemente completo se non si tiene conto della tradizione mitopoietica e folklorica rimasta patrimonio del popolo, che difficilmente era del tutto inserito nell'alveo della cultura «ufficiale».

L'impostazione del problema ha determinato il carattere della ricerca. Questo non è un libro né di filosofia, né di storia della cultura, né di estetica medievale; costituisce piuttosto un tentativo di analisi antroposociologica di un filone della cultura medievale, quasi interamente ignorato. Perciò, allo scopo di rivelare un determinato filone profondo della cultura, i testi che risalgono ai secoli VI-XIII sono interpretati in un certo senso «sincronicamente». In altre parole, non mi interessa tanto la storia della cultura nel corso di questo periodo di sette o otto secoli, quanto il suo sistema interno, che rimaneva poco mobile e continuava a riprodurre i suoi tratti fondamentali. Tale approccio viene adottato raramente per la cultura di quest'epoca e già per questo motivo sembra giustificato: forse il cambiamento dell'angolo visuale aiuterà a veder meglio anche l'insieme?

Alcune parti di questo studio sono già state pubblicate in precedenza sotto forma di articoli: la loro riunificazione nel testo è stata tuttavia accompagnata da una riorganizzazione e talvolta anche da cambiamenti radicali. Tutta una serie di conclusioni e affermazioni fatte nelle precedenti pubblicazioni è stata riveduta e precisata. Durante le diverse fasi della stesura del libro ne ho discusso il contenuto con molti colleghi ed amici: voglio qui ringraziarli dei preziosi consigli e dell'aiuto.

[1] Moskva 1972 [trad. it. Torino 1983].

[2] *Kultura elitarna a kultura masowa w Polsce późnego średniowiecza*, a cura di B. Geremek, Wrocław-Warszawa-Kraków-Gdańsk 1978, p. 6.

[3] Cfr. E. Delaruelle, *La piété populaire au Moyen Âge*, Torino 1975.

[4] La critica alle opinioni di Delaruelle si veda in J.-C. Schmitt, *«Religion populaire» et culture folklorique*, in «Annales ESC», 31 (1976), n. 5, pp. 941 sgg., cfr. N. Zemon Davis, *Some tasks and themes in the study of popular religion*, in C. Trinkaus, H. A. Oberman (a cura di), *The pursuit of holiness in late medieval and Renaissance religion*, Leiden 1974, pp. 308 sgg.

[5] Cfr. R. Manselli, *La religion populaire au Moyen Âge. Problèmes de méthode et d'histoire*, Montreal-Paris 1975; J. Le Goff, *Pour un autre Moyen Agê. Temps, travail et culture en Occident: 18 essais*, Paris 1977; Schmitt, *«Religion populaire»* cit.; F.-A. Isambert, *Religion populaire, sociologie, historie et folklore*, in «Archives de sciences sociales des religions», 22, n. 2. Occorre in verità riconoscere che un tentativo di superare l'inadeguato approccio alla religiosità popolare è stato compiuto ormai molto tempo fa, piú di sessant'anni, da un prestigioso esponente della medievistica di lingua russa, L. P. Karsavin con un contributo (*Osnovy srednevekovoj religioznosti v XII-XIII vekach, preimuščestvenno v Italii* [I fondamenti della religiosità medievale nei secoli XII-XIII, principalmente in Italia], Petersburg 1915), immeritatamente dimenticato dalla storiografia successiva.

[6] Cfr. M. M. Bachtin, *Tvorčestvo Fransua Rable i narodnaja kul'tura srednevekov'ja i Renessansa*, Moskva 1965 [trad. it. *L'opera di Rabelais e la cultura popolare*, Torino 1979]; R. Mandrou, *De la culture populaire aux 17e et 18e siècles*, La bibliothèque bleue de Troyes, Paris 1964; Zemon Davis, *Some tasks and themes* cit.; Id., *Society and culture in early Modern France. Eight essais*, Stanford 1975 [trad. it. *Le culture del popolo*, Torino 1980]; K. Thomas, *Religion and the decline of magic. Studies in popular beliefs in XVIth and XVIIth century England*, London - New York 1971 [trad. it. *Il declino della magia*, Milano 1985]; J. Toussaert, *Le sentiment religieux en Flandre à la fin du Moyen Âge*, Paris 1960; E. Le Roy Ladurie, *Montaillou, village occitan de 1294 à 1324*, Paris 1975 [trad. it. *Storia di un paese: Montaillou*, Milano 1977]; M. Soriano, *Les Contes de Perrault. Culture savante et traditions populaires*, Paris 1968; *Kultura elitarna* cit.; C. Ginzburg, *Il formaggio e i vermi. Il cosmo di un mugnaio del '500*, Torino 1976.

[7] Cfr. Zemon Davis, *Society and culture* cit., pp. 190 sgg.

[8] Cfr. *Les religions populaires*, a cura di B. Lacroix e P. Boglioni, Colloque international 1970, Québec 1972, pp. 53 sgg.; J.-C. Schmitt, *«Religion populaire»* cit., pp. 941 sgg.; Isambert, *Religion populaire* cit., pp. 161-84.

[9] *Pour un autre Moyen Âge* cit., pp. 223 sgg., 236 sgg.

[10] Cfr. J.-C. Schmitt, *Le saint lévrier. Guinefort, guérisseur d'enfants depuis le XIIIe siècle*, Paris 1979 [trad. it. *Il santo levriero. Guinefort guaritore di bambini*, Torino 1982].

[11] Cfr. G. Duby, *Histoire des mentalités*, in *L'histoire et ses méthodes*, Paris 1961; A. Dupront, *Problèmes et méthodes d'une histoire de la psychologie collective*, in «Annales ESC», 16 (1961), n. 1; M. Bloch, *Apologija istorii, ili Remeslo istorika*, Moskva 1973 [ed. it. *Apologia della storia o Mestiere di storico*, Torino 1974]; J. Le Goff, *Les mentalités, une histoire ambiguë*, in *Faire de l'histoire*, a cura di J. Le Goff e P. Nora, vol. 3, Paris 1974 [trad. it. in *Fare storia*, Torino 1981].

[12] *Le saint lévrier* cit., p. 234 [trad. it., p. 229].

[13] *Poetika rannevizantijskoj literatury* [La poetica della letteratura protobizantina], Moskva 1977, pp. 3 sgg.

[14] Cfr. A. Ja. Gurevič, *«Edda» i saga* [L'«Edda» e la saga], Moskva 1979.

Contadini e santi

Capitolo primo

Cultura popolare e letteratura mediolatina da Cesario di Arles a Cesario di Heisterbach

Oggetto della nostra analisi è la cultura popolare del Medioevo quale si rifletteva nei testi della letteratura latina. Vorrei mettere in luce alcuni aspetti della visione del mondo dell'uomo che non conosceva il latino, e vorrei metterli in luce nelle opere scritte proprio in questa lingua a lui estranea. Una tale formulazione del problema può sembrare a prima vista un po' bizzarra, ma si spiega col fatto che per un lungo periodo i dialetti e le lingue volgari dell'Europa occidentale, mentre erano il veicolo della comunicazione orale tra gli uomini, non riuscirono a impadronirsi della sfera della letteratura scritta, che rimaneva interamente sotto il dominio del latino, lingua che era stata ereditata dall'epoca precedente ed era la lingua ufficiale e professionale dell'unico strato sociale, colto e in grado di monopolizzare la cultura, il clero. Nella gerarchia delle lingue il latino occupava il primo posto e per lungo tempo fu l'unica lingua della letteratura scritta. Quando poi il suo monopolio fu violato e iniziarono a formarsi le lingue letterarie nazionali, il latino mantenne comunque una posizione privilegiata; era la lingua sacrale, garante dell'unità della fede. I profani non la conoscevano: essere alfabeti significava sapere il latino. Di conseguenza si conservò, sostanziale e significativa, la suddivisione degli uomini, invalsa nella tarda antichità, in *litterati* e *illitterati*. I primi sono gli uomini colti, che sanno il latino, i secondi sono gli analfabeti, gli *idiotae*. Nella concezione di allora *idiota* è l'uomo che si accontenta di conoscere soltanto la rozza lingua madre che ha ereditato nascendo, mentre non si nasce sapendo il latino, lo si acquisisce con tenace e prolungata fatica[1].

In tal modo, all'opposizione latino/lingua madre e *litteratus/illitteratus* corrisponde la contrapposizione tra scuola e vita, tra cultura e natura[2]. Le verità del cristianesimo dovevano essere esposte principalmente in latino, e proprio in latino ci si doveva rivolgere a Dio. In Europa ci si era completamente dimenticati che la Vulgata era la traduzione della Bibbia, e regnava la convinzione che proprio il latino fosse la lingua in cui il Signore aveva enunciato la sua dottrina[3]. Si può forse negare, perciò, che le opere scritte in latino, già in forza di questa circostanza, godessero di uno status privilegiato e avessero un'autorità maggiore delle opere scritte in volgare? Il termine «Medioevo latino», coniato dagli storici della letteratura e della lingua, esprime un contenuto completamente reale.

Lo storico che si proponga di studiare la cultura popolare del Medioevo è inevitabilmente costretto a rivolgersi alle opere degli scrittori latini: non dispone, in sostanza, di altre opere.

Il problema è dunque questo: nelle opere dettate dalla dottrina ufficiale è possibile scoprire la mentalità non solo del clero, ma anche dei piú ampi strati della popolazione? Lo studioso non corre qui il rischio di scambiare per concezione del mondo delle masse la concezione del mondo della Chiesa?

Certo, se nelle enunciazioni dei piú autorevoli teologi e filosofi medievali ricerchiamo una diretta espressione della coscienza delle masse e ci proponiamo di giudicare in base ad esse gli umori e le concezioni dell'«uomo medio», incorriamo in un gravissimo errore. I pensieri di questi «rappresentanti teorici» dell'élite erano assai lontani dagli orientamenti del popolo sia nel contenuto che nella forma.

Per far sí che i pensieri dell'élite sociale e spirituale diventassero «pensieri dominanti», era necessario «tradurli» in una lingua comprensibile a tutti. Di questo si occupavano per lo piú i predicatori, che erano in diretto contatto con il gregge dei fedeli. I parroci, i monaci, i missionari dovevano spiegare al popolo i fondamenti essenziali della teologia, instillare i principî del comportamento cristiano e sradicare la tendenza al peccato. Si formò una letteratura speciale che divulgava la dottrina cristiana e forniva ai fedeli modelli da imitare. Questa letteratura era in parte destinata ai sacerdoti, che dovevano servirsene nella loro attività quotidiana. Tali erano, ad esempio, i manuali per i confessori, i penitenziali, che solitamente non venivano letti ai parrocchiani; contenevano le domande che potevano essere poste in confessione e stabilivano le penitenze da assegnare per i vari peccati. Le opere indirizzate al gregge dei fedeli erano i sermoni, le prediche, gli «esempi», i racconti sui miracoli e sulle forze del male, sulle peregrinazioni dell'anima nell'oltretomba e sulle apparizioni, le vite dei santi, i catechismi. Tutto questo materiale presupponeva un vasto uditorio e muoveva dall'intento che fosse facilmente compreso.

Si può già affermare che nei generi di letteratura qui citati lo studioso non ha di fronte un pensiero teologico raffinato, come quello che è condensato nei trattati di Eriugena, di Anselmo di Canterbury, di Abelardo, dei rappresentanti della scuola di Chartres, o di Tommaso d'Aquino o di Bonaventura, bensí una sua versione corrente, volgarizzata, uniformata al livello medio o estremamente semplificata (a detta di uno studioso moderno, «è difficile esagerare la sua semplicità»[4]); qui troviamo la realizzazione del grandioso tentativo di trasformare la dottrina cristiana da patrimonio di un'élite spirituale a concezione del mondo dei piú ampi strati della popolazione europea[5]. La dottrina cristiana, coltivata nei monasteri e nelle celle degli eremiti isolati dal mondo, in questi sermoni, nelle prediche e nei divertenti racconti su diavoli e santi, trovava accesso alla coscienza del popolo, che possedeva una sua tradizione culturale, quella del mito, dell'epos, del rituale pagano, della magia. Nella lotta per conquistare le menti e le anime degli uomini, lotta in cui la Chiesa era costantemente impegnata, opere di tal genere svolgevano il ruolo piú attivo, erano i piú importanti canali di comunicazione tra il clero e le masse e per loro tramite la Chiesa attuava il suo controllo sulla vita spirituale del popolo.

Proprio per questo, però, nelle opere menzionate non potevano non riflettersi alcuni aspetti essenziali della religiosità e della concezione del mondo proprie del popolo. I predicatori religiosi miravano a conquistare la coscienza di ogni ascoltatore, chiunque egli fosse, e ciò era possibile solo adeguandosi all'uditorio. E in effetti essi parlavano agli ascoltatori con un linguaggio semplice e comprensibile, ricorrendo a immagini a loro vicine, limitandosi a temi che non varcavano i confini del loro orizzonte, basandosi sul folklore e utilizzandone talvolta anche lo stile.

Qui è necessario prestare attenzione a un'importante caratteristica della letteratura medievale: in una società la cui schiacciante maggioranza restava analfabeta, la letteratura scritta non era né l'unico né il determinante veicolo della comunicazione umana. A noi, che siamo in grado di giudicare questa società esclusivamente in base ai testi che si sono conservati (se si prescinde da altre sue vestigia materiali), essa presenta una fisionomia un po' ingannevole. Il quadro della cultura medievale che oggi si ricostruisce è necessariamente «spostato» verso il suo aspetto scritto, fissato. Nel Medioevo però non tutti i valori spirituali trovavano espressione sulla pergamena o, in epoca piú tarda, sulla carta. La società medievale per lo piú non conosceva la parola scritta[6] e dalla constatazione di questa sua imprescindibile peculiarità è auspicabile trarre conclusioni che riguardino direttamente la storia della letteratura e della cultura in generale. Voglio sottolineare soltanto alcuni aspetti salienti del problema.

In primo luogo è necessario ribadire che l'alfabetismo nella società medievale era un privilegio, un elemento di superiorità sociale, e che gli antagonismi tipici di questa società venivano accresciuti e complicati dalla contrapposizione, altamente significante, tra alfabeti, colti, iniziati da un lato e ignoranti, analfabeti, non iniziati dall'altro. I *docti* avevano accesso alla fonte del sapere, gli *idiotae* non potevano accedervi direttamente e dovevano accontentarsi delle briciole di questo sapere che i *litterati* spartivano con loro. La dipendenza feudale, politica ed economica veniva complicata anche dalla dipendenza spirituale, derivante dal monopolio che l'élite esercitava sulla letteratura. Come recita un trattato anonimo del secolo XIII *Sul clero*, «chi è istruito [chi sa il latino], è il naturale padrone degli ignoranti»[7].

Nelle funzioni dei detentori del sapere doveva rientrare perciò la sua distribuzione – ovviamente in dosi limitate e in un'adeguata interpretazione – tra coloro che non avevano accesso diretto al libro. Una parte delle opere letterarie era scritta per essere diffusa esclusivamente nella cerchia degli iniziati. I decreti della Chiesa proibivano ripetutamente ai laici di consultare sia il Vecchio e il Nuovo Testamento, sia i libri liturgici e le opere teologiche; ne era anche vietata la traduzione in volgare[8].

Altre opere in latino erano destinate ad un uditorio piú

vasto, al quale dovevano essere esposte da persone che ricoprissero una dignità ecclesiastica. Nell'Europa medievale il libro presupponeva non solo la silenziosa lettura individuale nella cella, ma anche la lettura ad alta voce, alla collettività[9]. Non tutti i testi però potevano essere letti a qualsiasi uditorio, e per i custodi del sapere sacrale sorgeva il problema di creare, accanto ai testi esoterici, testi destinati ad essere diffusi nell'ambiente dei non iniziati per istruirli.

È legittimo perciò presumere che i testi patrimonio esclusivo dell'élite intellettuale e quelli divulgativi fossero costruiti in base a principî diversi. Mentre i primi seguivano una precisa tradizione e sottostavano alle leggi proprie del genere (in particolare, ampie citazioni, dirette o velate, delle autorità religiose, l'impiego di una topica consolidata e non soggetta a mutamenti), i testi destinati ai «semplici» in certa misura venivano inevitabilmente adeguati dai loro autori al livello di comprensione dell'uditorio e dovevano tener conto dei suoi gusti, delle sue esigenze, del suo orientamento spirituale.

In un trattato della fine del secolo XI si affermava che il predicatore deve prendere in considerazione la personalità di colui al quale rivolge il suo sermone: nel palazzo imperiale non si deve parlare come nella capanna di un povero. Il predicatore deve usare la lingua di coloro ai quali sta predicando[10]. Un sermone veniva spesso letto separatamente al clero e ai laici: sacerdoti e monaci potevano capirlo sí in latino (in ogni caso, tale era la generale presunzione), ma agli altri andava esposto nella loro lingua madre. Ma ciò non esauriva la questione: il contenuto dei sermoni letti al clero e ai laici difficilmente era identico. Ecco un esempio. In Inghilterra, a Bury St Edmunds, nel 1095 il vescovo leggeva il sermone al clero, stando in piedi davanti all'altare, mentre un altro sacerdote rivolgeva il sermone ai fedeli, radunati in una cappella della chiesa. Il contenuto del sermone del vescovo non è riferito, mentre a proposito della predica del sacerdote viene detto che egli parlava ai laici dei santi martiri, «che intercedono per tutti gli uomini presso il Signore» e anche «che provocano pioggia abbondante quando da lungo tempo la si aspetta». Questo era il livello al quale si esaminava con il popolo il problema della santità![11]

Le opere «per tutti» utilizzavano temi che non erano organicamente propri dei generi elevati della letteratura dell'epoca, ma che erano diffusi nel folklore. E in effetti, molti motivi della letteratura latina orientata verso larghi strati di popolazione, come le vite dei santi, i racconti di visioni e di peregrinazioni nell'oltretomba, le narrazioni di miracoli, venivano tratti dal folklore.

Il fatto che nel Medioevo la letteratura scritta rimanesse un'isoletta nel mare dei generi letterari orali[12], non poteva non esercitare un'influenza sul suo carattere. Come hanno mostrato P. G. Bogatyrëv e R. O. Jakobson[13], perché il folklore possa esistere, deve sottostare ad una sorta di « censura preventiva » da parte della collettività degli ascoltatori: l'uditorio seleziona le opere da accettare, respingendo le altre, e ottiene il diritto all'esistenza soltanto ciò che l'uditorio ha approvato e accettato, ciò che ha incontrato il suo gusto. A differenza della letteratura, nella quale è possibile una non corrispondenza tra le esigenze dell'ambiente e l'opera, cosí che una composizione, respinta dal pubblico, continua nonostante ciò ad esistere e nel futuro può trovare nuova vita, nel folklore la « censura preventiva » è incondizionata e i prodotti della creazione individuale ai quali la collettività nega la socializzazione, sono condannati a perire.

Ma è netto, nel Medioevo, il confine tra folklore e letteratura? È significativo che proprio in relazione alla letteratura di quell'epoca R. O. Jakobson e P. G. Bogatyrëv introducano il concetto di « zona di frontiera » tra creazione individuale e collettiva, tra letteratura e folklore. Essi si riferiscono ai copisti delle opere letterarie, che senza esitare introducevano variazioni nei testi da loro copiati, ma il fenomeno non si riduce soltanto all'« arbitrio » dei copisti.

Nell'insieme della letteratura medievale si incontrano molte opere in cui viene rielaborato sempre lo stesso tema. Questo fenomeno non è forse dovuto al verificarsi di una continua fissazione, certamente accompagnata da un'elaborazione dei temi che esistevano nella tradizione orale e godevano di vasta popolarità? Ciò riguarda non solo l'epos, ma anche le leggende agiografiche o i racconti dei miracoli, tanto diffusi durante tutto il Medioevo. La mano dell'« autore », ad esempio dell'ecclesiastico che annotava e redigeva una leggenda sacra, dava a questa la forma con cui assumeva la sua dignità di opera letteraria. La genesi di questa leggenda invece poteva aver luogo nella sfera del folklore, e i racconti delle guarigioni e di altri miracoli compiuti da un santo popolare, come pure i racconti delle peregrinazioni nell'oltretomba, continuavano a nascere spontaneamente nell'ambiente del popolo[14]. Dopo esser stata elaborata e annotata, la leggenda orale s'inseriva nel corpo della letteratura, ma una sua successiva lettura al gregge dei fedeli portava ad un'ulteriore diffusione, nuovamente in forma orale, forma nella quale era soggetta a tutte le variazioni legate alle leggi del folklore. «Questo filone orale, non fissato, della cultura, in certa misura è la chiave che permette di decifrare il reale contenuto dei testi scritti»[15]. Una serie di generi della letteratura medievale e il folklore quasi confluivano uno nell'altro, in una costante interazione[16]. Nelle pagine dei testi medievali indirizzati ad un vasto uditorio si svolge un costante dialogo tra la dottrina ufficiale e la coscienza folklorica, dialogo che porta ad un loro avvicinamento, ma non alla fusione. La letteratura della Chiesa, dal momento che si rivolge alla massa dei semplici analfabeti, i quali vivono al di fuori della letteratura scritta, è orientata verso la loro coscienza e risente della fortissima influenza da loro esercitata. Indipendentemente dal fatto che gli autori lo volessero o che ciò accadesse malgrado le loro intenzioni, questi testi sono «inficiati» dal folklore.

L'efficacia della letteratura destinata a vasti strati di popolazione dipendeva dalla misura in cui l'autore riusciva a immedesimarsi nell'ordine di idee del suo uditorio. Nel secolo XII vennero mossi rimproveri al vescovo di Treviri Alberone: i suoi sermoni non raggiungevano lo scopo, e la causa non stava tanto nel fatto che la lingua madre del prelato era il francese, mentre conosceva male il tedesco, lingua dei fedeli, quanto nel fatto che egli «trattava temi troppo complessi»[17].

L'influenza dell'ideologia ufficiale sulla concezione popolare del mondo non può certo essere vista come un processo unilaterale che vede introdurre nuove idee e credenze in una «terra vergine»: tra l'ideologia della Chiesa e la cultura popolare precristiana (o, per meglio dire, extracristiana) avveniva un'interazione. Nel processo di questa complicata e contraddittoria *reciproca influenza* venne formandosi quel complesso culturale-ideologico che si potrebbe chiamare «cristianesimo popolare», «cattolicesimo parrocchiale».

L'ipotesi secondo cui in tali generi della letteratura latina potessero trovare espressione, accanto a idee e credenze ufficialmente approvate, anche orientamenti e concezioni popolari, si basa in notevole misura sul fatto che il clero, che leggeva i sermoni al gregge dei fedeli e si serviva delle vite, dei penitenziali, dei racconti di miracoli o di visite nell'oltretomba, era composto essenzialmente di uomini provenienti da quello stesso ambiente popolare. Qui è opportuno ricordare la descrizione fatta da Engels del clero «plebeo» nella Germania del secolo XV e dell'inizio del XVI: esattamente allo stesso modo, anche nei precedenti secoli del Medioevo il basso clero si formava a spese dei non privilegiati e manteneva con loro un legame. Certo, i semplici monaci e i parroci si differenziavano dal popolo: la tonsura e la consacrazione alla dignità ecclesiastica, un certo livello di istruzione (di regola molto modesto), le funzioni che essi svolgevano li isolavano in un gruppo a sé stante[18]. La posizione di predicatore non poteva non lasciare un'impronta nella coscienza di un chierico. Ma in questo caso non è meno sostanziale il fatto che non esistesse poi una sostanziale differenza tra il bagaglio intellettuale e la configurazione spirituale dei semplici preti e monaci da un lato, e del loro gregge dall'altro. E se nel clero s'incontravano eruditi, poeti e conoscitori dell'eredità classica e patristica, non erano una rarità neppure gli ecclesiastici analfabeti[19].

Autori dei modelli di letteratura pastorale che abbiamo ricordato erano spesso uomini molto colti, celebri teologi e scrittori, predicatori e gerarchi della Chiesa. E ciò nonostante, scrivendo i sermoni e le vite dei santi, formulando le domande dei penitenziali e annotando le visioni avute dagli eletti di Dio, essi avevano sempre in mente l'uditorio a cui i parroci e i monaci si rivolgevano con la lettura o l'esposizione orale delle loro opere. Essi dovevano inevitabilmente adattare la lingua e il contenuto stesso dei loro scritti alla sfera, a loro ben nota, delle idee dei comuni predicatori, che a loro volta li esponevano, li interpretavano e li traducevano, attivando un determinato filone di concetti e di idee nella coscienza del loro gregge.

Il fatto che tutti i generi di letteratura mediolatina cui si è accennato fossero ampiamente diffusi e godessero di grande popolarità, e che al tempo stesso dessero prova di un'eccezionale stabilità, giacché si riprodussero senza sostanziali variazioni da un secolo all'altro durante tutto il Medioevo, è la migliore testimonianza della loro efficacia agli occhi della Chiesa. Essi non costituiscono perciò rami periferici e secondari della letteratura dell'epoca, bensí i piú importanti e i piú vitali canali di comunicazione della cultura medievale, direttamente legati alla parola orale, il piú basso strato alla base della cultura, sul quale si fondavano creazioni artistiche piú originali e celebri. Il trattato teologico era patrimonio di un esiguo gruppo di dottori scolastici, i versi e le canzoni dei *vagantes* rimanevano fondamentalmente patrimonio solo del loro ambiente, ma nel Medioevo non c'era persona che non ascoltasse un sermone, che non fosse vivamente interessata ai racconti degli intrighi dei diavoli o dei miracoli, alle leggende agiografiche o ai racconti delle peregrinazioni nell'inferno e nel paradiso, non c'era persona che non si confessasse, rispondendo alle domande che il sacerdote leggeva dal penitenziale. Si tratta veramente di una *letteratura di massa*, il cui contenuto in una forma o nell'altra raggiungeva letteralmente tutti.

Le opere menzionate appartengono fuor di dubbio alla letteratura religiosa, ma non a quella che si rivolge all'élite spirituale, bensí ai «semplici», agli analfabeti. Perciò essa è adattata, adeguata all'uditorio dal quale è a sua volta fortemente influenzata. Credenze e idee popolari, talvolta assai lontane dalla rappresentazione ortodossa del mondo, e che quindi si trovano in diretto contrasto con il dogma ufficiale, *irrompono* in queste opere malgrado le intenzioni dei loro autori. Proprio dai monumenti letterari di questo genere abbiamo il diritto di aspettarci prima di tutto che l'età medievale «si lasci sfuggire una parola di troppo», dica di sé ciò che probabilmente non aveva intenzione, e neanche avrebbe potuto dire coscientemente.

I generi letterari piú elevati venivano in contatto con la letteratura orale popolare non direttamente, bensí proprio tramite la letteratura divulgativa «bassa». Questo strato «basso» della letteratura latina resta, di regola, fuori dal campo visivo degli storici della cultura e della religiosità medievale, e perciò accade che rimangono in sospeso tutte le discussioni sul carattere della religione cristiana nel Medioevo, sulla devozione popolare ecc. Ma appunto di questa corrente letteratura «parrocchiale» si alimentava in notevole misura il pensiero dei «semplici», che nel contempo però forniva anch'esso a questa letteratura soggetti e temi e le trasmetteva un particolare tono «democratico».

Non mancano gli esempi che dimostrino come l'antica tradizione popolare talvolta s'incontrasse nella medesima coscienza con l'ortodossia cristiana. L'eminente artefice del «rinascimento carolingio», Alcuino, in una celebre epistola condannava i monaci di un monastero inglese che durante la refezione in comune ascoltavano «non un lettore, bensí un arpista e non un sermone dei padri della Chiesa, bensí canti pagani». «Che cosa hanno in comune Cristo e Ingeld?» domanda sdegnato Alcuino[20]. (Ingeld, Ingjald, è un personaggio della poesia eroica germanica). La denuncia degli interessi mondani dei monaci da parte di Alcuino si potrebbe considerare sintomo di un incompleto sradicamento dell'eredità pagana e della cristianizzazione ancora imperfetta che si potevano osservare verso la fine del secolo VIII, se non riscontrassimo gli stessi fenomeni anche nel periodo successivo. Verso la metà del secolo XI ascoltiamo infatti la voce del maestro della scuola nella cattedrale di Bamberg, Meinhard, che si lagna del suo vescovo Gunther: «... egli non pensa mai ad Agostino e a Gregorio [Magno], ma costantemente a Etzel, ad Amalung e ad altri come loro»[21]. Etzel è il re degli Unni Attila, Amalung è il nome gentilizio di Dietrich von Bern (il cui prototipo storico è il re ostrogoto Teodorico il Grande). Questi nomi di eroi dell'epos germanico ci riportano all'epoca delle grandi migrazioni dei popoli, cosí viva nella memoria degli uomini medievali.

Ed ecco la scena descritta dal monaco cistercense tedesco Cesario di Heisterbach nel *Dialogo sui miracoli* (secolo XIII). Alcuni monaci negligenti si erano assopiti durante la preghiera mentre altri addirittura russavano; l'abate allora esclamò: «Ascoltate, fratelli, su, ascoltate, vi racconterò una nuova storia straordinaria. C'era una volta un re di nome Arthur». Qui egli si fermò e non continuò la narrazione. «Ecco, fratelli, che gran guaio – disse egli – quando vi parlo di Dio, voi dormite, ma appena comincio a parlare di cose futili, vi svegliate subito e siete pronti ad ascoltare tutt'orecchi!»[22]. Preziosa ammissione!

Nel corso di molti secoli si conservò dunque nel clero un vivo interesse per l'epos, per la poesia eroica, per il romanzo cavalleresco; oltre a questi si potrebbero citare anche altri esempi, tuttavia è sufficiente ricordare che una serie di opere di genere epico, tra cui anche il *Nibelungenlied*, uscí dalla penna di ecclesiastici. Ma se gli eroi della poesia antica, che non avevano niente in comune con la devozione e l'ortodossia, destavano un interesse cosí persistente nei monaci e nei sacerdoti, che dire allora dei laici? Lo ripeto: è assolutamente fondato supporre che filoni diversi – della cultura popolare, le cui radici affondano nel paganesimo e in credenze e usanze arcaiche, e di quella ecclesiastico-cristiana – non solo coesistessero, ma, intersecandosi, *interagissero* nella coscienza degli uomini medievali, dal contadino al vescovo.

Parto quindi dal presupposto che nelle categorie della letteratura mediolatina qui citate emerga in certa misura quell'aspetto della coscienza medievale che non si riesce a mettere in luce con metodi piú diretti. C'è soltanto una strada per verificare la fondatezza di questo presupposto: lo studio di quelle opere. Se la mia ipotesi supererà la prova, se effettivamente riusciremo a convincerci che la *pressione dell'uditorio sugli autori* di queste composizioni era cosí forte che queste opere possono servire da fonti per lo studio della cultura popolare, si aprirà per lo storico una nuova prospettiva in cui studiare la vita spirituale della «maggioranza muta» della società feudale; e in questo caso si riuscirà a penetrare almeno in parte nella coscienza anonima delle masse, che non poteva trovare espressione diretta nella letteratura scritta.

I nomi degli scrittori latini medievali citati nel titolo del capitolo sono stati scelti perché rappresentano in un certo senso pietre miliari nello sviluppo della letteratura occidentale didascalica ed edificante. Cesario di Arles, eminente personalità della Chiesa, fondatore di un ordine monastico, arcivescovo e predicatore in Provenza, santo cattolico, morí nel 542. Cesario di Heisterbach, monaco cistercense originario della Germania renana, autore del popolare *Dialogo sui miracoli*, morí intorno al 1240. Li separano dunque i secoli che abbracciano il primo Medioevo e quasi tutto quello classico. Cesario di Arles dista nel tempo dal suo omonimo tanto quanto quest'ultimo dista da noi.

Nei sette secoli che separano i due autori, la cultura europea mutò radicalmente. Questa asserzione appare indiscutibile, se per cultura s'intendono il pensiero filosofico, la scuola, l'arte figurativa, la poesia. È inutile elencare le grandi conquiste in tutti i campi dell'attività intellettuale e creativa avvenute in Europa fino al secolo XIII, sia come risultato di un autonomo sviluppo, sia anche sotto l'influsso d'impulsi che venivano recepiti dall'esterno, in primo luogo dal mondo arabo. Ma la cultura europea medievale non si esaurisce soltanto nelle opere uniche di Chrétien de Troyes e di Guglielmo di Saint Thierry, dei trovatori e dei *Minnesinger*, di Ottone di Frisinga e di Snorri Sturluson, dei costruttori delle basiliche romaniche e delle cattedrali gotiche. Essa ha anche un suo «sottosuolo». Quest'ultimo consiste nella visione del mondo propria di una data epoca, nella specifica concezione del tempo, dello spazio, dell'anima, del rapporto tra mondo terreno e ultraterreno, nella valutazione delle forze che governano la vita, e infine nell'interpretazione della personalità umana, della sua individualità o, al contrario, della sua fusione nella collettività. Sono abitudini mentali, quasi sempre non consapevoli, ma che hanno tanta piú forza in conseguenza del loro «automatismo» e del loro carattere tradizionale[23]. Tali stereotipi di pensiero e di comportamento si ritrovano piú facilmente forse proprio negli autori «medi» di un'epoca, che meno deviano dalla norma, piuttosto che nei creatori insigni[24].

I nomi di entrambi i Cesario non hanno un significato straordinario per lo storico che studi la cultura del Medioevo e ne ricerchi gli slanci e i progressi supremi. I sermoni di Cesario di Arles o il *Dialogo sui miracoli* di Cesario di Heisterbach non appartengono ai capolavori della letteratura mediolatina. In essi non si sviluppa un raffinato pensiero filosofico o teologico e non troviamo nemmeno particolari raffinatezze stilistiche. Ma per comprendere «il generale sfondo culturale» (l'espressione è di L. P. Karsavin) e la coscienza comune dell'epoca, queste opere, come molte altre affini ad esse per spirito, contenuto e destinazione, sono insostituibili.

Nell'accostarci ad esse ci imbattiamo in un fatto sorprendente. I sermoni di Cesario di Arles e i dialoghi di Cesario di Heisterbach sono separati da un lasso di tempo enorme, sia per estensione sia per ricchezza di mutamenti. Ai tempi di Cesario di Arles stava concludendosi l'insediamento dei barbari nelle province dell'impero romano, si stava avviando la loro cristianizzazione, e venivano fondati i primi ordini monastici; lo scontro e l'interazione tra due sistemi di vita sociale e culturale, quello romano e quello barbarico, preparava il sorgere dell'ordinamento feudale. All'epoca di Cesario di Arles il Medioevo era solo agli inizi. Al tempo di Cesario di Heisterbach invece, il Medioevo, se con questo termine convenzionale si intende l'epoca dello sviluppo del feudalesimo, del dominio dell'ideologia ecclesiastica e del trionfo del potere teocratico, aveva raggiunto la sua piena maturità e si avviava a un lento declino. Il regime delle Signorie, formatosi da molto tempo, stava subendo una profonda trasformazione; al castello feudale si contrappone un nuovo centro di attività economica e sociale, la città; le crociate stavano terminando; la Chiesa aveva perso il monopolio dell'istruzione e in generale dell'attività intellettuale; si sviluppavano le letterature nelle lingue nazionali; i paesi dell'Europa erano investiti dalle potenti ondate dei movimenti eretici. Se con l'epoca di Cesario di Arles si concluse il rigoglio della patristica, ai tempi di Cesario di Heisterbach iniziò il passaggio alla tarda scolastica. Ho citato tutti questi fenomeni ben noti unicamente per sottolineare la profondità dei mutamenti di cui furono ricchi i secoli che separano il primo Cesario dal secondo.

Ma lo studio dei sermoni, dei dialoghi, dei catechismi, degli *exempla* e delle altre opere destinate ad un'ampia diffusione, ci porta a concludere che in questo lungo periodo la letteratura didascalica, in sostanza, non si era quasi sviluppata. I suoi tratti caratteristici si riscontrano tanto nelle opere dei secoli VI-VIII quanto in quelle dei secoli XI-XIII.

Una spiegazione di questa immobilità con il notorio tradizionalismo proprio della letteratura medievale, in particolare di quella religiosa, a prima vista appare agevole. A differenza della letteratura dell'età moderna, la letteratura del Medioevo sottostava ad una rigorosa etichetta, al dominio di alcuni «luoghi comuni», che si trasmisero da un'opera all'altra nel corso di un lungo periodo di tempo; nella presenza di «luoghi comuni» e di una consueta e conosciuta topica gli autori medievali vedevano solo un pregio, e assolutamente non un difetto. L'orientamento verso l'autorità e la tradizione generava un'enorme «eccedenza» di informazioni; tuttavia le opere della letteratura medievale non sembrano offrire informazioni solo dal punto di vista attuale, che piú di tutto valuta l'originalità e la ricerca di dati e conoscenze nuovi. L'autore medievale, come pure il suo lettore, trovava indubbiamente appagamento nella ripetizione di verità e formule note, nella condensazione di citazioni palesi o nascoste, nelle infinite variazioni su un tema stabilito una volta per sempre.

Ma un attento studio della cultura medievale ci convince che le creazioni degli eccezionali ingegni di quest'epoca non si limitavano alla ripetizione; ognuno di essi portava un proprio contributo, di solito senza negare la tradizione precedente, ma inserendosi in essa. Spesso è difficile individuare ciò che è nuovo e originale, inghiottito com'è nel mare dei «luoghi comuni» e delle verità da tempo consolidate. Occorre invece supporre che le piú piccole sfumature nuove, tali da sembrare solo insignificanti spostamenti di accento, a quel tempo venissero percepite in modo molto piú sensibile che ai giorni nostri. La letteratura medievale, l'arte, la filosofia, pur sottostando inevitabilmente al controllo e all'autorità della Chiesa e partendo dal postulato che la verità è una sola, ed è già stata rivelata, e che, di conseguenza, si può parlare soltanto di nuove interpretazioni[25], ciò nonostante non rimanevano statiche.

Il carattere alquanto immobile della letteratura didascalica difficilmente può essere spiegato in maniera del tutto soddisfacente, se si tiene presente solo il tradizionalismo, che è in effetti proprio del Medioevo. Altri campi della creazione scritta dell'epoca non sono caratterizzati da un tale grado di immobilità.

È mia convinzione che la particolarità delle opere della letteratura edificante fosse in primo luogo determinata dalle caratteristiche dell'uditorio a cui erano destinate. La maggioranza della popolazione europea di quel tempo era costituita da abitanti della campagna, il cui modo di vivere era interamente sottoposto alla routine e il cui orizzonte era estremamente limitato. Il conservatorismo è un carattere imprescindibile di questo ambiente, che accoglie il nuovo con circospezione, sospetto e diffidenza. Giacché il nuovo porta con sé la violazione di quell'equilibrio che appariva la condizione ideale in tutti i campi, compreso quello spirituale e che ci si sforzava in ogni modo di mantenere. I comuni ascoltatori dei sermoni e delle leggende sacre, dunque, non si aspettavano dai loro pastori originalità di pensiero e non erano inoltre in grado di apprezzarla. Il pubblico non esercitato alla lettura ricavava appagamento intellettuale appunto dall'ascolto di cose consuete e già note. Nell'età medievale la conoscenza consisteva in notevole misura nell'identificare le nuove informazioni con quelle precedentemente assimilate, e di conseguenza si riduceva prima di tutto ad un riconoscimento.

Il variegarsi della composizione sociale dei parrocchiani e l'aumento del numero di piccoli borghesi, mercanti, artigiani e cavalieri non portarono immediatamente a mutamenti di principio in questi orientamenti intellettuali profondamente radicati. Le abitudini mentali erano condivise da tutta la società, non solo dai suoi strati inferiori. Non si può assolutamente trascurare il fatto che le informazioni piú importanti si diffondevano a tutti i livelli sociali quasi esclusivamente tramite la comunicazione diretta. La fonte delle notizie di cui un individuo disponeva era principalmente l'esposizione orale[26]. Tale mezzo di comunicazione è piú di qualsiasi altro caratterizzato da valutazione acritica delle informazioni, fiducia nella parola, predisposizione ai travisamenti, provocati da molteplici fattori. Le nuove informazioni, non essendo rigorosamente e univocamente fissate, venivano facilmente rielaborate dal meccanismo della percezione collettiva secondo le leggi della coscienza folklorica, venivano adeguate alle idee già esistenti e ricondotte ai consueti cliché. La ben nota inesattezza medievale su tutti i dati quantitativi, cifre, date, intervalli di tempo e di spazio, misure di peso, di superficie, di lunghezza, è una manifestazione particolare del carattere approssimativo della coscienza comune in generale. La disponibilità ad accettare qualsiasi notizia fantastica, la tendenza a credere nel soprannaturale, l'organizzazione delle notizie secondo i canoni della fiaba e della leggenda sono proprie della coscienza collettiva non soltanto in un'epoca di santi e taumaturghi, ma proprio in questo periodo la facoltà mitopoietica si sviluppa in maniera particolarmente organica.

Il livello di coscienza che ci interessa è quanto mai estraneo ai concetti astratti. Ciò che è generale e astratto è recepito esclusivamente se incarnato in immagini concrete. Le essenze piú spiritualizzate vengono facilmente trasformate da questo sistema in corpi materiali palesemente percettibili e sono personificate. Per l'uomo istruito, per il sacerdote, per il monaco, simili personificazioni (ad esempio dei peccati e delle virtú) possono avere, sia pure in parte, un carattere metaforico o allegorico, ma difficilmente si può dubitare che i loro ascoltatori conferissero sostanza carnale alla metafora e credessero nella sua reale esistenza.

Si è già precedentemente rilevato che una parte considerevole del clero, in particolare di quello basso, non si era di molto allontanata dal popolo nel suo sviluppo intellettuale, e anche nel livello d'istruzione. Ma non si tratta soltanto di questo. L'attività di un pastore spirituale poteva essere produttiva a condizione che egli fosse comprensibile ai suoi parrocchiani. Di chi era il «territorio» intellettuale, se cosí si può dire, sul quale essi trovavano questo linguaggio comune? In quale misura il sacerdote era in grado di elevare i fedeli al livello indispensabile per instillare in loro un minimo di idee e immagini religiose, non travisate dalla divulgazione? O era piuttosto lui che si abbassava al livello di coscienza degli ascoltatori, volgarizzando la dottrina predicata?[27]. Dove precisamente avveniva questo incontro? Che cosa dovevano sacrificare i maestri per essere capiti almeno in parte?

Le risposte a queste domande, che hanno un'importanza fondamentale per comprendere la coscienza collettiva del Medioevo, si potrebbero cercare in autori come Cesario di Arles o Cesario di Heisterbach, papa Gregorio Magno o in storici come Gregorio di Tours e Beda il Venerabile, infine negli autori delle innumerevoli leggende agiografiche e delle visioni.

Questi autori vissero in epoche diverse e tra loro esistevano naturalmente considerevoli differenze, determinate dalle loro individualità, dall'epoca, dall'ambiente. Le differenze erano spesso provocate anche dalla disparità dei problemi che i predicatori e gli altri scrittori ecclesiastici dovevano risolvere. Uno dei primi intenti dell'attività dei maestri cristiani all'inizio del Medioevo era la conversione dei pagani alla nuova fede e l'estirpazione delle vestigia dei vecchi culti, mentre i predicatori dell'epoca piú tarda si scontravano con altri problemi, in particolare con un'eresia ampiamente diffusa. La differenza è sostanziale. Ma poiché l'attività creativa degli autori ecclesiastici mi interessa in questa sede principalmente sotto l'aspetto dell'influenza inversa che su di loro esercitava l'uditorio, anche queste differenze passano qui in secondo piano. Come è già stato rilevato e come cercherò di dimostrare in seguito, la letteratura creata dalla Chiesa per il popolo, in sostanza, non mutò nei suoi tratti fondamentali, e perciò può essere considerata come un insieme, da Cesario di Arles fino a Cesario di Heisterbach. Un insieme non significa in questo caso «per intero». Abbracciarla tutta è semplicemente impossibile, è compito superiore alle forze di un solo ricercatore, mentre le fonti sono sconfinate: ma per tracciare il profilo della letteratura didascalica ciò non è, a quanto pare, neanche indispensabile. Prove diverse hanno confermato la mia idea di una relativa omogeneità di questa letteratura, se la si esamina dal punto di vista della visione e del metodo di conoscenza del mondo di cui è permeata. È perciò possibile limitarsi all'analisi di una serie di opere, prendendo in considerazione, per quanto è possibile, generi differenti. I sermoni di Cesario di Arles, i *Dialoghi* di Gregorio I, le narrazioni di Gregorio di Tours sui santi e i miracoli, le vite dei santi merovinge e carolinge, le numerose annotazioni di visioni dell'aldilà, gli *exempla*, i modelli di teologia volgare, i penitenziali della Chiesa cattolica, il *Dialogo sui miracoli* di Cesario di Heisterbach, le *Storie memorabili* di Rudolf di Schlettstadt sono l'ambito delle fonti utilizzate in questo libro[28].

Una tale selezione delle fonti, tra le quali ci sono opere di autori medievali largamente noti, contraddice forse l'affermazione, fatta in precedenza, che i monumenti della letteratura mediolatina piú «rappresentativi» per lo studio delle forme della coscienza di massa sono quelli meno originali? Papa Gregorio Magno fu per tutto il Medioevo una delle autorità piú importanti e continuamente citate, Gregorio di Tours era un illustre storico franco; altrettanto celebre era Beda il Venerabile. Ciononondimeno vi sono fondate ragioni per utilizzare i loro lavori ai nostri scopi; si tratta però prevalentemente di opere di un genere determinato[29]. Tra le opere di Cesario di Arles hanno particolare interesse i sermoni, tra i lavori di Gregorio I, i *Dialoghi*; ad attirare la nostra attenzione non sono tanto le opere storiche di Gregorio di Tours e di Beda (ma anche queste), quanto il loro contributo all'agiografia.

Sia Cesario di Arles che Gregorio I appartenevano al novero degli uomini piú colti in Occidente nel secolo VI. Malgrado ciò, a differenza di Boezio o di Cassiodoro, non li si può considerare continuatori della cultura antica: essi sono «i fondatori del Medioevo», con loro inizia una nuova tappa della storia della cultura. Ricordiamo gli sdegnati rimproveri che Gregorio I rivolgeva al vescovo gallico Desiderio, il quale, amareggiato per l'ignoranza dilagante, si mise ad insegnare alla gente la grammatica latina, scelta che richiese l'utilizzazione di alcune opere della letteratura antica. Gregorio I proibí queste lezioni: le medesime labbra non possono pronunciare contemporaneamente Giove e Cristo! È inaudito e assurdo che un vescovo citi quello che neanche un laico deve leggere[30]. Il papa non interviene qui, propriamente, contro lo studio della grammatica, indispensabile anche per la comprensione dei testi della Sacra Scrittura: egli condanna lo studio della letteratura laica fine a se stesso. Inoltre il centro dell'attenzione si sposta dalle bellezze e dalla ricercatezza della forma letteraria all'esatta interpretazione del significato di un testo teologico: barbarismi e solecismi non sono importanti[31]. Allo stesso modo anche Cesario di Arles, scusandosi con i lettori per il suo «sermone semplice e dimesso [pedester]», in sostanza avanzava il postulato di un nuovo stile. L'eloquenza retorica non è piú necessaria, la semplicità e la naturalezza, di cui scrivono continuamente gli autori ecclesiastici del primo Medioevo, non sono affatto considerate da loro un difetto. *Pedester sermo*, *rusticitas*: questa è la piú adeguata forma d'espressione del nuovo contenuto[32].

Gli autori latini del secolo VI e di quelli successivi, nelle prefazioni ai loro lavori, di regola, confessano l'incapacità di esprimersi in uno stile elevato: la richiesta di indulgenza per la grossolanità dello stile diventò un luogo comune nella letteratura mediolatina. Le dichiarazioni di questi scrittori circa la loro ignoranza e la «rozzezza» del loro stile sovente sono viste come il sintomo di quella decadenza dell'erudizione che accompagnò la fine dell'epoca antica. Altri studiosi interpretano queste confessioni come semplici «formule di umiltà», la cui tradizione risale agli autori paleocristiani: l'uomo non è in grado di esprimere degnamente la parola di Dio, e la vecchia retorica romana, per di piú permeata di spirito pagano, è assolutamente inadatta a questo scopo[33]. Né un'interpretazione né l'altra sono prive di fondamento. Tuttavia un simile approccio alla letteratura mediolatina è troppo limitato e inadeguato.

Non mi pare legittimo interpretare l'inclinazione degli autori medievali per la topica letteraria tradizionale, il cui significato è stato sottolineato con particolare insistenza da E. R. Curtius[34], esclusivamente sostenendo che il loro pensiero era banale e privo di originalità. I piú recenti studi hanno dimostrato quanto fosse giustificato in modo vario e funzionale l'impiego dei «luoghi comuni» nelle opere di questo periodo. I *loci communes* non passavano semplicemente da un'opera all'altra come retaggio dell'antichità; inseriti in un nuovo contesto, essi acquisivano spesso un'altra risonanza, si impregnavano di un significato originale. Di conseguenza, è importante non enucleare da un'opera medievale le citazioni che riconosciamo come provenienti dai lavori di autorevoli scrittori antichi e paleocristiani, bensí analizzarle all'interno del testo in esame[35]. In particolare non deve trarre in inganno neanche il topos dello «stile rozzo»[36], in cui scrivono gli agiografi del primo Medioevo.

In effetti Cesario di Arles, Gregorio di Tours e altri scrittori scelgono consapevolmente questa forma letteraria, poiché, come ha giustamente rilevato E. Auerbach[37], era scomparso il vecchio pubblico di lettori che un tempo erano in grado di capire e apprezzare la raffinatezza grammaticale e stilistica della letteratura antica. Nello stesso tempo i fenomeni e gli stati d'animo che diventano oggetto di descrizione da parte di Cesario di Arles e Gregorio di Tours non potevano essere espressi nelle forme stilistiche della cultura classica elevata, dal cui punto di vista erano troppo bassi e meschini. Gli insegnamenti degli autori ecclesiastici erano ora rivolti ad un altro uditorio, analfabeta o semianalfabeta, e che quando ascoltava la parola del pastore manifestava di conseguenza esigenze assolutamente nuove. Nel Medioevo gli autori di chiesa amavano ripetere la domanda retorica di Agostino: «A chi serve una lingua impeccabile, se gli ascoltatori non sono in grado di afferrarne il senso?»[38]. Al Signore non interessa la grammatica, egli ascolta il cuore, e non la parola. Agli occhi di questi uomini l'analfabetismo non solo non era d'impedimento alla salvezza dell'anima, al contrario, la favoriva: «non so leggere e scrivere, e perciò entrerò nel Regno dei Cieli»[39].

Il lagnarsi della propria rozzezza letteraria rappresentava la forma specifica di una nuova autoaffermazione dell'autore. Ciò è testimoniato con eccezionale chiarezza dalle dichiarazioni di Gregorio di Tours. Nella prefazione al racconto su san Martino, Gregorio confessa di essersi accinto a scriverlo non senza paura e dopo molte esitazioni, poiché si sentiva « inops litteris, stultus et idiota ». Sua madre gli era apparsa in sogno e aveva convinto Gregorio che proprio il modo di parlare e di scrivere a lui abituale era l'unico giusto, perché era comprensibile al popolo, e sarebbe stato un delitto da parte sua tacere e non portare a compimento un'impresa pia[40]. Affliggendosi per la propria ignoranza, Gregorio poi si consola al pensiero che il Signore « per distruggere la vanità dell'umana sapienza scelse non dei retori, bensí dei pescatori, non dei filosofi, bensí dei contadini »[41]. In questa contrapposizione tra saggezza terrena e divina, tra la filosofia e la scrittura, per il vescovo di Tours la verità sta soltanto da una parte. Respingendo le « favole » su Saturno, Giunone, Giove, Nettuno, Cupido, Achille, Laocoonte e gli altri personaggi pagani, Gregorio di Tours si dedica al racconto dei miracoli, compiuti dagli eletti di Dio, i santi[42]. Ma per narrare la gloria dei martiri non è obbligatorio conoscere i generi, i casi e le altre sottigliezze grammaticali (Gregorio confessa, forse in parte per scherzo, che, essendo « un villano e un ignorante », spesso confonde il maschile con il femminile, prende il neutro per femminile e mette il maschile al posto del neutro)[43]. Perché « pochi capiscono un retore che filosofa, mentre molti capiscono il discorso di un semplice »[44]. Nel capitolo conclusivo della *Storia dei Franchi*, Gregorio elenca le sue opere e, richiamandosi nuovamente alla « rozzezza » del suo stile, supplica tutti i sacerdoti, che dopo di lui reggeranno la diocesi di Tours, di non cambiare nulla di ciò che egli ha scritto, ma di conservare i suoi lavori nella loro integrità e inviolabilità[45]: è forse necessaria una testimonianza piú eloquente dell'elevata autocoscienza dell'autore?[46]. Le origini di questa nuova autocoscienza sono radicate nella consapevolezza, che hanno gli scrittori del primo Medioevo, dell'importanza della loro funzione sociale: il vecchio pubblico colto è stato sostituito da un nuovo, vasto uditorio, al quale appunto sono indirizzati i loro discorsi, i loro sermoni, le loro vite, sí di cattiva e rozza fattura, ma per questo motivo comprensibili a tutti[47].

Già Geronimo scriveva che per essere capito dal popolo, il predicatore può anche peccare contro le regole di grammatica, e non per ignoranza, ma perché «nella Chiesa c'è un gran numero di semplici e di ignoranti»[48], e proprio a loro devono rivolgersi gli scritti degli uomini di Chiesa. La frase in cui si dice che il Salvatore scelse i suoi discepoli tra pescatori e pastori, e non tra retori e filosofi, passa da un'opera all'altra, ma non è un vuoto «luogo comune» (come pure la contrapposizione tra «rozzezza», «grossolanità», *rusticitas* e «raffinatezza», «erudizione», *urbanitas*), bensí un topos, che esprime il sostanziale orientamento degli scrittori latini durante un lungo periodo della storia della cultura europea. Essi si indirizzavano consapevolmente ad un vasto uditorio, composto di persone notoriamente analfabete e ignoranti, cercavano di avere con loro un contatto diretto e tentavano di ridurre quanto possibile la distanza che li separava.

Abbiamo dunque di fronte una letteratura nuova per i suoi intenti ed orientamenti, che esprimeva le esigenze della società nella quale nasceva e viveva. La lingua parlata, che irrompe nelle pagine delle opere di Gregorio di Tours e di altri autori, è il sintomo di un radicale rivolgimento non soltanto nello stile letterario, ma anche nei rapporti tra scrittore e pubblico, la cui composizione era decisamente cambiata.

Come si è già accennato, gli autori ecclesiastici creavano opere di due tipi – divulgative e piú specialistiche – ed avevano chiara coscienza delle differenze esistenti tra loro. Gregorio Magno, i cui commentarî al *Libro di Giobbe*, per sua stessa ammissione, non erano un *opus populare* e difficilmente potevano essere pane per i denti di «rozzi ascoltatori»[49], destinò i suoi *Dialoghi sulle vite e i miracoli dei santi padri italiani* ad un piú vasto uditorio. Quale importanza questo papa attribuisse all'istruzione e all'educazione religiosa di ignoranti e analfabeti, risulta chiaro anche da una sua epistola al vescovo di Marsiglia, Sereno. Gregorio I gli proibisce di abolire le effigi dei santi: se non le si trasforma in oggetti di idolatria, esse hanno un eccezionale significato: per i semplici ignoranti hanno lo stesso significato che i testi scritti hanno per gli uomini colti[50]. Analizzeremo in seguito la *Vita di san Remigio* di Incmaro di Reims: la sua prefazione contiene in un certo senso la chiave per la scomposizione strutturale di tutte le opere analoghe. L'arcivescovo di Reims segnala nella

Vita la presenza di due livelli: uno destinato ad essere studiato da persone colte, e l'altro destinato alla lettura pubblica di fronte ad ascoltatori analfabeti, e svolge coerentemente questo principio in tutto il testo.

Che la letteratura edificante e agiografica s'indirizzasse ad un pubblico popolare è indubbio. Lo si vede con eccezionale chiarezza dai sermoni dello stesso Cesario di Arles. I suoi ascoltatori sono gli abitanti della campagna nella Gallia meridionale. Nel commentare soggetti religiosi Cesario di Arles ricorreva a paragoni tratti dalla vita rurale. «Dobbiamo aver cura dell'anima cosí come coltiviamo i nostri campi»[51]: su questo tema è scritto un intero sermone. Il vescovo di Arles concluse uno dei suoi sermoni dicendo: «Sarebbe piacevole parlare ancora di san Giuseppe, ma i poveri si affrettano al loro lavoro, quindi è meglio rimandare a domani»[52]. Non è difficile indovinare a chi fossero rivolte le numerose prediche sulla perfidia del diavolo e sulla necessità di ripudiare la pratica pagana, in particolare i culti agresti. Altrettanto chiaro è il destinatario di un altro sermone, nel quale vengono citati, per confutarli, i discorsi di certi contadini sul fatto che essi sono uomini rozzi, analfabeti, assorbiti dal lavoro dei campi, e perciò non son capaci né di leggere né di ascoltare la parola di Dio, mentre cantano volentieri «sporche e vergognose canzoni diaboliche e amorose» e le tengono a mente con facilità; essi capiscono ciò che suggerisce loro il diavolo, perché allora, domanda il predicatore, non riescono a capire ciò che insegna loro Cristo? Esistono due specie di campi, continua Cesario, il campo del Signore, l'anima umana, e il campo dell'uomo, la sua terra. Come sia possibile coltivare la terra, dimenticando la salvezza dell'anima e cosí via, questo parallelo, ispirato al lavoro dei campi, è svolto in ogni dettaglio[53].

L'autore della biografia di Cesario ha notato una particolarità delle sue prediche: egli non si dilunga su temi generali, ma cita continuamente esempi illuminanti, tratti dall'esperienza di vita[54]. Lo stesso Cesario lo ammetteva: «Se io espongo la Scrittura cosí come lo facevano i Santi padri, questo cibo sazia solo pochi eruditi, e la massa del popolo resta affamata. Perciò – continua egli, rivolgendosi alla parte istruita del suo uditorio – vi prego umilmente: che il vostro dotto udito sopporti benevolmente le parole rozze, affinché tutto il gregge del Signore possa ricevere il nutrimento spirituale in una lingua semplice e, per cosí dire, volgare»[55]. E in effetti, la lingua e il pensiero di Cesario sono estremamente chiari e semplici. Citerò ad esempio il sermone nel quale egli spiega ai parrocchiani la necessità di reprimere i propri istinti sessuali. Il matrimonio è permesso al solo scopo di procreare. I rapporti sessuali intemperanti non sono ammissibili neanche con le proprie mogli. Affinché ciò diventasse piú comprensibile ai suoi ascoltatori, Cesario ricorre ad un paragone un po' rozzo: egli richiama la loro attenzione sul fatto che certamente nessuno di loro lavora e semina lo stesso campo piú volte all'anno e fa assegnamento su piú di un raccolto[56].

Sermoni, prediche, narrazioni di miracoli e opere agiografiche sono chiaramente destinate a un ascoltatore semplice e ignorante e di qui derivano le loro particolarità di stile e di linguaggio. Il pensiero che le informa è estraneo ad astrazioni e ragionamenti generali, viene espresso mediante paragoni semplici e immagini vivaci, le descrizioni sono quanto mai chiare. Gli autori guardano il mondo con occhi diversi da quelli dei loro predecessori antichi. E. Auerbach parla del «gusto per il concreto» come di un'importante particolarità dello stile figurativo di Gregorio di Tours, ma è un tratto caratteristico di tutti gli scrittori che lavoravano in quei generi letterari. È del tutto probabile che i testi latini dei sermoni, di cui noi disponiamo, fossero il risultato di un'elaborazione letteraria di sermoni pronunciati inizialmente nella lingua madre del gregge degli ascoltatori, o che, al contrario, servissero da base per l'esposizione orale in quella lingua[57]. A quell'epoca però tradurre da una lingua volgare in latino significava passare da un sistema di idee e di espressioni ad un altro sostanzialmente diverso, poiché la lingua del popolo differiva dal latino per l'assenza di astrazioni, per una maggiore concretezza e fluidità della forma[58].

Questo gusto per ciò che è concreto e lampante, che si recepisce e si tiene a mente con facilità, è caratteristico di tutta l'opera di Gregorio di Tours. Ciò nondimeno la demarcazione tra due generi di narrazione è nettamente rintracciabile anche nella sua opera. Gregorio è celebre prima di tutto per la sua *Storia dei Franchi*, nella quale fuse la storia del regno franco e dei suoi governanti con la storia della Chiesa e della cristianizzazione della Gallia, includendo entrambe in un saggio di storia universale cristiano-biblica. Quest'opera contiene molto materiale agiografico, che qui però non poteva svolgere un ruolo autonomo e veniva inserito quasi incidentalmente, in relazione alla soluzione di problemi storiografici[59]. La storia e le leggende agiografiche differivano tuttavia nel disegno e nella struttura, nelle potenzialità in esse contenute[60].

In effetti, lo storico subordina la sua esposizione alla successione cronologica e collega gli eventi da lui descritti a determinati periodi di tempo. L'agiografo invece è indifferente a queste esigenze: in una vita o in una leggenda non s'incontrano quasi mai informazioni sull'anno o il mese di nascita o di morte del santo, benché sovente venga comunicato il giorno della settimana o la festa religiosa in cui avvenne la sua beata morte (e addirittura l'ora), come pure l'età che egli aveva quando concluse la sua esistenza terrena. Del resto neanche l'età ha per un santo il significato che ha solitamente per i comuni mortali, giacché il santo ha « il cuore di un vecchio », cioè ha saggezza e maturità spirituale, indipendentemente dalla sua esperienza terrena, già nell'infanzia. Perciò l'espressione *puer senex* è abituale per l'agiografia[61]. L'agiografo, di regola, si preoccupa poco anche delle altre date. Il suo disinteresse per l'inserimento della vita del santo da lui celebrato in uno spazio storico ha un carattere di principio: il santo vive fuori del tempo, appartiene al mondo delle verità e delle virtú eterne, perciò può essere collegato, propriamente, solo al tempo del ciclo liturgico; per lui invece il mondo terreno, storico, non è altro che un luogo di permanenza temporanea e penosa, « di prigionia », « di pellegrinaggio in terra straniera ». Però è proprio « in terra straniera » che egli compie le sue sante imprese.

Un'altra differenza tra il genere agiografico e quello storiografico che qui andrebbe rilevata è una diversa valutazione della causalità. Gli storici medievali non potevano accontentarsi, come gli autori delle leggende agiografiche, di far riferimento unicamente alla provvidenza divina: essi avevano bisogno di spiegare anche le cause razionali degli eventi da loro descritti, e la successione cronologica stessa presupponeva tale spiegazione. Nel racconto delle azioni di un santo o dei miracoli da lui compiuti, al contrario, a ognuna delle sue imprese veniva attribuito un significato a sé stante, che non richiedeva una motivazione causale: il miracolo è fondamentalmente acausale, è una violazione della causalità terrena. Il santo agisce conformemente alla volontà di Dio, alle *causae primae*, che risalgono direttamente a Lui, mentre le umane *causae secundae* sono soltanto ostacoli da superare[62]. Il santo infatti è l'incarnazione di un modello atemporale e non legato dalle condizioni umane e terrene. Il tipo ideale di comportamento che egli personifica si contrappone al comportamento effettivo degli uomini, che vivono la storia reale e vi partecipano: proprio qui era racchiuso in primo luogo il valore che le leggende e le vite avevano per la Chiesa.

Gregorio di Tours, come molti altri autori ecclesiastici, aveva chiara coscienza della funzione didattica delle leggende agiografiche e operò molto nel campo della letteratura delle vite. Queste sono per lo piú composizioni di forma breve, si differenziano dalle storie per la concisione dell'esposizione e sono incentrate sui miracoli compiuti da santi e beati; la loro lingua è molto semplice. Queste particolarità delle opere agiografiche del vescovo di Tours sono tutte collegate una all'altra. La breve narrazione di un atto miracoloso o edificante compiuto da un santo era destinata ad essere letta o raccontata durante il sermone in Chiesa, solitamente nel giorno consacrato a quel santo; un'ampia narrazione della vita era meno adatta a questo scopo.

Gregorio di Tours seguiva gli stessi princìpî del sermone edificante che emergono tanto chiaramente nell'opera di Cesario di Arles. Basta confrontare le descrizioni che Gregorio fa di uno stesso soggetto in opere di generi diversi. Nella *Storia dei Franchi* egli racconta piú volte le dispute teologiche tra cattolici ed eretici ariani o ebrei[63]. Ad alcune di queste discussioni aveva preso parte anche lo stesso Gregorio. Tutte le schermaglie teologiche sono esposte nella sua opera in modo estremamente dettagliato; le parti ricorrono all'ausilio di citazioni tratte dal Vecchio e dal Nuovo Testamento. Pur mirando a confermare e celebrare l'ortodossia cattolica, Gregorio però non nasconde che questa polemica non portava sempre al trionfo dei cattolici e alla conversione o allo smascheramento degli infedeli. Simili descrizioni (come la *Storia dei Franchi* in generale) non potevano essere destinate alla comprensione dei « semplici ignoranti ». Ma ecco che la stessa disputa tra sacerdoti cattolici e ariani viene descritta da Gregorio nei *Libri sui miracoli*. Qui non vengono addotti argomenti teologici né ci si richiama ad autorevoli pareri in materia. Invece di questo, un ariano propone a un cattolico di dimostrare la ragione o il torto mediante «il giudizio divino»: a turno essi devono tentare di tirar fuori da una pentola d'acqua bollente un anello che vi è stato gettato; dopo essere rimasta a lungo nell'acqua bollente, la mano del giusto, che ha estratto l'anello, appare senza scottature, mentre l'eretico si ustiona la mano fino all'osso[64]. Se nella *Storia dei Franchi* Gregorio mirava a motivare la verità del cattolicesimo come dottrina ideologica, nei *Libri sui miracoli* il cattolicesimo è semplicemente piú forte dell'arianesimo, è una fede capace di compiere un miracolo, mentre l'eresia non produce miracoli autentici.

Le persone non istruite, ignoranti, non erano in grado di comprendere le enunciazioni delle autorità religiose; su di loro influiva in modo molto piú efficace il sobrio racconto di un miracolo compiuto da un santo del luogo. La diffusione della letteratura delle vite, l'insistenza con la quale gli autori delle leggende riproducevano sempre gli stessi motivi, la prolificità di tali autori, come Gregorio di Tours, alla cui penna appartengono i *Libri sui miracoli*, il *Libro sulla gloria dei beati confessori*, i *Quattro libri dei miracoli del santo vescovo Martino*, le *Vite dei padri*, mostrano quanto fosse importante il ruolo educativo che il clero assegnava all'agiografia.

Come abbiamo visto, fu trovato abbastanza presto il tipo di narrazione piú conveniente e adatto ad un sermone: la novella breve, studiata in modo da poter essere letta tutta in una volta sola. Cesario di Arles scriveva sermoni che esponeva al massimo in mezz'ora, tenendo conto delle particolarità dell'attenzione degli ascoltatori. Il soggetto della novella è quanto mai semplice, e vi si trovano raramente piú di uno o due protagonisti. La narrazione porta il lettore direttamente, senza alcuna deviazione, all'epilogo devoto, alla morale, in funzione della quale appunto era annotato il racconto. Stavo quasi per scrivere: «era composto», ma gli autori invariabilmente sottolineavano che essi non avevano né inventato né aggiunto nulla a quella storia veritiera, di cui erano stati testimoni o essi stessi, o persone di loro conoscenza, o altre persone degne di fede.

Anche le vite piú estese si dividevano in piccoli frammenti in sé compiuti, che potevano essere utilizzati separatamente, al di là del loro legame con l'insieme. Propriamente, questo insieme era già presente in ognuno di tali frammenti, poiché in qualunque brano si parlava di una santa impresa dell'eroe della fede, di un miracolo da lui compiuto e, di conseguenza, il legame soprannaturale tra il santo e le forze supreme veniva qui pienamente mostrato e dimostrato. In una vita, simili descrizioni, di regola, si susseguivano semplicemente una dopo l'altra (D. S. Lichačev parla di «principio di fuga» nella struttura delle opere di genere agiografico), poiché nella biografia di un giusto non si verificava nessuna evoluzione della personalità, la sua santità si rivelava fin dall'inizio, sovente nell'infanzia, e in alcuni casi era preannunciata ancor prima della nascita. La narrazione degli atti del santo non s'interrompeva neanche con la sua morte; al contrario, proprio dopo la morte aumentava il numero dei miracoli da lui compiuti, in particolare delle guarigioni. Ciò giustificava il valore attribuito al possesso delle sue reliquie.

L'agiografia, che ebbe ampia diffusione nel periodo merovingio, godette di eccezionale popolarità durante tutto il Medioevo. A questo genere appartiene la *Legenda aurea* di Iacopo da Varazze (secolo XIII). Nelle vite si manifestò una enorme capacità di riprodurre sempre la stessa tematica con queste o quelle variazioni. In una «vita» si combinavano due fattori: la fantasia popolare, che ricorreva volentieri a immagini e motivi consueti (l'agiografia è «la docile eco della tradizione popolare»)[65], e l'attività redazionale dell'autore ecclesiastico, che modificava il carattere e la struttura della leggenda, accentuando la tendenza ideologica religiosa. Le leggende agiografiche possono stupire e stancare il lettore di oggi per la loro costante uniformità. Ma una simile reazione da parte dell'uomo dei nostri giorni non ha nulla in comune con l'atteggiamento che gli uomini del Medioevo avevano verso l'agiografia. Evidentemente essi trovavano appagamento intellettuale proprio nel ripetersi di ciò che era già noto, fosse la vita di un santo, il racconto di una visita nell'oltretomba, una fiaba o l'epos.

Di altrettanta notorietà godevano i racconti delle visioni, delle peregrinazioni dell'anima nel regno dell'aldilà. I racconti che narravano di coloro che, in sogno o dopo aver esalato l'ultimo respiro, si ritrovavano nel mondo dell'oltretomba, poi ritornavano tra i vivi e comunicavano ciò che avevano visto e vissuto in paradiso e all'inferno, attiravano straordinariamente l'uomo del Medioevo. Le ragioni di tale interesse sono comprensibili. Anche qui ci imbattiamo nello stesso fenomeno di monotonia tematica e di estremo tradizionalismo del genere. Il confronto tra le descrizioni delle visite nell'aldilà, che s'incontrano nei *Dialoghi* di Gregorio Magno, in Gregorio di Tours, in Beda, in Bonifacio, nella *Visione di Paolo*, nella letteratura monastica irlandese, in Incmaro e in altri autori del periodo carolingio, fino agli immediati predecessori di Dante, rivela in sostanza il persistere delle stesse immagini e degli stessi motivi[66]. Molti si ripetono senza variazioni. Con il passare del tempo queste narrazioni diventano piú estese e organiche (ad esempio la *Visione di Tnugdal*), e gli studiosi vi ravvisano quasi degli «abbozzi» della futura *Divina Commedia*. Ma nonostante una certa evoluzione del genere delle visioni ultraterrene durante i secoli VI-XIII, tutti questi racconti sono sempre prodotti della medesima mentalità.

Gli autori delle visioni si rivolgevano a un uditorio assai eterogeneo, le descrizioni dell'inferno e del paradiso avevano un effetto incantatore su tutti, dai popolani ai re. Ai potenti in particolare erano indirizzate le cosiddette «visioni politiche», nelle quali si raccontava la sorte ultraterrena di questi o quei governanti; e tale sorte dipendeva molto dai loro rapporti con il clero. Le «visioni politiche», che ebbero particolare diffusione nel periodo carolingio; in mano all'alto clero esse erano un mezzo per esercitare una pressione diretta su coloro che gestivano il potere statale[67].

Sarebbe perciò erroneo vedere nello stato della letteratura latina all'inizio del Medioevo soltanto un segno della decadenza della cultura antica (o, alla fine del secolo VIII e nel IX, sotto Carlo Magno, vedere un sintomo della sua rinascita). Era mutata la composizione sociale dell'uditorio al quale gli scrittori si sarebbero rivolti da allora in poi; ad un gruppo scelto e relativamente ristretto di lettori erano subentrati i piú ampi strati della popolazione – contadini, cittadini, guerrieri –, quasi senza eccezione analfabeti. Di conseguenza mutò anche la letteratura. Accanto alla poesia latina, che era destinata a una piccola cerchia di iniziati e viveva delle tradizioni classiche, il posto piú rilevante fu occupato dall'agiografia, dalle visioni, dal sermone, dalla breve novella-

exemplum di carattere edificante. Queste opere non venivano tanto lette di persona quanto ascoltate dalle labbra del chierico. Il tipo di relazioni interpersonali proprio dell'epoca medievale si manifesta anche nel modo di trasmettere le informazioni: il libro non sta tra l'autore (o il suo rappresentante, il sacerdote) e il destinatario; ciò che domina è il discorso orale diretto con tutte le sue componenti emozionali, con il suo carattere di suggestione e di correlazione con la personalità di chi lo pronuncia[68].

Le visioni, come pure le vite dei santi o i sermoni, provocavano un vivo turbamento in tutti gli uomini medievali, indipendentemente dalla loro posizione sociale o dalla loro cultura. Sarebbe del tutto infondato pensare che questi generi letterari fossero destinati prevalentemente ai privilegiati o agli istruiti, lasciando che il volgo si accontentasse del folklore. Ricordiamo l'osservazione di D. S. Lichačev: «per quanto folklore e letteratura nel Medioevo fossero distinti, avevano assai piú punti di contatto che nei tempi moderni. Il folklore, e sovente il medesimo, era diffuso non solo nell'ambiente della classe lavoratrice, ma anche in quella dominante»[69]. Il riferimento è alla letteratura anticorussa, ma è pienamente applicabile anche a quella dell'Europa occidentale. D'altro canto poi, come abbiamo visto, i generi dei sermoni, delle vite e delle visioni avevano caratteri aristocratici per niente marcati e si indirizzavano a tutti i credenti.

Perché sia chiaro quanto fosse durevole il genere della letteratura agiografica ed edificante, è sufficiente confrontare i *Dialoghi* di Gregorio Magno o le leggende agiografiche merovinge con il *Dialogo sui miracoli* di Cesario di Heisterbach. Il lettore non specialista che si imbatta in racconti tratti da opere dei secoli VI-VII e da un'opera di un monaco cistercense del secolo XIII, se non conoscesse i loro autori, potrebbe anche non distinguerli. Nella letteratura di questo genere l'evoluzione è difficilmente avvertibile; una volta formatasi, questa letteratura rimane sempre uguale. Nell'*Indice degli exempla*, nel quale sono raccolti 5400 soggetti di opere medievali simili[70], si possono adottare classificazioni di diverso tipo; è chiaro però come l'unica classificazione applicabile con risultati qui del tutto insoddisfacenti sia quella cronologica.

Il *Dialogo sui miracoli* di Cesario di Heisterbach è un'ampia raccolta di narrazioni di natura edificante[71]. Come l'autore rende noto nel prologo, questi racconti di fatti miracolosi, avvenuti all'interno dell'ordine cistercense, sono stati da lui raccolti a edificazione dei lettori. Conformemente alla tradizione, il materiale viene esposto sotto forma di dialogo tra un monaco e un novizio, che però rimane un procedimento formale, utilizzato senza alcuna inventiva: in sostanza parla sempre solo il monaco, e di quando in quando il suo discorso viene interrotto dalle repliche del discepolo che egli sta istruendo. La raccolta di Cesario comprende poco meno di 750 novelle brevi, che illustrano la dottrina della Chiesa con esempi che l'autore trae dai piú diversi settori della vita. Queste novelle sono suddivise in dodici sezioni: *Della conversione*, *Dell'afflizione dell'anima*, *Della confessione*, *Della tentazione*, *Dei demoni*, *Della semplicità*, *Di santa Maria*, *Di varie visioni*, *Del mistero del corpo e del sangue di Cristo*, *Dei miracoli*, *Dei moribondi*, *Della ricompensa nell'aldilà*. L'ordine in cui sono collocate le sezioni, oltre che da un nesso semantico, è motivato dalla mistica dei numeri. Cosí la sezione delle tentazioni è collocata al quarto posto, perché il numero 4 simboleggia la fermezza, la stabilità, e solo essendo saldo l'uomo è capace di contrastare le tentazioni del maligno. Il numero 7 è «il numero della verginità», e di conseguenza la settima sezione del *Dialogo* è riservata alla Vergine Maria. L'undicesima ora del giorno trascina con sé il sole verso il tramonto, scrive Cesario, è il tempo dell'invecchiamento, prossimo alla morte, perciò l'undicesima sezione tratta dei moribondi[72].

Nelle scene descritte da Cesario di Heisterbach figurano in primo luogo uomini di Chiesa, monaci e sacerdoti. L'autore non nasconde il suo desiderio di dimostrare che l'ordine, a cui egli stesso appartiene, è eletto da Dio[73]. Ma il suo orizzonte non è affatto limitato alle mura del monastero. Nelle pagine del *Dialogo* ci imbattiamo nei piú svariati tipi umani e sociali: cavalieri e re, crociati e parroci, papi e vescovi, borghesi, usurai, artigiani e contadini, donne e bambini, pagani ed eretici. I luoghi dell'azione della maggior parte delle novelle sono le regioni occidentali della Germania, ma anche la Francia, l'Italia, l'Oriente. Non è difficile notare che l'atteggiamento di Cesario verso i rappresentanti dei vari strati sociali non è sempre lo stesso; in particolare, nei casi relativamente poco numerosi in cui il discorso cade sui contadini, egli non nasconde l'atteggiamento sprezzante e negativo che ha verso di loro: sono rozzi, ignoranti, litigiosi, si dànno da fare per ingrassare a spese altrui, conducono una vita peccaminosa[74]. In questo senso le valutazioni di Cesario non concordano con quelle dei suoi predecessori. Forse questa diversità si spiega con il fatto che il *Dialogo* era indirizzato principalmente ai monaci e agli abitanti delle città. Verso il secolo XIII borghesi e cavalieri formavano un uditorio già piú attivo, del quale innanzitutto bisognava tener conto[75].

L'eccezionale varietà delle situazioni di vita trattate nei racconti di Cesario di Heisterbach distingue la sua opera da opere anteriori di questo genere, formatesi in un ambiente sociale meno differenziato. Invece il tipo e il tono della narrazione, il livello del pensiero, la concezione del miracolo – tutti gli indizi fondamentali del racconto religioso edificante – restano invariati, tali e quali erano ai tempi di Gregorio I o di Gregorio di Tours. All'inizio del secolo XIII il gregge dei fedeli è come prima assetato di esempi avvincenti tratti dalla vita e solo attraverso questi è capace di assimilare gli insegnamenti morali e religiosi; i ragionamenti astratti non toccano la sua coscienza[76]. Mentre si basa sulla tradizione ecclesiastica consacrata dal tempo e dall'autorità[77], Cesario nel contempo, esattamente come i suoi predecessori, preferisce attingere gli esempi da avvenimenti recenti, cioè quelli che possono essere confermati da testimoni viventi o da persone che hanno parlato con loro; partecipe o testimone di questi eventi poteva essere anche l'autore stesso[78]. Tutte le storie che Cesario racconta, a quanto dice, sono vere, ed egli vi presta fede senza alcun dubbio. Giacché in un miracolo, nella violazione del corso naturale delle cose, nulla vi è di inverosimile: se il mondo terreno viene a contatto con quello ultraterreno, possono accadere i fatti piú inattesi e straordinari. E questi fatti, secondo la convinzione di Cesario e dei suoi contemporanei, accadono di continuo. Leggendo il *Dialogo* si ha l'impressione che i miracoli costituissero parte integrante della realtà. Molti vedevano i diavoli, altri avevano sofferto a causa loro, ma c'erano anche persone che erano state degne di contemplare con i propri occhi il Cristo, la Madonna, gli angeli, i santi, e lo stesso Cesario conosceva qualcuno di questi eletti.

La demonologia di Cesario di Heisterbach è straordinariamente ricca e varia; sotto questo aspetto egli non solo regge la «concorrenza» dei suoi predecessori antichi, Gregorio I ad esempio, ma forse è addirittura superiore a loro per l'intima conoscenza che ha del diavolo e di tutti i suoi imbrogli e intrighi. La sua opera è la piú preziosa testimonianza delle credenze popolari di quel tempo[79].

Tuttavia i fatti prodigiosi che Cesario racconta non sono legati solo all'intervento delle forze ultraterrene nella vita umana. Nei suoi racconti emergono talvolta motivi puramente fiabeschi. Non rientra forse tra questi, in particolare, il racconto del lupo che rapí una bambina dal villaggio? L'animale la portò con sé nel bosco affinché estraesse dalla gola di un altro lupo un osso che lo soffocava, e allora la bambina venne felicemente riconsegnata ai genitori[80].

Tutto quello che si è detto ora del *Dialogo sui miracoli* del cistercense Cesario di Heisterbach, si potrebbe ripetere anche a proposito delle *Storie memorabili*, annotate ancora una volta nelle regioni tedesche lungo il Reno dal priore domenicano Rudolf di Schlettstadt. Gli stessi soggetti e temi, lo stesso modo di trattarli, lo stesso uditorio, a cui erano destinati questi brevi racconti, lo stesso mediocre livello di istruzione dell'autore, un latino se possibile ancor piú «zoppicante»: ma non piú all'inizio del secolo XIII, bensí tra la fine del secolo XIII e l'inizio del XIV. Ciò che distingue le *Storie memorabili* dal *Dialogo sui miracoli* è il disordine della narrazione: senza alcun sistema, Rudolf infila uno dopo l'altro racconti miracolosi eterogenei, evidentemente nell'ordine in cui gli venivano in mente. Non si ritrova qui quella pratica della scolastica, che nonostante tutto non si può disconoscere al suo predecessore. Un'altra differenza tra l'opera di Rudolf di Schlettstadt e il dialogo del monaco di Heisterbach è il senso dell'attualità, che l'autore delle *Storie memorabili* possiede in misura ancora maggiore: tutti gli avvenimenti di cui egli dà notizia sono recentissimi, in molti casi indica la data precisa o instaura un legame tra ciò che descrive e i fatti storici della Germania dell'alto Reno e della Franconia, abbastanza noti anche a prescindere dai suoi scritti. Tali sono in particolare i racconti sulla perfidia degli ebrei, uno strato considerevole della popolazione locale che subí sanguinosi pogrom e persecuzioni alla fine del secolo XIII.

L'editore delle *Storie memorabili* rileva l'affinità esistente tra la lingua del loro autore e la lingua parlata dal popolo e suppone che la maniera di narrare fosse dettata dalla composizione e dal livello del pubblico al quale questi scritti erano indirizzati[81]. È curioso che un priore domenicano non si rivolga affatto alla Bibbia o ad altri testi sacri, e mentre in Cesario di Heisterbach è facile incontrare simili citazioni, i racconti di Rudolf di Schlettstadt, tanto semplici da essere rozzi, presuppongono ascoltatori e lettori ai quali la letteratura teologica era sconosciuta.

In base al contenuto di quest'opera si possono giudicare gli interessi della popolazione – sia laica (in primo luogo cittadini e nobili), sia ecclesiastica – della Germania di quegli anni, giacché, da una parte, l'autore utilizzò chiaramente i racconti orali allora esistenti, che dall'altra però, essendo annotati, godevano di una diffusione ancor piú ampia e vivevano quasi una seconda vita. Le forze del male che irrompono nella vita quotidiana, donne indemoniate che generano mostri, profezie, ebrei che compiono uccisioni rituali e profanano la Santa Eucaristia, il castigo divino che raggiunge immancabilmente i peccatori incalliti e i miscredenti ecc., tutto ciò occupa le menti di questo uditorio[82]. Anche in Rudolf di Schlettstadt s'incontrano racconti che si ricollegano alla fiaba o alla favola. Tale è ad esempio il racconto sulla serva che ha ascoltato di nascosto dei galli che si parlavano[83]. Non meno interessante è la «verissima historia» del campagnolo che trovò un albero di cappelli. Quando ne indossò uno, egli si levò subito in aria e prese a volare come un uccello. Entrato volando nella cantina di un ricco, si ubriacò e, accaloratosi, si tolse il cappello e perse cosí la possibilità di lasciare la cantina. Il padrone scoprí il ladro e lo consegnò al giudice, che lo condannò a morte, e il poveraccio si salvò solo grazie al caso: qualcuno gli mise in testa il suo cappello ed egli subito si dileguò[84].

Nel secolo XIII e all'inizio del XIV l'uomo vive come prima in un mondo in cui un miracolo è possibile in qualsiasi momento; come prima egli è predisposto a credere al miracolo e a trovarvi una conferma di un quadro tradizionale della realtà.

Con il sermone e la predica, con la «vita» e il racconto delle visioni non si esaurisce l'arsenale degli strumenti che la

Chiesa ha a disposizione per esercitare un'influenza spirituale sui fedeli. Tra questi strumenti occupa un posto particolare la confessione dei peccati. A un cristiano si richiedeva di sottoporre ad esame il proprio comportamento e di valutarlo in base alla scala di incentivi e di divieti elaborata dalla Chiesa. La confessione era proprio il mezzo per realizzare tale autoanalisi, da condursi sotto la guida di un sacerdote. La confessione consisteva nel riconoscimento dei peccati, commessi con i pensieri o con gli atti, e nella penitenza, assegnata dal confessore; dopo l'espiazione del peccato veniva concessa l'assoluzione. Nella Chiesa paleocristiana le confessioni erano pubbliche, il membro della comunità religiosa doveva confessare i suoi peccati in presenza di tutti i confratelli. Nel primo Medioevo si verifica un graduale passaggio dalle confessioni pubbliche alla confessione segreta. Questa fase di passaggio non durò soltanto un secolo e, fino alla fine del Medioevo, accanto a quello segreto, si praticava anche il pentimento pubblico dei peccatori[85]. Tuttavia la sostituzione delle confessioni pubbliche con le conversazioni private tra il parrocchiano e il sacerdote fu indubbiamente legata a una ristrutturazione dello status morale della personalità.

Nel primo Medioevo le norme di comportamento che rispondessero alla dottrina della Chiesa non erano ancora state solidamente assimilate dai cristiani. Il confessore non poteva fare assegnamento sulle conoscenze religioso-morali dei suoi parrocchiani, e affinché si confessassero, egli doveva riuscire a sapere da loro se non avessero peccato contro la dottrina di Cristo e contro il codice di comportamento che si conviene ai credenti. Probabilmente neanche tutti i sacerdoti avevano un'idea abbastanza chiara dei confini che separavano il comportamento lecito da quello in cui commettevano peccato, né sapevano per quali peccati si dovessero infliggere determinate penitenze. Gli uomini di Chiesa considerarono perciò spesso loro compito elaborare dei manuali per i confessori, di cui essi avrebbero potuto servirsi nei rapporti con i fedeli.

Cosí nacquero i *libri poenitentiales*, che contengono elenchi di peccati e delle rispettive penitenze. Alcuni di questi libri hanno la forma di tariffari piú o meno dettagliati, in cui vengono nominati i peccati e le conseguenti punizioni inflitte dalla Chiesa (digiuno, preghiere, espulsione dalla comunità religiosa e altri castighi). Altri testi erano composti sotto forma di questionari: il confessore interrogava il parrocchiano e, stabiliti il carattere e la gravità dei suoi peccati, gli assegnava la relativa penitenza.

Questo nuovo genere di letteratura religiosa nacque durante i secoli V-VI nel mondo del cristianesimo celtico, assumendo le forme di una profondità religiosa che era propria di quel mondo, e poi, tramite i monaci venuti dai monasteri del Galles e dell'Irlanda, fu assimilato nello stato franco (a partire dalla fine del secolo VI), in Inghilterra (nel secolo VII) e in tutti gli altri paesi del mondo cattolico, dove trovò numerosi imitatori e continuatori. I concili della Chiesa inizialmente condannavano «i libri penitenziali, i cui errori sono evidenti, mentre gli autori sono ignoti», e ordinarono ai vescovi di ritirare dalla circolazione questi *codicilli*, «che sono scritti senza tener conto dei canoni» e di darli alle fiamme, «affinché per mezzo loro i confessori ignoranti non possano piú ingannare la gente»[86].

La nascita di questo genere appartenente alla letteratura mediolatina non fu dunque dettata direttamente dal dogma della Chiesa, ma costituí una risposta alle esigenze della prassi di vita, che impose alla Chiesa la necessità di adottare i libri penitenziali, malgrado l'opposizione dei gerarchi. Le persecuzioni contro i penitenziali furono un insuccesso: il clero ne aveva bisogno per educare e domare il proprio gregge.

Si sono conservate molte decine di libri penitenziali, scritti in epoche diverse, dai secoli VII-VIII e fino al periodo del Medioevo classico. I piú antichi sono anonimi o vengono attribuiti post factum a insigni autorità della Chiesa, come ad esempio agli arcivescovi Teodoro di Tarso e Egberto, o a Beda il Venerabile. La paternità dei trattati sui peccati e le penitenze di epoca piú tarda appartiene a illustri uomini di Chiesa: tale è ad esempio il *Corrector*, compilato all'inizio del secolo XI dal vescovo di Worms Burcardo, che costituisce il libro XIX del suo *Decreto*, una raccolta di regole religioso-canoniche.

Tutti i testi sono scritti in latino volgare, una lingua piuttosto semplice, per non dire primitiva, per far sí che il loro contenuto fosse comprensibile a qualsiasi confessore. Questi talvolta doveva leggere il libro penitenziale al parrocchiano, traducendo le domande e le prescrizioni nella sua lingua madre. Si è conservata la traduzione di uno dei trattati anglosassoni, il *Poenitentiale Egberti*, dove si spiega che era stato tradotto in inglese « affinché i non istruiti potessero capirlo piú facilmente »[87]. La necessità di illustrare ampiamente in modo dettagliato i possibili peccati mediante una vastissima gamma di domande viene motivata nel seguente modo: « Vedendo che egli [il parrocchiano venuto a confessarsi] si vergogna, il sacerdote deve rivolgersi a lui dicendo: "Può darsi, carissimo, che ora non ti vengano in mente tutte le tue azioni, perciò io ti farò delle domande, affinché tu, istigato dal diavolo, non nasconda qualcosa". E poi gli deve porre le domande nell'ordine stabilito »[88].

Altri trattati, al contrario, contengono un avvertimento: se ne possono servire soltanto i sacerdoti che hanno il diritto di confessare, mentre i laici non devono conoscere il contenuto del libro penitenziale, perché i dettagliati elenchi dei peccati, su istigazione del diavolo, non li inducano in tentazione e non suggeriscano loro pensieri e atti peccaminosi[89]. Anche in questo caso però il sacerdote ricorreva all'interrogatorio del penitente sui suoi peccati, anche se in forma ridotta. Dopo una preliminare conversazione con il parrocchiano e la lettura delle preghiere, il confessore gli si rivolgeva dicendo: « Figlio mio, non vergognarti di confidare i tuoi peccati, giacché nessuno è senza peccato, tranne Dio. Prima di tutto devi tu stesso esaminare i tuoi peccati e confessarli », e poi egli gli elencava rapidamente alcuni possibili peccati. Il testo essenziale del penitenziale, con la dettagliata spiegazione di tutti i peccati e dei castighi previsti, serviva invece al sacerdote da guida per stabilire il carattere e l'entità della penitenza[90].

I libri penitenziali sono fonti *di massa*, che ebbero vastissima applicazione; essi infatti riguardavano direttamente tutti. Tuttavia lo studio della vita morale del Medioevo su queste fonti comporta notevoli difficoltà. Nel corso dei secoli in essi si ripete spesso non solo l'elenco dei peccati su cui i confessori interrogavano i parrocchiani, ma anche la loro stessa formulazione. La tradizione della confessione si formò abbastanza presto, e gli autori dei libri penitenziali presero ampiamente in prestito dai loro predecessori domande e formule. Come in generale nella letteratura medievale, anche nei trattati confessionali si sente l'enorme pressione delle autorità, la tendenza a seguirne lo spirito e la lettera. I libri penitenziali, a rigor di termini, sono fonti per studiare non solo il modo di pensare del popolo, ma anche, in misura non inferiore, la mentalità dei sacerdoti che li compilavano e li applicavano. Gli autori di questi trattati sono coscienti dell'inevitabile conflitto tra l'*homo naturalis*, peccatore e non civilizzato, e l'*homo christianus*, l'uomo come *deve essere* secondo la dottrina cristiana. Essi vedevano in questo conflitto l'espressione della contraddizione tra la sfera celeste e la sfera terrena, una contraddizione risolvibile solo con la fine della storia del genere umano. Sarebbe perciò avventato credere che nei libri penitenziali si sia direttamente e pienamente riflesso lo stato della religiosità e della moralità del tempo in cui questi testi ebbero origine[91]. L'elenco dei peccati in parte diventava uno schema fisso. Mossi dallo stesso spirito degli autori delle enciclopedie e delle *summae* medievali, che tendevano ad includervi tutta la varietà della vita, i compilatori dei libri penitenziali dovevano contemplare tutti i peccati immaginabili, indipendentemente dalla possibilità reale che fossero commessi.

Non si deve tuttavia dimenticare che i manuali per i confessori erano compilati per un'*applicazione pratica*, perché le domande in essi contenute fossero poste ai parrocchiani allo scopo di aiutarli a liberarsi dal fardello dei peccati. I questionari dei codici confessionali non potevano tuttavia fissarsi e non si fissavano in stereotipati cliché, che gli autori piú tardi si limitavano a copiare dai loro predecessori; in essi emergevano molti elementi nuovi, nella formulazione e nella sostanza. Cosí, l'autore del *Penitenziale di Merseburgo*, alla riflessione sulla *cura animarum* aggiunge un'osservazione sul fatto che nella sua opera egli si basa in parte su « quanto è trasmesso dagli anziani », in parte invece « sulle proprie cognizioni e sulla propria opinione »[92]. A proposito della raccolta piú dettagliata e rappresentativa, che appartiene alla penna di Burcardo di Worms, è noto che, benché per comporre il suo *Decreto* avesse utilizzato opere anteriori[93], egli si serviva di questi modelli piuttosto liberamente e attingeva largamente il materiale dalla vita stessa[94]. Le dichiarazioni di Burcardo non lasciano dubbi sul fatto che la necessità di comporre il suo *Decreto* era dovuta alla pietosa situazione della diocesi di Worms[95]. La vita, e in particolare il comportamento dei parrocchiani, esercitava una fortissima influenza sui compilatori dei penitenziali, attive personalità politiche della Chiesa, e l'alito di questa vita si fa sentire nelle pagine dei trattati sui peccati e i loro castighi.

Per lo storico della cultura questi trattati sono preziosi in primo luogo perché in essi si possono in parte ascoltare conversazioni di uomini del Medioevo, e inoltre quel tipo di conversazioni che anche allora si potevano ascoltare solo origliando, giacché avevano luogo a quattr'occhi[96]. Si presupponeva che esse dovessero svolgersi in piena sincerità: reticenza o astuzia in confessione avrebbero determinato un nuovo gravissimo peccato e, temendo il castigo del Signore, il parrocchiano rivelava al sacerdote i suoi pensieri e i suoi atti piú segreti, che probabilmente non avrebbe confessato a nessun altro. In ogni caso, le opere letterarie del Medioevo che avevano il carattere di confessione (o di autobiografia), sono incomparabilmente meno sincere delle confessioni presunte dai questionari dei libri penitenziali. Certo, noi possiamo ascoltare solo in parte questi dialoghi segreti: a noi giunge la voce del confessore, ma non quella del penitente. E malgrado ciò, le domande poste dal sacerdote gettano luce su molti aspetti della vita sociale e morale.

Il carattere dei trattati confessionali è tale che viene spontaneo paragonarli alle annotazioni di diritto consuetudinario del primo Medioevo. Sia i libri confessionali sia le leggi barbariche contengono elenchi di trasgressioni e indicano le relative pene. Talvolta nei codici si accenna al fatto che, oltre alla pena inflitta dal potere in conformità col diritto secolare, il colpevole doveva subire la penitenza imposta dalla Chiesa[97]. Si è persino ipotizzato che la casistica e il carattere dettagliato degli elenchi di peccati nei libri penitenziali si spieghino con l'influenza della legislazione laica, che si distingueva proprio per queste qualità[98]. Non è tuttavia necessario ricercare tali influenze per capire l'estrema concretezza dei penitenziali. Come le leggi barbariche, essi sono frutto della medesima coscienza, orientata verso una concreta e chiara comprensione della realtà e aliena dalle generalizzazioni e dai concetti astratti. Benché i trattati sui peccati e le pene siano scritti da ecclesiastici e in alcuni casi da eminenti autorità della Chiesa, esperte in astrazioni logiche, tutto il loro contenuto e la loro stessa forma esprimono alcuni aspetti essenziali della coscienza popolare: perché erano creati per i piú ampi strati della popolazione ed erano dedicati non alla teologia generale del peccato e dell'espiazione, ma erano pensati esclusivamente per una applicazione pratica, ed erano adattati alla coscienza comune dell'uomo incolto e ignorante. Perciò, anche se non ascoltiamo le risposte del penitente, le domande stesse del sacerdote sono formulate nel linguaggio dell'uomo comune.

I libri penitenziali e le leggi barbariche, nonostante alcuni caratteri affini, differiscono tuttavia profondamente sotto alcuni aspetti, e in primo luogo per la concezione di reato. Il diritto secolare non accennava ai moventi del reo; quel che conta era in sostanza solo il fatto di costituire una violazione della legge, e la pena era stabilita indipendentemente dallo stato d'animo e dall'intenzione del colpevole. Nelle compilazioni di diritto consuetudinario del primo Medioevo gli uomini sono soltanto oggettivamente colpevoli o innocenti e, inoltre, anche questa demarcazione veniva accertata tramite determinate procedure, ma assolutamente non sulla base della confessione dell'accusato. Il peccato invece è una trasgressione interiorizzata, cioè un reato che tocca lo stato interiore dell'individuo. Perciò è sempre un peccato anche solo l'impulso, cui non è seguita l'azione, benché in simili casi si assegnasse una penitenza piú lieve[99]. La confessione presupponeva quello che i codici non richiedevano affatto: la confessione del colpevole e il suo pentimento. È ovvio che le pene inflitte dai libri penitenziali e dalle leggi barbariche avevano poco in comune.

Le norme di diritto consuetudinario e i manuali dei confessori delineano dunque due aspetti molto diversi della realtà sociale, che risalgono in fin dei conti a differenti sistemi di valori. Però, sottolineata questa differenza, non dobbiamo prenderla per una contrapposizione. Gli elenchi di peccati e penitenze del primo Medioevo «badavano piú al peccato che al peccatore»[100], esigendo da lui non tanto il pentimento spirituale per il peccato commesso, quanto l'adempimento della penitenza. La migliore testimonianza di ciò sono i casi in cui il peccatore pagava una persona perché digiunasse al suo posto; tale sostituto si chiamava *justus*. Non subito e non senza esitazioni la Chiesa condannò questa pratica, che anticipava il futuro commercio delle indulgenze[101]. Il penitenziale del vescovo di Cambrai Alitgario (830 circa) alle persone che erano incapaci di digiunare e avevano i mezzi per riscattarsi, permetteva di pagare in denaro: ai ricchi venti soldi per sette settimane di penitenza, a chi non aveva mezzi sufficienti dieci soldi, e se una persona era molto povera, tre soldi [102]. In Inghilterra esisteva un uso secondo il quale un ricco, condannato a scontare una penitenza per sette anni, poteva purificarsi in tre giorni, se per lui digiunavano, a pane, acqua e verdura, dodici persone per tre giorni e sette volte centoventi persone, sempre per tre giorni; in tal modo il digiuno sarebbe durato tanti giorni quanti ce ne sono in sette anni [103]. L'azione e la pena stabilita per essa: ecco ciò su cui s'incentra l'attenzione tanto dei compilatori dei codici, quanto degli autori dei libri penitenziali, per i quali la personalità umana passa in secondo piano di fronte al rituale, alla procedura, cui si attribuisce il significato determinante.

L'omicida di un parente o di un padrone doveva cosí digiunare a lungo, astenendosi dalla carne e dal vino, non lavarsi, non prendere in mano un'arma (escludendo il caso in cui fosse in corso una guerra contro i pagani), non frequentare altri cristiani durante la penitenza; se aveva bisogno di recarsi in qualche luogo, doveva andarci a piedi, e non poteva in nessun modo montare a cavallo o servirsi di un carro [104]. Le punizioni per i peccati di frequente non si limitavano alla preghiera, al digiuno e alle veglie. Al penitente veniva prescritto di dormire nell'acqua, tra l'ortica o sul pavimento cosparso di gusci di noce, in una chiesa fredda e persino in una tomba insieme ad un cadavere. Le veglie potevano assumere il carattere di supplizi: la « croce », quando si doveva stare in piedi con le braccia aperte, cantando versi della Bibbia; le cosiddette *palmatae*, che consistevano nel battere sul pavimento con le palme delle mani; la *disciplina*, cioè flagellazione e autoflagellazione. Talvolta le punizioni dettate dai libri penitenziali non si distinguevano per nulla, in sostanza, dalle pene prescritte dai codici barbarici. Per una ferita, inferta ad un vescovo o ad un principe, se la cicatrice rimaneva visibile per tre anni, era necessario pagare il prezzo di una schiava. Se ad un vescovo venivano strappati i capelli, al colpevole si dovevano strappare per ogni capello dodici capelli. I penitenziali recano l'impronta evidente della società contro la cui empietà erano stati chiamati a lottare, di una società nella quale la crudeltà e la violenza fisica non erano considerate qualcosa di insolito e di disumano.

I libri penitenziali si proponevano d'influire sull'anima del peccatore mediante le sofferenze causate al suo corpo, e lo stile con cui sono scritti lo confermerebbe. In essi (come, in sostanza, in tutta la letteratura religiosa) predomina la concezione della penitenza come di un medicamento per l'anima. Le analogie con la medicina s'incontrano di continuo in questi trattati. Il *Corrector* di Burcardo di Worms ha anche un altro titolo: *Medicus*. Il principio della medicina antica: « contraria contrariis sanantur » (i contrari si guariscono con i contrari), viene conseguentemente applicato al peccatore: occorre piegare l'arroganza con l'umiltà, guarire l'avidità con l'elemosina, l'ozio con l'assiduo lavoro, punire la loquacità con il voto del silenzio, l'adulterio con l'astinenza, la gola e l'ubriachezza con il digiuno. Il peccato è concepito qui come una « malattia », come qualcosa che « ha aggredito » l'anima umana dall'esterno. Ma guarire l'anima – le malattie dell'anima – è una faccenda piú difficile che non medicare le infermità fisiche, giacché le ferite dello spirito sono piú recondite delle ferite del corpo, e « guidare le anime è l'arte delle arti »[105].

Ciò nonostante, dopo aver rilevato che nei nostri trattati l'individualità è come messa in secondo piano dalla preoccupazione di stabilire un rapporto fisso tra peccati e penitenze, è necessario limitare in parte questa conclusione. In alcuni libri penitenziali è avanzata l'idea che i castighi non debbano essere soltanto equivalenti ai peccati, ma anche corrispondere alla personalità del peccatore. « Tutti sono uguali nel peccato, ma non si devono misurare tutti con lo stesso metro ». È necessario distinguere il sesso, l'età, la condizione sociale, lo stato d'animo del penitente. Ricchi e poveri, monaci, sacerdoti e laici, istruiti e incolti, bambini, ragazzi, adolescenti, giovanotti e vecchi, sani e malati, liberi e schiavi[106] hanno bisogno di una diversa cura spirituale, e il confessore deve prendere in considerazione le particolarità individuali del suo « paziente », esattamente come fa il medico[107]. Non è difficile osservare che con simili demarcazioni si abbracciano le categorie sociali e le differenze di età piuttosto che le particolarità individuali delle persone, ma a quell'epoca l'individualità era determinata fondamentalmente proprio dallo status della persona. Inoltre, in singoli casi si sottolinea come il confessore debba accuratamente considerare da quanto tempo il penitente conduce una vita dissoluta, quale passione l'ha assalito, se egli l'ha contrastata o ha ceduto facilmente e cosí via[108].

Nel complesso si può affermare che i libri penitenziali, scritti da eminenti uomini di Chiesa, sia nella forma che nel contenuto furono in notevole misura adattati all'ambiente a cui apparteneva il gran numero degli individui che andavano a confessarsi. Allo stesso modo in cui il diritto laico si riduceva in sostanza alla determinazione delle pene per i reati sotto forma di tariffari, relativi a situazioni individuali di vita, cosí anche i manuali per i confessori interpretavano la vita morale dei laici e degli ecclesiastici secondo un concetto di equivalenza tra peccato e penitenza, che venivano rappresentati con lo stesso grado di evidenza e di concretezza. Occorreva spiegare all'uomo che determinate azioni comportavano determinate punizioni. In questo senso è indicativa la struttura di molti penitenziali. Spesso, a mo' d'introduzione, si trova una disquisizione generale sul peccato e i principali peccati sono elencati, di solito, in base allo schema elaborato nel secolo V da Giovanni Cassiano e riveduto nel secolo VI da Gregorio Magno.

Lo schema di Cassiano (i peccati seguono una linea ascendente) è: gola, adulterio, avidità, ira, malinconia, debolezza, vanità, superbia. Gregorio I, lasciando alla superbia il primo posto, le fa seguire la lussuria, considerata come libidine, intemperanza; la ribellione dello spirito contro Dio e la ribellione della carne contro lo spirito sono quindi i piú importanti tra tutti i peccati mortali. Gli altri, considerati meno gravi, erano derivati da ciascuno dei peccati mortali[109]. Da questa classificazione generale i libri penitenziali passano poi però a una dettagliatissima analisi di singoli aspetti dei peccati, e inoltre non viene rispettato lo schema generale di sette o otto elementi; il materiale per questo esame dei peccati non è piú fornito infatti dal libro, ma dalla vita stessa. Di conseguenza non è difficile chiarire quali fossero precisamente le trasgressioni della vita morale che preoccupavano la Chiesa e contro quali nemici dovesse combattere.

I principali nemici della Chiesa erano l'idolatria, l'adulterio e la gola. Di questi peccati mortali, secondo la testimonianza dei penitenziali, non si rendevano colpevoli soltanto i laici, ma anche il clero. La lotta contro di essi si riflette in tutti i libri penitenziali senza eccezione alcuna, a iniziare dai piú antichi e compresi i trattati del Medioevo classico. Si può osservare come con il passare del tempo l'analisi di questi vizi diventi piú ampia e dettagliata, dipanandosi al massimo nell'opera di Burcardo di Worms. È poco probabile che la ripetizione degli stessi precetti sui peccati e le penitenze, con l'aggiunta di nuovi dettagli, fosse semplicemente un omaggio alla tradizione letteraria; al contrario, essa rappresenta proprio la testimonianza della grande stabilità e della vitalità di certi tratti della vita popolare. Il conflitto tra l'ideale cristiano dell'uomo giusto e la realtà della vita rimase insanabile.

Abbiamo di fronte dei «questionari» che, come ho già detto, contengono solo le domande; anche la loro analisi, tuttavia, può in certa misura accostarci alla comprensione del mondo spirituale delle persone a cui erano rivolte, del loro comportamento e, in particolare, della loro pratica religiosa, non quale avrebbe dovuto essere secondo la dottrina della Chiesa, ma quale era in realtà.

Nei libri confessionali è ovviamente messo in rilievo il comportamento empio e peccaminoso dei parrocchiani, e può sembrare che un giudizio sulla vita religioso-morale degli uomini medievali in base a queste opere sia tanto avventato quanto il tentativo di trarre delle conclusioni sulla criminalità in base al codice penale. Se ci basiamo solo sui dati dei libri penitenziali non siamo certamente in grado di valutare le proporzioni delle deviazioni dalla retta via predicata dalla Chiesa. I codici, tuttavia, non muovono mai dal presupposto che ogni membro della società sia colpevole e si applicano solo ai trasgressori della legge, mentre per gli autori dei penitenziali esiste evidentemente una «presunzione di colpevolezza» e le domande sui peccati potevano essere poste a qualsiasi parrocchiano ancor prima che confessasse le colpe effettivamente commesse. Non tutti commettono reati passibili di punizioni, ma tutti sono colpevoli di fronte al Signore, e il libro confessionale richiedeva al credente un'analisi della sua vita morale.

I penitenziali mi interessano non tanto come monumenti che dimostrano la diffusione del peccato tra i fedeli, o come testimonianze degli incessanti sforzi della Chiesa per instillare negli uomini medievali la coscienza della necessità di attenersi al modello cristiano di comportamento [110], quanto come mezzo mediante il quale, forse, riuscirò a ricostruire almeno singoli aspetti del quadro del mondo dei credenti.

Nella ricerca delle fonti per lo studio della mentalità popolare in età medievale lo storico non deve trascurare neanche i manuali di teologia divulgativa, destinati al basso clero. Queste opere, a differenza dei trattati e delle *summae* di insigni teologi, non contengono idee nuove e non forniscono un'interpretazione originale dei principî del cattolicesimo. Il loro scopo è un altro: iniziare sacerdoti e monaci alle verità cardinali della teologia, spiegare in forma accessibile i principî fondamentali della Sacra Scrittura e le sue interpretazioni da parte dei padri della Chiesa e di altre autorità, affinché sacerdoti e monaci potessero cosí a loro volta far giungere al gregge le briciole di questa dottrina.

Il pensiero dei principali teologi, in questi testi, è presentato in modo semplificato e dogmatico. In essi, di regola, non si sviluppa un confronto tra differenti punti di vista, né analisi dell'argomentazione, non si ritrova dialettica, né in genere evoluzione del pensiero: il manuale è adatto al livello di coscienza di un uomo poco istruito e che non conosce la filosofia scolastica. Perciò le opere della letteratura edificante « di massa » non meritano di essere esaminate, e non vengono affatto citate nelle moderne rassegne di filosofia e teologia medievali. Gli autori di questi manuali scompaiono nell'ombra dei grandi scolastici, delle cui briciole di sapienza essi in sostanza si accontentavano. Ma questi prodotti della teologia divulgativa hanno, agli occhi dello storico della cultura popolare medievale, un singolare e indiscutibile vantaggio rispetto alla letteratura filosofico-teologica piú nota: essi erano molto piú popolari e molto piú letti, e la sfera di persone a cui erano destinati era qualitativamente diversa.

Oltre ai libri liturgici, un parroco era munito del penitenziale e del catechismo. Di entrambi egli si serviva direttamente nel rapporto con il suo gregge. I catechismi [111] erano ripetutamente ricopiati ed avevano ampia diffusione, erano narrati e tradotti dal latino nelle lingue volgari: era dunque naturale e inevitabile che subissero un'ulteriore semplificazione adattandosi ancor di piú alle esigenze delle persone che li leggevano o a cui venivano letti. Se i testi latini dei manuali di teologia erano accessibili soprattutto agli ecclesiastici, le traduzioni e le riduzioni nelle lingue popolari erano destinate ai laici. Lo studioso ha ragione di vedere in queste opere non soltanto il pensiero volgarizzato dei dottori della Chiesa, ma anche il riflesso delle esigenze di ampi strati della società, poiché è indubbio che l'uditorio, mentre veniva a conoscenza di questi manuali, autonomamente o tramite i predicatori, esercitava una sua indiretta, ma malgrado ciò sensibile influenza sul loro contenuto.

Sorgono degli interrogativi. Quali problemi religioso-morali agitavano un vasto uditorio e in che forma gli si presentavano? Che cosa precisamente assimilava il cristiano comune della dottrina cattolica? Se potessimo rispondere a queste domande forse si riuscirebbe a conoscere piú da vicino il contesto religioso dell'epoca, e avremmo forse individuato le idee che occupavano un posto centrale nella coscienza popolare, rimasta a lungo sotto il dominio ideologico della Chiesa. Lo studio dei penitenziali che miravano ad accertare i peccati dei parrocchiani, alla loro espiazione e prevenzione, dà la possibilità di osservare il lato «negativo» del «cattolicesimo popolare», mentre l'analisi delle opere di teologia volgare deve favorire l'esame del suo lato «positivo».

Tra queste opere occupa un posto rilevante l'*Elucidarium*. Nel testo non viene indicato il nome dell'autore, che nel prologo manifesta esplicitamente la sua intenzione di rimanere anonimo «per non destare invidia». L'autore era, a quanto pare, Onorio di Autun[112], scrittore ecclesiastico della prima metà del secolo XII. La biografia di Onorio è ignota, e gli studiosi di letteratura teologica medievale usano definirlo «enigmatico». È noto quasi esclusivamente attraverso le sue opere; non si conoscono né gli anni in cui visse, e neppure la nazionalità[113]. Onorio, che ha lasciato circa quaranta trattati di contenuto teologico e storico, non apparteneva al novero dei grandi pensatori del suo tempo e non diede un notevole contributo allo sviluppo della teologia. Si ritiene che l'*Elucidarium* sia stata la sua prima opera, composta negli ultimi anni del secolo XI o all'inizio del XII, secondo il parere di alcuni studiosi, sotto la diretta influenza del «padre della scolastica» Anselmo di Canterbury, l'arcivescovo inglese di cui si pensa che Onorio fosse allievo. L'analisi del testo dell'*Elucidarium* rivela anche l'influenza delle idee di Agostino e degli altri padri della Chiesa, le cui opere tuttavia Onorio conosceva per lo piú di seconda mano, probabilmente nell'esposizione dello stesso Anselmo[114].

Gli scolastici contemporanei di Onorio, come pure quelli delle generazioni seguenti, non citano i suoi lavori; non attribuiscono infatti loro un gran valore, e non senza ragione. Tanto piú è sorprendente l'eccezionale destino dell'*Elucidarium*: esso fu costantemente ricopiato e riprodotto per alcuni secoli, fino al secolo XV, fu tradotto in quasi tutte le lingue dell'Europa cattolica, fu ridotto e integrato. Esistono traduzioni in prosa in antico francese, provenzale, italiano, gallese, inglese, basso e alto tedesco, antico islandese, antico svedese, e persino traduzioni e rielaborazioni metriche in antico francese e olandese[115]. L'*Elucidarium* era custodito in molte biblioteche di monasteri, sacerdoti e anche laici lo possedevano. Questo catechismo non era copiato in splendide e preziose pergamene, bensí in semplici manoscritti piú accessibili al lettore; nella sola Francia tuttavia ne sono rimasti fino ad oggi piú di 800 esemplari, che costituiscono, come rivelò l'analisi dei testi di Y. Lefevre, solo una piccola parte di quel gran numero che era in circolazione nei secoli XII-XV[116].

È chiaro che i teologi dotti non avevano nessun rapporto con questa divulgazione del trattato giovanile di Onorio, che nel migliore dei casi rifletteva solo alcuni orientamenti della teologia della fine del secolo XI e che era diventato irrimediabilmente antiquato nel periodo di rigogliosa fioritura della scolastica durante i secoli XII e XIII. L'enorme successo dell'*Elucidarium* fu determinato dal fatto che nella forma estremamente accessibile di un dialogo tra maestro e discepolo (piú precisamente, in forma di risposte del maestro alle domande del discepolo) vengono esposti i fondamenti del dogma teologico e i momenti salienti della storia sacra, a cominciare dalla creazione del mondo per finire con il Giudizio universale e il rinnovamento che seguirà la seconda venuta di Cristo. La forma del trattato, l'insieme dei problemi in discussione, l'apoditticità dell'esposizione, la lampante figuratività dei paragoni favorivano la facile assimilazione e l'apprendimento mnemonico del suo contenuto. L'opera di Onorio trovò grazie a ciò un vasto uditorio e, secondo la giusta espressione di uno studioso contemporaneo, «per lungo tempo alimentò la vita religiosa delle masse»[117].

Ho considerato necessaria una dettagliata rassegna dei monumenti della letteratura mediolatina utilizzati in questo libro perché queste opere sono poco conosciute al lettore o gli sono del tutto ignote. Nelle moderne discipline esse sono analizzate soprattutto sul piano filologico: genesi e sviluppo del genere, osservanza della tradizione, influssi antichi e paleocristiani, legame tra letteratura mediolatina e Rinascimento ecc. Non sono state ancora studiate, invece, né la funzione di quei generi letterari nella vita reale della cultura medievale, né la loro interazione con l'uditorio a cui erano destinati. Mancano vaste esperienze di utilizzazione dei monumenti latini medievali per scoprire il mondo spirituale degli uomini destinatari di questa letteratura. L'analisi di una serie di generi sotto questo punto di vista conduce direttamente all'oggetto della mia indagine: la cultura popolare del Medioevo.

Non è difficile vedere come la prospettiva che ho scelto per studiare la cultura medievale richieda un cambiamento del punto di vista abituale e il passaggio ad un altro livello di analisi. In primo piano non emergono Bernardo di Clairvaux, Abelardo, l'Aquinate e Anselmo di Canterbury, bensí Onorio di Autun, Cesario di Heisterbach, Rodolfo di Schlettstadt[118] e altri scrittori analoghi, poco conosciuti, né originali né grandi, talvolta anonimi; non eminenti teologi e storici, bensí autori che hanno esposto *opinioni e credenze tradizionali*. Se poi la nostra analisi si estende anche alle creazioni di autori tanto famosi e autorevoli come Gregorio Magno o Gregorio di Tours, delle loro opere ci interesseranno in primo luogo non i trattati teologici di papa Gregorio, bensí i suoi *Dialoghi*, e non la *Storia dei Franchi* del vescovo di Tours, bensí le vite da lui scritte.

L'approccio che proponiamo per studiare la cultura popolare del Medioevo ha senza dubbio i suoi limiti. È un metodo *indiretto*, e dunque possiamo ricevere tutte le informazioni sulla cultura popolare soltanto in quella forma riflessa nella coscienza del clero, che perseguiva lo scopo di istruire ed educare il gregge dei fedeli. Ma, lo ripeto, non abbiamo una strada diretta per studiare questo profondissimo filone della cultura[119].

Con queste premesse è essenziale rendersi conto che i vari generi della letteratura «bassa» del Medioevo latino non hanno il medesimo valore (dal punto di vista delle possibilità conoscitive). Nei libri penitenziali le posizioni del confessore e del parrocchiano sono nettamente distinte e contrapposte; l'interrogante giudica criticamente la condotta di chi si confessa. Una simile situazione di opposizione è caratteristica anche del sermone: il sacerdote mira a distogliere gli ascoltatori dalla via del peccato, egli conosce la verità e la instilla nel suo gregge. In questi casi la coscienza popolare è per l'autore quasi un oggetto. La posizione del predicatore e del confessore ricorda in parte la posizione del missionario cristiano tra i selvaggi che egli deve convertire alla sua fede.

Il discorso è diverso per quanto riguarda l'agiografia, i racconti delle visite nell'oltretomba, gli *exempla*. Certamente anche in questi generi gli autori non perdono di vista gli scopi edificanti e didattici, e li perseguono consapevolmente. Ciò nonostante qui occorre parlare non solo delle ricerche – da parte degli autori – di una lingua comune con l'uditorio, ricerche che erano piú o meno finalizzate, ma anche del carattere *prestabilito* di questa *lingua comune*. L'autore non dubita dell'autenticità dei miracoli che racconta, cosí come non ne dubita il pubblico a cui egli si rivolge. Con esso egli condivide le idee sulla struttura del mondo, sul ruolo del sovrannaturale nel suo funzionamento, sulla natura dell'anima, sul tempo e lo spazio, ed esattamente allo stesso modo egli non separa il materiale dall'ideale. A differenza del predicatore e del confessore, che contestano la pratica religiosa o magica dei parrocchiani, colui che parla dei santi, dei miracoli, delle forze del male, delle peregrinazioni dell'anima all'inferno e in paradiso, conferma lo stesso complesso di idee e credenze che è proprio del suo uditorio. La sua fede in ciò che racconta è incondizionata. In questi testi si incontrano poi spesso invettive contro gli « scettici », che osavano avanzare dubbi sull'autenticità dei miracoli, non credevano nella forza sovrannaturale dei santi e non volevano adorare le reliquie. Cosí, in circa metà dei racconti sui miracoli di san Benedetto, si parla dei castighi toccati a chi si è permesso di farsi beffe di un santo, non ha osservato la sua festa o ha attentato alla terra della sua abbazia. A un uomo che si era espresso in modo poco rispettoso sul conto di san Emmerano, si attaccò la lingua al palato, e una donna, che « dopo essersi tirata su la gonna, mostrò il sedere al santo », si ricoprí di piaghe terribili[120].

Persino scrittori della statura di Gregorio Magno, Gregorio di Tours o Beda nelle questioni d'interpretazione del miracolo, della potenza e dell'attesa del castigo divino condividevano le posizioni del popolo. Fu così non soltanto all'inizio del Medioevo, ma anche alla fine dell'epoca. Il cancelliere dell'università di Parigi Jehan Gerson, celebre critico della volgarizzazione della dottrina cristiana (inizio del secolo xv), s'indignò nel vedere una statuetta della Vergine Maria, che veniva denudata per mostrare la Santa Trinità contenuta nel suo ventre. Che cosa però suscitava questo sdegno? Gerson era scandalizzato dal fatto che tutte e tre le ipostasi della divinità risultassero frutto del ventre della Madonna, mentre il fatto che ella mostrasse i sublimi misteri del cristianesimo in modo tanto lampante e letterale, non solo non lo turbava, ma neppure attirava la sua attenzione![121]. Con tutta la loro istruzione, gli autori delle opere mediolatine, indirizzate a vasti strati della società, sotto molti aspetti prendevano spunto, a quanto pare, dalla stessa concezione della religione del loro uditorio.

Malgrado l'originalità della genesi dei nostri testi maggiori, essi sono, a quanto sembra, in grado di dare un certo quadro della cultura popolare del Medioevo. Il fatto che i generi scelti per l'indagine siano *rappresentativi* dal punto di vista dell'analisi della coscienza di massa dell'epoca trova conferma in un «esperimento» che ho condotto. Una rassegna della letteratura antico-scandinava mostra che tra le opere latine, la cui traduzione in lingua antico-islandese venne considerata dal clero urgentemente necessaria e venne intrapresa prima di ogni altra (tale attività iniziò nel secolo xii, subito dopo la nascita della letteratura scritta islandese), c'erano sia i *Dialoghi* di papa Gregorio, sia le vite, sia l'*Elucidarium* di Onorio di Autun, sia i libri penitenziali, sia la *Visione di Tnugdal*; sotto l'influsso della letteratura delle visioni nacquero le opere sulla frequentazione dell'oltretomba, mentre le prime composizioni norvegesi a carattere biografico si modellarono sulle leggende agiografiche. I sacerdoti cattolici, preoccupati dalla necessità di convertire alla loro fede gli scandinavi, che rimanevano strettamente legati al paganesimo anche dopo il battesimo, si affrettarono a munirsi di quelle stesse opere che sono state scelte per la nostra indagine. Agli occhi del clero queste opere avevano evidentemente il pregio di esporre la dottrina cristiana nella forma piú accessibile alla popolazione: in questo caso possiamo fidarci completamente dell'« esperienza » dei predicatori.

Ritornando al metodo di analisi delle fonti adottato in questo lavoro, vorrei infine sottolineare ancora una volta l'importanza fondamentale del problema del legame tra autore e uditorio. « La vita di un testo – cioè la sua essenza vera e propria – si sviluppa sempre al confine tra due coscienze », e rappresenta un *dialogo* tra mittente e destinatario; questo rapporto trova riflesso « nella struttura dell'enunciazione stessa »[122]. È proprio questa *presenza invisibile dell'ascoltatore*, o del lettore, nelle opere della letteratura mediolatina da noi studiate che può dunque offrire la possibilità di accostarsi, almeno in una certa misura, alla comprensione del suo rapporto con il mondo, di osservare gli umori e i pensieri del popolo in un testo, uscito dalla penna di un autore di Chiesa e indirizzata al gregge dei fedeli. « Qualsiasi enunciazione – sostiene M. Bachtin – ha sempre un destinatario (di carattere diverso, a gradi diversi di vicinanza e di concretezza, piú o meno individuato ecc.), di cui l'autore di un testo orale cerca e anticipa la comprensione... Ma oltre a questo destinatario ("il secondo") l'autore dell'enunciazione presuppone, con maggiore o minore consapevolezza, la presenza di un supremo "sovradestinatario" ("il terzo") la cui comprensione assolutamente imparziale viene immaginata o in una metafisica lontananza o in un remoto tempo storico... È come se ogni dialogo si svolgesse sullo sfondo della comprensione di questo "terzo", invisibile ma presente, che sta al di sopra di tutti i partecipanti al dialogo... »[123].

Nei testi che sottoponiamo ad analisi è invariabilmente presente e chiaramente presupposta un'istanza, un « sovradestinatario », a cui sono indirizzate tutte le loro enunciazioni. Se nei confronti del « secondo » – l'ascoltatore, il parrocchiano – si può ancora supporre un consapevole adattamento dell'informazione, una semplificazione del suo contenuto, l'introduzione di un elemento di attrattiva, di evidenza, ecc., « la suprema istanza di comprensione » richiedeva agli autori di seguire la strada della verità ed era una sorta di garanzia del fatto che essi evitavano accuratamente un'invenzione consapevole. Il « diritto d'autore » di questi scrittori ecclesiastici non si estende al contenuto: gli autori si considerano portavoce della coscienza collettiva, latori di informazioni, la cui autenticità non può suscitare in loro dubbi. Questa consapevolezza della presenza nel dialogo (tra il pastore e la parrocchia) di un «terzo» univa destinatario e mittente.

L'originalità di contenuto, destinazione e funzione delle nostre fonti, impone la necessità di analizzarle separatamente[124]. Ognuno di questi generi, come abbiamo visto, aveva le sue particolarità di cui occorre tener conto. I penitenziali, i catechismi, le vite, gli *exempla*, i racconti delle peregrinazioni dell'anima nell'oltretomba riflettono solo singoli aspetti della vita spirituale del Medioevo, e li riflettono ogni volta in modo diverso. Tuttavia i capitoli che seguono non sono concepiti come saggi a sé stanti, bensí come tappe successive di una evoluzione del pensiero che avvicina alla soluzione di quel paradosso della cultura medievale che abbiamo già ricordato: la compresenza di entrambi i suoi aspetti, popolare e dotto, nella stessa coscienza. Se facciamo ruotare progressivamente il prisma della nostra indagine, forse riusciremo, se non a risolvere questo problema, almeno a formularlo in modo nuovo.

[1] H. Grundmann, *Litteratus - illitteratus. Der Wandel einer Blidungsnorm vom Altertum zum Mittelalter*, in «Archiv für Kulturgeschichte», vol. 40 (1958). Negli *Atti degli apostoli* (4, 13) gli apostoli Pietro e Giovanni vengono definiti uomini illetterati e semplici, «homines sine litteris et idiotae».

[2] Ch. Mohrmann, *Latin vulgaire, latin des Chrétiens, latin médiéval*, Paris 1955, p. 53.

[3] W. Ullmann, *The Bible and the Principles of Government in the Middle Ages*, *La Bibbia nell'alto Medioevo* (Settimane di Studio del Centro italiano di studi sull'alto medioevo, 10), Spoleto 1963.

[4] M. Richter, *Kommunikationsprobleme in lateinischen Mittelalter*, in «Historische Zeitschrift», vol. 222 (1976), p. 57.

[5] Secondo quanto afferma G. Owst, proprio il sermone medievale, ricco di esempi tratti direttamente dalla vita, comprensibile a tutti e semplice nel linguaggio e nello stile, serví da fertile terreno per lo sviluppo della letteratura europea; la rinascita del realismo letterario è collegata ad esso, e non al ravvivarsi dell'interesse per lo studio della letteratura classica. Cfr. G. R. Owst, *Literature and Pulpit in Medieval England*, New York 1961, p. 23.

[6] Perciò definire il Medioevo l'epoca «dell'inchiostro» (Averincev, *Poetika rannevizantijskoj literatury* cit., p. 208) è possibile solo con grandissime riserve e se si concentra l'attenzione esclusivamente sulla cultura elitaria del clero. Ma anche riguardo a questo strato della cultura va avanzato un dubbio: atti simbolici quali mangiare una pergamena su cui c'è un testo sacro o bere il vino con cui si cancellano i caratteri (cfr. *ibid.*, pp. 189, 204), sono indizi di una cultura erudita

o sono invece indizi di una cultura nel cui sistema il libro restava un oggetto sacrale pieno di mistero? Nel corso del Medioevo si mantenne un atteggiamento particolare verso la parola scritta. Occorre ricordare che il libro non era soltanto una fonte di informazioni, considerato un importante rimedio magico. Si poteva guarire una persona ponendole sul capo un libro, e per mezzo del libro si facevano predizioni e incantesimi. Si potrebbe supporre che questo ruolo del libro si spieghi con la natura sacrale del testo: per libro s'intendeva prima di tutto la Sacra Scrittura. Però avevano una funzione magica anche i fogli privi di qualsiasi testo. Se su uno di questi fogli si apponeva un sigillo, acquisiva la stessa forza dell'ordine che avrebbe potuto essere scritto su di essa, ma che veniva trasmesso oralmente. Perché una transazione fondiaria acquistasse validità legale, sull'appezzamento di terra in questione veniva posato un pezzo di pergamena, prima di compilarla con il relativo testo (cfr. Gurevič, *Kategorii srednevekovoj kultúry* cit., p. 157 [trad. it. pp. 181-82]). Sulla cultura delle masse popolari come cultura prevalentemente orale cfr. Ginzburg, *Il formaggio e i vermi* cit., pp. XII sg.

[7] Richter, *Kommunikationsprobleme* cit., p. 79.

[8] Sulle decisioni prese a questo proposito dai concili ecclesiastici degli anni 1229, 1234 e 1246, cfr. *ibid.*, p. 51, nota 22. Questo divieto era esteso anche ai conversi, i membri laici degli ordini monastici. Ciò nondimeno le traduzioni andavano fatte, giacché i laici, e anche una parte del clero, non conoscevano affatto il latino (cfr. G. G. Coulton, *Europe's Apprenticeship. A survey of Medieval latin with examples*, London 1940, pp. 23 sg., 27 sg.). Walter Map ha scritto: «Dare la parola di Dio ai semplici che, come sappiamo, non sono in grado di capirla, è come gettare perle ai porci, e dunque non è da farsi» (cit. in A. Vauchez, *La spiritualité du Moyen Âge occidental. VIIIe-XIIe siècles*, Paris 1975, p. 115 [trad. it. *La spiritualità dell'occidente medioevale*, Milano 1978]).

[9] Agostino fu colpito dal fatto che il suo maestro Ambrogio leggesse in silenzio: «... durante la lettura i suoi occhi scorrevano le pagine, l'anima meditava, ma le labbra tacevano», e cercò la spiegazione di questo singolare fenomeno (*Le confessioni* VI, 3). Caratteristico delle opere medievali era che gli autori si rivolgessero di continuo agli ascoltatori (cfr. R. Crosby, *Oral delivery in the Middle Ages*, in «Speculum», vol. 11 (1936), n. 1, pp. 88-110). Evidentemente la situazione era un po' diversa a Bisanzio, dove il rapporto con il libro era piú intimo (A. P. Každan, *Kniga i pisatel' v Vizantii* [Il libro e lo scrittore a Bisanzio], Moskva 1973, p. 136).

[10] *S. Brunonis episcopi Signensis Sententiae Libri VI*, in *PL*, vol. 165, col. 1071. Cfr.: *Liber contra Waldenses*, in *PL*, vol. 204, col. 813. Ai semplici un sermone viene letto in maniera diversa che alle persone colte; *simplices et parvuli* si nutrono «di un latte piú semplice della dottrina». Sulle prescrizioni della Chiesa circa la necessità di predicare al popolo in una lingua a esso comprensibile e circa la relativa prassi, cfr. *Geschichte der Predigt in Deutschland von Karl dem Großen bis zum Ausgang des vierzehnten Jahrhunderts*, a cura di A. Linsenmayer, München 1886, pp. 7 sg., 10, 40, 75 sg. e G. R. Owst, *Preaching in Medieval England*, New York 1965, pp. 225 sg., 331. A proposito della conversazione di san Bonifacio con un giovane franco, al quale domandò se avesse assimilato il testo della Scrittura tanto da poterlo non solo ripetere a memoria in latino, ma anche da esporne il senso con parole proprie nella lingua madre, cfr. *Liudgeri vita*, in *MGH*, *Scriptores*, vol. XV/1, pp. 67-68.

[11] Richter, *Kommunikationsprobleme* cit., p. 58.

[12] Ciò non riguarda soltanto la letteratura in senso stretto. Per lungo tempo il diritto consuetudinario rimase non scritto, e le successive trascrizioni, sempre incomplete, coesistevano con la tradizione orale e la presupponevano. Il sermone orale prevaleva su quello scritto.

[13] P. G. Bogatyrëv, *Voprosy teorii narodnogo iskusstva* [Problemi della teoria dell'arte popolare], Moskva 1971, pp. 372-83.

[14] Gilberto di Nogent nel trattato *Delle reliquie dei santi* (inizio del secolo XII) racconta di un giovane di umili origini che era morto il venerdí della Passione: in seguito a ciò i vicini, «bramando qualcosa di nuovo», cominciarono a portare doni e ad accendere candele sulla sua tomba, venerandolo come un santo. Ben presto la sua fama si propagò, attirando al sepolcro folle di pellegrini; «erano tutti contadini, tra loro non c'era nessun nobile». E man mano che vedevano affluire le offerte, l'abate e i monaci «si lasciarono convincere da falsi miracoli» (J. Sumption, *Pilgrimage: an Image of Mediaeval Religion*, Totowa (N. J.) 1976, pp. 146 sg.).

[15] J. M. Lotman e B. A. Uspenskij, *Novye aspekty izučenija kultury Drevnej Rusi* [Nuovi aspetti dello studio della cultura dell'antica Rus'], in «Voprosy literatury», 1977, n. 3, p. 150.

[16] Cfr. G. A. Levinton, *Zamečanija k probleme «literatura i fol'klor»* [Osservazioni sul problema letteratura e folklore], in «Trudy po znakovym sistemam», 7 (1975), pp. 78 sg.

[17] *Gesta Alberonis auctore Balderico*, in *MGH, Scriptores*, VIII, p. 257.

[18] «Tra la luce e la tenebra esiste la stessa differenza che c'è tra il ceto dei sacerdoti e i laici», affermava Onorio di Autun (*MGH, Libelli de vite*, III, p. 51).

[19] In uno degli «esempi» raccolti da Giacomo di Vitry, si narra l'esperienza del sacerdote Maugrin, «valde illitteratus». Poiché non comprendeva neanche una parola del sermone esposto in latino da uno scolaro, questo sacerdote avvisò il servo dello scolaro che il suo padrone aveva perso la tramontana. Qualche tempo dopo lo scolaro si lagnò dell'ignorante con il vescovo, e questi, convocato Maugrin, finse di confessarglisi; in realtà gli parlava in latino «ex dialectica et aliis facultatibus», ma il sacerdote, non sospettando il trucco, lo assolveva dai suoi peccati.

[20] *MGH, Epistola Karolini Aevi*, II, p. 183.

[21] K. von See, *Germanische Heldensage. Stoffe, Probleme. Methoden. Eine Einführung*, Frankfurt am Main 1971, p. 150.

[22] *Caesarii Heisterbacensis monachi Dialogus miraculorum*, a cura di J. Strange, vol. I, Coloniae, Bonnae et Bruxellis 1851, coll. 4, 36. Questo racconto risulta essere, come molti altri testi della letteratura mediolatina, una parafrasi di un antico tema. «Demad teneva un discorso ad una riunione popolare, ma non gli prestavano ascolto. Allora egli si mise a raccontare: "Demetr, una rondine e un'anguilla viaggiavano insieme; si avvicinarono ad un fiume, e la rondine spiccò il volo, mentre l'anguilla si tuffò nell'acqua". Qui egli si fermò; cominciarono a domandargli: "E Demetr?" – "E Demetr si adira con voi, rispose Demad, – perché non pensate agli affari dello Stato, e vi sollazzate invece con le favole di Esopo"» (M. L. Gasparov, *Antičnaja literaturnaja basnja (Fedr i Babrij)* [L'antica favola letteraria (Fedro e Babrio)], Moskva 1971, p. 19). La somiglianza è evidente. Ma è indubbiamente sintomatico che uno scrittore medievale utilizzi tale motivo.

[23] Piú in dettaglio cfr. Gurevič, *Kategorii srednevekovoj kul'tury* cit., pp. 15 sgg. [trad. it. pp. 13 sgg.].

[24] Si veda: L. P. Karsavin, *Simvolizm myšlenija i ideja miroporjadka v srednie veka (XII-XIII veka)* [Il simbolismo del pensiero e l'idea dell'ordine del mondo nel Medioevo (secoli XII-XIII)], in «Naučnyj istoričeskij žurnal», vol. 1, 2 (1914), n. 2, pp. 10 sg.; Id., *Osnovy srednevekovoj religioznosti v XII-XIII vekach, preimuščestvenno v Italii* [I fondamenti della religiosità medievale nei secoli XII-XIII, principalmente in Italia], Peterburg 1915, pp. 8 sgg.

[25] Chi metta in dubbio verità generalmente accettate e avanzi nuovi argomenti, in questo sistema di coscienza, è un eretico. Si veda *Vita Columbani*, 2, 10 (a pro-

posito dell'eretico): «confutator veritatis et novorum introductor argumentorum», in *MGH*, *Scriptores rerum merovingicarum*, IV, p. 127.

[26] Il fondamento piú convincente della veridicità di un fatto che veniva raccontato era costituito allora dal richiamo ad un testimone oculare o ad un oggetto cui questo avvenimento era legato.

[27] È curioso che anche nel tardo Medioevo le domande dei laici sulla liturgia e sul rituale mettessero spesso in imbarazzo i sacerdoti, e si dovevano compilare dei manuali speciali che fornissero loro le dovute risposte a domande tanto «insidiose». (Cfr. K. Young, *Instruction for Parish Priests*, in «Speculum», vol. 11 (1936), n. 2, pp. 224 sg.).

[28] Un ulteriore ampliamento dell'ambito delle fonti, a quanto pare, non aumenta sostanzialmente la quantità delle nuove informazioni. Cosí, ad esempio, l'esame dell'indice dei motivi utilizzati negli *exempla* (F. C. Tubach, *Index exemplorum. A Handbook of Medieval Religious Tales*, Helsinki 1969), fornisce lo stesso materiale. Sopraggiunge alquanto presto uno stadio di «saturazione», di fronte al quale lo studioso prova l'*embarras de richesses*.

[29] A questo riguardo si vedano le penetranti osservazioni di D. S. Lichačev sulle differenze tra i generi della letteratura religiosa medievale che sarebbero determinate dalla loro destinazione pratica e dal loro carattere funzionale (D. S. Lichačev, *Poetika drevnerusskoj literatury* [La poetica della letteratura antico-russa], Leningrad 1967, pp. 49 sgg.).

[30] Cfr. *S. Gregorii Magni Epistolae*, 11, 54, in *PL*, vol. 77, coll. 1171-72. Gregorio I racconta che san Benedetto, da giovane, si rifiutò di ricevere la propria istruzione a Roma, vedendovi una minaccia per la sua anima, e «se ne andò di là coscientemente ignorante e saggiamente non istruito» (*PL*, vol. 66, col. 126).

[31] Cfr. P. Riché, *Éducation et culture dans l'Occident barbare, VI-VIII siècles*, Paris 1962, pp. 196 sgg. [trad. it. *Educazione e cultura nell'Occidente barbarico dal VI all'VIII secolo*, Roma 1966].

[32] Occorre precisare che nel secolo VI con *sermo rusticus* s'intendeva il latino volgare, parlato, mentre nei secoli successivi venivano chiamati «lingua volgare» i dialetti popolari in contrapposizione al latino: un notevole spostamento di significato! (Cfr. H. Beumann, *Gregor von Tours und der sermo rusticus*, in Id., *Wissenschaft vom Mittelalter. Ausgewählte Aufsätze*, Köln-Wien 1972, pp. 41-70).

[33] Geronimo racconta che una volta udí nel sonno le parole del Signore: «... tu non sei un cristiano, ma un ciceroniano», e in seguito a ciò abbandonò lo studio dei «libri pagani» (J. Spörl, *Gregor der Grosse und die Antike*, in *Christliche Verwirklichung. Romano Guardini zum 50ten Geburtstag*, Rothenfels am Main 1935, p. 204).

[34] *Europäische Literatur und lateinisches Mittelalter*, Bern-München 1973[8].

[35] Cfr. H. Beumann, *Der Schriftsteller und seine Kritiker im frühen Mittelalter*; in «Studium generale», 12 (1959), n. 8, pp. 497-511; W. Veit, *Toposforschung, ein Forschungsbericht*, in «Deutsche Vierteljahrsschrift für Literaturwissenschaft und Geistesgeschichte», 37 (1963), n. 1, pp. 120-63.

[36] Curtius, *Europäische Literatur* cit., pp. 93 sg., 414 sg.; H. Hagendahl, *Piscatorice et non Aristotelice. Zu einem Schlagwort bei den Kirchenvätern*, in *Septentrionalia et Orientalia, Studia B. Karlgren dedicata*, Stockholm 1959, pp. 184-93.

[37] *Literatursprache und Publikum in der lateinischen Spätantike und im Mittelalter*, Berlin 1958, pp. 68, 77, 191 sgg.

[38] *De doctrina Christiana*, 4, 10, 24, in *PL*, vol. 34, pp. 99 sg.

[39] 003Cfr. H. Eggers, *Non cognovi litteraturam (zu Parzival 115, 27)*, in *Festgabe für Ulrich Pretzel*, Berlin 1963.

[40] *MGH*, *Scriptores rerum merovingicarum*, I/2, p. 586.

[41] *S. Gregorii eo. Turonensis De Miraculis s. Martini. Epistola*, in *PL*, vol. 71, coll. 911-12.

[42] *S. Gregorii ep. Turonensis Libri Miraculorum. Proemium, ibid.*, coll. 705-6.

[43] *S. Gregorii ep. Turonensis Liber De Gloria beatorum confessorum. Praefatio, ibid.*, coll. 829-30; *Historiae Francorum*, I, *Praefatio*. Del resto, egli non è poi cosí lontano dalla verità, giacché la sua grammatica è barbara, l'ortografia è disordinata e le frasi sono dei «mostri grammaticali». È come se l'autore scrivesse consapevolmente senza attenersi allo stile letterario, e invece fissasse con la sua penna la viva lingua popolare, parlata con la sua irregolarità, le sue contraddizioni, anche logiche, e i suoi solecismi. Sullo stile di Gregorio di Tours cfr. E. Auerbach, *Mimesis. Izobraženie dejstvitel'nosti v zapadnoevropejskoj literature*, Moskva 1976, pp. 97-99, 103 sgg. [ed. it. *Mimesis. Il realismo nella letteratura occidentale*, Einaudi, Torino 1956, pp. 93-4, 98-100]. Auerbach si riferisce principalmente alla *Historia Francorum*, ma se si fosse dedicato anche all'analisi delle opere agiografiche di Gregorio, i suoi giudizi sarebbero ancor piú decisi (cfr. M. Bonnet, *Le latin de Grégoire de Tours*, Paris 1890).

[44] *Historia Francorum, Praefatio prima.*

[45] *Ibid.*, X, 31.

[46] T. Janson, *Latin Prose Prefaces. Studies in Literary Conventions*, in «Acta Universitatis Stockholmiensis», 13 (1964), p. 144, ha rilevato che il modello di questa dichiarazione di Gregorio di Tours furono le parole di Ireneo (nell'esposizione di Rufino). Ma anche se la richiesta di Gregorio di non mutare nulla nei suoi lavori non è originale, il fatto che egli si sia valso di questa citazione nascosta non diventa per questo meno eloquente.

[47] Cfr. Riché, *Education et culture* cit., pp. 130 sgg., 318 sgg., 536 sgg.

[48] Cit. in G. Strunk, *Kunst und Glaube in der lateinischen Heiligenlegende. Zu ihrem Selbstverständnis in den Prologen*, in «Medium Aevum. Philologische Studien», 12 (1970), p. 18.

[49] *S. Gregorii Magni Epistolae*, 12, 24, in *PL*, vol. 77, col. 1235.

[50] *Ibid.*, 11, 13, coll. 1128-29.

[51] *S. Caesarii ep. Arelatensis Sermones*, in *PL*, vol. 39, coll. 2326 sg.

[52] *Sermones*, in *PL*, vol. 39, col. 1772.

[53] *Ibid.*, coll. 2325-27.

[54] *Vita S. Caesarii episcopi*, 1, 4, in *PL*, vol. 67, col. 1018.

[55] *Sermones*, in *PL*, vol. 39, col. 1758.

[56] *Ibid.*, col. 2298.

[57] Cfr. Riché, *Education et culture* cit., p. 537.

[58] Cfr. A. Ja. Gurevič, *Jazyk istoričeskogo istočnika i social'naja dejstvitel'nost': srednevekovyj bilingvizm* [La lingua della fonte storica e la realtà sociale: il bilinguismo medievale], in «Trudy po znakovym sistemam», 7 (1975).

[59] *Historia Francorum*, II, *Praefatio*: «Prosequentes ordinem temporum, mixte confuseque tam virtutes sanctorum quam strages gentium memoramus».

[60] Cfr. C. A. Bernoulli, *Die Heiligen der Merovinger*, Tübingen 1900, pp. 88 sg.; H. Delehaye, *La Méthode Historique et l'Hagiographie*, in «Academie royale de Belgique. Bulletin de la classe des lettres et des sciences morales et politiques», serie V, vol. 16 (1930), nn. 5-7, pp. 218 sg.; E. H. Walter, *Hagiographisches in Gregors Frankengeschichte*, in «Archiv für Kulturgeschichte», vol. 48 (1966), n. 3, pp. 292 sgg.

[61] Cfr. Curtius, *Europäische Literatur* cit., pp. 108 sgg., 113.

[62] Cfr. W. von der Steinen, *Heilige als Hagiographen*, in Id., *Menschen in Mittelalter*, Bern e Leipzig 1967, p. 17.

[63] *Historia Francorum*, V, 43; VI, 5, 40; X, 13.

[64] *Libri miraculorum* I 81, in *PL*, vol. 71, coll. 777-78.

[65] H. Delehaye, *Les légendes hagiographiques*, Bruxelles 1906², p. 28. Sull'influenza reciproca e la compenetrazione tra folklore e letteratura latina esemplificate nell'opera di Gregorio Magno e di Iacopo da Varazze cfr. I. N. Goleniščev-Kutuzov, *Srednevekovaja latinskaja literatura Italii* [La letteratura latina medievale in Italia], Moskva 1972, pp. 138 sgg., 212 e altre. Cfr. S. V. Poljakova, *Vizantijskie legendy kak literaturnoe javlenie* [Le leggende bizantine come fenomeno letterario], in *Vizantijskie legendy* [Leggende bizantine], Leningrad 1972, pp. 246 sgg.

[66] Per ulteriori particolari cfr. cap. IV.

[67] Cfr. W. Levison, *Aus rheinischer und frankischer Frühzeit*, in Id., *Ausgewählte Aufsätze*, Düsseldorf 1948.

[68] Cfr. R. Manselli, *La religion populaire* cit., pp. 32 sgg.

[69] Lichačev, *Poetika drevnerusskoj literatury* cit., p. 63. A proposito dei «legami genetici» tra folklore e letteratura nel Medioevo è importante il pensiero di questo autore (*Razvitie russkoj literatury x-xvii vekov. Epochi i stili* [Lo sviluppo della letteratura russa dei secoli x-xvii. Epoche e stili], Leningrad 1973, p. 48).

[70] Tubach, *Index exemplorum* cit.

[71] Gli *exempla* edificanti sono utilizzati solo in parte. Questo stesso genere letterario era infatti assai eterogeneo. Le novelle di Cesario di Heisterbach o di Rudolf di Schlettstadt, come pure i *Dialoghi* di Gregorio Magno o le vite brevi di Gregorio di Tours, recano chiaramente l'impronta della tradizione popolare, e ad essa sono strettamente legati. In altre raccolte di *exempla* invece gli autori tendono a dare un'interpretazione allegorica ai fatti che narrano, trasformando delle scene vive in parabole, in cui si perde il contatto con la fantasia popolare, mentre subentrano elementi tratti dalla letteratura dotta. Tali sono per lo piú gli *exempla* nelle raccolte di Welter e di Klapper, tali sono anche gli aneddoti nei sermoni di Giacomo di Vitry o nel trattato di Tommaso di Chatimpré. Alla tendenza «dotta» appartengono per lo piú anche le opere di Pietro Alfonso, Gervasio di Tilbury e Walter Map. Queste opere erano indirizzate a un uditorio diverso da quello popolare.

[72] *Dialogus miraculorum*, 4, 1; *Prol.*; 11, 1 e cfr. 12, 1.

[73] *Ibid.*, 7, 59: Un cistercense in stato di estasi ebbe l'onore di contemplare la gloria celeste, gli angeli, i patriarchi, i profeti, gli apostoli, i martiri, e anche i monaci di vari ordini, entrati in paradiso. Egli si stupí e si rattristò nel vedere che accanto al trono del Signore non c'era nessuno dei fratelli del suo ordine, e ardí domandarne il motivo alla Madonna. Questa lo tranquillizzò: i cistercensi le sono cosí cari e diletti che ella li protegge con il suo manto, sotto il quale essi appunto risultarono essere, quando ella sollevò il braccio.

[74] *Dialogus miraculorum*, 6, 7; 11, 56.

[75] Sull'evoluzione del genere degli *exempla* cfr. *Kultura elitarna a kultura masowa* cit., pp. 53 sgg.

[76] *Dialogus miraculorum* 8, 1 (Novicius): «magis exemplis quam sententiis scire desidero».

[77] Oltre alla Sacra Scrittura Cesario cita volentieri i *Dialoghi* di Gregorio Magno.

[78] *Dialogus miraculorum*, 7, 23: Alcuni eretici avevano punito crudelmente un sacerdote cattolico tagliandogli la lingua. La Madonna ebbe pietà del chierico che aveva sofferto per amore di suo figlio, e con le sue mani gli mise in bocca una lingua nuova. Cesario di Heisterbach cita un testimone che ha parlato con questo sacerdote, ha visto la sua lingua e ha udito questa storia da lui stesso!

[79] Cfr. A. Kaufmann, *Caesarius von Heisterbach. Ein Beitrag zur Kulturgeschichte des zwölften und dreizehnten Jahrhunderts*, Leipzig 1974².

[80] *Dialogus miraculorum*, 10, 66.

[81] *Historiae memorabiles. Zur Dominikarliteratur und Kulturgeschichte des 13. Jahrhunderts*, a cura di Erich Kleinschmidt, Köln-Wien 1974 (Archiv für Kulturgeschichte, 10), pp. 15-17, 21, 26.

[82] Quanto fossero popolari queste storie si può giudicare dal fatto che una parte di esse venne riassunta in tedesco in una cronaca della metà del secolo XVI, il cui autore, inoltre, scelse esclusivamente i racconti sugli spiriti e i demoni (cfr. *Historialmemorales*, pp. 33 sgg.).

[83] *Ibid.*, n. 28, p. 86.

[84] *Ibid.*, n. 46, p. 108-9.

[85] Un decreto del IV Concilio laterano (1215) proclamò che la confessione quotidiana fosse obbligatoria per tutti i credenti.

[86] *Sacrorum conciliorum nova et amplissima collectio*, a cura di J. D. Mansi, vol. 14, Venetiis 1769, pp. 101, 559 (decreti del II Concilio di Chalons e del IV di Parigi) e pp. 813 e 829.

[87] H. J. Schmitz, *Die Bußbücher und die Bußdisciplin der Kirche*, 12 voll., 1883-98, rist. Graz 1958, vol. 1, p. 570, nota 1.

[88] *Ibid.*, p. 761. Si è conservato un distico (citato in H. Ch. Lea, *A history of Auricular Confession and Indulgences in the Latin Church*, vol. 1, London 1896, p. 368) che riflette il carattere delle domande da porre in confessione: «Quid, quis, ubi, per quos, quoties, cur, quomodo, quando, | Quilibet observet animae medicamina dando».

[89] Schmitz, *Die Bußbücher* cit., vol. 1, pp. 162, 241-42, 308. Gli autori mediolatini raccontano storie di persone cadute in tentazione di commettere un peccato dopo averne sentito parlare dal confessore (*Dialogus miraculorum*, 3, 47). Esistono interessanti storie di confessori «non qualificati»: un tale assegnò la stessa penitenza a due penitenti – ad uno perché era stato intemperante, e all'altro per la sua temperanza (*Dialogus miraculorum*, 3, 40). È noto il racconto su quell'uomo che in confessione s'incolpò senza ragione, ammettendo di aver commesso tutti i peccati possibili, fino ai piú gravi: il confessore però accertò che egli in realtà non aveva commesso nulla, ma che il prete suo predecessore esponeva ai parrocchiani il contenuto del penitenziale e li obbligava a confessare tutti i peccati nominati nel libro!

[90] Schmitz, *Die Bußbücher* cit., vol. 1, p. 400.

[91] Cfr. Th. P. Oakley, *The Penitentials as Sources for Mediaeval History*, in «Speculum», 15 (1940), n. 2, pp. 215 sgg.

[92] Schmitz, *Die Bußbücher* cit., vol. 1, p. 701.

[93] Cfr. P. Fournier, *Le Décret de Burchard de Worms, ses caractères, son influence*, in «Revue d'histoire ecclésiastique», vol. 12 (1911).

[94] Cfr. C. Vogel, *Pratiques superstitieuses au début du XIe siècle d'après le Corrector sive medicus de Burchard, évêque de Worms (965-1025)*, in *Mélanges E. R. Labande*, Poitiers 1974, pp. 751-60.

[95] «Canonum iura et iudicia poenitentium in nostra dioecesi sic sunt confusa atque diversa et inculta ac sic ex toto neglecta...» (A. Hauck, *Kirchengeschichte Deutschlands*, 3 voll., Berlin-Leipzig 1952[6], p. 439).

[96] La violazione del segreto della confessione era considerata un peccato e un delitto. Si raccontava la seguente storia: un cavaliere aveva ucciso un uomo, ma nessuno lo sapeva. Egli lo confidò in confessione al sacerdote, ma questi, sperando in una ricompensa, denunciò l'omicida al principe, che perdonò il cavaliere, ma ordinò di accecare il sacerdote e di tagliargli la lingua (Tubach, *Index exemplorum* cit., n. 1203).

[97] Cfr. Th. P. Oakley, *English Penitential Discipline and Anglosaxon Law in their joint influence*, New York 1923, pp. 136 sgg.

[98] H. Hildebrand, *Untersuchungen über die germanischen Poenitentialbücher*, Würzburg 1851, pp. 2 sgg.

[99] Schmitz, *Die Bußbücher* cit., vol. 1, p. 504: «in corde et non in corpore unum est peccatum, sed non eadem penitentia est».

[100] Le Goff, *Pour un autre Moyen Âge* cit., pp. 169 sgg.

[101] Schmitz, *Die Bußbücher* cit., vol. 1, p. 147. Fu riconosciuto che chi digiuna dietro compenso, assumendosi i peccati di altri, è indegno di chiamarsi cristiano (*ibid.*, 1, p. 326. Cfr. pp. 148, 768). Nello stesso tempo però rimaneva valida la norma secondo la quale l'omicida di una persona che stava scontando una penitenza, doveva assumersene la parte non ancora scontata (*ibid.*, p. 772).

[102] *Ibid.*, pp. 698, 699.

[103] *Ibid.*, p. 147.

[104] *Ibid.*, p. 781; vol. 2, pp. 412, 414. L'uccisione di un pagano o di un ebreo veniva invece punita con solo 40 giorni di digiuno (*ibid.*, vol. 1, p. 782).

[105] *S. Gregorii Magni Regulae pastoralis liber*, I, 1: «ars est artium regimen animarum», in *PL*, vol. 77, col. 14.

[106] I peccati degli uomini liberi e degli schiavi non possono essere puniti allo stesso modo, giacché gli schiavi e le schiave «non dispongono di se stessi», perciò anche le loro penitenze vanno dimezzate. Cfr. Schmitz, *Die Bußbücher* cit., vol. 1, pp. 91, 243, 429.

[107] *Ibid.*, p. 88, cfr.: pp. 99, 563. Sulla contrapposizione tra *homo intelligibilis* e *simplex*, *literatus* e *non literatus* cfr. *ibid.*, pp. 788-89.

[108] In alcuni penitenziali l'accento si sposta in parte dalla gravità e dalla durata della punizione al grado di afflizione del penitente per i suoi peccati, «quia apud Deum non tam valet mensura temporis quam doloris, non abstinentia tam ciborum quam mortificatio vitiorum». *Ibid.*, p. 807. È un'indiretta citazione da Geronimo.

[109] La dettagliata classificazione dei peccati è nel *Poenitentiale Merseburgense*, *ibid.*, pp. 700-1; cfr. *ibid.*, 2, pp. 761-62. Cfr. anche M. W. Bloomfield, *The Seven Deadly Sins*, Michigan 1967, pp. 69 sgg.

[110] Cfr. Manselli, *La religion populaire* cit., pp. 181 sgg.

[111] Uso questo termine convenzionalmente, giacché il «catechismo» medievale non era una raccolta di domande rivolte dal predicatore al parrocchiano, bensí era una conversazione tra maestro e discepolo, nel corso della quale quest'ultimo interrogava il primo.

[112] In un'altra opera Onorio nomina tra i suoi *opuscula* anche l'*Elucidarium* (*PL*, vol. 172, col. 232).

[113] Il soprannome Augustodunensis ha dato adito a varie interpretazioni, ma nessuna di esse è definitiva. La piú probabile è che Onorio non fosse un francese come prima si riteneva (e si interpretava il suo soprannome come «di Autun»), ma un tedesco, legato all'Inghilterra dai suoi studi e dalla carriera ecclesiastica.

[114] Nel prologo l'autore paragona la sua opera ad un edificio eretto «sulla pietra di Cristo» e fondato su quattro colonne: l'autorità dei profeti, la dignità degli apostoli, la saggezza degli esegeti e le riflessioni dei maestri. Lo scopo dell'*Elucidarium*, a suo dire, è quello di dividere con gli altri il tesore ricevuto, ma non soltanto con i contemporanei, bensí anche con le generazioni a venire. L'autore, come vediamo, non soffre di modestia (ricordiamo il suo timore di destare invidia). Una nuova edizione critica dell'*Elucidarium* è Y. Lefevre, *L'Elucidarium et les lucidaires. Contribution, par l'histoire d'un texte, à l'histoire des croyances religieuses en France au Moyen Âge*, Paris 1954.

[115] Cfr. K. Schorbach, *Entstehung, Überlieferung und Quellen des deutschen Volksbuches Lucidarius*, Strassburg 1894; J. Kelle, *Über Honorius Augustodunensis*

und das Elucidarium, in *Sitzungsberichte der kaiserlichen Akademie der Wissenschaften. Phil.-hist. Classe*, Wien 1901; J. A. Endres, *Honorius Augustodunensis. Beitrag zur Geschichte des geistigen Lebens im 12. Jahrhundert*, Kempten e München 1906; M. Grabmann, *Eine stark erweiterte und kommentierte Redaktion des Elucidarium des Honorius*, in *Miscellanea Giovanni Mercati*, vol. II, Città del Vaticano 1946; E. M. Sanford, *Honorius, Presbyter and Scholasticus*, in «Speculum», vol. 23 (1948), n. 3.

[116] In un manoscritto del secolo XII a proposito dell'*Elucidarium* si sostiene: «Liber enim in multis utillimus est et ad multis laicorum vel litteratorum quaestiones respondendas sensum aperit». Invece in un manoscritto della fine del secolo XIV, che si deve alla penna di Nicola Aimerico, inquisitore di Aragona e di Catalogna, leggiamo quanto segue: «liber multum antiquatus, liber multum publicatus, liber in librariis communibus positus, liber cunctis expositus» (Lefevre, *L'Elucidarium et les lucidaires* cit., pp. 60, 485).

[117] J. De Ghellinck, *Le mouvement théologique du XIIe siècle*, Bruxelles e Paris 1948, p. 120.

[118] L'opera di Rodolfo di Schlettstadt, pubblicata per la prima volta solo nel 1974, non è ancora entrata, per quanto io sappia, nel campo d'indagine dei medievisti.

[119] Come ha giustamente rilevato J. Le Goff (*Pour un autre Moyen Âge* cit., pp. 109, 133 sgg.), il popolo è quasi del tutto assente nelle opere del primo Medioevo, e tale silenzio caratterizza in modo eloquente il posto occupato dal popolo nella vita culturale medievale. Ma anche nei rari casi in cui nelle fonti di questo periodo s'incontrano dei contadini in relazione a problemi della vita spirituale, tali accenni possono avere interpretazioni diverse. Ad esempio, nella *Vita di Guglielmo, abate di Hirsau* (secolo XI) si narra di una povera coppia di sposi che viveva in un bosco, in una capanna che venne visitata dall'abate. Egli domandò ai coniugi se conoscessero la fede cattolica e si sentí rispondere che la ignoravano completamente. A Manselli (*La religion populaire au Moyen Âge* cit., pp. 126 sgg.) pare sostanziale il fatto stesso che il santo rivolga tale domanda, e ammetta quindi l'esistenza di persone prive di conoscenza religiosa. Tuttavia questo esempio si può probabilmente interpretare anche in modo un po' diverso. L'autore di questa vita, Aimo, non era probabilmente interessato ai contadini ignoranti: la sua attenzione era interamente concentrata sul santo, sulle sue azioni e le sue parole. Affliggendosi per l'ignoranza degli abitanti della casa in cui è entrato, Guglielmo esclama: «Che cosa c'è di sorprendente nel fatto che siate poveri delle cose esteriori, se interiormente siete privi del bene divino?» – e li istruisce brevemente sui fondamenti della fede (si veda *Vita Willihelmi abbatis Hirsaugiensis auctore Haimone*, in *MGH*, *Scriptores*, XII, Hannoverae 1856, p. 217). Tutta la scenetta qui citata non è forse scritta proprio in funzione di queste parole e per mostrare la buona azione del santo?

[120] Cfr. Sumption, *Pilgrimage* cit., p. 41. Senza dubbio l'atteggiamento sprezzante verso i santi e lo scetticismo non sono segni di «libero pensiero», bensí sono sintomi della diffidenza che uomini ancora permeati dalle concezioni pagane provavano verso il dogma e il rituale della Chiesa e, forse – in misura ancora maggiore – verso i suoi ministri, che per loro erano le sue reali incarnazioni.

[121] *Ibid.*, p. 45.

[122] Bachtin, *Problema teksta* [Il problema del testo], in «Voprosy literatury», 1976, n. 10, pp. 127, 145.

[123] *Ibid.*, p. 149, 150.

[124] Sul concetto di genere in riferimento alla cultura medievale cfr. Lichačev, *Poetika drevnerusskoj literatury* cit.; G. K. Vagner, *Problema žanrov v drevnerusskom iskusstve* [Il problema dei generi nell'arte antico-russa], Moskva 1974; A. D. Michajlov, *Francuzskij rycarskij roman i voprosy tipologii žanra v srednevekovoj literature* [Il romanzo cavalleresco francese e i problemi della tipologia del genere nella letteratura medievale], Moskva 1976.

Capitolo secondo
Contadini e santi

Quando san Martino, vescovo di Tours, si ammalò, nella cittadina in cui stava morendo si radunarono gli abitanti di Poitiers e di Tours, per essere presenti alla sua santa dipartita. Subito dopo la morte di Martino si accese tra loro «la grande disputa», narrata da Gregorio di Tours. Gli abitanti di Poitiers dicevano a quelli di Tours: «È nostro questo monaco, presso di noi diventò abate, vogliamo che ci venga restituito. Finché egli fu a questo mondo come vescovo, avete ascoltato i suoi discorsi, avete diviso la sua tavola, egli vi dava forza con le sue benedizioni, ma soprattutto vi colmavano di gioia i miracoli da lui compiuti. Accontentatevi di tutto questo, e che a noi tocchi il suo corpo esanime». Gli abitanti di Tours replicavano: «Voi dite che a noi devono bastare i suoi atti miracolosi, ma sappiate che egli ne compí piú da voi che qui. Giacché, tralasciando molti altri fatti, non bisogna dimenticare che da voi egli resuscitò due morti, mentre da noi soltanto uno; perché, come egli stesso disse piú volte, egli aveva piú forza taumaturgica prima di diventare vescovo che non dopo la consacrazione alla dignità vescovile. Quindi è necessario che egli compia dopo morto ciò che non riuscí a fare per noi finché era vivo. Dio lo tolse a voi e lo diede a noi».

Cosí discussero fino al calar della notte. La chiesa in cui giaceva il corpo del santo venne chiusa, e tanto gli abitanti di Poitiers quanto quelli di Tours vi misero delle sentinelle. Al mattino gli abitanti di Poitiers avrebbero potuto portar via il corpo con la forza, ma «il Signore onnipotente non permise che Tours fosse privata del suo patrono». Quando a mezzanotte il drappello di Poitiers si addormentò, gli abitanti di Tours presero i resti mortali del santo, li calarono dalla finestra e, dopo averli portati sulla nave, salparono per Tours. Gli abitanti di Poitiers furono svegliati dagli inni e dai salmi cantati ad alta voce dagli avversari che si allontanavano, e tornarono a casa profondamente turbati, «senza aver conservato il tesoro a cui facevano la guardia»[1].

Il racconto di Gregorio di Tours non ha bisogno di commenti. La concezione del santo come di un taumaturgo, dei cui atti si tiene rigorosamente conto, mentre si esigono i miracoli «mancanti», è resa qui con eccezionale immediatezza e chiarezza. Forse occorre osservare di nuovo che Gregorio, sia qui sia in altri punti della *Storia dei Franchi*, come d'altronde nelle altre sue opere, è ben lungi dall'intenzione di prendere le distanze da tale atteggiamento ingenuamente «consumistico» nei confronti del santo, patrimonio degli abitanti di una certa località e dei parrocchiani della chiesa in cui riposano le sue reliquie. Le simpatie di Gregorio vanno agli abitanti di Tours, poiché san Martino era patrono della diocesi a capo della quale stava lo stesso Gregorio. Il vescovo evidentemente condivide l'opinione dei suoi concittadini che un santo è obbligato a compiere miracoli, e per di piú per intero.

Nelle opere di Gregorio di Tours si è conservato anche un altro racconto analogo. Nelle *Vite dei santi padri* egli narra la morte di san Lupicino. Questa volta la lite per i resti del santo si era accesa tra gli abitanti della località in cui egli era morto e una matrona di un altro distretto, venuta a prendere il suo corpo. A fondamento delle sue pretese questa dama ricordò di aver ripetutamente fornito al santo grano e orzo, che egli stesso mangiava e dava agli altri. I suoi avversari obiettavano: «Quest'uomo è della nostra stirpe, dal nostro fiume attingeva l'acqua, e la nostra terra l'ha consegnato ai cieli». Alla fine di questa contesa gli abitanti del luogo seppellirono il santo, ma non appena si furono allontanati, la matrona trafugò il suo corpo e su una portantina lo fece trasportare nei suoi possedimenti. Solo allora i suoi oppositori si pentirono di non aver aderito alla sua richiesta, riconoscendo nelle sue azioni la volontà dell'Onnipotente, e chiesero il permesso di prender parte al funerale del santo. Tuttavia, aggiunge Gregorio, Lupicino in seguito compí molti miracoli in entrambe le località[2].

Il fatto che da vivo un santo abbia ricevuto dei doni, è già di per sé motivo sufficiente per pretendere da lui dei doni-miracoli in cambio. Il principio secondo cui «un dono deve essere ricambiato», uno dei principî fondamentali che governavano i rapporti sociali nella società barbarica e del primo Medioevo, si estendeva, come vediamo, anche ai rapporti tra i laici e i santi. Perciò si facevano volentieri donazioni alle chiese e ai monasteri di quei santi che compivano miracoli; se non avvenivano guarigioni e altri miracoli, non c'erano neanche doni.

Un'altra ragione che autorizza a pretendere i resti taumaturgici di un santo è il rapporto di questi da vivo con il suo gregge. Egli ha vissuto e compiuto le sue imprese in una data località, di conseguenza, appartiene alle persone che vi abitano e non può separarsi da loro neanche dopo la morte. *Il gregge dei fedeli e il santo formano un'unica comunità, entro i cui confini circolano i beni, le preghiere, i miracoli, i doni.* Questa comunità è considerata indissolubile, e né gli ammiratori del santo né il santo stesso hanno il diritto di interrompere il rapporto unilateralmente. Perciò non c'è nulla di sorprendente nel fatto che, come riferisce Gregorio di Tours, il re franco Chilperico, avendo bisogno dell'aiuto e del consiglio di san Martino, facesse deporre sulla tomba di quest'ultimo una lettera con la preghiera di rispondergli: senza il permesso di san Martino egli non si decideva a far uscire un suo nemico dalla chiesa consacrata a questo santo. Il diacono che aveva portato la missiva del re al sepolcro del santo, vi depose sopra anche un foglio di carta bianca, ma per tre giorni aspettò invano una risposta[3].

Per assicurarsi per sempre i «servigi» di un santo, si acquistavano le sue reliquie, e nell'Europa medievale si svolgeva un animato commercio di questa «merce molto richiesta»[4]. Come i resti dei santi, era oggetto di culto anche ciò che con loro aveva avuto un legame o un contatto: i sudari, la polvere del sepolcro del santo ecc. Accanto al commercio delle reliquie era largamente diffuso anche il loro saccheggio; dopo che i crociati ebbero preso e saccheggiato Costantinopoli nel 1204, in Europa si riversò un fiume di reliquie. Si credeva che il furto di reliquie potesse riuscire soltanto con il consenso del santo stesso.

Sono noti casi estremi in cui i credenti non si fermavano neanche di fronte all'assassinio del santo pur di impadronirsi cosí dei suoi resti taumaturgici. Pietro Damiani racconta che i montanari dell'Umbria, venuti a sapere che san Romualdo intendeva abbandonarli per trasferirsi in un'altra località, « si allarmarono moltissimo e, dopo aver discusso tra loro sul modo di opporsi a questa sua intenzione », non trovarono migliore via d'uscita che mandargli segretamente un sicario: « ... se non potevano conservarlo vivo, allora avrebbero ricevuto il suo corpo esanime come protettore della loro terra ». « Empia devozione », « folle stupidità »: cosí l'istruito autore della biografia condanna questo proposito[5]. Ma una devozione di questo genere, barbara agli occhi dei pastori di anime, era evidentemente percepita dal popolo come qualcosa di naturale, capace di esprimere l'essenza dei rapporti che intercorrevano tra santi e fedeli da loro beneficati. Il fatto che il corpo di un santo riposasse nella loro terra, agli occhi degli abitanti del luogo era garanzia di prosperità. In questo forse c'era poco di devoto dal punto di vista dell'autore della biografia, uno dei promotori della riforma di Cluny al volgere del secolo X, ma ciò rispondeva in pieno all'interpretazione popolare della santità. Come non ricordare qui la leggenda del famoso *Konung* scandinavo, il cui corpo, dopo la morte, fu diviso in pezzi sepolti in regioni diverse, affinché « la felicità » e « la fortuna » in esso racchiuse restassero loro patrimonio? Similmente anche san Romualdo, se i suoi fedeli fossero riusciti ad attuare il loro proposito sanguinario e devoto di assassinarlo, avrebbe potuto fungere per sempre da loro patrono.

I fedeli consideravano il santo una loro proprietà. Si vantavano dei suoi atti miracolosi, li paragonavano alle imprese dei santi « altrui », e il « proprio » santo sembrava piú potente. Nella vita del vescovo di Reims Rigoberto, annotata in quella città alla fine del secolo IX, si narra di una sorta di prova tra santi, organizzata da una donna malata di febbre. Ella aveva deciso di ricorrere contemporaneamente all'aiuto di tre santi e a questo scopo accese tre candele di cera della medesima lunghezza, dedicandone una a san Teodorico, un'altra a san Rigoberto e la terza a san Teodolfo. La potenza dei santi doveva manifestarsi nella durata delle rispettive candele. Attraverso tale « esperimento » la malata desiderava venire a sapere, « com'era costume del popolo », a quale dei santi dovesse fare voto. La candela del patrono della città –

san Rigoberto – arse piú a lungo delle altre, e la donna si rivolse a lui con una preghiera che produsse l'effetto desiderato[6].

I rapporti tra i santi e i fedeli rientravano nelle categorie, abituali per gli uomini di quel tempo, della fedeltà e dell'aiuto reciproci. In cambio della protezione di un santo e delle guarigioni che egli donava, la popolazione era pronta a venerarlo e a difenderlo. Quindi gli uomini dell'arcivescovo di Orléans giunsero al santuario di san Martino per prendere un fuggiasco che vi cercava rifugio, i contadini del luogo si armarono e accorsero in difesa del loro protettore: « non avrebbero tollerato che il loro santo venisse disonorato! »[7].

Il particolarismo della vita sociale trovava piena analogia nel *particolarismo religioso*, nel culto dei santi locali. Si può parlare di un « campo di forze », nell'ambito del quale agisce la santità di questo o quel santo. Un eremita era posseduto da un genio maligno, e lo sventurato si liberò dei tormenti soltanto dopo che l'ebbero portato a Tours, dove la potenza di san Martino sopraffaceva la perfidia del demonio. Le qualità benefiche del santo di Tours però agirono finché quest'uomo rimase a Tours; quando egli ritornò al suo domicilio, le forze del male s'impossessarono nuovamente di lui[8]. Certo, un santo non agisce beneficamente solo dove vive, però proprio qui le sue capacità taumaturgiche sono piú efficaci. Il culto dei santi talvolta rivaleggiava con successo con il culto degli stessi apostoli. Una vecchia che viveva vicino a Tours fu guarita dalla cecità, e sebbene in questa città fossero custodite le reliquie degli apostoli Pietro e Paolo, ella sosteneva che la vista le era stata restituita dal protettore del luogo, san Martino[9]. Un uomo, che aveva perso l'udito e l'uso della parola, partí alla volta di Roma per impetrare la guarigione dalle reliquie dei santi apostoli e degli altri santi che avevano resa gloriosa questa città. Ma durante il viaggio, a Nizza, sant'Ospizio gli restituí la salute, e il diacono che accompagnava il malato esclamò: « Cercavo Pietro, cercavo Paolo, Laurenzio e gli altri santi che hanno reso gloriosa Roma con il loro sangue di martiri, e qui [a Nizza] li ho trovati tutti, li ho visti tutti! »[10].

Il culto di un santo abbracciava sempre una determinata zona ed esistevano regioni in cui prevaleva l'influsso dei santi piú venerati in loco[11]. Nel corso del Medioevo aumentò la tendenza alla «specializzazione» dei santi: a ciascuno di loro si attribuiva una funzione particolare (la protezione di questo o quel mestiere, la capacità di guarire da questo o quel malanno). Sotto questo aspetto era però ammessa anche la «cumulazione». Santa Gertrude, ad esempio, pur essendo la guida dell'anima dei defunti subito dopo la morte, proteggeva anche dai topi. Nel contempo tuttavia si osserva la tendenza dei credenti ad assicurarsi l'aiuto del maggior numero possibile di protettori celesti, radunandoli tutti sull'altare di una sola chiesa e in una sola città. In questo senso si distingue Colonia con il culto di 11 000 fanciulle, 6666 soldati della legione di Firan e 10 000 cavalieri, – nel complesso gli abitanti di Colonia potevano contare su 27 666 intercessori presso Dio!

Come una località si trovava sotto la protezione di un determinato santo, cosí anche l'individuo vedeva un protettore nella persona del santo il cui nome gli era stato dato con il battesimo. Il nome non era una designazione neutrale, questo segno toccava in modo misterioso l'essere dell'uomo, e tra l'eponimo celeste e il suo omonimo mortale s'instaurava un certo legame. L'irriverenza di un canonico di Bonn di nome Giovanni nei confronti di Giovanni Battista ebbe per questo chierico le piú tristi conseguenze, e Cesario di Heisterbach, che lo racconta, non ha esitazioni: il santo si è particolarmente offeso per il fatto che proprio chi portava il suo nome avesse osato non chinare il capo davanti a lui[12].

Il culto dei santi è una parte integrante della vita religiosa della società medievale. Il ruolo dei santi era poi ancora maggiore in quanto l'idea di un protettore taumaturgico e difensore, al quale ci si può rivolgere per chiedere aiuto, la cui tomba e le cui reliquie si trovano non lontano, nella chiesa piú vicina o nella cattedrale della città, si faceva strada nella coscienza del popolo molto piú facilmente che non l'idea di una divinità lontana, invisibile e minacciosa: con quest'ultima i rapporti erano privi di quell'intimità e di quella confidenza che univano il gregge dei fedeli ai santi locali.

L'immagine di un santo si formava in seguito all'interazione di tendenze diverse. In essa s'incarnavano gli ideali di umiltà cristiana predicati dalla Chiesa. La devozione alla causa di Cristo, la rinuncia alle gioie della vita, la mortificazione della carne, la concentrazione di tutte le energie e di tutti i pensieri nella salvezza dell'anima e nel servire Dio: tutti questi motivi sono luoghi comuni dell'agiografia. La loro presenza, senza eccezioni, in tutte le vite e leggende di santi e martiri, fornisce allo studioso punti d'appoggio per giudicare l'orientamento degli interessi dell'uditorio. Proprio in tali luoghi comuni, nel costante ripetersi degli stessi motivi, venivano consolidati alcuni valori fondamentali della società. Benché l'ideale di una vita santa fosse inaccessibile per la gran maggioranza degli uomini, che neanche cercava di realizzarlo, la presenza di questo ideale nel contesto della cultura era già di per sé un importante ed efficace fattore di educazione religiosa. Il santo è l'eroe piú popolare della società medievale, le sue imprese sono le imprese piú alte che si possano compiere sulla terra: che esse si manifestassero nell'isolamento dal mondo, nel servire l'aldilà, testimonia forse piú chiaramente di ogni altra cosa la profonda trasformazione della coscienza sociale rispetto all'epoca dei barbari, con il suo spirito eroico, e all'epoca antica, con il suo culto del corpo e delle virtú civili.

Nel contempo però i santi dovevano rispondere al generale e invincibile bisogno di miracoli. Il santo era sempre e invariabilmente un taumaturgo, un guaritore, capace di liberare i suoi devoti dalle avversità naturali e sociali. Alcuni rappresentanti della Chiesa di tanto in tanto si pronunciavano contro la diffusione, a loro parere eccessiva, del culto dei santi, dell'adorazione delle reliquie, vedendovi un rinascere dell'idolatria pagana (è il caso, ad esempio, di Agobardo di Lione, Claudio di Torino), tuttavia questi appelli non producevano un serio effetto. Nonostante le ripetute dichiarazioni delle personalità della Chiesa sul fatto che il tempo dei miracoli era il lontano passato, le masse avevano bisogno dei miracoli, li pretendevano ed erano convinte che costituissero un aspetto imprescindibile della vita. Dopo la morte del vescovo Illidio molti brontolavano: «Non è un santo, ha compiuto in tutto un solo miracolo». Ma, aggiunge Gregorio di Tours, subito seguirono altri miracoli[13]. Lo stesso Gregorio teneva rigorosamente conto dei miracoli da lui descritti, cercando chiaramente di raccogliere quante piú testimonianze della santità del vescovo Martino[14].

Per quanto i pastori spirituali ripetessero che l'essenziale in un santo è il suo isolamento dal mondo, il rapporto con le forze supreme, la vita ascetica, la perfezione morale e la purezza, «l'imitazione di Cristo», i fedeli esigevano i miracoli. Persino la santità di Giovanni Battista, che la Chiesa poneva al di sopra di tutti i santi, suscitava nel popolo dei dubbi, giacché non si aveva notizia di miracoli da lui compiuti. Non solo i resti di un santo, interi o frammenti, dovevano possedere una forza magica, ma anche le sue cose, le lacrime, la saliva, persino la polvere del suo sepolcro, tutto quello che aveva avuto con lui un qualsiasi contatto. Allo stesso modo anche la parola del santo possiede una forza immensa. Ha potere sugli uomini e sui demoni[15], le ubbidiscono sia gli animali che la materia inanimata. Nell'agiografia vi sono molti episodi di penitenza di uccelli e animali, colpevoli nei confronti dei santi. Il pio Martino costrinse un orso, che gli aveva divorato l'asino, a eseguire il lavoro della sua vittima, e, sottomettendosi alla volontà del santo, l'orso si mise da solo i finimenti[16]. San Goar domanda ad un bimbo illegittimo di tre giorni il nome del padre, e questi nomina il vescovo Rustico. Rustico confessa, viene rimosso dalla carica e san Goar diventa vescovo di Treviri[17]. Vedremo in seguito come anche i morti siano sottomessi al potere dei santi.

Il culto dei santi aveva davvero molto in comune con il paganesimo. Quanto fosse forte la convinzione che un santo possa difendere persino un peccatore empio e incallito si vede ad esempio dal testo irlandese *Vita di san Mochemok*. Il conte Angus aveva commesso un omicidio e l'abate Mochemok voleva maledirlo. Ma l'omicida rispose che non temeva le maledizioni, giacché a suo tempo era stato benedetto da san Cumino. Evidentemente il conte era propenso ad interpretare la benedizione di un santo come una sorta di scongiuro o di amuleto di protezione, che agisce indipendentemente dallo stato interiore di chi lo possiede. Malgrado ciò la maledizione pronunciata dall'abate ebbe l'effetto di uccidere la figlia del conte e il suo cavallo da guerra. Soltanto dopo questo il conte, spaventato, acconsentí a subire la penitenza, e Mochemok restituí la vita a sua figlia e al cavallo[18]. Per ciò che concerne i testi agiografici irlandesi, la letteratura scientifica ha chiarito il ruolo considerevole svolto nella loro genesi dalle leggende popolari e dalle fiabe. I temi delle fiabe e i temi delle vite venivano inconsapevolmente mescolati, motivi pagani venivano assimilati nelle vite e nelle leggende dei santi, formando un bizzarro miscuglio[19]. Ma è questo soltanto il caso dell'agiografia irlandese?

Quasi mai i contemporanei di Gregorio di Tours distinguevano le divinazioni e gli incantesimi pagani dall'adorazione di un santo. Un conte franco, incaricato dal re di uccidere un uomo caduto in disgrazia, ricorse alle divinazioni « in uso presso i barbari », per sapere se in quella impresa avrebbe avuto fortuna. Ma poiché già sapeva di dover ricorrere a false promesse per far uscire l'uomo in disgrazia dalla chiesa in cui aveva trovato rifugio (il re aveva ordinato di non profanare il tempio con il sangue), egli cercò contemporaneamente di accertare se negli ultimi tempi si fosse manifestata la forza miracolosa di san Martino contro gli spergiuri[20]. Le divinazioni si potevano fare anche mediante i libri sacri e Gregorio di Tours considera veritiere questo tipo di divinazioni, a differenza delle profezie dei vati[21]. Il modo di trattare le reliquie dei santi talvolta ricorda il modo in cui si ricorreva ai talismani pagani. Un mercante siriano custodiva nel suo sacrario domestico una reliquia di san Sergio – un pollice – che a suo tempo aveva aiutato un potente orientale a mettere in fuga l'esercito nemico, dopo che egli si era legato alla mano questo amuleto. È naturale che il re Gundobado desiderasse possedere questa reliquia, che anche a Bordeaux aveva esercitato la sua azione miracolosa proteggendo la casa del mercante da un incendio. Dal siriano si recò il patrizio Mummol, che trovò la teca con il dito del santo e non esitò a tagliarlo col coltello in alcuni pezzi. « Penso – osserva Gregorio di Tours – che al santo martire non facesse molto piacere essere trattato cosí ». Dopo aver pregato Dio perché li aiutasse a ritrovare tutti i pezzi della reliquia, sparsi in ogni angolo, Mummol e il siriano se li divisero, e il patrizio portò via con sé una piccola parte del dito del santo, ma, aggiunge Gregorio, « senza la benedizione del martire »[22].

Il culto delle reliquie dei santi e dei beati, nato in Oriente, con l'inizio del Medioevo acquista in Occidente un'immensa popolarità. Se gli autori ecclesiastici guardavano con disapprovazione all'adorazione delle reliquie dei santi, considerandola idolatria, la Chiesa in pratica la incoraggiava: da un lato non aveva la forza di contrastare la sua spontanea diffusione, dall'altro se ne serviva per i suoi interessi ideologici e materiali[23]. A quanto afferma uno storico contemporaneo, il culto dei santi era imposto alla Chiesa dai comuni credenti, e proprio l'influenza popolare determinò l'atteggiamento del clero verso i miracoli[24].

La società raffigurata nell'agiografia è dunque composta di uomini e di santi; santi con cui gli uomini si trovano costantemente in stretto contatto e interagiscono, e che prendono parte attiva alla vita degli uomini e influiscono su di essa, difendendo nel contempo anche i propri interessi. Da vivo o dopo la morte il santo aiuta coloro che gli sono fedeli, li guarisce e si prende cura di loro. Proteggere dalle tempeste, dagli incendi, dalla siccità, guarire i malati e liberare gli indemoniati dalle forze del male, salvare le navi che affondano, scongiurare gli attacchi nemici, smascherare i bugiardi: questa è l'attività quotidiana di un santo, custode e difensore del popolo. I santi aiutano nel lavoro: questa loro capacità miracolosa agli occhi dei loro devoti era una sorta di compensazione per la mediocre attrezzatura tecnica della società del primo Medioevo. Quando, ad esempio, durante i lavori di riparazione della chiesa di San Laurenzio una trave risultò piú corta del necessario, un sacerdote rivolse una preghiera al santo, chiedendogli aiuto, e subito tutti videro che la trave era cresciuta fino alla lunghezza dovuta[25]. Alcuni monaci, impegnati nella ripulitura di un terreno incolto, non riuscivano, neanche con l'aiuto di quindici buoi, a spostare una pietra che era loro d'impedimento, ma con la forza della preghiera del beato Nonnos questa pietra venne rimossa[26]. I santi scacciano volentieri le mosche moleste, distruggono serpenti e altri animali disgustosi. Ripetendo i miracoli evangelici, essi rimpinguano per mezzo della preghiera le provviste di vino, di pane e di altri viveri: questi motivi passano da una vita all'altra.

I devoti non solo innalzano preghiere al loro santo e gli portano doni, ma essi anche ritengono che questo comportamento dia loro il diritto di avanzare delle rivendicazioni nei casi in cui egli, come a loro sembra, non indovina da solo che genere di aiuto essi si aspettano da lui. Alla festa di San Giuliano arrivò in chiesa un poverello devoto, dopo aver lasciato poco lontano il suo cavallo. Il cavallo scomparve, e vane furono le ricerche. Rientrato nel tempio, la vittima del furto si scagliò contro il santo rimproverandolo: lui non gli ha fatto niente di male e gli ha portato doni, « perché allora, ti domando, ho perso il mio patrimonio? Ti prego di restituirmi ciò che ho perso e che mi è dovuto». Detto questo, uscí in lacrime dalla chiesa e subito vide il suo cavallo[27].

I credenti pregavano il santo di aiutarli, ma in certe situazioni ricorrevano anche a misure coercitive. Nei secoli X-XI ebbe diffusione persino un particolare rituale di «umiliazione dei santi». Poiché subivano le angherie di un potente vicino e non avevano la possibilità di ricevere protezione dal potere secolare, i monaci si radunavano in chiesa, tiravano fuori dall'altare le reliquie del santo e le deponevano sul pavimento, dove posavano anche il crocifisso; cospargevano di spine la tomba del santo; i monaci stessi si prostravano durante il servizio divino, che veniva officiato sotto voce ed era accompagnato da maledizioni rituali contro i sacrileghi perturbatori della pace. La cerimonia, che capovolgeva il normale andamento del servizio divino e «diminuiva» il santo in modo cosí evidente, doveva riprodurre l'affronto subíto dal santo la cui abbazia veniva danneggiata da un laico empio.

In questo rituale, però, era evidente anche un altro elemento: le reliquie del santo, che non si era preoccupato di difendere il monastero a lui consacrato, venivano consapevolmente umiliate allo scopo di spronarlo a restaurare la giustizia. Se l'umiliazione del santo da parte dei monaci aveva un carattere simbolico, i laici, in casi analoghi, non si fermavano davanti alla violenza diretta: dopo aver strappato via i paramenti, essi percuotevano l'altare in cui erano custodite le reliquie del santo; alternate alle percosse, erano rivolte al santo invocazioni d'aiuto e accuse di negligenza: «Perché non ci difendi, santo signore? Ci hai dimenticati e dormi? Quando libererai i tuoi servi dal loro nemico?» (*I miracoli di san Calais*). Ne *I miracoli di san Benedetto da Fleury*, mentre si espongono le angherie patite dai contadini che lavoravano la terra del monastero, è menzionata una donna che, percuotendo l'altare del santo, urlava: «Che cos'hai combinato, Benedetto, fannullone? Dormi sempre? Come hai potuto permettere che trattassero cosí una tua serva?» Nel rituale di «umiliazione del santo» gli studiosi ravvisano due «sistemi di cultura», dotto e popolare; ognuno di essi ha il suo simbolismo e le sue tradizioni[28].

I santi, da parte loro, vogliono attenzione e venerazione. Nelle leggende si racconta piú volte che questo o quel martire, del cui sepolcro era rimasta ignota l'ubicazione, ne dava notizia e aiutava attivamente a ritrovarlo e a trasferire il suo corpo nel tempio che egli aveva scelto per la sua successiva permanenza[29]. I santi sono permalosi e spesso vendicativi. Si offendono in particolare quando viene confuso il giorno della loro morte[30]. Litigare con loro è pericoloso. Un cavaliere cui l'apostolo Giacomo aveva guarito un braccio rotto, dimenticò di fargli visita a Reading e per punizione il santo gli ruppe l'altro braccio[31]. Un contadino si rifiutò di andare ad una messa in memoria di sant'Avito e continuò invece a coltivare la sua vigna, con la scusa che anche quel santo era un lavoratore. Subito dopo si ruppe l'osso del collo e solo dopo fervide preghiere meritò il perdono del santo adirato e guarí[32]. Gregorio di Tours racconta che un contadino fu rovinato in seguito ad un incendio provocato da un suo dubbio sulla santità dell'eremita Mariano[33]. San Leutfred puní un empio amministratore per aver mancato di rispetto al suo nome. Quando l'abate, esortando questo amministratore ad essere meno duro con i servi, menzionò il nome di san Leutfred, quello esclamò: «Hai nominato Leutfred? Chi è questo Leutfred? Anche il porcaro di mio padre si chiamava cosí». Poco dopo, ad un banchetto, gli apparve un monaco che lo colpí con un pastorale[34]. Affronteremo ancora, in seguito, i temi dello spirito vendicativo e della crudeltà dei santi come sono raffigurati nella letteratura mediolatina[35].

I santi non sopportano vicini sgraditi. La bara di un criminale, che aveva voluto essere sepolto nella chiesa di San Vincenzo, di notte fu buttata fuori della finestra dalla forza del santo. I parenti del defunto, non avendo compreso il significato del miracolo, ricollocarono la bara al suo posto, ma questa fu nuovamente rimossa dalla chiesa[36]. Questa storia viene raccontata nel secolo VI. Ma ecco una narrazione scritta tra la fine del secolo XIII e l'inizio del XIV. Dopo che, vicino al sepolcro del pio vescovo di Lubecca, fu seppellito il suo successore, un prelato empio e dissipato, il primo lasciò di notte il luogo in cui riposava. Dopo aver bussato tre volte con il pastorale al sepolcro del vicino, lo chiamò e quello si affrettò a comparire vestito di tutto punto e anche lui con il pastorale. Il vescovo buono gli ordinò con un gesto di allontanarsi dal tempio e, quando l'altro si avvicinò alle porte, afferrò con entrambe le mani un grosso candeliere e lo scagliò contro l'indegno. La paura dei sacerdoti che avevano osservato la scena fu tale da far loro dimenticare di suonare il mattutino. La prova dell'autenticità di questo terribile e prodigioso avvenimento, conclude Rodolfo di Schlettstadt, è il candelabro con i manici staccati[37].

Si possono citare molti esempi analoghi; nonostante tutte le variazioni, essi elaborano sempre lo stesso tema: i santi conoscono i loro diritti e li salvaguardano. L'umiltà, l'abnegazione e il perdono universale, i valori fondamentali del cristianesimo continuamente predicati dal clero ed esemplificati nelle leggende su santi e martiri, stranamente non sono considerati in contrasto con le preoccupazioni per i propri possedimenti e per il mantenimento del prestigio del proprio nome e della propria autorità; il santo, inoltre, difendendo le proprie prerogative, non esita a punire severamente i colpevoli di irriverenza o di violazione dei suoi diritti. Questo atteggiamento particolare non può essere spiegato in modo del tutto soddisfacente se ci si basa solo sull'analisi della letteratura delle vite. Per avvicinarsi alla comprensione della contraddittoria unione di celeste e terrestre nell'immagine del santo medievale, occorre ritornare su questo problema, utilizzando materiale diverso.

Il santo dunque sorveglia molto gelosamente l'inviolabilità della sua proprietà, vale a dire della proprietà della chiesa che possiede le sue reliquie ed è consacrata alla sua memoria. Le persone che hanno osato attentare ai beni di un santo ne pagano crudelmente il fio. Il re Pipino attentò ai possedimenti di una chiesa di Reims e gli apparve in sogno san Remigio: «Che fai? – gli domandò questi. – Con quale diritto hai invaso le terre che mi sono state donate?» Il santo picchiò il re cosí forte che sul suo corpo erano visibili i lividi, e Pipino dovette cedere. San Remigio si distingueva di solito per la sua suscettibilità e il carattere vendicativo. Quando coloro che abitavano sulle terre concesse dal re al santo rifiutarono di sottomettersi a lui, Remigio predisse loro eterna fatica e povertà e «le sue parole valgono ancora oggi»[38].

Le origini folkloriche delle scene citate e di altre analoghe che s'incontrano nell'agiografia, sono evidenti. Vorrei richiamare l'attenzione dei lettori su un altro episodio legato a san Remigio. Tra questi e un certo proprietario si era accesa una disputa a causa di un mulino: il vescovo pretendeva che entrambi ne fossero i proprietari. Poiché le sue rivendicazioni vennero respinte, «la ruota del mulino cominciò subito a girare al contrario». Il miracolo ottenne l'effetto desiderato: il proprietario del mulino scese a compromessi, ma Remigio rispose sdegnato: «Né a te, né a me», e in quel luogo si formò una voragine, e il mulino scomparve[39]. Il fatto che per ordine del santo la ruota del mulino si fosse messa a girare al contrario sembra particolarmente straordinario, poiché le inversioni di ogni genere, ripetutamente citate nella letteratura medievale (il movimento contrario al moto del sole o all'indietro, le preghiere recitate alterando l'ordine delle parole o stando a testa in giú, i baci sull'*anus*, ecc.), sono sicura testimonianza dell'interferenza del demonio. Cosí si comportano gli stregoni, le streghe, gli eretici e lo stesso Satana! Qui però l'inversione è provocata da un santo... È difficile dubitare che questo motivo sia stato tratto dal folklore. Ma il problema non si risolve certo individuando la provenienza di un simile motivo: essenziale è la sua presenza nel contesto di una leggenda pia, dove non poteva non stupire per il suo carattere apparentemente inopportuno e non conforme all'immagine di un santo... La questione, tuttavia, è stabilire se i lettori e gli ascoltatori medievali della vita e se il suo stesso autore percepissero tale motivo come un corpo estraneo.

Il tema della punizione per aver attentato ai beni di un santo, per ovvie ragioni, varia moltissimo nell'agiografia. Un pagano tentò di saccheggiare il sepolcro del beato Elia di Lione ma quando vi penetrò, il santo lo abbracciò e non lo lasciò piú andare via; e la gente li trovò cosí abbracciati. Il rappresentante del potere voleva arrestare il criminale per rinviarlo a giudizio, ma il santo continuò a trattenerlo, finché non compresero la sua volontà: desiderava che al ladro fosse risparmiata la vita. «Oh santa vendetta, confusa con la misericordia!»[40] conclude Gregorio di Tours. L'attentato del re Childeberto ai possedimenti della Chiesa che erano considerati proprietà dell'eremita Metrio, provocò la vendetta di quest'ultimo: il re si ammalò, diventò calvo (i capelli lunghi erano, com'è noto, un segno distintivo dei Merovingi), perse la barba e assunse un aspetto tale che sembrava fosse già stato seppellito e poi gettato fuori della tomba. Dovette pentirsi, restituire al santo le proprietà e deporre sul suo sepolcro una cospicua somma di denaro[41]. Del martire Vincenzo, Gregorio di Tours scrive: «... si vendicava crudelmente di coloro che attentavano alle sue proprietà»[42]. Un diacono si era impadronito delle pecore che appartenevano alla chiesa, benché il pastore gli avesse detto che gli animali erano proprietà del santo martire Giuliano. Il diacono rispose: «Non penserai che Giuliano mangi la carne d'agnello?» «Lo sventurato non capiva – osserva Gregorio di Tours – che chi porta via dei beni dalle case dei santi, fa un torto ai santi stessi». Il ladro si ammalò: il santo gli provocò ustioni tali che quando lo spruzzarono con l'acqua, il suo corpo fumò come una stufa; diventò nero per il calore che lo divorava, cominciò ad emanare un fetore insopportabile e infine morí[43]. La descrizione dei tormenti del diacono malato testimonia che, benché il suo corpo fosse rimasto sulla terra, in realtà egli bruciava già tra le fiamme dell'inferno...

A un santo, che ha bisogno di dimostrare la legittimità dei suoi diritti, non costa nulla presentare testimoni che vengono persino dall'aldilà. Cosí accadde durante la lite tra san Fridolino e un proprietario terriero che contestava i diritti di un abate su dei beni, donati al monastero dal fratello del proprietario terriero, a quel tempo ormai morto. Vedendo che in tribunale non gli riusciva di ottenere giustizia, Fridolino ordinò di aprire la tomba del defunto proprietario e lo invitò ad uscirne. Presentatosi al processo, il defunto disse al fratello: «Perché, fratello, rovini la mia anima, impadronendoti di una proprietà che mi apparteneva?» Spaventato, il proprietario s'affrettò a restituire al santo tutta la terra, compresa anche la sua parte, e il defunto se ne tornò nella tomba[44]. Dopo aver raccontato il castigo subíto dal re Ariberto per aver attentato alle proprietà della Chiesa, Gregorio di Tours esclama: «Sappiatelo, o uomini potenti: donate senza derubare gli altri; accrescete le vostre ricchezze senza arrecare danno alla Chiesa. Il Signore vendica crudelmente i suoi servi»[45].

In tutte le narrazioni di questo genere non è difficile ravvisare la mano di un monaco o di un chierico, che rappresenta gli interessi del suo monastero o di un altro ente religioso. È presumibile che le minacce di castighi celesti per aver attentato ai loro beni fossero piuttosto efficaci. È noto che anche le donazioni a favore di una chiesa si effettuavano spesso allo scopo di salvare l'anima del donatore o dei suoi parenti. Accanto ad altre funzioni, il testo della vita di un santo in alcuni casi aveva anche quella di «documento giuridico» che attestava i diritti di proprietà della chiesa del santo di cui si narrava. La lettura di una vita in presenza dei fedeli aveva un notevole significato pratico. «È costume dei contadini – scriveva Gregorio di Tours – venerare con piú zelo quei santi di Dio di cui hanno sentito leggere le imprese [la vita]». Al martire Patroclo era stata consacrata soltanto una piccola cappella e gli abitanti del luogo manifestavano nei suoi confronti poco rispetto, poiché non erano al corrente del suo martirio. Ma dopo che fu trovato il testo che ne raccontava la vita, il culto di Patroclo diventò piú popolare e in sua memoria fu eretta una nuova chiesa[46].

L'attrattiva che le vite e le leggende agiografiche avevano agli occhi dei piú ampi strati della popolazione è evidente. Quanto sembrava naturale l'intervento diretto di un santo nelle faccende quotidiane della gente! Qualunque azione biasimevole poteva comportare un'immediata punizione da parte del patrono celeste interessato. Il santo stesso poi veniva palesemente modellato a immagine e somiglianza dell'uomo, gli si attribuivano le stesse emozioni e passioni, gli stessi interessi e le stesse reazioni: nulla di umano gli era estraneo veramente. Ma l'attrattiva esercitata sulla massa dei fedeli non si può spiegare solo su questa base. Per quanto l'immagine del santo fosse permeata delle qualità e degli umori di quanti lo adoravano, ciò che ai loro occhi aveva il maggior valore era indubbiamente l'*unione di santità e taumaturgia*. Nel modo di trattare la figura del santo si percepisce chiaramente l'esigenza popolare di avere un protettore soprannaturale, buono e potente. Questi uomini adorano la forza, la forza capace di salvaguardare i propri interessi, di difendere i protetti e di creare il soprannaturale. Nella genesi delle vite, accanto alla tradizione evangelica e patristica, si può riscontrare anche la *fantasia popolare*, i motivi fiabeschi. La struttura delle vite, la scelta dei fatti narrati e il loro stesso carattere, il volume delle informazioni che sono in grado di contenere, sono soggetti alle *leggi della coscienza collettiva*. Nonostante che l'autore di una vita sia invariabilmente un ecclesiastico, il carattere della sua opera mostra con evidenza i tratti della creazione popolare. Le opere di genere agiografico incarnano, come conclude uno dei suoi piú autorevoli studiosi, «la memoria della folla»[47].

La memoria collettiva seleziona pochi e semplicissimi fatti, raggruppandoli secondo l'andamento della narrazione epica e attribuendo ad un solo eroe tutti gli avvenimenti storici; essa non dimentica prevalentemente quegli avvenimenti capaci di colpire il pensiero delle persone educate nel mito, nell'epos, nella fiaba; essa fonde senza alcuna difficoltà eroi diversi, in particolare quelli che portano lo stesso nome. La coscienza popolare non si cura tanto della cronologia quanto della geografia, e infatti trasferisce tranquillamente gli avvenimenti da un'epoca all'altra e da una località all'altra. In queste opere il sentimento domina sulla ragione; mostrando indifferenza per le idee, la coscienza collettiva si risveglia facilmente sul piano emozionale. L'incapacità di comprendere le astrazioni e la tendenza a figurarsele materialmente, l'acriticità e l'amore per il soprannaturale, percepito come miracoloso, sono i tratti caratteristici della creazione popolare che si riscontrano nell'agiografia. Nessuno – né gli autori né l'uditorio – è turbato dall'assoluta identità di soggetti, avvenimenti e personaggi che s'incontrano in vite diverse. «La leggenda agiografica – scrive H. Delehaye[48] – è un bene che non ha un proprietario individuale». L'immagine del santo cristiano non è legata direttamente a quella della divinità pagana, come ritenevano alcuni studiosi[49], ma, secondo l'opinione dello stesso Delehaye, sono entrambe prodotti dello stesso stato di coscienza in condizioni simili[50].

Gli autori delle leggende agiografiche dovevano necessariamente tener conto che i loro ascoltatori conservavano un vivo legame con l'antica poesia epica ed eroica, impregnata di ideali completamente opposti a quelli cui si atteneva il clero[51]. L'interesse per la poesia pagana era vivo anche nell'ambiente monastico. Abbiamo già ricordato la missiva di Alcuino sul tema: «Che cosa hanno in comune Ingold e Cristo?» Secondo la testimonianza della *Cronaca di Quedlinburg*, alla fine del secolo x i contadini tedeschi cantavano canzoni su Dietrich von Bern, cioè canzoni eroiche su Teodorico[52]. Nella *Vita di san Liudgero* viene citato il cantore Bernlef, molto popolare tra i Frisi per le canzoni sulle imprese e le guerre dei re[53]. Ai tempi di Carlo Magno i *Vulgara carmina* sui re franchi erano popolari[54].

La straordinaria vitalità dei vecchi ideali eroici è attestata anche dalle opere di poesia cristiana nelle lingue germaniche.

Nel poema *Heliand* (Il Salvatore) che racconta la vita e la passione di Cristo e fu scritto in Sassonia nella prima metà del secolo IX, il senso e il tono della narrazione evangelica subirono una sostanziale elaborazione. Cristo figura in quest'opera non tanto in qualità di maestro, quanto piuttosto nel ruolo di battagliero *konung* che capeggia il manipolo degli apostoli. La lotta tra le forze del bene e le forze diaboliche non si presenta nel poema sotto forma di conflitto tra due principî, bensí come scontro in armi. «L'agnello di Dio» è trasformato in un «glorioso capo», che non dispensa piú benedizioni, bensí doni generosi. La fede nel Salvatore è interpretata come fedeltà al proprio condottiero. Il Salvatore, non salva dal male (nel senso sacramentale), ma difende quanti gli sono fedeli *contro* il male, contro una minaccia che si oppone a loro dall'esterno, cosí come li libera dalla fame. Nel poema Satana è l'incarnazione dell'infedeltà; Giuda è colui che viola un giuramento. Le parole di Cristo rivolte agli apostoli: «Uno di voi mi tradirà», sono «tradotte» nello *Heliand* in questo modo: «Uno di voi dodici verrà meno alla fedeltà verso di me, mi venderà ai suoi principi, ai superbi signori».

Di questo tenore è la leggenda evangelica letta da un sassone. L'autore dello *Heliand* è con ogni probabilità un ecclesiastico, e quindi un uomo che doveva conoscere il contenuto originale del testo neotestamentario di cui fornisce una reinterpretazione cosí sui generis. Si potrebbe credere che un sacerdote avrebbe mantenuto comunque un atteggiamento scrupoloso nel narrare il Vangelo, ed è difficile sospettarlo di aver intenzionalmente trasformato il racconto sul Salvatore in un canto su un potente *konung*. Ciò nonostante, la traduzione del Vangelo in lingua sassone denota, come vediamo, *il passaggio da un sistema di coscienza ad un altro*. Anche se in buona fede, il «traduttore» adattò il testo alla comprensione dei destinatari. Tutto il racconto sul Figlio di Dio, maestro di bene e di giustizia, è in definitiva trasposto nelle categorie della fedeltà germanica tra guerrieri e della vita di battaglia, la «buona novella» perde la sua estrema spiritualità, acquistando un significato vicino a quello dei canti eroici germanici sui condottieri e le loro gesta[55].

Ecco dunque gli ideali, gli orientamenti etici e i modelli estetici, che continuavano a vivere nell'ambiente in cui operavano gli autori delle leggende e delle vite cristiane! Occorre ricordarlo se si vuol comprendere correttamente come un vasto uditorio popolare recepisse i testi agiografici nel primo Medioevo. Al bellicoso *konung*, all'impavido eroe che trionfa e muore sul campo di battaglia, al fedele soldato, che serve il suo signore per le armi e i bracciali che gli sono stati donati, i chierici dovevano contrapporre il santo, il giusto che incarna modelli di comportamento esattamente opposti. Un compito non facile. Come lo risolvevano gli autori delle vite e delle leggende? Su quali aspetti della santità essi concentravano l'attenzione del loro uditorio?

A questa domanda ci aiuta a rispondere uno degli illustri rappresentanti dell'agiografia franca, l'arcivescovo di Reims Incmaro. Nell'878 egli scrisse la *Vita di san Remigio*, che avrebbe sostituito la poco estesa, e per lui insoddisfacente, descrizione delle imprese di questo santo composta da Gregorio di Tours[56]. Il vescovo Remigio fu il primo che battezzò i Franchi, dopo aver convertito al cattolicesimo il loro capo Clodoveo, ed era perciò uno dei piú venerati santi dei Galli. L'opera di Incmaro, eminente personalità religiosa e politica del periodo carolingio, è tendenziosa: le notizie che fornisce sulla situazione politica della Gallia nel secolo VI sono inattendibili e da tempo ormai gli studiosi hanno scartato questa vita come fonte storica. Del resto, dal punto di vista dell'attendibilità dei fatti contenuti, solo un numero assai limitato di testi agiografici reggerebbero alla critica. Se tuttavia li consideriamo monumenti della cultura, che riflettevano la vita spirituale dell'ambiente che li generava o per il quale erano composti, e che costituivano una parte di questa vita spirituale, allora la loro valutazione sarà completamente diversa. Con questa disposizione dobbiamo considerare anche la vita di Remigio.

Incmaro ben conosce i suoi ascoltatori e le loro possibilità. Nella prefazione alla vita egli raccomanda di leggerla al popolo nei giorni di san Remigio. Secondo questa prescrizione, brani diversi della vita devono essere utilizzati con uditori differenti. Egli scrive: i brani destinati ad essere letti «al popolo», «affinché come raggi di luce illuminino gli ignoranti», sono marcati da un segno; «a coloro invece che, per grazia del Signore, sono istruiti» sono destinate altre parti, omesse durante la lettura «ai semplici». Effettivamente, nel testo della vita, prima di ogni capitolo c'è un segno, che permette di individuare facilmente gli insegnamenti per i « minus scientes » e per gli « illuminati ».

Le differenze sono evidenti e molto istruttive. All'uditorio popolare erano lette le pagine della vita dedicate al racconto dei miracoli di Remigio, delle sue guarigioni di malati e storpi, dell'aiuto che egli prestava al popolo e di altre manifestazioni della sua santità. Sono inoltre sottolineate ed esaltate le sue straordinarie qualità morali, ossia è riprodotto quello standardizzato insieme di indizi di santità, tanto importante per l'agiografia. Nei capitoli indirizzati agli ignoranti l'esposizione è semplice, talvolta addirittura non priva di rozzezze. Tale è, ad esempio, il brano in cui si racconta la cacciata dello spirito maligno da un indemoniato mediante il vomito provocato dall'intervento del santo guaritore (un tema che del resto si incontra di frequente nell'agiografia). L'autore – a capo della diocesi di Reims – si preoccupò di inserire proprio in queste parti della vita dettagliati racconti sull'acquisizione di proprietà terriere da parte della sua chiesa durante la vita di Remigio, di elencare gli obblighi dei contadini e di accompagnare queste informazioni per lui importanti – che evidentemente perseguivano anche scopi giuridici – con ammonimenti sulla necessità di lavorare a vantaggio degli « uomini di Dio ».

Diverso è il carattere dei capitoli che andavano letti ai « colti ». Solo queste parti dell'opera contengono ragionamenti astratti e citazioni dalla Bibbia. L'autore confronta uno dopo l'altro i personaggi della vita con i personaggi biblici. È in queste parti che si discute la natura sacramentale del peccato, il problema della creazione divina *ex nihilo*, del libero arbitrio e di altri argomenti che erano evidentemente considerati inaccessibili alle menti dei « semplici ». Talvolta lo stesso soggetto è trattato separatamente nei capitoli da esporre agli ignoranti e in quelli per gli « illuminati ». Nel racconto del battesimo di Clodoveo vien detto ad esempio che in quel momento apparve in chiesa una colomba; nel capitolo destinato ad essere letto agli iniziati, invece, hanno luogo anche una spiegazione simbolica di questo fenomeno e dei commentari sul battesimo spirituale e materiale. Esattamente allo stesso modo la narrazione divulgativa del castigo inflitto dal santo ai ribelli e agli eretici è accompagnata – di nuovo con la postilla « per chi è progredito nella fede » – da un'analisi del significato spirituale della penitenza. Come è appunto consuetudine nell'agiografia, l'autore della vita di Remigio descrive dettagliatamente i miracoli avvenuti dopo la morte del santo. In particolare egli parla dell'effetto magico della polvere presa dalla chiesa in cui era stato sepolto Remigio: poi, in una disquisizione per gli « illuminati », segue un'interpretazione del supremo significato di questi miracoli.

In tal modo è come se ci trovassimo di fronte due versioni della medesima vita: una integrale, indirizzata a persone sufficientemente edotte nella fede cristiana, e una ridotta e, soprattutto, semplificata, che andava letta alla restante massa dei credenti, ai « semplici ». Questi ultimi, secondo l'opinione di Incmaro di Reims, non comprendono le sottigliezze della religione, occorre dar loro un nutrimento spirituale piú primitivo. Ricordiamo il confronto già citato tra i racconti di Gregorio di Tours sulle dispute teologiche fra cattolici ed eterodossi nella sua *Storia dei Franchi* e la scena in cui, nel *Libro sui miracoli*, egli descrive la contesa tra preti cattolici e preti ariani, contesa in cui risulta aver ragione chi ha superato la prova della pentola con l'acqua bollente. In un'opera destinata ad un vasto uditorio, senza alcuna cognizione teologica, la superiorità dell'ortodossia è dimostrata per mezzo della procedura giudiziaria in uso presso i barbari! In un altro caso Gregorio ricorre ad una testimonianza ancor piú lampante della superiorità del cattolicesimo sull'arianesimo. Erano stati invitati in una casa due sacerdoti, un cattolico e un ariano, e quest'ultimo decise di farsi beffe di quello ortodosso ma, dopo aver ingoiato del cibo caldo, morí. Avendo assistito a questo miracolo il padrone di casa – un eretico – si convertí immediatamente alla vera fede. È forse necessaria una prova piú convincente?[57].

Nella versione « divulgativa » della *Vita di san Remigio* viene dato rilievo a due aspetti della santità tra loro collegati. In primo luogo il santo rappresenta l'ideale del cristiano esemplare, detentore di tutti i pregi morali: bontà e disinteresse, misericordia e amore per il prossimo, perdono universale e umiltà; tali qualità, è naturale, appartengono alla topica della letteratura agiografica e il citarle insistentemente, con esempi evidenti e con scene di vita che colpivano l'attenzione e s'imprimevano nella mente, perseguiva un chiaro scopo didattico. In fin dei conti la pia immagine del santo risaliva al modello evangelico: la vita di un santo in un modo o nell'altro è sempre «imitazione di Cristo». Nella vita emergono anche altre caratteristiche di Remigio che abbiamo rilevato in precedenza: la suscettibilità e il carattere vendicativo, che sembrerebbero contraddire l'ideale standardizzato del santo; resta tuttavia ancora da chiarire se quell'uditorio avesse o meno coscienza di questa contraddizione.

Non minore doveva essere l'effetto prodotto sulla massa anche da quel lato della personalità del santo nel quale la sua santità si manifestava in modo particolarmente evidente e, soprattutto, efficace: la capacità di compiere miracoli. Sotto questo aspetto la vita di Remigio è quanto mai rappresentativa di tutto il genere: i santi si presentano invariabilmente in qualità di maghi e guaritori. Nella letteratura agiografica i miracoli acquisivano ovviamente un significato cristiano, con il permesso di Dio il santo era capace di guarire e aiutare la gente anche in altri modi. Dalle vite risulta con assoluta chiarezza che nell'immagine del santo il popolo venerava un mago pieno di bontà e di misericordia e circondato dall'aureola. Un simile personaggio risultava comprensibile soprattutto a chi era ignaro dei misteri cristiani e delle sottigliezze teologiche, ma credeva volentieri nei miracoli, poiché questa fede rispondeva pienamente alle sue stesse pratiche e credenze magiche. Nella *Storia religiosa degli angli* Beda il Venerabile informa che durante il primo incontro con la missione cattolica di Agostino, inviato da papa Gregorio I a battezzare gli anglosassoni, il re del Kent Etelberto non nascose il timore che i monaci ricorressero alla magia malefica: i predicatori cristiani venivano presi per stregoni[58].

Lo studio dell'agiografia fornisce un materiale davvero enorme su tutti i possibili miracoli compiuti dai santi cristiani. *Tradizioni e motivi simili sono infinitamente piú antichi della stessa religione cristiana*[59]. Ma essi, inclusi nel sistema del genere agiografico, assumevano inevitabilmente un *nuovo significato*. Se gli stregoni e i maghi dei pagani compivano miracoli grazie alla loro intimità con le forze della natura, con gli spiriti e gli idoli che essi riuscivano a sottomettere alla loro volontà[60], dietro un miracolo compiuto da un santo si celavano invece altre forze e, adorando un santo, l'uomo si abituava a venerare anche queste forze ed entità supreme, per quanto primitiva fosse la sua idea della Trinità cristiana. L'immagine del santo si poneva in contrasto e costituiva il contrappeso morale al mondo che lo circondava, dominato dalla cupidigia, dalla violenza e dall'arbitrio. La potenza del santo, la sua autorità, superiore all'autorità di qualsiasi potere terreno, la sua funzione di difensore dei deboli e dei diseredati, tutto ciò nel popolo minuto ispirava il massimo rispetto.

L'agiografia dà una singolare interpretazione dei rapporti tra il santo e l'ambiente circostante. In generale questi rapporti si strutturano secondo il seguente schema. Man mano che si manifesta la sua santità, il santo si isola dal gruppo, liberandosi dalle sue norme, che egli non accetta. Quando però la sua eccezionalità, cioè la santità, si rivela appieno, essa inizia ad esercitare la sua influenza sull'ambiente sociale dal quale egli si era allontanato, e questo ambiente si ristruttura, raggruppandosi intorno al santo. La riunificazione del santo con la collettività può esprimersi in varie forme: il santo interrompe il suo eremitaggio per rivolgere insegnamenti ai fratelli; è consacrato vescovo o abate; dopo la morte ritorna sotto forma di preziose reliquie, esercitando sulla collettività un benefico influsso morale e fisico. La condotta del santo, che da principio si presentava come un'anomalia, diventa la nuova norma ideale del gruppo, che in un certo senso sale la scala della santità sulle orme del santo. L'eccezione si trasforma in regola e viene ristabilito il legame tra il santo e l'ambiente sociale. In tal modo il santo nell'agiografia non è soltanto raffigurato come l'opposto dei profani, ma incarna anche la loro speranza di essere iniziati alla sua santità[61].

L'influsso morale esercitato dall'agiografia sulla massa dei fedeli è evidente. Il santo mostrava loro un altro mondo, li iniziava ad esso, relativizzando tutti i valori terreni a cui l'uomo era attaccato. Per quanto concerne invece l'interpretazione che nelle vite si dà dei miracoli compiuti dai santi, si può talvolta ravvisare in essi una grottesca ambivalenza.

Beda il Venerabile racconta la miracolosa liberazione di un guerriero ferito, che si chiamava Imma. I nemici lo avevano incatenato, ma le catene continuavano a sciogliersi; colui che lo teneva prigioniero espresse il timore che Imma si servisse di formule o rune magiche. Ma la vera ragione, scrive Beda, stava nel fatto che il fratello di questo guerriero, priore di un monastero, avendo concluso che Imma era morto in battaglia, aveva trovato il cadavere di un uomo, che aveva preso per suo fratello, l'aveva sepolto e aveva celebrato un servizio funebre per la pace della sua anima. E non appena iniziavano a recitare una preghiera, le catene di Imma si scioglievano[62]. Si tratta di uno degli innumerevoli racconti di miracoli che, nelle intenzioni dello scrittore ecclesiastico inglese, doveva testimoniare l'onnipotenza della Chiesa. Ma in questo caso le preghiere vengono recitate sul cadavere di un altro uomo, sono preghiere funebri, mentre Imma, che da esse viene tanto efficacemente e inaspettatamente aiutato, è vivo. Tale modo di trattare il miracolo sembra lontano dalla concezione del miracolo come manifestazione della particolare grazia del Signore. L'abate prega per la salvezza dell'anima di Imma come se questi fosse morto, ma la preghiera agisce automaticamente: è una formula magica, che scioglie le catene. È molto sintomatico che persino un uomo del suo tempo come Beda ammetta l'idea di un'affinità tra l'azione di una preghiera devota e quella di un incantesimo pagano. Ed è naturale: *nel miracolo cristiano si conservavano le tradizioni della magia popolare, la stessa concezione della causalità e del ruolo del soprannaturale*.

Il miracolo era un mezzo troppo efficace nell'esercitare un'influenza socio-psicologica sui credenti perché la Chiesa potesse permettersi di trascurarlo. Dal momento che il bisogno sociale di miracoli era tanto grande e diffuso in tutti i ceti, il clero cercava di incanalarlo nel corso voluto. Se presso i pagani potevano occuparsi di magia stregoni, sciamani e in generale chiunque fosse esperto di queste faccende, presso i cristiani il miracolo diventa monopolio esclusivo del santo approvato dalla Chiesa e canonizzato. Il campo del soprannaturale era sotto il controllo del clero. I santi sono gli indispensabili intercessori e difensori presso una divinità lontana e astratta, poco comprensibile ed estranea a una coscienza piú orientata a recepire ciò che è vicino, evidente e percettibile. «Giacché, a causa della scarsa capacità d'amare, nella sua imperfezione l'uomo sovente ama un santo qualsiasi piú di Dio»[63], osserva Iacopo da Varazze nella *Legenda aurea*.

È necessario soffermarci, a questo punto, sulla questione della natura della fede nel miracoloso e della cosiddetta credulità degli uomini medievali. Il problema, è ovvio, non si riduce all'inganno dei «semplici» da parte dei monaci o alla presunta, sconfinata credulità dell'uomo di quell'epoca, pronto a credere a qualsiasi cosa. Nel perseguire scopi propagandistici sono evitabili falsificazione e inganno? Già nel primo Medioevo erano avanzati dubbi sull'autenticità di certi miracoli. Ma in quali casi? Gregorio di Tours, ad esempio, accusava di mistificazione un ariano, ma queste accuse erano dettate dalla sua ostilità per gli eretici, e non da scetticismo nei confronti del miracolo in quanto tale: egli credeva nei miracoli ortodossi e condannava chi li metteva in dubbio. Gregorio narra di un contadino che dubitava della santità di san Mariano e si rifiutava di festeggiare la giornata a lui consacrata: il contadino fu punito perché il fuoco distrusse tutti i suoi averi. «Che cosa farai adesso, uomo rozzo? Hai sempre brontolato contro Dio e i suoi amici, ed ecco che ne hai pagato il fio!»[64].

Nel Medioevo s'incontravano uomini che non credevano nell'esistenza del purgatorio. Ma ciò si spiegava evidentemente col fatto che l'idea del purgatorio era nata piú tardi dell'idea del paradiso e dell'inferno, e che tale «complicazione» del quadro dell'oltretomba, legata alla gradazione dei peccati, che comportavano diversi gradi di punizione, veniva assimilata non senza difficoltà[65].

Un po' in disparte, a quanto può sembrare, si colloca Gilberto di Nogent, nel cui trattato, *Delle reliquie dei santi*, sono svolte considerazioni critiche riguardo all'autenticità delle reliquie e alla fede. Tuttavia, il paragone che A. Lefranc fa tra questo autore dell'inizio del secolo XII e Calvino, Rabelais e Voltaire, è assolutamente infondato, giacché Gilberto non dubitava affatto del culto dei santi in quanto tale. La sua diffidenza era provocata esclusivamente da alcuni casi di adorazione delle reliquie e dal fervore, «irragionevole» dal suo punto di vista, che il popolo manifestava per dei falsi santi. Gilberto non era certo uno scettico; egli attribuiva maggiore significato alla fede sincera e alla spiritualità interiore che non ad un'esteriore adorazione delle cose sacre[66].

Il problema del miracolo, senza escludere la possibilità di un palese inganno, aveva anche un altro aspetto importante. Nel Medioevo non si credeva affatto a tutto indiscriminatamente e non ci sono motivi per sospettare che allora gli uomini fossero del tutto incapaci di assumere un atteggiamento critico verso determinate notizie. Ma il confine tra verosimile e inverosimile a quel tempo non passava dove passa oggi. La fede nella possibilità dei miracoli era estremamente forte, poiché rispondeva ad un'esigenza molto profonda della coscienza umana. L'idea e la realtà avevano un rapporto particolare: gli avvenimenti potevano trovare la loro vera motivazione solo se correlati ai valori supremi, e perciò dovevano corrispondere ad essi; di conseguenza, si considerava autentico un fatto che confermava e dimostrava un'idea generale. Esistono molti «gloriosi» documenti falsi, i cui autori erano uomini di Chiesa. Per noi adesso non è poi cosí importante sapere che cosa pensassero i monaci che li redigevano, ma è assai piú importante che i contemporanei per lo piú credessero alla loro autenticità, autenticità non dal punto di vista dell'attuale scienza diplomatica, bensí *veridicità*, cioè corrispondenza al giusto ordine delle cose. La fede non si contrapponeva al fatto; essa abbracciava infatti un ambito abbastanza vasto da includervi anche i fatti. Il problema dell'unione, della conciliazione tra fede e ragione, della «duplice verità», che impegnava e tormentava i teologi, non affiorava al livello di coscienza che è oggetto del nostro studio.

L'uomo medievale non è un individuo isolato, che si orienta nel mondo mediante le proprie conoscenze e capacità; egli è membro di un gruppo, la sua coscienza è radicata negli umori, negli orientamenti intellettuali e nelle tradizioni del gruppo, ed è prevalentemente da queste credenze e idee collettive che egli attinge le sue convinzioni, compresi i criteri di verità e falsità, «discrimen veri ac falsi». Vero è per lui anzitutto ciò in cui crede la collettività, ed egli è incapace di contrapporre le sue convinzioni personali alla verità della collettività: non conosce una simile verità individuale. L'appartenenza alla collettività, inoltre, produce nell'individuo il bisogno pressante di confermare le verità che hanno un'importanza vitale per questa collettività[67]. La verità non veniva correlata con se stessa, era *un valore della collettività, determinato dagli scopi e dalle tradizioni del gruppo, e soltanto in essi trovava appunto il suo fondamento*.

Una tale struttura della psicologia sociale era terreno estremamente fertile perché vi fosse accesa la fede nei santi, nelle loro reliquie, nei miracoli che essi compivano: è qui che va probabilmente cercata una delle ragioni dell'eccezionale popolarità dell'agiografia tra i credenti. Se per la coscienza moderna il ripetersi degli stessi motivi nelle leggende agiografiche è indice di mancanza di originalità, della «letterarietà» di queste comunicazioni, che si strutturano sui modelli dell'epos, per la coscienza medievale tale ripetitività era al contrario una prova della loro veridicità; giacché noi pensiamo agli avvenimenti della storia umana come unici e irripetibili, mentre l'uomo medievale, a giudicare da ciò che si sa di lui, si rappresentava il mondo come immutabile, e gli avvenimenti come accidenti temporali sulla base della sua immobile, eterna sostanza, che manifesta la propria sovrastoricità in forme appena differenti. Per questa coscienza la verità nasceva come risultato del contatto tra i due mondi e, precisamente, solo nei casi in cui attraverso i fenomeni contingenti di questo mondo traspariva l'altro mondo: allo sguardo del credente si rivelavano in questo modo le verità autentiche.

In questa generale atmosfera spirituale fiorivano l'agiografia, la fede nei santi e nei miracoli da loro compiuti. Tra i miracoli vicini al cuore dell'uomo del popolo, occupavano un posto particolare i «miracoli sociali», quelle azioni magiche dei santi che avevano una forte valenza socio-ideologica. Nella topica dell'agiografia dell'alto Medioevo un ruolo considerevole svolgevano i motivi dell'aiuto che il santo recava ai poveri, alle vedove, agli orfani, a coloro che erano socialmente umiliati e diseredati. Durante tutto il Medioevo godette di grande popolarità la leggenda di Pietro il Pubblicano, che aveva salvato un povero con l'elemosina. Nell'agiografia dell'epoca franca si incontra particolarmente spesso il tema della liberazione – ad opera di un santo – di prigionieri, schiavi, uomini condannati dal potere alla pena di morte o alla reclusione. Nelle vite che toccano questo tema, evidentemente caro all'«uomo insignificante», si osserva una contrapposizione tra due personaggi: il santo misericordioso e il giudice crudele. Uno studioso delle vite dedicate a questa problematica rileva che il rappresentante del potere non si presenta come «giudice ingiusto»: di solito non viene messa in dubbio l'equità della condanna, ma in sostanza è indirettamente biasimata solo l'inflessibilità di chi infligge la pena, privo del benefico spirito del perdono che anima il santo. In tal modo il discorso non verte sul contrasto tra ingiustizia sociale e suprema giustizia cristiana, bensí sul conflitto tra leggi severe e misericordia morale, dettata esclusivamente dalla bontà celestiale del santo, ma assolutamente non dalla consapevolezza dell'innocenza di colui che egli salva dal castigo con il permesso di Dio[68]. In altre parole, la miracolosa liberazione dello sventurato ad opera del santo è solo la manifestazione dello sconfinato amore che il giusto ha per gli uomini, inclusi peccatori e criminali; non è altro che il correlato della realtà socio-politica, che naturalmente non può fondarsi sulle stesse basi dell'amore cristiano, superiore a qualsiasi giustizia terrena, compresa quella giuridica.

Difensore dei diseredati, il santo nel contempo non è affatto un oppositore del potere laico e non lotta contro l'oppressione; egli è al di sopra di questo potere perché la Chiesa è piú equa dello stato e la Città di Dio, incarnazione del principio eterno, è piú vera della Città terrena, che vive di un tempo piú breve. Il santo è raffigurato come un avversario di principio della schiavitú e dell'oppressione, e il fatto che esse siano mitigate grazie al suo miracoloso intervento non è mai altro che un caso particolare. Parimenti, quando nelle vite è raffigurato un re o un signore cattivo, è invariabilmente una persona concreta; può essere malvagio questo o quell'uomo, ma non l'istituzione o il ceto. Tale è, ad esempio, l'intervento di san Leutfred nel difendere gli uomini di un monastero da un crudele amministratore[69] o quello di san Servazio a favore dei contadini dipendenti, angariati da un ingiusto padrone[70]. Non si tratta di una contrapposizione morale tra ceti bassi e alti. Secondo le vite, la condotta ideale di un signore è l'indulgenza e la misericordia nei confronti dei sottoposti, ma la violazione di questo principio può essere emendata solo dall'oppressore stesso o dall'intervento di un santo, mentre la gente semplice deve sopportare con rassegnazione le proprie avversità. L'assenza di libertà e la disuguaglianza sono la condizione naturale della società nella quale opera l'eletto di Dio, eroe della narrazione. Nelle vite gli schiavi e gli altri dipendenti dei santi sono menzionati come qualcosa di ovvio. San Gamalbert placava i suoi schiavi, che litigavano tra loro, regalando vestiti o altri beni; risparmiava loro i lavori pesanti e niente piú[71]. Il tema della liberazione di un prigioniero dal carcere aveva lo scopo di mostrare la potenza miracolosa del santo, e non la riparazione di un'ignominiosa ingiustizia sociale. La misericordia verso gli oppressi e i poveri, l'elargizione di ricchezze, la carità generosa, le elemosine sono dimostrazioni di santità sufficienti.

È inoltre assai significativo il fatto che i santi dell'agiografia del primo Medioevo fossero di regola persone di origine nobile e con un'elevata posizione sociale. Le eccezioni a questa regola sono estremamente rare[72]. Secondo l'opinione di alcuni studiosi le vite sottolineano la stretta interazione esistente tra santità e nobiltà, e non le trovano affatto in contrasto[73]. F. Graus tuttavia mette in dubbio l'esistenza del «santo nobile» come tipo specifico; egli ritiene che agli autori delle vite interessasse la santità, e non la nobiltà di origini; un santo doveva essere vicino al popolo e rispondere alle sue aspettative[74]. Perciò la nobiltà d'origine viene come sminuita e annullata dalla santità personale dell'eroe della vita. Ed effettivamente uno dei piú diffusi «luoghi comuni» dell'agiografia del primo Medioevo era un'espressione che suonava piú o meno cosí: il tale santo di origine nobile, ma ancor piú nobile per la sua religiosità.

La triade fondamentale nella struttura di una vita di quel periodo, popolo-re-santo, viene completata poi da un quarto membro: la nobiltà, e quest'ultima inoltre fa gradualmente retrocedere il sovrano in secondo piano o lo esclude del tutto. Le leggende agiografiche riflettono la cresciuta feudalizzazione della vita sociale. Già nell'agiografia merovingia la coppia di concetti opposti *fidelis-perfidus* viene adottata ora nel senso di credente-non credente, ora in quello di fedele-infedele. Questo spostamento di significato – l'estensione di concetti puramente religioso-confessionali ai legami sociali – è un sintomo importante della ristrutturazione della coscienza sociale. In epoca carolingia il termine *fidelis* diventa nell'agiografia un «termine tecnico»[75]. L'ideologia della fedeltà feudale s'inserisce organicamente nella letteratura religiosa, esercitando attraverso le vite la sua influenza su vasti strati di popolazione.

In tal modo la letteratura delle vite, nella cui formazione avevano svolto un ruolo tanto grande il folklore e la coscienza collettiva – che esercitava la sua pressione sui devoti autori delle leggende agiografiche –, via via che la società si feudalizzava, s'impregnava nel contempo delle idee dominanti. Prodotto della fantasia delle masse, questa letteratura tornava ad esse dalle mani dei monaci e dei chierici sotto un aspetto trasformato.

Come risulta dalle vite stesse, i santi non si trovavano sempre in buoni rapporti con il popolo, spesso non venivano accettati ed erano perseguitati non solo dai potenti, ma anche dalla gente del popolo. Naturalmente gli autori devoti spiegano questi fatti – dal loro punto di vista tristi – sostenendo che gli avversari dei santi si trovavano nelle tenebre dell'ignoranza o erano prigionieri del diavolo. Inoltre, conformemente alla consueta tendenza della letteratura medievale ad attribuire gli avvenimenti all'eroe, nell'agiografia questi conflitti erano per lo piú raffigurati come duelli tra il santo e un singolo avversario, nel quale s'incarna il male. Ma il fatto resta: di frequente, in particolare nel periodo della cristianizzazione dei barbari, i rappresentanti della Chiesa incontravano la resistenza della popolazione.

Ecco alcuni esempi. Gli abitanti di Colonia tentarono di uccidere san Gallo, che aveva attentato a un tempio pagano[76]. Nella *Vita di san Remigio* si narra il conflitto tra il santo e la popolazione di un borgo, che «era sempre stata ribelle e indocile»[77]. Il santo missionario Amando subí piú volte gli attacchi della plebe: lo bastonarono e tentarono di affogarlo, ma un miracolo da lui compiuto indusse i pagani ad abbracciare la vera fede[78]. Quando san Valarico ordinò di abbattere un albero che i pagani adoravano, essi si scagliarono contro di lui con le armi, ma le braccia alzate per vibrare il colpo si immobilizzarono in aria. Spaventati da questo miracolo, i contadini si ritirarono[79]. Il vescovo Rustico fu ucciso dagli abitanti della città durante «grandi disordini»[80]. I contadini che abitavano vicino a Nantes si beffavano dell'eremita Friardo e del suo pio modo di vivere. Quando furono assaliti da un nugolo di vespe, ridendo essi si rivolsero perfidamente al santo, dicendo «Venga il benedetto, venga il pio, che non smette mai di pregare e si porta sempre la croce alle orecchie e alla bocca...» per sapere se egli li avrebbe salvati da questa disgrazia. I burloni furono tuttavia svergognati: con la preghiera Friardo scacciò i malvagi insetti[81].

Raccontando gli scontri tra un santo che predicava la parola di Dio e gli «stolti»[82] invischiati nella licenziosità pagana, gli autori delle leggende sottolineano come questi conflitti si risolvessero di solito a favore del santo. I miracoli da lui compiuti convincevano il popolo dell'autenticità della fede che egli professava. Non sempre egli trionfava da vivo, vi erano casi in cui solo il martirio dell'eletto di Dio serviva da stimolo per la conversione degli infedeli.

La causa degli attriti tra un santo e la gente del popolo, tuttavia, non era necessariamente l'antagonismo tra la religione di Cristo e il paganesimo. Tali attriti potevano nascere anche nell'ambiente dei già convertiti. Vi erano anche altri fattori che di tanto in tanto generavano tensione tra la massa e coloro che aspiravano al ruolo di suoi maestri e guide. Il santo cattolico in un modo o nell'altro era il rappresentante dell'organizzazione religiosa, spesso era investito della dignità di abate o di vescovo. Le contraddizioni tra il popolo e la Chiesa, inevitabili nel periodo della feudalizzazione di quest'ultima, preparavano il terreno per la comparsa di santi di altro tipo, non ortodossi e non riconosciuti ufficialmente, ma che nondimeno godevano di autorità tra la gente. Falsi santi e simili profeti venivano dal popolo e ne esprimevano aspirazioni e umori in modo piú immediato e completo che non il santo riconosciuto dalla Chiesa, costretto nei limiti dell'ortodossia e del culto ufficiale.

Gli «pseudoprofeti» del primo Medioevo sono menzionati nelle fonti solo sporadicamente, ma questo non significa che fossero un fenomeno raro, anche se essi non si posero a capo di vasti movimenti di massa e non hanno lasciato nella storia una traccia sensibile. La loro menzione poteva essere soltanto casuale. Nella letteratura scientifica i santi e i profeti non ortodossi, di regola, sono ricordati in relazione ad altri argomenti, di solito nei compendi di storia della Chiesa, di quella Chiesa che doveva appunto vincere la resistenza degli eterodossi; gli «pseudosanti» però possono suscitare una maggiore attenzione da parte di singoli studiosi dell'eresia medievale, ma meritano il loro interesse soprattutto in quanto precursori della sviluppata e potente eresia del tardo Medioevo[83]. Tale approccio è del tutto legittimo, ma le notizie disponibili sui «falsi santi» dell'epoca franca si possono esaminare anche da un altro punto di vista, vale a dire nel contesto della loro epoca, in opposizione al culto ufficiale dei santi, che allora si stava affermando e iniziava la sua fioritura.

Perché la santità di questo o quel martire o uomo pio non desse adito a dubbi, era necessario che fosse riconosciuta dalla Chiesa. In tempi piú tardi, a partire dalla fine del secolo x, fu introdotta l'indagine di canonizzazione, con raccolta di prove sull'autenticità del martirio e della santità. Con i falsi profeti, messia e santi che di tanto in tanto comparivano, la Chiesa invece era intollerante, e dimostrava apertamente la sua ostilità. L'eresia è un'inevitabile e costante compagna di viaggio e antagonista dell'ortodossia, che necessariamente la genera e la perseguita. Le antitesi Dio-satana, paradiso-inferno, che stanno alla base della concezione medievale del mondo, presupponevano la presenza nella società di un servo del diavolo. Le contraddizioni sociali dell'epoca costituivano un fertile terreno per le correnti che divergevano dall'ortodossia. L'evoluzione della Chiesa come istituzione provocava e approfondiva certe contraddizioni tra l'ideale della Chiesa e la sua effettiva pratica, e queste contraddizioni a loro volta favorivano la genesi dell'eresia. Durante il Medioevo fecero la comparsa individui che si proclamavano santi, messaggeri di Cristo, profeti pari agli apostoli. Essi predicavano dottrine che divergevano sempre dall'ortodossia cattolica e mettevano in dubbio gli ordinamenti ecclesiastici e sociali.

Del resto i profeti e i santi non ortodossi in quel periodo non elaboravano quasi mai proprie dottrine da poter contrapporre al cattolicesimo della Chiesa, e comunque le informazioni che si sono conservate a questo proposito sono scarse. Ma ciò che senza dubbio era invariabilmente presente nel comportamento dei santi non canonici e dei loro seguaci, era «l'opposizione all'autorità della Chiesa». Perciò, definire «eretici» i primi interventi contro la Chiesa forse non è del tutto esatto; non sarebbe piú giusto qualificarli come antiautoritari? Avvicinarsi ai «santi popolari» del periodo iniziale del Medioevo dà la possibilità di rendersi conto in parte che dagli strati piú bassi della società, mossi da fermenti sociali e spirituali, vengono profeti-guida e messia religiosi che dell'ambiente che li ha generati condividono gli umori repentinamente mutevoli e instabili, le credenze eterogenee e disordinate e le confuse ricerche di verità e di giustizia.

Nelle opere di questo periodo gli accenni ai «santi popolari» sono isolati e laconici. Le fonti in cui essi figurano non sono unitarie dal punto di vista cronologico, in parte si riferiscono a regioni diverse dello stato franco (Gallia, Germania), si differenziano per il genere e, di conseguenza, per la ricchezza delle informazioni in esse contenute; probabilmente non è necessario precisare che tutte queste fonti sono tendenziose[84].

Nel libro IX della *Storia dei Franchi* Gregorio di Tours accenna ad un certo Desiderio, che sosteneva di essere capace di compiere miracoli di qualsiasi genere, e allo stesso modo si vantava di essere in contatto con gli apostoli Pietro e Paolo per mezzo di messaggeri. Mentre Gregorio non era a Tours, l'impostore attirò a sé una grande moltitudine di popolo; da lui erano condotti i ciechi e i malati, ed egli li curava, non con la sua santità, sottolinea Gregorio, ma traendoli in inganno con la magia nera. I servi di Desiderio raddrizzavano e distendevano con la forza le membra deformi dei paralitici e degli zoppi, e quelli che non guarivano, esalavano l'ultimo respiro. Questo sciagurato, scrive Gregorio, si insuperbí talmente da considerarsi superiore al glorioso san Martino e pari agli stessi apostoli. E che cosa c'è di straordinario, osserva il cronista, nel fatto che Desiderio sostenesse di essere pari agli apostoli, se l'istigatore di queste scelleratezze, il diavolo, alla fine del mondo proclamerà di essere Cristo! Che Desiderio ricorresse alla magia nera risultava dalla sua sorprendente capacità di udire a grande distanza: ciò era possibile solo grazie ai demoni, che gli riferivano quello che veniva detto. Desiderio portava un cappuccio e un mantello di lana e in pubblico si asteneva dal cibo e dalle bevande, ma di nascosto, nel suo rifugio, si saziava con tanta voracità che il suo servo non faceva a tempo a porgergli i piatti. Gli uomini di Gregorio però lo smascherarono e lo scacciarono dalla città. Non sappiamo, conclude Gregorio, dove sia andato a finire. Lui stesso diceva di essere originario di Bordeaux.

Come vediamo, il vescovo di Tours, chiaramente allarmato dalla popolarità di questo « santo » dell'ultima ora, cerca in ogni modo di denigrarlo e di mettere in dubbio i suoi meriti. Il mezzo piú efficace per screditare un santo indesiderabile era dichiararlo servo del diavolo. Nella descrizione di Gregorio Desiderio è anche uno stregone e un truffatore.

In relazione al racconto su Desiderio, Gregorio cita un altro impostore, che era comparso a Tours sette anni prima e aveva indotto molti in tentazione con la sua astuzia. Non viene fatto il suo nome. L'uomo indossava un mantello senza maniche e portava una croce a cui erano appesi piccoli recipienti che contenevano, a quanto diceva, olio santo; a sentir lui, egli sarebbe venuto dalla Spagna e avrebbe portato con sé le reliquie di san Vincenzo e di san Felice. Dopo aver fatto irruzione nella chiesa di San Martino, egli fece chiamare Gregorio perché questi accettasse le reliquie, ma il vescovo, con la scusa dell'ora tarda, rispose che si poteva anche rimandare. Allora l'impostore andò nella cella di Gregorio e lo rimproverò per l'accoglienza ostile, minacciando di lamentarsi con il re Chilperico. «Il suo linguaggio era sgrammaticato – scrive Gregorio –, le sue espressioni indecenti e oscene; dalle sue labbra non uscí neanche una parola sensata».

Non avendo avuto successo a Tours, il falso santo si recò a Parigi. La sua comparsa durante una festa religiosa in un insolito abbigliamento (imitazione di un apostolo?), con una croce tra le mani e alla testa di una folla di prostitute e di popolane che formavano il suo «coro», evidentemente sconcertò il vescovo parigino. Questi gli propose di prender parte alla festa, ma si sentí rispondere con insulti. Allora il vescovo capí di aver di fronte un imbroglione e un «tentatore del popolo», e ordinò di rinchiuderlo in una cella. Gli trovarono addosso un sacco pieno di radici di piante d'ogni genere, e anche di denti di talpa, ossa di topo e grasso d'orso. Apparve chiaro come fossero tutti rimedi magici e il vescovo ordinò di gettarli nel fiume. Gli tolsero anche la croce, ma l'impostore ne fabbricò una nuova e riprese a comportarsi come prima. Fu necessario incatenarlo e chiuderlo in prigione.

Era intanto giunto a Parigi anche Gregorio, che fu testimone di questi fatti. Quello «scellerato» eluse la sorveglianza e, senza neanche essersi tolto le catene, si addormentò ubriaco nella chiesa di San Giuliano, proprio là dove Gregorio di Tours era solito sostare in preghiera. Quando a mezzanotte il vescovo andò per pregare, gli fu impossibile entrare nel tempio per il tremendo lezzo dell'impostore, un lezzo che superava il fetore di tutte le fosse di scolo e le latrine. Il sacerdote, tappandosi il naso, tentò di svegliarlo, ma non vi riuscí, tanto quello era ubriaco. Allora per ordine di Gregorio quattro chierici trascinarono in un angolo il corpo inanimato dell'ubriaco, lavarono il luogo imbrattato e sparsero erbe profumate, e solo allora Gregorio poté recitare le sue preghiere. Quando lo pseudosanto finalmente si svegliò, Gregorio lo consegnò al vescovo di Parigi, a condizione che «non gli venisse fatto alcun male». Di lí a poco i vescovi si riunirono a Parigi, e quest'uomo comparve dinanzi a loro. Il vescovo di una cittadina dei Pirenei (Beorretanae) lo riconobbe: era un suo servo fuggito. L'impostore venne rimandato a casa, senza infliggergli punizioni. «Sono numerosi – conclude Gregorio – quelli che continuano a trarre in inganno il popolo allettandolo»[85].

Nella descrizione dell'autore della *Storia dei Franchi* entrambi gli pseudoprofeti risultano essere maghi al servizio del diavolo. Anche l'incredibile lezzo emanato dall'impostore (come pure dal falso Cristo in Sulpicio Severo), a quanto pare, è un sintomo della sua complicità con le forze infernali. Gregorio è apertamente ostile a questi «stregoni» e «negromanti», e gli stessi «apostoli» non nascondono la loro ostilità nei confronti della Chiesa e dei suoi servitori. Nel dimostrare la loro falsità gioca un ruolo importante il fatto che fossero intemperanti nel mangiare e nel bere, giacché l'ascetismo è indizio imprescindibile di un vero santo. Ma nonostante tutta la tendenziosità di Gregorio, è difficile poter ascrivere completamente alla sua fantasia la notizia del sacco con radici di piante e ossa, unghie e grasso di animali, che il servo evaso aveva con sé. Le attività magiche con l'aiuto di simili mezzi erano quanto mai popolari non soltanto a quel tempo, ma anche secoli piú tardi; nei penitenziali veniva proibito sotto minaccia di punizioni l'impiego di radici, erbe e grasso e l'uso a scopi magici di una bevanda contenente un topo[86].

Nella coscienza del popolo potevano talvolta fondersi il santo e lo stregone? La maggioranza della popolazione non capiva la differenza tra gli amuleti, severamente proibiti dal clero, e le reliquie sante. Perché si considerava peccato l'impiego di un filtro, ma si raccomandava di suonare la campana per scacciare il temporale? I sacerdoti condannavano i mezzi adottati da indovini e guaritori per curare i malati, ma concordavano sul fatto che la polvere dell'altare o un sacchettino con la cenere presa dal sepolcro di un santo avessero proprietà curative. La Chiesa ammetteva la magia nella sua pratica e nel suo rituale, e il confine che separava la magia cristiana da ciò che veniva condannato come *maleficia*, era indefinito e talvolta sfuggiva ai fedeli.

Non in tutti i casi la Chiesa contribuiva a chiarire l'opposizione tra idolatria e culto cristiano. Cosí, papa Gregorio I, raccomandando all'arcivescovo di Canterbury Mellito di procedere al battesimo degli Angli gradatamente e di non tentare di rompere di colpo tutti i loro legami con il paganesimo, consigliava, in particolare, di non eliminare i vecchi santuari, ma di distruggere solo gli idoli; dopo aver asperso i templi pagani con l'acqua santa, vi si potevano ergere gli altari e deporre le reliquie dei santi, giacché in luoghi consueti e conosciuti sarebbe stato piú facile per i pagani abbracciare la nuova fede. È uso di questa gente, scrive il papa, sacrificare ai demoni una gran quantità di bestiame, e occorre dar loro in cambio qualcosa di festoso, permettendo loro, nei giorni dei santi, di riunirsi per dei banchetti religiosi, purché essi non sacrifichino animali al diavolo, ma li ammazzino per nutrirsi in gloria del Signore e rendendogli grazie. «Se sarà mantenuta qualche consolazione esteriore, sarà loro piú facile provare le gioie interiori». Non v'è dubbio, continua Gregorio I, che sia impossibile da un momento all'altro purificare completamente le menti rozze, e perciò si deve agire per gradi, come il Signore confidò al popolo eletto: «Cosí è anche con i cuori degli uomini, che possono cambiare: essi devono rinunciare ad una parte dei sacrifici, mantenendone un'altra, e anche se si tratterà degli stessi animali che erano soliti offrire in olocausto, e dal momento che li sacrificheranno a Dio e non agli idoli, il sacrificio stesso non sarà piú come prima»[87].

Consigliando di non trascurare la psicologia di quanti si erano da poco convertiti e di evitare per quanto possibile un aperto conflitto tra le due religioni, Gregorio Magno manifestò in questo caso, come del resto in altri, una saggia comprensione della complessa situazione che la conversione dei pagani creava. Egli era evidentemente conscio che, assimilando il cristianesimo, questa gente non poteva non conservare un immenso patrimonio di credenze e idee tradizionali. Il pontefice non temeva che queste ultime si fondessero nella coscienza dei neofiti con la nuova fede, che veniva inevitabilmente assimilata in modo superficiale e in parte addirittura travisato. Il risultato era un'ambivalente, grottesca concezione del mondo, sostanzialmente differente dalla dottrina predicata dalla Chiesa.

Si può osservare come gli pseudoprofeti comparissero particolarmente spesso nei tempi difficili, quando regnavano la fame, lo sfacelo e l'anarchia. Il periodo merovingio, per quanto si può giudicare in base alle opere dello stesso Gregorio di Tours, fu letteralmente colmo di calamità di ogni genere. Ed ecco i frequenti cattivi raccolti, accompagnati da impoverimento e mortalità di massa; lotte intestine e devastanti scorrerie dei nemici, che comportavano saccheggi, incendi, nuove esazioni di tributi, prigionieri; epidemie che scoppiavano di continuo in varie parti del paese; la crudeltà dei governanti, che angariavano il popolo con ogni mezzo e punivano senza pietà tutti gli indesiderabili; un'amoralità assai diffusa, probabilmente legata all'instabilità politica nel periodo successivo alla caduta dell'Impero Romano e alla profonda crisi psicologica che la conversione provocava nei barbari... Il terreno era favorevole a fermenti di ogni tipo.

Gregorio di Tours doveva cogliere il nesso tra le condizioni in cui viveva la maggior parte della popolazione e la sua predisposizione a credere ai falsi santi. Al racconto su un certo pseudo-Cristo, egli premette ad esempio la notizia dell'epidemia in Provenza e della carestia nelle regioni di Angers, Nantes e Le Mans. «Questo è l'inizio delle malattie», ammoniva citando il Signore nel Vangelo: «e ci saranno carestie, morie e terremoti ovunque»; «poiché verranno falsi Cristi e falsi profeti, e faranno presagi e miracoli per incantare, se possibile, anche gli eletti». «Tutto ciò – ricordava – è appunto successo nella nostra epoca»[88]. Dopo questo ragionamento, Gregorio di Tours passa al racconto dell'impostore, e il lettore deve ricavare l'impressione che l'accettazione da parte del popolo di un nuovo pseudosanto non è semplicemente preparata dalle calamità naturali, ma è stata preannunciata da Cristo ed è un sintomo dell'imminente fine del mondo. Tanto piú evidente apparirà ai suoi occhi il nesso tra tutti i fenomeni.

Un abitante della regione di Bourges, informa Gregorio, andò un giorno nel bosco a tagliar legna e lí fu assalito da uno sciame di mosche e tale fu lo spavento che rimase pazzo per due anni. Per il nostro autore è chiaro come «tutto questo sia combinato dal diavolo». In seguito l'uomo si mise in pellegrinaggio per le città vicine e raggiunse faticosamente la Provenza. Vestito di una pelle di animale, egli predicava «come fosse stato un giusto»: il «nemico» che l'aveva corrotto (cioè il diavolo) gli aveva donato la capacità di fare profezie. Nella zona di Poitiers egli, esaltandosi, non ebbe paura di farsi passare per Cristo, e di chiamare Maria la donna che lo accompagnava. Ma il problema non stava certamente nella sfrontatezza dell'impostore, che indignava Gregorio, ma nel fatto che il popolo, bisognoso di un taumaturgo, gli credesse: era questa loro necessità a renderlo tale. Come riconosce Gregorio, infatti, il popolo accorreva da quest'uomo conducendo con sé i malati, che egli guariva con il suo tocco; distribuiva ai poveri l'oro, l'argento e i vestiti che gli venivano regalati e si faceva adorare da coloro che lo circondavano. Prediceva il futuro: ad alcuni malattie, ad altri danni, a pochi invece la futura salvezza, tutto ciò faceva in virtú di chissà quale diabolica arte e magia. «E in tal modo gli riuscí di indurre in tentazione un'enorme moltitudine di popolo, e non solo i sempliciotti, ma anche i servitori della Chiesa. Piú di tremila persone lo seguivano».

Che distribuisse i beni ai poveri non rappresentava nulla di strano, perché molti santi agivano cosí, ma in questo racconto emerge anche il motivo delle azioni violente: lo pseudo-Cristo ricorreva alle rapine per distribuire il bottino ai poveri. Minacciava di morte vescovi e cittadini se non lo adoravano, e fu proprio questo a condurlo alla rovina nello scontro con il vescovo di una città che aveva attraversato, il quale mandò di nascosto un uomo ad ammazzarlo. Dopo la morte «di questo Cristo, che va piuttosto chiamato Anticristo», Maria fu torturata e rivelò tutti i suoi inganni e malefici. Ciò nonostante la gente, che era stata da lui corrotta con diabolici artifici, continuò a crederlo Cristo e a considerare Maria partecipe della sua natura divina. Per spiegare la mentalità e lo stato psichico dei seguaci dello pseudo-Cristo, questo episodio costituisce un buon esempio. Egli inviò ad un vescovo dei messaggeri che dovevano annunciare il suo arrivo: dopo essersi denudati questi uomini danzavano e saltavano, provocando con ciò lo stupore del vescovo. I testi contemporanei, e anche quelli successivi, parlano ripetutamente di danze «oscene»: il clero le condannava e le proibiva, considerandole pagane e ispirate dal diavolo[89].

Gregorio di Tours conclude questa notizia accennando di nuovo alla diffusione di tali impostori: «Ma anche in tutta la Gallia allora comparivano in gran numero uomini del genere; con malefici attiravano a sé le donne, che estasiate li adoravano come santi, e si spacciavano per uomini straordinari[90]; noi stessi abbiamo visto molti di questi, che condannavamo e cercavamo di liberare dagli errori »[91].

I falsi taumaturghi rappresentavano un pericolo per la Chiesa, in quanto raccoglievano intorno a sé un gran numero di seguaci tra la gente del popolo. I termini « rustici », « rusticiores », « rusticitas populi », « populus rusticus », usati da Gregorio di Tours nei suoi racconti, non designavano obbligatoriamente la gente di campagna: egli voleva sottolineare l'ignoranza, le tenebre spirituali e la cieca credulità dei popolani che seguivano dei truffatori e da loro si lasciavano indurre in tentazione. Luogo d'azione degli impostori era tanto la città quanto la campagna.

I « corruttori » del popolo si facevano passare per santi che avevano rapporti con le forze supreme, o addirittura per Cristo in persona: a quanto pare i loro discepoli sentivano il bisogno pressante di una personificazione percettibile ed evidente del principio divino, con la quale fosse possibile entrare in diretto contatto e dalla quale fosse lecito aspettarsi e pretendere benefici immediati, hinc et nunc, e non solo nel mondo dell'aldilà. Si deve presumere che il culto dei santi controllato dalla Chiesa ufficiale non riuscisse sempre a sodsfare appieno la gente del popolo, che con perplessità e malcontento osservava i vescovi, i quali si vantavano della loro intimità con i martiri benedetti e nello stesso tempo erano assorbiti da faccende mondane, partecipando alle guerre e accaparrandosi ricchezze terrene. Gregorio di Tours dà piú volte notizia di rivolte della plebe contro i vescovi, che venivano persino scacciati dalle loro diocesi. Ancor piú spesso egli racconta di vescovi simoniaci, che hanno ottenuto le loro cariche in maniera empia, grazie a corruzioni o doni o con l'aiuto di sovrani che li proteggevano. Egli non fa mistero neanche del fatto che nella sua nativa Tours vi fossero prelati corrotti e indegni del loro abito.

Come abbiamo visto, con le caratteristiche dei santi cristiani negli impostori si fondevano quelle dei maghi e degli stregoni pagani, degli indovini e degli sciamani, in grado di provocare uno stato estatico in se stessi e in coloro che li circondavano. Gregorio parla piú volte degli indovini e delle indovine che attiravano a sé molti ignoranti e « semplici ». Inoltre non v'è dubbio che egli stesso creda nella capacità di alcune persone, oltre ai santi, di predire il futuro, di svelare l'occulto e di compiere azioni soprannaturali: questa loro capacità si spiega con il fatto che hanno rapporti con le forze del male e sono posseduti dal demonio[92]. A quel tempo tutti, dal vescovo alla semplice contadina, vivevano nell'atmosfera del miracolo, ma erano «deputati» a compiere miracoli soltanto i santi approvati dalla Chiesa, e non gli impostori di qualsiasi genere. Gregorio di Tours racconta di un monaco che, ancora adolescente, con la preghiera salvò il raccolto di un monastero da un temporale. I monaci furono turbati da questo miracolo, ma l'abate, per distogliere il giovane novizio da pensieri vanagloriosi, lo percosse e lo chiuse in una cella a digiunare: «Ti conviene, figlio mio, crescere nella paura e nell'umiltà di fronte a Dio, e non esaltarti con presagi e azioni miracolose»[93].

I racconti di Gregorio di Tours sui falsi santi e gli pseudo-Cristi risalgono a un periodo compreso tra gli anni '80 e l'inizio degli anni '90 del secolo VI. Segue un lungo intervallo di silenzio, e nelle fonti non rinveniamo tali informazioni fino agli anni '40 del secolo VIII, cioè fino al tempo dell'attività missionaria e religioso-riformatrice di Wynfried-Bonifacio[94]. L'«apostolo della Germania» si scontrò con un sacerdote, tale Aldeberto, la cui attività destava in lui serie apprensioni. Mentre Bonifacio si adoperava con tutte le sue energie per riorganizzare la Chiesa franca e trasformarla in un'unica forza disciplinata e compatta, capace di garantire il definitivo trionfo della religione cristiana tra tutti i popoli e le tribú del regno franco, Aldeberto aveva fondato una setta, nella quale attirò un gran numero di uomini dagli strati piú bassi della società. Questi cessarono di frequentare la chiesa e si radunavano vicino a delle croci, che Aldeberto aveva fatto piantare nei prati, vicino alle sorgenti o dove a lui piaceva; egli li esortava a pregare Dio non nelle chiese consacrate dai vescovi, bensí nelle piccole cappelle da lui erette all'aria aperta; egli negava inoltre la necessità del sacramento della confessione, dichiarando di essere comunque a conoscenza di tutti i peccati, che assolveva volentieri. Naturalmente Bonifacio si affrettò a dichiarare Aldeberto «sacerdote fraudolento», «eretico», «scismatico», «servo di Satana» e «precursore dell'Anticristo». Aldeberto fu condannato dapprima nella riunione dei vescovi franchi nel 744[95], e poi anche nel sinodo romano, presieduto da papa Zaccaria (nell'anno 745)[96].

Nell'esaminare il caso di Aldeberto, si accertò che quest'uomo, «gallo d'origine», si era proclamato santo taumaturgo e aveva saputo indurre un gran numero di donne e contadini a credere in lui, «dopo essere penetrato in molte case», cosicché tutti erano convinti che egli fosse «un uomo di apostolica santità», che compiva miracoli. Egli indusse in tentazione persino alcuni vescovi ignoranti, che l'avevano consacrato alla dignità ecclesiastica. In conclusione egli si era inorgoglito e insuperbito a tal punto da considerarsi pari agli apostoli di Cristo.

Come testimonia un passo di una missiva di Aldeberto, citata nel protocollo del sinodo romano, egli veniva dal popolo. Affermava di essere stato segnato dalla grazia del Signore ancor prima di venire al mondo: quando egli si trovava nel ventre della madre, ella aveva avuto una visione, presagio della grazia che le sarebbe stata concessa. Aldeberto affermava inoltre che un angelo di Dio gli aveva portato delle reliquie miracolose dagli estremi confini del mondo: in virtú loro egli poteva chiedere al Signore tutto quello che desiderava. Egli possedeva anche una lettera dello stesso Gesú Cristo, che era caduta dal cielo a Gerusalemme ed era stata trovata dall'arcangelo Michele. Negli atti del sinodo romano vengono citati solo dei brani di questa missiva, come pure di quella di Aldeberto. Le cappelle che costui faceva costruire, venivano consacrate in suo onore e sempre a lui levavano le loro preghiere turbe di popolo, che disdegnavano gli altri vescovi e avevano abbandonato le chiese di un tempo. La gente lo adorava, dicendo: «I meriti di sant'Aldeberto ci aiuteranno». L'adorazione arrivava al punto che le sue unghie e i suoi capelli erano distribuiti come cose sacre, similmente alle reliquie di san Pietro. La gente si prostrava davanti a lui ed era pronta a confessare i propri peccati ma, come si è già detto, egli considerava superflua la confessione: «Conosco tutti i vostri peccati – diceva – poiché mi sono noti i vostri segreti. Non occorre confessarsi, i vostri peccati vengono comunque assolti. Tranquilli, tornate in pace alle vostre case»[97].

Al sinodo venne anche reso pubblico il testo di una preghiera composta da Aldeberto; accanto ad un appassionato appello a Dio Padre e a Gesú Cristo, essa conteneva un'invocazione agli angeli Oriel, Raguel, Tubuel, Michele, Adin, Tubuas, Sabaoc, Simiel. Quando questa preghiera fu letta di fronte al sinodo, i vescovi richiesero che venisse data alle fiamme in quanto sacrilega, poiché i nomi degli angeli che Aldeberto invocava, tranne il nome di Michele, erano in realtà nomi di demoni. La Chiesa invece riconosce i nomi di tre angeli soltanto: Michele, Gabriele e Raffaele. Questo appello alle forze del male fu il motivo principale della condanna di Aldeberto da parte del sinodo romano. Il papa e i vescovi lo dichiararono «pazzo» e «irresponsabile». Egli fu privato della sua dignità ecclesiastica, condannato alla penitenza religiosa e fu avvisato che, se si fosse ostinato nei suoi peccati ed errori, continuando a corrompere il popolo, sarebbe stato scomunicato[98]. Le croci da lui erette dovevano essere date alle fiamme[99].

In quello stesso sinodo insieme ad Aldeberto venne condannato anche un altro sacerdote, lo scozzese Clemente. Anch'egli negava le autorità della Chiesa e i santi padri. Aveva due figli, «nati nell'adulterio», rifiutava il celibato del clero e diffondeva il «giudaismo», dicendo che un uomo deve sposare la vedova del fratello. Un'altra era tuttavia la principale «tentazione» in cui egli induceva il popolo: «malgrado la dottrina dei santi padri», egli sosteneva che Gesú Cristo, scendendo all'inferno dopo la sua resurrezione, non vi aveva lasciato nessuno, ma aveva liberato tutti, credenti e non credenti, «quelli che lodavano il Signore e quelli che adoravano gli idoli». A proposito della predestinazione divina egli aveva inoltre divulgato «molte cose terribili», in contrasto con la fede cattolica[100]. Da queste accuse si può concludere che Clemente negava la dottrina ortodossa del peccato e dell'espiazione e, di conseguenza, metteva in dubbio il ruolo della Chiesa.

I nomi di Aldeberto e Clemente – «sacrileghi», «ostinati», «pseudoprofeti» e «pseudocristiani» – si incontrano nella corrispondenza tra il papa e Bonifacio per alcuni anni, giacché essi non si riconobbero colpevoli e cercarono di continuare la loro attività[101]; poi questi accenni si interrompono[102].

Ma si possono rinvenire echi di questo conflitto anche molto piú tardi. La *Ammonizione generale* di Carlo Magno (anno 789) contiene un decreto speciale sulle «false opere» e le «false missive pericolose», in contrasto con la fede cattolica, che negli anni passati, come affermano «alcune persone che si ingannano e altre che traggono in inganno», sarebbero «cadute dal cielo»: simili opere non si devono leggere, ad esse non si deve credere e vanno bruciate perché non traggano in inganno il popolo. Si devono leggere soltanto i libri canonici, i trattati e le dichiarazioni degli autori santi[103]. Il riferimento non è qui forse alla «missiva di Gesú Cristo» che, secondo le affermazioni di Aldeberto, era caduta dal cielo? Ma in tal caso si dovrebbe presupporre che questa miracolosa missiva, malgrado la condanna, fosse stata conservata da qualcuno per alcuni decenni e poi passata di mano in mano o, perlomeno, che non ne fosse svanito il ricordo. Occorre del resto rilevare che le lettere di Cristo, «cadute dal cielo», sono un fenomeno diffuso in Europa durante tutto il Medioevo, e che alimentò le ingenue credenze e le speranze del popolo[104].

Allo stesso modo, nell'*Ammonizione generale* troviamo di nuovo il divieto di ripetere i nomi di «angeli sconosciuti», oltre a quelli di Michele, Gabriele e Raffaele. È anche proibito adorare falsi martiti e «santi di dubbia reputazione»[105]. Anche se qui non ci si riferisce in particolare ad Aldeberto, è comunque indicativa la tradizione di annoverare tra i santi e i martiri individui non approvati e non canonizzati dalla Chiesa. Evidentemente la lotta della Chiesa e dello stato contro «lo spirito d'iniziativa» per questi aspetti non era del tutto efficace. Altrettanto poco efficaci erano i sempre rinnovati attacchi contro i sacerdoti e i vescovi erranti, contenuti nelle deliberazioni dei concili ecclesiastici e nei capitolari dei sovrani. È curioso inoltre che si prescrivesse di «scacciare un vescovo errante anche nel caso in cui il gregge lo volesse tenere»[106]. Si deve presumere che tali «episcopi vagantes» godessero talvolta di grande popolarità, fenomeno che di nuovo allarmava il potere[107].

Ma ritorniamo ad Aldeberto. Negli anni della lotta contro di lui e contro i «falsos sacerdotes et hypochritas»[108] a lui simili, Bonifacio scrisse al vescovo di Winchester: «Ciò che noi abbiamo piantato, essi non lo innaffiano perché cresca, ma si sforzano di eliminarlo e distruggerlo, formando nuove sette e facendo sprofondare il popolo in errori di ogni genere»[109]. L'ostinazione di Aldeberto e di Clemente nei loro «errori» anche dopo esser stati condannati, è difficile da spiegare, se rinunciamo all'ipotesi che avessero ancora dei seguaci. Per aver rinchiuso Aldeberto in un monastero, Bonifacio fu criticato, come egli stesso ammise. Egli si lagnò con il papa affermando che la dottrina della Chiesa pativa un danno e che lui stesso era sottoposto a persecuzioni e insulti da parte di molte persone a lui ostili, che vedevano in Aldeberto « un santissimo apostolo », « un protettore e difensore, sostenitore della giustizia e autore di miracolosi presagi »[110].

Come negli episodi descritti da Gregorio di Tours, dobbiamo ora considerare il caso di un santo che pretendeva di comportarsi come un apostolo, un uomo che da vivo era diventato oggetto del culto popolare e di cieca fede e adorazione. È sintomatico che Aldeberto esercitasse influenza in primo luogo sulle donne, cioè sulla parte piú facilmente eccitabile della popolazione[111]. Questa indicazione non ci costringe allora a supporre che il culto di Aldeberto si basasse sulla eccitabilità emozionale dei suoi adepti? Del resto, tutte le altre notizie che abbiamo di lui suggeriscono la stessa conclusione. Ricordiamolo: i suoi capelli e le sue unghie erano reliquie sacre, la gente cadeva ai suoi piedi e credeva che egli leggesse nell'anima e conoscesse i peccati senza alcuna confessione; la preghiera di Aldeberto (nei brani che si sono conservati) si presenta come un insieme di esclamazioni e suppliche appassionate.

Ci siamo già imbattuti in fenomeni analoghi anche leggendo Gregorio di Tours. Il servo fuggito del vescovo, che si fa passare per un santo, cammina per Parigi alla testa di una folla di donne che cantano e ballano; Gregorio usa qui l'espressione « coro ». Il falso « Cristo » annuncia il suo arrivo inviando uomini che saltano e danzano nudi. Gregorio di Tours sottolinea in particolar modo di essere stato personalmente testimone del fatto che tali taumaturghi portavano ad uno stato di frenesia le donne ingenue. Questo non significa certo che soltanto le donne subissero l'influenza di tali pseudosanti, e abbiamo infatti avuto modo di persuaderci che essi erano seguiti anche da uomini. E neanche gli ecclesiastici, tra cui i « vescovi ignoranti », sfuggirono alla tentazione, riconoscendoli per dei veri santi! La ragione di tale ampia influenza stava nella predisposizione psicologica della gente di quell'epoca a ricercare un « messia » o un « santo », nel bisogno di una guida spirituale, nella sete di miracoli.

Tale supposizione può, a mio avviso, essere confermata da un altro esempio di profetismo non ufficiale, in questo caso verificatosi esattamente cento anni dopo l'episodio di Aldeberto, e il profeta è una donna. Come narrano gli annali di Fulda, nell'anno 847, nella zona di Magonza comparve una «pseudoprofetessa», tale Tota degli Alamanni[112]. Ella «eccitava molto con le sue profezie» la popolazione dei villaggi che attraversava, asserendo di aver ricevuto la rivelazione da Dio e di conoscere «i misteri del Signore». In particolare ella sapeva esattamente quando sarebbe giunta la fine del mondo: la storia terrena si sarebbe conclusa quello stesso anno.

Le prediche e le profezie di Tota attiravano un gran numero di persone di entrambi i sessi; prese dalla paura, esse le recavano doni, chiedendole di pregare per loro, «come se fosse stata una santa». Si deve presumere che la sua influenza fosse grande, se si sa che la seguivano non solo le persone semplici ma, «ciò che è ancor peggio» (e che, aggiungiamo, allora accompagnava invariabilmente la comparsa degli eretici), persino alcuni monaci e sacerdoti, che per lei abbandonavano i loro doveri. Tuttavia a Tota non fu permesso di predicare a lungo. Fu messa agli arresti e poi portata a Magonza e comparve di fronte all'arcivescovo sant'Albano e al clero da lui convocato. Durante l'interrogatorio ella disse di aver fatto solo ciò che le era stato ordinato, e quando le domandarono chi le avesse ordinato di vagare per i villaggi, «predicando sciocchezze», ella non trovò niente di meglio che citare «un certo sacerdote». La cosa piú probabile è che la donna, spaventata, cercasse molto semplicemente dei pretesti che mitigassero la sua colpa. A differenza dell'affare di Aldeberto, che aveva ispirato enormi timori all'alto clero, il caso di Tota non sembrò all'arcivescovo di Magonza particolarmente serio, ed egli si limitò a proibirle di predicare e ordinò che fosse sottoposta a pubblica flagellazione. Le misure prese, a quanto pare, risultarono sufficienti a troncare le sue profezie. Il successivo destino di questa sfortunata profetessa è ignoto.

L'episodio di Tota merita attenzione prima di tutto perché in esso il motivo escatologico è percepibile con maggior chiarezza che nelle precedenti apparizioni di santi popolari. Si può pensare che anche lo pseudo-Cristo menzionato da

Gregorio di Tours e Aldeberto profetizzassero l'imminente fine del mondo, altrimenti restano in parte incomprensibili l'estasi e le agitazioni provocate dalla loro predicazione. Ma le fonti non ne parlano esplicitamente[113]. La profetessa di Magonza invece, come risulta dagli annali di Fulda, preannunciava l'immediato Giudizio universale. Profezie di tal genere erano inevitabilmente legate agli appelli a pentirsi dei propri peccati, a rinunciare ai beni e alle gioie della vita terrena. Il fatto di aver di fronte in questo caso non un profeta, ma una profetessa, lascia supporre una particolare eccitazione emozionale durante la predicazione.

Le nostre fonti non dànno la possibilità di ricostruire piú da vicino l'immagine spirituale dei santi popolari. Le notizie che si hanno a questo proposito sono troppo sommarie e, dato essenziale, gli ecclesiastici che scrivono sui falsi santi sono tendenziosi e ostili nei loro confronti, e cercano di raffigurarli come imbroglioni, ignoranti, crapuloni, alcolizzati, pazzi, stregoni e boriosi. Non si può dunque affrontare la questione se questi individui fossero consapevoli mistificatori e impostori, o sognatori che ingannavano se stessi oppure ancora individui psichicamente instabili e anormali: non possiamo penetrare nella loro psicologia. Altro è il tentativo di chiarire quali *funzioni* tale « santo » doveva svolgere per essere riconosciuto.

Il falso santo è in primo luogo un taumaturgo. Sono proprio i miracoli e i presagi che attirano verso di lui la gente, che non lo seguirebbe se egli non facesse miracoli e profezie. Gregorio di Tours, con qualche riserva, ammette la capacità che Desiderio aveva di compiere miracoli. Nelle lettere di Bonifacio e del papa o negli atti del sinodo di Roma non vengono confutati neanche i miracoli di Aldeberto. Ma il clero attribuiva le capacità soprannaturali del « falso santo », ovviamente, all'intervento del maligno. Perciò, per dimostrare la propria santità l'impostore cercava di mettere in evidenza il suo legame diretto con la divinità. Dimostrazione di tale legame volevano essere le parole di Tota, quando essa asseriva che il creatore le aveva rivelato i suoi misteri e le sue intenzioni circa la fine del mondo; la « missiva di Gesú Cristo », come pure le reliquie, che un angelo aveva affidato ad Aldeberto ed erano garanzia della sua onnipotenza; e infine lo scambio di messaggeri tra Desiderio e gli apostoli Pietro e

Paolo, in virtú del quale egli poteva compiere miracoli. Come nell'adorazione dei santi «ufficiali», anche i seguaci di uno «pseudosanto» cercavano la protezione e l'aiuto delle forze supreme, con le quali egli aveva uno stretto legame.

Se si confrontano le leggende sui santi riconosciuti dalla Chiesa con le affermazioni degli impostori circa i loro contatti con Dio, con gli angeli o gli apostoli, salta agli occhi il clamore con cui questi «messia» proclamavano la propria intimità con le forze supreme. Il santo ortodosso non si vanta mai del suo rapporto con la divinità, accogliendo i segni di questa intimità come una grazia indicibile. Nelle leggende i santi sottolineavano invariabilmente che sono indegni della grazia che hanno meritato, e ne parlano a chi li circonda con precauzione e cautela. Il santo, secondo i canoni dell'agiografia, non può definirsi eletto del Signore; sono i credenti che lo riconoscono come tale. La caratteristica principale degli eroi delle vite è l'umiltà e il peccato piú terribile è la superbia[114].

Anche qualora si tenga ben presente la tendenziosità delle notizie sui «santi popolari», è necessario supporre che questi ultimi, proprio in virtú della loro opposizione alla Chiesa dominante, dovessero accentuare particolarmente il loro essere partecipi della potenza di Cristo. Il santo ufficiale aveva alle spalle le tradizioni e l'autorità della religione cattolica e di tutte le sue istituzioni, mentre l'impostore poteva contare solo su se stesso, sui tratti particolari della sua personalità: sua prima occupazione era perciò l'autoaffermazione, la difesa del proprio diritto a guidare una massa di seguaci. Di conseguenza, tra le accuse mosse al falso santo dai suoi oppositori, occupa un posto particolare il rimprovero di essere un «folle superbo». Gregorio di Tours riferisce a Desiderio ciò che gli *Atti degli apostoli* dicono di Simon Mago: «qui se magnum quendam esse dicebat», e ripete poi queste stesse parole a proposito di tutti gli impostori come lui. Papa Zaccaria chiamò «nuovo Simon» anche Aldeberto.

Dietro queste accuse si nascondevano contraddizioni molto serie. Il santo ortodosso è il caso estremo di eliminazione dell'individualità umana, di consapevole distacco da tutto ciò che è «accidentale», cioè terreno. Agli occhi dei credenti il santo assume un significato eccezionale grazie alla sua piena sottomissione al canone religioso, alla norma sacra, grazie all'assoluto dissolvere la propria personalità nella Chiesa.

Proprio in virtú della rinuncia al suo «io», del reprimere in se stesso il particolare, egli poteva diventare una personalità ideale, modello di comportamento per il cristiano. Al contrario, l'orientamento che stava alla base della personalità del «messia» eretico, consisteva in un'attiva ostentazione dell'importanza della propria eccezionalità. I «profeti» popolari, come Aldeberto e Clemente, insistevano sull'idea della diretta ispirazione divina che colpiva l'individuo e che essi stessi avevano ricevuto al di fuori di qualsiasi istituzione o ente religioso. La Chiesa non è dietro di loro, è contro di loro. Perciò la santità degli impostori, in contrasto con l'umiltà esemplare dei santi della Chiesa, è *aggressiva*.

L'opposizione tra il santo della Chiesa e quello falso esprimeva certo due poli nell'ambito di uno stesso tipo di personalità che poteva manifestarsi in particolari condizioni complessive. Anche la personalità del santo non ortodosso, al di fuori della Chiesa dominante, era infatti in certo modo rigorosamente determinata dal canone religioso. Come qualsiasi santo, egli doveva compiere miracoli, che però non compiva autonomamente, ma grazie al rapporto con le forze supreme, con la loro benevolenza e il loro permesso. In altre parole, il falso santo è una personalità poco autonoma, tanto quanto lo è il santo cattolico: entrambi si presentano ai loro seguaci come strumenti di Dio. Ciò non elimina l'opposizione tra queste due personificazioni della santità, l'opposizione tra una personalità canonica ed una marginale, ma non si deve perder di vista il fatto che era un'opposizione *all'interno dello stesso tipo di cultura*.

Poiché l'impostore doveva dimostrare di essere partecipe del soprannaturale scavalcando, per cosí dire, la Chiesa dominante, e facendo appello ai sentimenti di una massa eccitata e assetata di miracoli, egli doveva inevitabilmente ricorrere a mezzi proibiti dalla Chiesa. In precedenza si è già parlato di magia e stregoneria: i falsi santi del secolo VI citati da Gregorio di Tours non dovevano rifuggirle. Accenni alla magia, a quanto pare, si possono attingere anche dall'affare di Aldeberto. Oltre a distribuire ai seguaci i suoi capelli e le sue unghie, che evidentemente si pensavano dotati di potere curativo[115], nella sua preghiera Aldeberto rivolgeva suppliche a otto angeli, sette dei quali appartenevano al gruppo dei demoni; tale era il punto di vista della Chiesa, ma si può supporre che lo stesso Aldeberto non facesse poi una distinzione molto netta tra angeli del Signore e angeli caduti. In questo caso, allora, era colpevole del peccato di idolatria e di pratica della magia nera.

Tale mancanza di consapevolezza dell'inconciliabile contrapposizione e dell'incompatibilità tra credenti cristiani e idolatri fu esternata anche dal secondo condannato durante il sinodo romano, Clemente, il quale predicava che Cristo aveva liberato dall'inferno tutti i suoi abitanti, « laudatores Dei simul et cultores idulorum »[116].

Nel comportamento di Aldeberto si può osservare piú chiaramente un'altra tendenza, quella antiecclesiastica. L'accusa mossa contro di lui diceva: egli distoglie il popolo dalla frequentazione delle vecchie chiese, ignora i vescovi e ordina ai suoi seguaci di pregare vicino alle croci da lui erette e nelle nuove cappelle a lui stesso consacrate. Il timore, cosí venutosi a creare, di perdere una parte dei fedeli e soprattutto l'eccitazione prodotta dal profeta furono proprio le cause della condanna di Aldeberto in quanto colpevole di eresia, scisma e altri spaventosi peccati. Ma a questo proposito la seguente circostanza colpisce particolarmente l'attenzione. Bonifacio si lagnava che Aldeberto costruisse le sue cappelle e le sue croci nei campi, nei prati, presso le sorgenti. In una delle missive di papa Zaccaria a Bonifacio, scritta tre anni dopo il sinodo romano, vengono di nuovo denunciati dei sacerdoti, di cui non si fanno i nomi, che « radunano il popolo a loro ubbidiente e celebrano i loro falsi servizi divini non nei templi cattolici, bensí nei boschi e nelle capanne dei contadini, dove la loro stolta ignoranza possa sfuggire ai vescovi, e non predicano ai pagani la vera fede, che essi stessi non praticano »[117].

Forse non senza motivo, il papa afferma che nei boschi o nelle abitazioni dei contadini i falsi sacerdoti e gli scismatici potevano piú facilmente evitare il controllo dei vescovi. Ma per ciò che riguarda Aldeberto, a giudicare dall'insieme dei fatti, egli non tendeva affatto a nascondersi da chicchessia e radunava i suoi seguaci in luoghi aperti. Colline, campi, sorgenti, ruscelli: proprio in questi luoghi fin dai tempi antichi gli abitanti erano soliti riunirsi per organizzare le loro feste, e qui facevano sacrifici, cantavano, danzavano, celebravano riti pagani. La legislazione dello stato e i canoni della Chiesa, i sermoni e i penitenziali si scagliavano invariabilmente contro tali empie consuetudini, le condannavano e le proibivano, minacciando i trasgressori di tremendi castighi in questo mondo e nell'altro. Nell'*Elenco delle superstizioni e dei riti pagani* che fu compilato appunto nel secolo VIII forse da un missionario anglosassone in Sassonia e che costituiva un breve compendio delle manifestazioni di paganesimo pericolose dal punto di vista della Chiesa, tra gli altri riti proibiti vengono nominati gli olocausti nei templi silvani e sulle pietre [118]. Il *Sermone sui sacrilegi*, che pure risale, a quanto pare, al secolo VIII, mette in guardia i credenti dal ritornare ai vecchi altari pagani nei boschi, sulle rocce e in altri luoghi simili [119]. Il culto delle forze naturali, nel quale si manifestava la concezione del mondo degli abitanti dell'Europa alto-medievale, rivelò un'eccezionale resistenza vitale tanto durante la cristianizzazione quanto nel periodo propriamente cristiano.

Come racconta Gregorio di Tours, molti contadini, che vivevano in quella stessa regione di Poitiers in cui operava lo pseudo-Cristo, usavano offrire sacrifici a un lago di montagna, nel quale in determinati giorni gettavano tessuti di lino e di lana, formaggio, cera, pane e altri prodotti «ciascuno secondo ciò che possedeva». In determinate occasioni, quando andavano al fiume, essi portavano con sé cibo e bevande e, immolando animali, banchettavano lí per tre giorni [120]. Papa Gregorio I a piú riprese scrisse desolato a proposito dell'adorazione di alberi e pietre, diffusa in vari paesi, dalla Corsica e dalla Sardegna fino all'Inghilterra [121]. Cesario di Arles metteva in guardia contro il pericolo della mescolanza delle religioni: molti cristiani consumano sacrifici, frequentano i vecchi luoghi di culto e partecipano a diabolici banchetti nei boschi, vicino alle sorgenti e tra gli alberi [122]. Di questo stesso culto parlano piú volte anche le vite. Nella *Vita di Willibrord* Alcuino menziona il tempio di Fositesland, al confine tra la Frisia e la Danimarca. Il tempio era talmente venerato dai pagani al punto che al suo interno era vietato toccare qualsiasi cosa e attingere acqua dalla sorgente vicina. Willibrord tuttavia battezzò in questa sorgente tre persone e uccise il bestiame consacrato agli idoli [123]. Il vescovo Amand, che predicava il cristianesimo tra i baschi, riscontrò che anch'essi «veneravano gli alberi come si trattasse di dèi», facendo divinazioni e adorando i demoni lí imprigionati [124]. In Bretagna esisteva «la folle consuetudine di adorare gli animali della foresta», soppressa grazie agli sforzi di san Lucio[125]. Ma nella stessa regione ci imbattiamo in un interessante caso di «creolizzazione» del paganesimo e del cristianesimo nel culto degli alberi. Il santo abate Martino piantò nel terreno il suo pastorale, e da esso crebbe un albero, i cui rami possedevano un potere curativo. Gli abitanti della zona, compresi i nobili, veneravano cosí fervidamente l'albero che, prima di entrare in chiesa, vi si accostavano, adorando il Cristo. I normanni, che avevano attaccato questa località, volevano fabbricare degli archi con l'albero sacro, ma scontarono duramente l'empio tentativo[126]. L'autore di una vita scritta nel secolo IX o all'inizio del X, non vede nulla di empio nell'adorare Cristo davanti ad un albero.

Che si tratti di una consuetudine quanto mai stabile, non estinta dopo la cristianizzazione dei pagani, ma conservatasi anche nei secoli successivi malgrado tutti gli sforzi della Chiesa, è dimostrato dal penitenziale di Burcardo di Worms (primo quarto del secolo XI), nel quale leggiamo in particolare: «Non ti sei mai recato a pregare altrove che in una chiesa o in un altro luogo destinato alla religione oltre a quello che ti hanno indicato il tuo vescovo e il tuo sacerdote, ad esempio alle sorgenti, o sulle rocce, o presso gli alberi, o ai crocevia, e non hai acceso lí una candela o una fiaccola per onorare quel luogo, e non hai portato lí pane o qualche vittima sacrificale, e non li hai mangiati e non hai pregato lí per la guarigione o per la salvezza dell'anima?»[127]. Per peccati di tal genere i quali, in poche parole, consistevano nel fatto che questi cristiani cercassero di salvarsi l'anima ricorrendo a rituali pagani, era prevista una penitenza di tre anni. In un altro punto dello stesso penitenziale si parla dei sacrifici, consumati ancora una volta vicino alle sorgenti e agli alberi, sulle rocce, ai crocevia e nei campi; inoltre, questi riti pagani si celebravano sovente presso le croci che stavano sulle strade principali[128].

Aldeberto celebrava i servizi divini proprio in questi luoghi proibiti dalla Chiesa, ma consacrati dalla tradizione pagana, e agli occhi dei contadini ciò conferiva un'ulteriore attrattiva alla sua predicazione. Per la coscienza popolare i boschi, i campi, i ruscelli, le colline erano abitati da forze e spiriti fantastici[129], e se la Chiesa, concentrando il servizio divino esclusivamente nel tempio di Dio, cercava di rompere gli stretti vincoli, dal suo punto di vista pericolosi, che da sempre univano la gente di campagna alla natura – pozzo di credenze e tradizioni pagane – i santi popolari, erigendo croci e cappelle nei campi e vicino alle sorgenti e confondendo le reliquie con i rimedi magici, tornavano a sacralizzare questo legame. Il cristianesimo dei sacerdoti eretici talvolta assomigliava molto al paganesimo. Nella già citata missiva di papa Zaccaria a Bonifacio, il pontefice romano ripete le invettive dell'«apostolo della Germania» all'indirizzo dei «sacerdoti sacrileghi»: essi «immolano capri e buoi alle divinità pagane, cibandosi delle vittime sacrificate in memoria dei morti»[130]. Non è escluso che queste accuse riguardassero anche Aldeberto. In ogni caso non erano nuove: alcuni anni prima papa Gregorio III aveva stigmatizzato con espressioni simili gli stregoni e gli indovini germanici, che praticavano la magia nei boschi e presso le sorgenti[131]; nella seconda metà del secolo VIII un autore ignoto aveva aperto l'*Elenco delle superstizioni pagane* con un titolo sui sacrilegi compiuti presso le tombe[132].

La Chiesa tentava di rompere i legami emozionali, sacrali e magici tra l'uomo e la terra; i santi popolari invece tenevano conto di queste tradizioni e di questi affetti, per loro natura pagani, dei contadini.

Si può inoltre supporre che i falsi santi si distinguessero dai santi ufficiali non solo, per cosí dire, per il loro status sociale, cioè per il fatto che stavano fuori della Chiesa, che ne venivano considerati nemici ed erano sottoposti a persecuzioni. Li caratterizzava anche un comportamento particolare. Poiché comparivano nei momenti in cui si acutizzavano le sventure sociali e avvertivano l'eccitazione delle folle di popolo che si schieravano con loro, questi «messia», che solitamente erano generati da quello stesso ambiente sociale[133], erano probabilmente tanto iperemotivi quanto i loro seguaci. Se si scarta la poco probabile versione secondo cui i «falsi santi» erano imbroglioni impassibili e calcolatori (versione coltivata dai loro avversari degli ambienti ecclesiastici), e si ammette nel contempo che, nello spirito dell'epoca, essi credessero nella loro missione divina e nell'esistenza di uno stretto legame tra loro e Dio, allora occorrerebbe avanzare ancora un'altra supposizione: il «santo», che era a capo di una folla eccitata e assetata di miracoli[134] e si trovava praticamente fuori della legge, difficilmente era una persona equilibrata[135].

I santi impostori, quindi, presentavano al popolo una religione che rappresentava una specifica combinazione di motivi cristiani e pagani. A quanto pare, tale grottesco miscuglio andava a genio piú a coloro che solo poco tempo prima erano pagani che non all'ortodossia ecclesiastica. Il papa, denunciando i «truffatori del popolo, vagabondi, adulteri, assassini, sacrileghi, ipocriti, che agiscono sotto le spoglie di sacerdoti e vescovi», si lagnava: «gli pseudosacerdoti sono assai piú numerosi dei cattolici»[136]. Non si tratta di un'esagerazione? Indubbiamente e, con ogni probabilità, di un'esagerazione notevole. Ma essa tradisce anche la preoccupazione che nel capo della Chiesa occidentale suscitavano – e non senza fondamento – i santi non ortodossi, che avevano influenza su una parte della popolazione del regno franco.

L'analisi che abbiamo condotto sui diversi aspetti dell'atteggiamento del popolo verso i santi durante l'alto Medioevo fornisce la base per trarre alcune conclusioni.

In primo luogo, benché gli autori ecclesiastici delle leggende e delle vite, illustrando le imprese di un santo giusto, tendessero a instillare nella massa dei credenti un determinato ideale religioso-morale, che era sí inaccessibile in pratica, ma rappresentava un obiettivo cui ogni cristiano doveva tendere, ciò che nell'immagine di un santo esercitava la maggiore attrattiva agli occhi del popolo era evidentemente la capacità di compiere miracoli. Il santo è una creatura soprannaturale, che ha un legame diretto con le forze supreme ed è dotato di facoltà magiche. Il santo impiega queste capacità per aiutare i suoi seguaci e coloro che gli sono fedeli, per alleviare la loro esistenza, guarirli dalle malattie, tener lontane le sventure naturali o sociali che li minacciano, liberare «gli uomini che non contano», i diseredati e i deboli, dall'oppressione e dalle angherie. In cambio dei benefici loro elargiti durante la vita o, per lo piú, dopo la sua morte, il santo pretende ubbidienza, venerazione e doni a favore dell'ente religioso che egli tutela. Il rifiuto dei fedeli di adempiere questi obblighi o il trascurarli comportano duri castighi da parte del santo patrono. Come abbiamo visto, il santo, pur essendo un modello di umiltà e di non violenza, si rivela allo stesso tempo un severo e implacabile castigatore e vendicatore[137].

Il culto dei santi, sconosciuto nel primo cristianesimo, nel Medioevo cresce fino a raggiungere proporzioni cospicue. Alla divinità che domina sull'universo, lontana e poco comprensibile al popolo, si sovrappongono i santi, che sono vicini e accessibili alla comprensione di ciascuno, dotati di caratteristiche e di emozioni umane, e che agiscono tra gli uomini. Ogni località ha il suo santo, che, membro integrante della società, si trova costantemente « a portata di mano », se si può usare questa espressione, e a lui si ricorre in tutti i casi in cui si ha bisogno di un aiuto che trascenda le forze e le possibilità umane. Le qualità taumaturgiche del santo sono quelle che piú ispirano il rispetto del popolo; un santo che non compia miracoli non gode di popolarità e di venerazione. In cambio dei loro doni e delle loro preghiere i fedeli desiderano ricevere un'immediata e piena ricompensa sotto forma di miracolo. Nonostante tutte le riserve sul fatto che l'essenziale in un santo non sono i miracoli, bensí la pietà, la rettitudine e la predestinazione divina, il clero non trovava in sé le forze per contrastare questa universale esigenza di azioni magiche. Le vite sono piene di racconti di miracoli, i miracoli vengono compiuti costantemente presso i sepolcri dei santi e dei martiri e presso i loro reliquiari. La Chiesa utilizza ampiamente la generale fede nei miracoli per perseguire i suoi scopi, accumulando enormi ricchezze grazie alle donazioni dei fedeli.

Gli atti soprannaturali dei santi non sono sempre facilmente distinguibili dalla magia pagana; nella coscienza popolare sono anzi indissolubilmente uniti, e i chierici devono chiarire, evidentemente senza gran successo, la differenza tra un miracolo pio e autentico da una parte, e la stregoneria e la magia nera dall'altro. Del resto anche gli stessi ecclesiastici, evidentemente, non sempre distinguevano in modo chiaro i *miracula* dai *maleficia*; la difficoltà consisteva in larga misura nel fatto che erano molto simili. Il criterio fondamentale di demarcazione, a giudicare dalle nostre fonti, consisteva nel *soggetto dell'azione*: il vero miracolo è opera di un santo, il falso miracolo si deve agli agenti del diavolo – sciamani, stregoni, pseudosanti – o alle stesse forze del male. In tal modo la Chiesa ottiene il monopolio degli atti miracolosi, soffocando tutte le altre forme di pratica magica.

Se il Dio-creatore era l'incarnazione del principio sacrale nelle proporzioni del macrocosmo, il santo svolgeva questa funzione nell'ambito del microcosmo, di un piccolo ambito locale. Ma proprio in tali piccole collettività si concentrava, in sostanza, tutta la vita del primo Medioevo.

Ciò nonostante i santi ortodossi non soddisfacevano sempre e appieno le esigenze del popolo, proprio perché avevano un legame diretto e indissolubile con la Chiesa, un'istituzione feudalizzante, molti aspetti della cui attività entravano in contraddizione con gli interessi delle masse. In questo contesto era inevitabile la comparsa nell'ambiente popolare di profeti e messia, che si contrapponevano alle istituzioni ufficiali. I santi non ecclesiastici e gli pseudo-Cristi fondavano la loro santità sulle proprie qualità personali, instillando in coloro che li circondavano – e probabilmente anche in se stessi – l'idea che in loro aveva preso dimora lo spirito di Dio, che erano messaggeri dei cieli, chiamati, contro la falsa Chiesa, a salvare il popolo dalla rovina prima dell'imminente Giudizio universale.

Gli interventi dei portatori di tendenze antiautoritarie nel primo Medioevo non si devono interpretare necessariamente solo come anticipazioni della piú sviluppata eresia del periodo successivo: esiste anche un'altra prospettiva, a mio parere piú rispondente alla sostanza del problema. Il profetismo e le idee messianiche non sono affatto patrimonio esclusivo o particolarità distintiva delle «religioni universali»: si incontrano dappertutto, anche presso popoli che si trovano in uno stadio preclassista, specialmente nei periodi in cui si spezza il tradizionale equilibrio e si acutizzano le calamità naturali e sociali. Allora fanno la loro comparsa salvatori e santi d'ogni genere, che costruiscono il proprio comportamento sul modello culturale degli eroi e sfruttano le aspettative escatologiche degli abitanti delle regioni dove sono attivi, che cercano una salvezza soprannaturale dalla minacciosa situazione creatasi. Indizi abituali di questi guaritori e profeti sono la magia e la stregoneria[138].

Gli studiosi rilevano che il profetismo e il messianismo presso i cosiddetti «popoli primitivi» acquisiscono un particolare significato nel periodo dell'acculturazione, dello scontro tra la cultura arcaica e un'altra civiltà piú sviluppata, che minaccia l'esistenza delle istituzioni indigene. Ma non ci sono forse fondati motivi per chiamare acculturazione l'iniziazione dei popoli barbari dell'Europa al cristianesimo e alla civiltà antica, quando si disgregarono i tradizionali fondamenti del loro sistema socio-politico e religioso-ideologico?»[139].

Come abbiamo potuto verificare, gli pseudo-Cristi e i falsi santi fanno la loro comparsa nello stato franco proprio in una situazione di fermento sociale, aggravato dalle calamità naturali, quando piú facilmente nascevano timori per l'approssimarsi della fine del mondo. Mentre la Chiesa predicava che la seconda venuta del Salvatore si poteva aspettare soltanto al termine della storia terrena, gli impostori, dando voce all'impazienza del popolo, alle sue paure e aspettative, si proclamavano Cristi e santi pari agli apostoli. Ma nel contempo sulla loro attività lasciava un'impronta significativa anche una cristianizzazione incompiuta, che si manifestava sia nel risveglio dei culti naturistici, che ovviamente avevano già assunto in certa misura un colorito cristiano, sia nella magia popolare. *L'escatologismo si associava al paganesimo*, mettendo a nudo la superficialità dell'assimilazione della dottrina cristiana. Se l'eresia piú sviluppata voleva ritornare al cristianesimo originario, gli pseudosanti del primo Medioevo facevano piuttosto rinascere i culti precristiani e la loro pratica magica, che non erano stati affatto dimenticati, nonostante tutta l'attività della Chiesa e del potere regale per sradicarli.

Il materiale esaminato ha fatto emergere nuovi problemi. In primo luogo, da che cosa è provocata quella tendenza tanto forte e immutabile dell'agiografia a trattare il santo come un benefico taumaturgo? Inoltre, come si combinavano nella stessa coscienza credenze diverse e che cosa rappresentava questa loro unione? Giacché la semplice constatazione del fatto che paganesimo e cristianesimo si mischiavano, che la cristianizzazione era superficiale, e cosí via, di per sé difficilmente può spiegare il carattere della cultura popolare del primo Medioevo. Che cosa è questa coesistenza di ciò che sembrerebbe incompatibile: una testimonianza del passaggio dal paganesimo al cristianesimo oppure una persistente e fondamentale caratteristica della cultura popolare medievale? Per accostarci alla soluzione di questi problemi dobbiamo rivolgere la nostra attenzione a opere di altri generi.

[1] *Historia Francorum*, I, 48; *Pamjatniki srednevekovoj latinskoj literatury IV-IX vekov* [Opere di letteratura latina medievale dei secoli IV-IX], Moskva 1970, pp. 181-82.

[2] *Gregorii Turonensis Vitae patrum*, 13, 3, in *PL*, vol. 71, col. 1067. Nella letteratura agiografica irlandese è narrato lo scontro tra due drappelli armati che si contendevano il corpo di san Patrizio (L. Bieler, *Hagiography and Romance in Medieval Ireland*, in «Medievalia et humanistica. Studies in Medieval and Renaissance culture», n. s., 1975, n. 6).

[3] *Historia Francorum*, V, 14.

[4] Cfr. J. Guiraud, *Le commerce des reliques au commencement du IXe siècle*, in *Melanges G. B. Rossi*, Paris-Rome 1892.

[5] *Petri Damiani Vita s. Romualdi*, 13, in *PL*, vol. 144, coll. 966, 967.

[6] *Vita Rigoberti*, 25, in *MGH*, *Scriptores*, VII, p. 76.

[7] H. Fichtenau, *Das Karolingische Imperium. Soziale und geistige Problematik eines Grossreiches*, Zürich 1949, p. 179 [trad. it. *L'impero carolingio*, Bari 1972^2].

[8] *Historia Francorum*, VIII, 34.

[9] *De miraculis s. Martini*, 4, 12, in *PL*, vol. 71, col. 996.

[10] *Historia Francorum*, 66.

[11] M. Zender, *Räume und Schichten mittelalterlicher Heiligenverehrung in ihrer Bedeutung für die Volkskunde. Die Heiligen des mittleren Maaslandes und der Rheinlande in Kulturgeschichte und Kulturverbreitung*, Düsseldorf 1959.

[12] *Dialogus miraculorum*, 8, 52.

[13] *Vitae patrum*, 2, 1, in *PL*, vol. 71, col. 1018.

[14] *De miraculis s. Martini*, 2, 60, *ibid.*, col. 968. Cfr. *Liber de gloria beatorum confessorum*, 6, *ibid.*, col. 834. Odonis abbatis Cluniacensis II. *De Vita s. Geraldi Auriliacensis comitis*. Praefatio: «qui signa quidem quae vulgus magni pendet» (*PL*, vol. 133, col. 642).

[15] Quando san Teobaldo si mise in viaggio per porre fine alle discordie intestine che infuriavano nella Champagne, il diavolo, nel tentativo di impedire che il suo pio proposito si realizzasse, gli rubò una ruota della quadriga e la gettò nel fiume. Il santo gli ordinò di fargli da ruota e quello non osò contraddirlo (C. Frenken, *Die Exempla des Jacob von Vitry. Ein Beitrag zur Geschichte der Erzählungs-Literatur des Mittelalters*, München 1914, n. 59).

[16] *Miracula Martini abbatis Vertavensis*, 1, in *MGH*, *Scriptores*, III, p. 568.

[17] *Vita s. Goaris confessoris*, 7, *ibid.*, vol. IV, p. 418.

[18] Cfr. L. Hertling, *Hagiographische Texte zur frühmittelalterlichen Bußgeschichte*, in «Zeitschrift für Katholische Theologie», vol. 55, fasc. 1 e 2.

[19] Cfr. Bieler, *Hagiography and Romance* cit., pp. 14 sgg.

[20] *Historia Francorum*, VII, 29.

[21] *Ibid.*, 4, 16; 5, 14.

[22] *Ibid.*, 7, 31.

[23] Cfr. N. Herrmann-Mascard, *Les reliques des saintes. Formation coutumière d'un droit*, Lille 1975.

[24] Cfr. Sumption, *Pilgrimage* cit., pp. 43, 53 sgg.

[25] *Gregorii Turonensis Libri miraculorum*, 1, 37, in *PL*, vol. 71, coll. 738-39.

[26] *Gregorii papae Dialogorum libri IV*, 1, 7, in *PL*, vol. 77, col. 184.

[27] *Libri miraculorum*, 2, 21, in *PL*, vol. 71, col. 814.

[28] Cfr. L. K. Little, *La morphologie des malédictions monastiques*, in «Annales ESC», 34 (1979), n. 1, pp. 54-58; P. Geary, *L'humiliation des saints*, in *ibid.*, p. 348.

[29] *Gregorii Turonensis Liber de gloria beatorum confessorum*, 80, in *PL*, vol. 71, coll. 887-88.

[30] *Libri miraculorum*, 1, 90, in *PL*, vol. 71, coll. 784-85.

[31] Cfr. Sumption, *Pilgrimage* cit., p. 140.

[32] *De gloria confessorum*, 99, in *PL*, vol. 71, coll. 901-2.

[33] *Ibid.*, 81, in *PL*, vol. 71, col. 889. «Se qualcuno pensasse che si è trattato di un disgraziato incidente, – osserva Gregorio, – è strano che i suoi vicini non abbiano subito alcun danno». Sulla punizione inflitta a un contadino che aveva mancato di rispetto a san Gerulfo cfr. B. Töpfer, *Volk und Kirche zur Zeit der beginnenden Gottesfriedensbewegung im Frankreich*, Berlin 1957, p. 53.

[34] *Miracula s. Leutfredi*, 2, in *MGH*, *Scriptores*, VII, p. 17.

[35] Cfr. cap. VI.

[36] *Libri miraculorum*, 1, 89, in *PL*, vol. 71, coll. 783-84.

[37] *Historia memorabilia*, 32, pp. 91-92. I santi non tollerano neanche che li si tratti in maniera irrispettosa. Un sacco di grano, che un contadino aveva posato sulla tomba di sant'Equizio senza curarsi di chi fosse il corpo lí sepolto, fu miracolosamente gettato via, «affinché a tutti fossero noti i meriti del santo» (*Gregorii Dialogorum libri IV*, 1, 4, in *PL*, vol. 77, coll. 176-77). Dei ladri rubarono la gallina che una povera vecchia aveva offerto a san Sergio, ma non poterono mangiarsela: durante la cottura il volatile diventò sempre piú duro e con grande imbarazzo il banchetto dovette terminare (*Libri miraculorum*, 1, 79, in *PL*, vol. 71, coll. 790-91).

[38] *Vita Remigii ep. Remensis*, 17, 25, in *MGH*, *Scriptores*, III, pp. 307, 321-22.

[39] *Ibid.*

[40] *De gloria confessorum*, 62, in *PL*, vol. 71, col. 873.

[41] *Ibid.*, coll. 879-80. Cfr. vol. 79, col. 885; *Libri miraculorum*, 2, 15, 16, 18, in *PL*, vol. 71, coll. 810-12.

[42] *Ibid.*, 1, 105, col. 797.

[43] *Libri miraculorum*, 2, 17, in *PL*, vol. 71, coll. 811-12.

[44] *Vita Fridolini*, 30, in *MGH*, *Scriptores*, III, pp. 367-68.

[45] *De miraculis s. Martini*, 1, 29, in *PL*, vol. 71, col. 934.

[46] *Libri miraculorum*, 1, 64, *ibid.*, col. 763; cfr. 1, 74, 105, coll. 770, 797.

[47] H. Delehaye, *Les passions des martyrs et les genres littéraires*, Bruxelles 1921, p. 438.

[48] Id., *Les légendes hagiographiques* cit., p. 118.

[49] Cfr. ad esempio P. Saintyves, *Les saints successeurs des dieux. Essai de mithologie chrétienne*, Paris 1907.

[50] Cfr. Delehaye, *Les légendes hagiograpiques* cit., pp. 189 sgg.

[51] Per le fonti mitologiche e folkloriche dell'agiografia bizantina cfr. Poljakova, *Vizantijskie legendy* cit., pp. 248 sgg.

[52] *MGH*, *Scriptores*, III, p. 31. Si avanzano tuttavia dei dubbi sull'autenticità di tale informazione.

[53] *Ibid.*, II, p. 410.

[54] *Ibid.*, I, p. 268.

[55] Cfr. *Heliand und Genesis*, a cura di O. Behagel e W. Mitzka, Tübingen 1965[8].

[56] *Vita Remigii ep. Remensis auctore Hincmaro*, in *MGH*, *Scriptores*, vol. 3.

[57] *Libri miraculorum*, 1, 80, in *PL*, vol. 71, coll. 776-78. Un sacerdote ariano voleva inscenare un miracolo e istigò un goto a fingere di essere cieco e poi, alle parole del sacerdote, di recuperare la vista. Il risultato fu che il goto diventò effettivamente cieco (*Liber de gloria beatorum confessorum*, 13, coll. 837-38).

[58] *Historia ecclesiastica gentes Anglorum*, 1, 25.

[59] Cfr. C. G. Loomis, *White magic. An introduction to the folklore of Christian legend*, Cambridge (Mass.) 1948.

[60] Cfr. oltre.

[61] Cfr. Ch. Altman, *Two types of opposition and the structure of Latin Saints' Lives*, in «Medievalia et humanistica. Studies in Medieval and Renaissance Culture», n.s., 1975, n. 6, pp. 4-8.

[62] *Historia ecclesiastica gentis Anglorum*, 4, 22.

[63] *Jacobi a Varagine Legenda aurea*, a cura di Th. Graesse, Vratislaviae 1890[3], 70, p. 316.

[64] *Liber de gloria beatorum confessorum*, 1, coll. 889-90.

[65] A questo proposito cfr. oltre cap. IV.

[66] Cfr. C. Morris, *A critique of popular religion: Guilbert of Nogent on «The Relics of the Saints»*, in *Popular belief and practice*, a cura di G. J. Cuming e D. Baker, Cambridge 1972, pp. 55-60.

[67] Cfr. A. Meyer, *Religiose Pseudepigraphie als ethisch-psychologisches Problem*, in «Zeitschrift für neutestamentliche Wissenschaft», vol. 35 (1936); H. Silvestre, *Le problème des faux au Moyen Âge*, in «Le Moyen Âge», vol. 66 (1960), n. 3; K. Schreiner, *«Discrimen veri ac falsi». Ansätze und Formen der Kritik in der Heiligen und Reliquienverehrung des Mittelalters*, in «Archiv für Kulturgeschichte», vol. 48 (1966); Id., *Zum Wahrheitsverständnis im Heiligen und Reliquienwesen des Mittelalters*, in «Saeculum», vol. 17 (1966), n. 1-2; P. B. de Gaiffier, *Mentalité de l'hagiograpie médiéval d'après quelques travaux récents*, in «Analecta Bollandiana», vol. 86 (1968), fasc. 3-4; Gurevič, *Kategorii srednevekovoj kul'tury* cit., pp. 160 sgg. [trad. it. pp. 163 sgg.].

[68] Cfr. F. Graus, *Die Gewalt bei den Anfängen des Feudalismus und die «Gefangenenbefreiungen» der merowingischen Hagiographie*, in «Jahrbuch für Wirtschaftsgeschichte», 1 (1961), pp. 82 sgg., 154 sgg.

[69] *Miracula s. Leutfredi*, in *MGH*, *Scriptores*, VII, p. 17.

[70] Cfr. H. Hügli, *Der deutsche Bauer im Mittelalter dargestellt nach den deutschen literarischen Quellen vom 11.-15. Jahrhundert*, Bern 1929, pp. 35 sgg.

[71] *Vita Gamalberti*, 5, 6, in *MGH*, *Scriptores*, VII, p. 189.

[72] *Vita Pardulfi*, 1: «ex agricolarum cultoribus fideli genealogia», in *MGH*, *Scriptores*, VII, p. 25. Cfr. *Vita Richardi*, 4, *ibid.*, p. 446. La situazione cambia soltanto verso la fine del Medioevo, quando si manifesta il culto dei santi di estrazione popolare, un culto che nella Chiesa ispira sospetto e ostilità.

[73] K. Bosl, *Der «Adelsheilige», Idealtypus und Wirklichkeit. Gesellschaft und Kultur im merowingerzeitlichen Bayern des 7. und 8. Jahrhunderts*, in *Speculum historiae. Festschrift Johannes Spörl*, München 1965, pp. 167 sgg.; H. Keller, *«Adelsheiliger» und Pauper Christi in Ekkeberts Vita sancti Haimeradi*, in *Adel und Kirche. Festschrift für Gerd Tellenbach*, Freiburg-Basel-Wien 1968, pp. 313 sgg.

[74] F. Graus, *Sozialgeschichtliche Aspekte der Hagiographie der Merowinger- und Karolingerzeit*, in *Mönchtum, Episkopat un Adel zur Grüdungszeit des Klosters Reichenau*, a cura di A. Borst, Konstanz 1974, pp. 146, 172 sgg.

[75] Id., *Volk, Herrscher und Heiliger im Reich der Merowinger*, Praha 1965, pp. 359 sgg.

[76] *Vitae patrum*, 6, 2, coll. 1031. In *ibid.*, 6, 4, col. 1032 si veda l'attacco al vescovo da parte del popolo.

[77] *Vita Remigii*, 22, in *MGH*, *Scriptores*, III, pp. 315-16.

[78] *Vita Amandi ep.*, 1, 13-15, *ibid.*, V, pp. 437-39. Cfr.: *Vita Columbani*, 2, 25, *ibid.*, IV, pp. 149 sg.; *Vita Eligii ep. Noviomagensis*, 20, in *ibid.*, p. 712.

[79] *Vita Walarici*, 22, *ibid.*, p. 169. Sui contadini che scacciano i sacerdoti «propter insolentiam morum» cfr. *Vita Richarii confessoris Centulensis*, *ibid.*, p. 390.

[80] *Vita Desiderii Cadurcae urbis ep.*, 8, *ibid.*, IV, p. 568.

[81] *Gregorii Turon. Vitae patrum*, 10, 1, in *PL*, vol. 71, coll. 1055-56.

[82] Persino i monaci si ribellavano ai priori severi. Quando san Lupicino ordinò di introdurre delle limitazioni nell'alimentazione dei confratelli, affinché l'appagamento del ventre non impedisse loro di servire il Signore, i monaci entrarono in fermento e venti di loro si ribellarono e lasciarono il monastero. *Gregorii Turon. Vitae patrum*, 1, 3, coll. 1013-14. Cfr. *Vita s. Romani abbatis*, 12-13, in *MGH*, *Scriptores*, III, pp. 138-39.

[83] Cfr. A. Hauck, *Kirchengeschichte Deutschlands*, 3 voll., Berlin-Leipzig 1922[6], pp. 515 sgg.; J. Laux, *Two Early Medieval Heretics: an episode in the Life of Saint Boniface*, in «Catholic Historical Review», vol. 21 (1935); Th. Schieffer, *Winfrid-Bonifatius und die christliche Grundlegung Europas*, Freiburg 1954; J. B. Russel, *Dissent and Reform in the Early Middle Ages*, Berkeley e Los Angeles 1965; N. Cohn, *The Pursuit of the Millenium. Revolutionary Millenarians and Mystical Anarchists of the Middle Ages*, London 1970, pp. 41 sgg.

[84] Gli «pseudoprofeti» vengono menzionati in una fonte molto piú antica, nella *Vita di san Martino*, scritta da Sulpicio Severo intorno all'anno 400. Egli accenna brevemente a un giovane che in Spagna aveva proclamato di essere il profeta Elia; il popolo lo prendeva per Cristo e persino un vescovo «lo venerava come fosse il Signore», e per questo motivo fu privato della sua dignità. Contemporaneamente, un altro uomo proclamò di essere Giovanni Battista. Tutti questi «pseudoprofeti», dice Sulpicio Severo, preannunciano la venuta dell'anticristo. A san Martino, costantemente assillato dal diavolo, il maligno apparve un giorno in abiti regali e coronato da un diadema; dicendo di essere Cristo, egli pretendeva di essere adorato dal santo, al quale aveva concesso una grazia particolare: si era mostrato a lui prima della sua seconda venuta. Martino tuttavia non si lasciò ingannare dal demonio e replicò che Cristo gli sarebbe apparso crocifisso, e non nel suo splendore regale. Il diavolo dovette cosí tornarsene sui suoi passi, lasciando nella cella uno spaventoso fetore. Sulpicio Severo conclude dicendo che questo incontro gli era stato raccontato dallo stesso Martino, «affinché nessuno pensasse che era una favola» (*Sulpicii Severi De Vita beati Martini*, 24, in *PL*, vol. 20, col. 174). In questa narrazione è interessante il fatto che venga instaurato un legame diretto tra gli pseudoprofeti e il maligno. Non è chiaro chi fossero questi impostori secondo l'autore della vita: peccatori tratti in inganno o demoni?

[85] *Historia Francorum*, IX, 6.

[86] Schmitz, *Die Bußbücher* cit., vol. 1, p. 317; vol. 2, pp. 424, 429, 496.

[87] Citato nella *Historia ecclesiastica* di Beda il Venerabile, 1, 30.

[88] *Historia Francorum*, X, 25.

[89] *Summa de judiciis omnium peccatorum*, 7, 21: «nullus presumat diabolica carmina cantare, ioca saltationes facere» (Schmitz, *Die Bußbücher* cit., vol. 2, p. 429); *Benedictus Levita*, 6, 96. Cfr. H. Homan, *Der Indiculus superstitionum et paganiarum und verwandte Denkmäler*, Göttingen 1965, pp. 48-49. Cfr. oltre i castighi celesti che toccavano ai danzatori, secondo gli esempi «edificanti».

[90] Cfr. *Atti degli Apostoli*, 8, 9.

[91] *Historia Francorum*, X, 25.

[92] *Ibid.* VII, 44; VIII, 33.

[93] *Ibid.* IV, 34.

[94] Wynfried (che piú tardi prese il nome di Bonifacio) nacque in Inghilterra intorno al 675 e fu sacerdote nella diocesi di Winchester. A partire dal 719 partecipò alla cristianizzazione della Germania; dal 722 fu vescovo. Morí in uno scontro con i pagani frisoni nel 755.

[95] *MGH*, *Concilia*, II, 1, p. 34.

[96] Le modalità della condanna di Aldeberto sono trattate in modo un po' diverso da J. B. Russell, *Saint Boniface and the Eccentrics*, in «Church history», 33 (1964), pp. 241 sgg.; si tratta dello studio piú dettagliato dedicato a questo episodio della storia dell'eresia. Dissento tuttavia da lui nell'interpretazione del significato dell'attività di Aldeberto, che Russell ravvisa in un tentativo di riforma della Chiesa e nella comparsa degli «eccentrici»: indemoniati, «lunatici», uomini psichicamente squilibrati.

[97] *MGH*, *Epistolae selectae*, I (*Die Briefe des heiligen Bonifatius und Lullus*, a cura di M. Tangl), Berlin 1916, n. 59, p. 112.

[98] *Ibid.*, p. 117 sg. Da una lettera che il cardinale diacono Hemmul inviò a Bonifacio subito dopo la chiusura del sinodo romano risulta che Aldeberto e Clemente (su di questi cfr. oltre) furono scomunicati. *Ibid.*, p. 127. I partecipanti al sinodo volevano che le opere di Aldeberto venissero bruciate, ma il papa, pur riconoscendo che meritavano quella sorte, ordinò che fossero conservate negli archivi per un ulteriore esame. A Roma questi eretici furono condannati in contumacia, perché non vennero convocati dal sinodo.

[99] *MGH*, *Concilia*, II/1, p. 35.

[100] *MGH*, *Epistolae selectae*, I, n. 57, p. 105; n. 59, p. 112.

[101] *Ibid.*, nn. 57, 60, 62, 77.

[102] Desta qualche dubbio l'attendibilità della notizia, data da un «anonimo di Magonza», circa l'uccisione di Aldeberto per mano dei briganti (*MGH*, *Scriptores*, II, p. 355). Cfr. Hauck, *Kirchengeschichte Deutschlands* cit., p. 526.

[103] *Admonitio generalis*, c. 78, in *MGH*, *Capitularia*, I/1, p. 60.

[104] H. Delehaye, *Note sur la légende de la lettre du Christ tombée du ciel*, in «Bulletin de la classe des lettres et des sciences morales et politiques et de la classe des beaux-arts de l'Académie royale de Belgique», 1899, pp. 171-213; W. R. Jones, *The Heavenly letter in Medieval England*, in «Medievalia et humanistica. Studies in Medieval and Renaissance Culture», n.s., 1975, n. 6, pp. 164 sgg.

[105] *Admonitio generalis*, c. 16, p. 55.

[106] Cfr. H. L. Mikoletzky, *Sinn und Art der Heiligung im frühen Mittelalter*, in «Mitteilungen des Institut für österreichische Geschichtsforschung», vol. 57 (1949), p. 85.

[107] In età carolingia diventarono assai frequenti e insistenti gli avvertimenti contro l'abuso di miracoli («quia signa plerumque diabolico instinctu fiunt», in *MGH*, *Concilia*, II, Suppl., p. 155), contro la venerazione dei falsi martiri e dei santi non degni di fede (*MGH*, *Capitularia*, I, pp. 55, 56) e contro l'eccessiva sollecitudine nel volersi impadronire delle reliquie. Carlo Magno, «rex et sacerdos», pretendeva di esercitare un severo controllo su tutta l'attività della Chiesa e in generale sulla vita religiosa. Aggiungiamo inoltre che risalgono proprio al secolo VIII le disposizioni dei penitenziali circa le pene per coloro che hanno mantenuto rapporti con gli eretici. Cfr. *Poenit. Columban's*, 25: «Si quis laicus per ignorantiam cum... hereticis communicaverit... Si vero per contemptum hoc fecerit, id est postquam denunciatum illi fuerit a sacerdote ac prohibitum» (Schmitz, *Die Bußbücher* cit., vol. 1, p. 601).

[108] A proposito dei «falsi sacerdoti», delle «persone che non temono Dio», dei «falsi vescovi», scoperti da Bonifacio, cfr. *MGH*, *Epistolae selectae*, I, nn. 58, 60, 61, 87, 90, pp. 107, 124-26, 195, 205.

[109] *Ibid.*, n. 63, p. 129. A proposito delle sette eretiche che turbano il popolo e che ne avrebbero sviato una parte considerevole, cfr. *Vita s. Bonifacii, auctore Willibaldo*, in *PL*, vol. 89, 8, 23, 26; 9, 28: «magna ex parte populum seduxerunt». A proposito di Aldeberto cfr. *ibid.*, 9, 29; 10, 30.

[110] *MGH*, *Epistolae selectae*, I, n. 59, p. 111.

[111] Russell, *Dissent and Reform in the Early Middle Ages* cit., p. 238; G. Koch, *Frauenfrage und Ketzertum im Mittelalter*, Berlin 1962; Manselli, *La religion populaire* cit., pp. 118 sgg.

[112] *Annales Fuldenses*, in *MGH*, *Scriptores Rerum Germanicarum*, pp. 36-37. Il racconto molto piú tardo di Sigeberto di Gembloux (*MGH*, *Scriptores*, VI, p. 339) è basato sugli *Annales Fuldenses*.

[113] Tuttavia c'è un'allusione del genere nel racconto di Sulpicio Severo (cfr. sopra).

[114] Un santo, che aveva salvato dalla fame la popolazione riempiendo di pane un recipiente che non si vuotava mai per quanto pane ne fosse tratto, ordinò ai presenti di non divulgare la notizia di questo miracolo (*Vita Iohannis abbatis Reomaensis*, 13, in *MGH*, *Scriptores*, III, p. 512). Gregorio di Tours confessa che una volta, da giovane, scontò anch'egli la propria arroganza. Un giorno, mentre era in viaggio, lo sorprese un temporale ed egli si riparò proteggendosi con le reliquie che portava con sé. Gregorio pensò che ciò gli fosse concesso non solo per intercessione del santo, ma anche per i suoi meriti. Subito Dio lo puní: il cavallo cadde e Gregorio si ferí gravemente.

[115] Cfr. l'analogo caso di venerazione di Tanchelmo, capo degli eretici delle Fiandre all'inizio del secolo XII, in N. A. Sidorova, *Narodnye eretičeskie dviženija vo Francii v XI i XII vekach* [Movimenti popolari eretici in Francia nei secoli XI e XII], in «Srednie veka», 4 (1953), pp. 87-88.

[116] *MGH*, *Epistolae selectae*, I, n. 59, p. 112. Bonifacio si lagnava con il papa anche di un altro eretico, scozzese come Clemente, di nome Samson: sembra che egli predicasse che si poteva diventare cristiani non solo per mezzo del battesimo, ma anche in seguito alla semplice imposizione delle mani da parte di un vescovo (*ibid.*, n. 80, p. 177).

[117] *Ibid.*, p. 175.

[118] *MGH*, *Capitularia*, I, p. 222. *Indiculus superstitionum et paganiarum*, 6: *De sacris silvarum, quae nimidas vocant*, 7: *De his, quae faciunt super petras*.

[119] C. P. Caspari, *Eine Augustin fälschlich beigelegte Homilia de sacrilegiis. Christiania*, 1886, cap. II.

[120] *De gloria beatorum confessorum*, 2, in *PL*, vol. 71, coll. 830-31.

[121] *Gregorii Magni Epistolae*, 4, 23; 8, 1, 18, 30; 9, 11, in *PL*, vol. 77, coll. 692, 904, 921, 932, 954-55. Cfr. *Historia Francorum*, II, 10.

[122] *Caesarii ep. Arelatensis Sermones*, in *PL*, vol. 39, coll. 2270-71. Cfr. *Vita s. Caesarii*, in *PL*, vol. 67, 1, 5, col. 1021.

[123] *Vita Willibrordi*, 10, in *MGH*, *Scriptores*, VII, pp. 124 sg.

[124] *Vita Amandi ep.*, 1, 13, 24, in *MGH*, *Scriptores*, V, pp. 437, 447.

[125] *Vita Lucii confessoris Curiensis*, 12 sgg., in *MGH*, *Scriptores*, III, pp. 5 sgg.

[126] *Miracula Martini abbatis Vertavensis*, 5, *ibid.*, pp. 570 sg.

[127] Schmitz, *Die Bußbücher* cit., vol. 2, p. 424.

[128] *Ibid.*, p. 430.

[129] A proposito del culto degli alberi presso i frisoni, contro il quale intervenne Bonifacio, ordinando di abbattere un enorme albero venerato dai pagani, cfr.

Vita s. Bonifacii auctore Willibaldo, 8, 22, 23, in *PL*, vol. 89, coll. 619-20. Cfr. *Vita Walarici abb. Leuconaensis*, in *MGH*, *Scriptores*, vol. IV, pp. 168-69.

[130] *MGH*, *Epistolae selectae*, I, n. 80, p. 174.

[131] *Ibid.*, n. 43, p. 69.

[132] *Indiculus superstitionum et paganiarum*, 1, 2.

[133] Aldeberto era nato « de simplicibus parentibus »; uno degli pseudoprofeti di cui parla Gregorio di Tours era, secondo quanto egli afferma, un servo fuggito; lo pseudo-Cristo che derubava i ricchi e donava il bottino ai poveri, era evidentemente un contadino. In un'epistola di papa Zaccaria, tra i « sacerdoti sacrileghi » vengono nominati « numerosi schiavi fuggiti, che hanno preso i voti », « schiavi del diavolo, che hanno finto di essere servi di Cristo » (*MGH*, *Epistolae selectae*, I, n. 80, p. 175). Invece, come si è già accennato, i santi della Chiesa, tranne poche eccezioni, erano nobili e ricchi, e sovente persino di stirpe regia. *MGH*, *Scriptores*, II, *Vitae sanctorum generis regii*. Cfr. F. Prinz, *Frühes Mönchtum im Frankenreich. Kultur und Gesellschaft in Gallien, den Rheinlanden und Bayern am Beispiel der monastischen Entwicklung (4. bis 8. Jahrhundert)*, München-Wien 1965, pp. 489 sgg.

[134] Nelle fonti sono definiti « homines nudo corpore saltantes adque ludentes, mulierculae debacchantes ».

[135] La Chiesa considerava indemoniati gli uomini il cui stato psichico deviava dalla norma. Uno dei piú diffusi miracoli compiuti dai santi era la cacciata del maligno dagli *energumenos*. Già per questo i santi in stato di estasi che guidavano il popolo destavano apprensione nella Chiesa. Anche Rodolfo il Glabro descrive come un indemoniato il predicatore popolare Leutardo (A. Borst, *Lebensformen im Mittelalter*, Frankfurt am Main - Berlin 1973, pp. 588 sgg.).

[136] *MGH*, *Epistolae selectae*, I, n. 80, p. 175.

[137] Questa caratteristica degli abitatori delle sfere celesti si riscontra non solo nelle vite, ma anche negli « esempi » edificanti (cfr. oltre, cap. VI).

[138] Cfr. G. Guariglia, *Prophetismus und Heilserwartungs-Bewegungen als völkerkundliches und religionsgeschichtliches Problem*, Horn-Wien 1959; W. E. Mühlmann, *Messianismes révolutionnaires du tiers monde*, Paris 1968.

[139] Cfr. N. Wachtel, *L'acculturation*, in *Faire de l'histoire* cit., vol. 1, pp. 143 sgg. [trad. it., pp. 93 sgg.]; Le Goff, *Pour un autre Moyen Âge* cit., p. 346. Diversamente si esprime Manselli, *La religion populaire* cit., pp. 19 sgg.

Capitolo terzo
La cultura popolare riflessa nei libri penitenziali

Il Medioevo è molto spesso raffigurato come epoca di totale dominio della Chiesa e dell'ideologia cristiana. Il giudizio sul cristianesimo medievale, inoltre, si forma di solito sulla base della dottrina dei teologi, delle deliberazioni conciliari, di decreti e bolle papali, preghiere e inni religiosi. Gli aspetti della cultura medievale che non rientrano nell'ambito della religione ufficiale sono considerati dagli studiosi eresie o sintomi dell'emergente contrapposizione tra il principio laico e quello religioso e del manifestarsi dello spirito del Rinascimento. Questo quadro è tuttavia delineato in maniera cosí schematica, che difficilmente lo si può considerare corrispondente all'originale. In effetti la dicotomia tra ecclesiastico e secolare, esattamente come la dicotomia tra ortodossia e eresia, è troppo schematica per abbracciare tutta la ricchezza della vita spirituale medievale. Il problema fondamentale, che per molti aspetti è difficile formulare, è il problema della religiosità stessa nell'epoca qui in esame: essa si riduceva davvero soltanto o prevalentemente a quelle manifestazioni che sono evidenti e ben note, come ad esempio la preghiera, la mortificazione della carne, la preoccupazione di salvarsi l'anima, le forme del culto? Non si deve supporre che il cristianesimo medievale si differenziasse a seconda dei suoi diversi *livelli* e che a questi livelli assumesse inevitabilmente ogni volta un nuovo aspetto?

Già analizzando l'agiografia abbiamo potuto vedere come essa si adattava in modo incontestabile alla capacità di comprensione dei fedeli, dal momento che traduceva in esempi e narrazioni quanto mai chiari i principî generali della religione. Poiché avvertivano la pressione dell'uditorio, gli autori delle vite raffiguravano i santi come taumaturghi, difensori dei deboli e degli oppressi. Non solo, nelle leggende la figura del santo predomina chiaramente sull'immagine del creatore. Nel contesto della letteratura delle vite le idee predicate dalla Chiesa si incontrano con la potente tradizione del folklore, e questa bizzarra fusione, che non può piú essere scomposta negli elementi che la compongono, diventava patrimonio della cultura popolare. La divulgazione dei fondamenti della religione cristiana era accompagnata da una sua sostanziale trasformazione.

Ciò nonostante, rimanendo nei limiti dell'analisi dell'agiografia, si può affermare che questo processo di adattamento della religione alle esigenze delle masse si trovava sotto il controllo della Chiesa ed era da essa attuato; la leggenda agiografica, che aveva origini folkloriche, assumeva la sua forma definitiva sotto la penna di un ecclesiastico.

La Chiesa però non si scontrava soltanto con le leggende popolari sui santi taumaturghi: doveva confrontarsi con il gregge dei fedeli, che aveva le sue opinioni sul mondo, le sue tradizioni e le sue credenze. In che misura riusciva a sottometterle alle esigenze della religiosità ufficiale?

Se vogliamo accostarci alla comprensione di questo aspetto essenziale della vita spirituale dell'epoca, è necessario rivolgersi ad altri generi della letteratura mediolatina. Iniziamo dai libri penitenziali, manuali di pratica confessionale di cui si servivano i sacerdoti cattolici.

In primo luogo è tuttavia necessario cercare di rappresentarsi la situazione generale in cui operava il basso clero. Gli studiosi concentrano la loro attenzione sulle cellule piú o meno complesse che formano la società feudale, come la famiglia, il feudo, l'ambito circoscritto della signoria, e sulle unità politiche, il principato, lo stato. Di regola resta esclusa dall'analisi un'altra forma organizzativa del rapporto sociale tra gli uomini, che è caratteristica proprio dell'epoca medievale, la *parrocchia*[1]. Proprio nell'ambito di questa primaria molecola di base della struttura della Chiesa si concentrava invece in misura notevole la vita del popolo; in ogni caso, il potere religioso e secolare riuscivano a fare sí che la parrocchia eliminasse radicalmente altre forme di associazione non sottomesse alla Chiesa. Nella parrocchia si attuava il controllo ideologico e morale sulla popolazione del luogo. Una persona apparteneva alla sua parrocchia: qui riceveva il battesimo dopo la nascita, e da essere biologico si trasformava in un individuo socio-morale, frequentava la chiesa, ascoltava le preghiere e i sermoni presenziando alle celebrazioni liturgiche, si confessava, si sposava; sempre qui riceveva anche l'estrema assoluzione dei peccati. Non abbandonava la sua parrocchia neanche dopo la morte, giacché la sepoltura era permessa soltanto entro i suoi confini e i corpi di persone sepolte in altri luoghi erano di frequente esumati perché fossero seppelliti nel cimitero della loro parrocchia d'appartenenza[2].

Le chiese parrocchiali non erano soltanto i centri dell'attività religiosa, in esse si svolgeva in larga misura anche la vita civile. In chiesa si concludevano affari, si organizzavano banchetti, i suoi locali potevano essere usati per immagazzinare il grano, per il commercio, fungevano da arene per i giochi e la lotta. Il sacerdote che gestiva la taverna produceva la birra in un locale della chiesa. Nei cortili delle chiese talvolta erano persino celebrate feste non prive di carattere pagano[3], senza che ciò, secondo l'opinione di C. Erickson[4], denotasse necessariamente un consapevole sacrilegio. In tal modo la chiesa parrocchiale radunava la sua popolazione per molte e svariate ragioni.

Ai parrocchiani era consentito rivolgersi soltanto al proprio parroco, fatto che li sottoponeva ad un severo controllo. Nel contempo si esercitava anche il controllo collettivo della comunità. Presupposto della vita religiosa degli uomini del Medioevo, osserva D. Sumption[5], era l'idea, tacitamente accettata, che il peccato di un parrocchiano fosse una faccenda che li riguardava tutti. Sotto i loro occhi trascorreva tutta la vita di ciascun abitante del luogo; essi si sorvegliavano a vicenda. Pur essendo segreta, anche la confessione aveva luogo sotto gli occhi dei parrocchiani. Molti abbandonavano i loro domicilii tentando di sfuggire alla vigile sorveglianza del pastore e del gregge; purificarsi dai peccati al di fuori dei confini della propria parrocchia era per loro piú facile che subirne il controllo[6].

L'appartenenza di un individuo alla propria parrocchia aveva naturalmente anche profonde radici psicologiche. Prima di lui qui avevano vissuto i suoi antenati, i confini della parrocchia per lo piú delimitavano la cerchia dei suoi legami piú importanti, e sempre qui, vicino alla chiesa, egli sarebbe stato sepolto al termine dell'esistenza terrena. Questo microcosmo determinava tutti gli aspetti del comportamento delle persone che vi appartenevano, persino il carattere dei loro pensieri e delle loro emozioni. L'aneddoto, riferito da Bergson, dell'uomo che restava impassibile tra la gente che in chiesa piangeva durante la predica e che, alla domanda perché fosse l'unico a non piangere, rispose: «Appartengo a un'altra parrocchia», esprime come meglio non si può questo legame socio-psicologico tra i parrocchiani e il loro microcosmo sociale.

Al capo della parrocchia toccava il non facile ruolo di guida di questa comunità, chiamata a dirigere la sua vita religiosa. Difficile gli sarebbe stato attuare il controllo sul suo gregge, però, se egli non avesse avuto un sussidio come il libro penitenziale[7].

Occorre ricordare che i penitenziali nacquero in una società in un modo o nell'altro cristianizzata, in una società in cui la Chiesa già da tempo esercitava la sua influenza. A maggior ragione è perciò importante stabilire in che misura il cristianesimo riuscí a sopraffare la vecchia religione e ad instaurare il proprio dominio sulla coscienza sociale. In questo senso i libri penitenziali possono fornire un materiale che si distingue sostanzialmente dai dati dell'agiografia. Nella letteratura delle vite la conversione degli infedeli alla retta via è solitamente raffigurata come il risultato dell'impresa di un santo, che con i sermoni, il pio modo di vivere e soprattutto con i miracoli persuade il popolo a desistere dagli errori del passato e ad abbracciare la vera fede. Ma le vite dei santi spacciano per realtà ciò che era soltanto un'aspirazione. Se da questa letteratura, il cui potere d'influenza sull'uditorio è d'altronde innegabile, vogliamo passare alla vita reale e vedere quali problemi il clero doveva affrontare, non possiamo fare a meno delle testimonianze dei penitenziali.

Gli ecclesiastici non avevano a che fare direttamente con i pagani. A confessarsi andavano i cristiani. Questi credenti dovevano frequentare regolarmente la chiesa; e in ogni caso nei libri penitenziali non ho trovato accenni a un loro «assenteismo». Si suppone che il parrocchiano facesse professione di fede, e che in questo modo iniziasse il suo colloquio con il sacerdote, e solo dopo che il fedele aveva affermativamente risposto di credere nel Padre, nel Figlio e nello Spirito Santo e nel fatto che sono uni, il prete passava alle domande sui peccati. Il teologo medievale, nel definire la confessione «tribunale divino», indica che la funzione di giudice era espletata dal sacerdote, «vicario del Signore»; colui che si confessa invece ricopre contemporaneamente sia il ruolo di colpevole che quello di accusatore[8]. Da lui ci si aspetta la capacità e la disponibilità ad analizzare le proprie azioni dal punto di vista della dottrina cristiana, a valutarle e a pentirsi in caso di violazione dei precetti della Chiesa, che, di conseguenza, non rimanevano qualcosa di estraneo alla sua coscienza.

E ciò nonostante, l'analisi dei peccati, intrapresa nei libri penitenziali, mostra che la fede in Cristo rappresentava solo un aspetto della coscienza di moltissimi parrocchiani, in certo modo combinandosi e intrecciandosi con tutt'altre idee e tradizioni.

Particolare interesse meritano quelle parti dei penitenziali dedicate a ciò che essi chiamano «il paganesimo» dei parrocchiani. I penitenziali non sono certo le uniche fonti che descrivono le superstizioni popolari; queste sono piú volte menzionate nelle opere dei teologi, nelle vite, nelle deliberazioni dei concilii e nelle epistole papali, nella legislazione dello stato; ma forse in nessun altro scritto questo aspetto della vita religiosa e culturale dell'uomo medievale viene espresso in modo tanto concentrato e – ciò che è particolarmente importante – tanto degno di fede quanto nei penitenziali. Leggendo altre fonti si giunge spesso alla conclusione che le superstizioni e le usanze denunciate dal clero o dal potere laico non siano altro che residui di paganesimo che la Chiesa, sebbene gradatamente e a fatica, riusciva a sopraffare; in altre parole, queste credenze tradizionali e la religione cristiana si presentano agli occhi degli storici come due stadi successivi, anche se con una serie di contatti, della vita religiosa dei popoli europei.

Mi pare tuttavia che l'analisi dei penitenziali apra la possibilità di risolvere questo problema in modo un po' diverso. Senza anticipare i risultati della ricerca, voglio tuttavia avanzare l'ipotesi che le credenze ereditate dall'antichità remota e la religione cristiana, trovandosi contemporaneamente sia in costante interazione sia in antagonismo, rappresentassero due aspetti sincroni della coscienza sociale medievale, formando un insieme specifico, che si potrebbe chiamare

« cristianesimo popolare ». Il suo contenuto e la sua struttura sono stati studiati molto poco. Ed è comprensibile: lo studioso della cultura e dell'ideologia medievale dispone in sostanza delle opere dei teologi o di quelle che riflettono il pensiero degli eretici. Ma che cosa avveniva nelle menti dei semplici parrocchiani, che non conoscevano la teologia dotta e non erano disposti a staccarsi dalla Chiesa? Qual era il loro bagaglio di idee e di credenze, qual era la loro pratica religiosa?

Gli studiosi della cultura del primo Medioevo si propongono spesso l'obiettivo di accertare quali tra i residui di paganesimo denunciati dagli autori ecclesiastici, compresi i compilatori dei libri penitenziali, risalgano alle credenze antico germaniche, e quali alla religione antica[9]. Tuttavia si riesce raramente a raggiungere una soluzione abbastanza convincente di questo problema, giacché molte superstizioni e idee condannate nei penitenziali si possono difficilmente far rientrare nelle concezioni del paganesimo germanico o romano. Esse rappresentano piuttosto un piú *profondo, « originario » strato della coscienza popolare*. Esso è legato in primo luogo alla *magia*, un particolare atteggiamento umano, che non tiene conto dei nessi di causalità naturale e si basa sulla certezza dell'efficacia dell'influenza che l'uomo, in quanto parte intima della natura, può esercitare sul mondo circostante[10]. A proposito della tecnica magica le nostre fonti forniscono ricche informazioni. La magia curativa, la magia d'amore, la magia produttiva erano, a quanto pare, estremamente diffuse: l'impressione è che non fossero affatto « residui » di credenze e atteggiamenti precristiani, bensí parte integrante della pratica quotidiana, della vita di una società agraria, tradizionale.

I libri penitenziali sono eccezionalmente ricchi di dati sulla magia – il pensiero dei compilatori vi ritorna di continuo –, e ovviamente non mi propongo lo scopo di trattarli esaustivamente. È tuttavia necessario soffermarsi preliminarmente sui precetti dei penitenziali diretti contro i riti « empi » e « pagani » tramite i quali si cercava di ottenere il successo nella vita pratica.

La prima condizione per un buon esito del lavoro agricolo è il regolare avvicendarsi dei cicli naturali, il normale succedersi delle stagioni. Questo flusso del tempo naturale non è qualcosa di implicito per la coscienza dell'uomo «primitivo», che considera indispensabile esercitare un'influenza magica sugli «elementi», sul moto delle stelle, del sole e della luna. Perché giungesse la luna nuova, occorreva «aiutare la luna a ripristinare il suo splendore», e a questo scopo si organizzavano riunioni e si officiavano riti magici. Quando avveniva un'eclissi di luna la gente spaventata cercava di «difendersi» con grida e stregonerie[11]. Il rapporto tra gli uomini e i fenomeni naturali è immaginato come un'*interazione* o addirittura come un *aiuto reciproco*: secondo queste concezioni gli «elementi» possono aiutare gli uomini, i quali a loro volta con determinati mezzi sono in grado di influire su di essi a proprio vantaggio[12].

Si tratta di credenze molto arcaiche, secondo cui *l'uomo rappresenta se stesso nelle stesse categorie che applica al resto del mondo*, non si sente staccato da esso: in altre parole, egli non costruisce i suoi rapporti con la natura sul modello «soggetto-oggetto», bensí basandosi sull'intima certezza *dell'unità e della reciproca compenetrazione tra l'uomo e la natura, organicamente apparentati e magicamente partecipi l'uno dell'altra*. Il concetto di «partecipazione» appare il piú adatto a definire questo atteggiamento verso il mondo. Il mondo e l'uomo si compongono degli stessi «elementi», e proprio la convinzione di una completa analogia tra «microcosmo» e «macrocosmo» stimola gli uomini a influire sul mondo e sull'andamento delle cose nel mondo, e perciò anche sul tempo. Mentre condanna queste credenze e questi rituali, Burcardo di Worms si affligge in particolare nel vedere quanto essi profondamente siano radicati nella coscienza popolare, dove «passano dai padri ai figli quasi per diritto ereditario». E l'afflizione del vescovo è del tutto comprensibile: queste «traditiones paganorum» si trovavano in stridente contraddizione con la dottrina della Chiesa sulla provvidenza divina, che sola dirige il mondo e ne guida tutto il movimento. Alle calende di gennaio erano compiuti tutta una serie di rituali, che dovevano garantire i successi nell'anno entrante, compresi banchetti con canti ed esorcismi; si credeva che in quel medesimo giorno fosse possibile guardare nel futuro e procurare che «nel nuovo anno si riuscisse a fare piú di prima», in particolare se ci si sedeva sul tetto della propria casa, dopo essersi cinti una spada alla vita, o su una pelle di bue ad un crocevia, o se di notte si cuoceva il pane, che doveva ben lievitare[13].

Altra condizione per una prospera vita economica è il tempo favorevole. I penitenziali condannano chi fa scongiuri contro le tempeste e i maghi che influiscono sul tempo[14]. Burcardo di Worms, con tutta la chiarezza che si impone nel suo trattato, descrive il rito per liberarsi dalla siccità. La descrizione consente di gettare per un momento lo sguardo sulla campagna tedesca all'inizio del secolo XI. Quando da lungo tempo non cade la pioggia, della quale i contadini hanno molto bisogno, scrive Burcardo, le donne radunano un gran numero di bambine e ne mettono una alla testa della processione; spogliatala completamente, si recano tutte fuori dal paese, dove cercano un'erba che in tedesco si chiama *belisa*; scavando con il mignolo della mano destra la bambina nuda deve estrarre la pianta la cui radice le viene poi legata al mignolo del piede destro. Con delle verghe in mano, gli altri fanciulli conducono la bambina, che si trascina la pianta legata al piede, al torrente piú vicino e con le verghe la spruzzano d'acqua, invocando contemporaneamente la pioggia. Alla fine della cerimonia la bambina nuda viene ricondotta dal torrente al villaggio, ma deve camminare a ritroso « come un gambero »[15].

L'« adescamento » della pioggia mediante riti magici compiuti da bambini innocenti ricorda da vicino analoghi rituali di popoli primitivi, dai quali i contadini del primo Medioevo non dovevano poi essersi allontanati di molto, almeno a giudicare dalla loro pratica magica. Burcardo di Worms osserva che ai riti descritti ricorrevano certe donne, ma poi si rivolge a colei che si sta confessando e la ammonisce: « Se tu hai agito cosí o hai acconsentito a ciò, devi digiunare a pane e acqua per venti giorni ».

Sempre a detta di Burcardo, « uomini empi » – porcari, aratori, cacciatori –, intonando diaboliche canzoni, e pronunciando evidentemente delle formule magiche sul grano, sulle erbe o su fasci annodati, e spargendoli poi ai crocevia di due o tre strade, salvano i loro animali e i loro cani dalla peste o da altre disgrazie, e uccidono quelli degli altri[16]. Anche in altri penitenziali si parla di nodi, formule magiche e canti esorcistici sulle erbe, nei boschi o ai crocevia, che avevano lo scopo di proteggere il bestiame dalla moria. Analogamente, con esorcismi le contadine tolgono ai vicini il latte e il miele: esse «adescano» l'abbondanza per le loro mucche e le loro api e con le parole, con lo sguardo o in altri modi lanciano malefici sui polli, sui maiali e su altri animali altrui. Burcardo condanna gli scongiuri e le azioni magiche, che certe donne facevano sui telai e le stoffe, rituali che evidentemente dovevano agevolare il loro lavoro[17]. Lo stesso Burcardo non crede in questa magia e la chiama «vanità», «illusione». Per quanto riguarda invece i popolani suoi contemporanei, qui le cose non stavano chiaramente cosí.

La certezza dell'efficacia della magia, degli esorcismi, dei riti e la loro vasta applicazione è un tratto caratteristico del comportamento degli uomini medievali[18], e non a caso i penitenziali scagliano tutto il loro arsenale di castighi contro la fede in queste «pratiche diaboliche». Si ha l'impressione che in un'epoca in cui la tecnica era poco sviluppata e per lo piú ignorata la magia rappresentasse una sorta di suo surrogato. Accanto alla magia diretta verso la natura e il suo potere produttivo, nei manuali per i confessori occupa un posto di rilievo la magia diretta verso l'uomo. La tecnica per influire sul suo corpo, sulla sua salute e i suoi sentimenti, a giudicare dai nostri trattati, era estremamente articolata e multiforme. Praticano questa magia soprattutto le donne. Molte di loro preparano droghe di ogni genere per curare le malattie, ricorrono a esorcismi e formule magiche, mettono i bambini febbricitanti a sedere sul tetto o nella stufa[19], bruciano del grano nella casa di un defunto (questo era considerato un mezzo sicuro per scongiurare le malattie nella famiglia in cui era appena morta una persona). La medicina popolare e dei guaritori nel Medioevo era una pratica quotidiana; si sono conservate innumerevoli annotazioni di ricette per curare ogni genere di malattia, nelle quali le osservazioni sul potere curativo delle erbe e delle sostanze s'intrecciano con la fede nella magia e nell'influsso dei corpi celesti sulla salute dell'uomo[20].

La Chiesa non proibiva la raccolta di erbe medicinali, se veniva effettuata pregando, ma la condannava recisamente nei casi in cui, invece del *Credo* e del *Pater noster* venivano pronunciati «indecenti scongiuri»[21]. Le erbe costituivano però solo una parte dei medicamenti: accanto ad esse venivano largamente usate tutte le possibili secrezioni del corpo umano, le carogne e i rifiuti, che possedevano, secondo le convinzioni di allora, un grande potere[22]. Come rimedi che avevano valore curativo si impiegavano l'acqua, la terra, il fuoco, il sangue[23]. Per guarire un bimbo che piagnucola, un mezzo collaudato era il seguente: la donna scavava nel suolo un cunicolo con due uscite e vi faceva passare il piccolo[24]. Guarire per mezzo della terra, grazie al rapporto con la sua «forza», è una credenza quanto mai tipica della mentalità di una società agraria e assumeva le forme piú disparate[25].

La magia nera viene raffigurata nei libri penitenziali con immagini estremamente vivide e chiare: si incontrano sia i sabba delle streghe, sia i voli notturni delle donne che si sono legate al maligno, sia tutte le stregonerie possibili e immaginabili[26]. A questo riguardo le cose andavano particolarmente male in Germania. Esiste una credenza popolare, racconta un libro penitenziale delle chiese germaniche, secondo la quale certe donne, che si sono lasciate ingannare dal diavolo, si uniscono su sua istigazione alle assemblee di demoni che hanno assunto aspetto femminile e in determinate notti si recano alle loro riunioni a cavallo di animali. «La stupidità popolare chiama Holda tale strega (*striga*)»[27]. Holda, Huld, è un personaggio della mitologia e delle fiabe germaniche e scandinave, una creatura di sesso femminile dotata di capacità profetica. Nella Germania medievale è nota con il nome di Frau Holle, e su di lei «il popolo ne racconta di tutti i colori, sia nel bene che nel male»[28]. Ella aiuta le donne a partorire, è lei stessa brava sia in casa che nell'orto, incoraggia i tessitori diligenti e punisce quelli pigri. Rende fertili i campi, benché spaventi la gente quando vola per i boschi alla testa di un'orda di streghe[29]. In uno dei manoscritti del penitenziale essa è chiamata Friga-holda; questa strega doveva essere identificata con l'antico-germanica Frigg (Frîja), dea della magia, della profezia, della fertilità e del matrimonio che, come Frau Holle, aiutava le partorienti e determinava il destino dei neonati. Nelle leggende mitologiche figura come consorte di Odino (Wodan) e madre di Baldr. Il suo significato è confermato dal nome di uno dei giorni della settimana, venerdí, il *dies Veneris* che presso i popoli germanici veniva chiamato «giorno di Frigg»[30]. A quanto pare, questa dea, nota tanto presso gli scandinavi quanto presso i germani continentali (in particolare presso i longobardi), era la protettrice della vita familiare[31]. In età cristiana, in Germania, Frigg è raffigurata come una strega, destino che condivide con altre divinità pagane.

Per quanto riguarda il termine *striga* (*stria*), oltre che nei libri penitenziali esso s'incontra anche in altre opere. La legge salica stabiliva un risarcimento per la donna, ingiustamente accusata di essere una *stria*, una strega, che preparava una qualche brodaglia in un pentolone; nella legge alemanna la *stria* è nominata insieme all'*herbaria*, o preparatrice di veleni; il longobardo Editto di Rotari proibiva l'omicidio di una *striga*, poiché i cristiani non dovevano credere nella possibilità che una donna fosse capace di divorare le viscere di una persona.

Negli studi dedicati a questo tema si è avanzata l'ipotesi che il termine *friga-holda* in uno dei manoscritti del penitenziale tedesco sia un'errata lettura della parola *striga* e che tutta la frase che abbiamo riportata, contenente il nome di Holda, sia un'interpolazione piú tarda[32]. Tuttavia, anche se si accolgono queste rettifiche, esse difficilmente mutano qualcosa nella sostanza, poiché è chiaro che l'aggiunta dei nomi *holda* e *friga* nel testo originario del penitenziale poteva prodursi soltanto nel Medioevo e doveva riflettere le credenze di quell'epoca. Il copista, alla cui mano si deve il presunto errore *friga-holda*, lo commise evidentemente in conseguenza dell'affinità tra le figure di Holda (Huld) e Frigg, alle quali la coscienza popolare assegnava caratteri simili.

Mi sono soffermato su questi termini perché essi aiutano a conoscere un po' piú da vicino le idee che gli uomini del primo Medioevo avevano delle forze e degli esseri che occupavano un posto di rilievo nelle loro credenze. Per comprendere le enunciazioni fatte a questo proposito nel *Corrector* di Burcardo di Worms, come pure negli altri libri penitenziali, occorre prendere in considerazione i sostanziali mutamenti che questi esseri subivano sotto la penna degli autori ecclesiastici. Nella coscienza popolare *holda* è una creatura pacifica, misericordiosa, come indica il suo stesso nome[33]. Agli occhi dei compilatori dei manuali per confessori, invece, *holda* e i personaggi delle credenze popolari simili a lei si trasformano naturalmente in forze del male e sono presentati solo in toni negativamente demoniaci, come fonti di ogni male o come fantasmi, generati dal diavolo nelle menti degli stolti ignoranti che egli ha sviato dalla retta via della fede. Jakob Grimm osserva che la fede in Holda ebbe particolare diffusione in Assia e in Turingia[34], da cui proveniva appunto Burcardo di Worms, ben informato circa il carattere di queste credenze e la loro influenza sulla vita spirituale del popolo. Egli non si accontentava dunque di ripetere nel suo *Corrector* le prescrizioni dei precedenti penitenziali, ma le riempiva di un nuovo contenuto concreto, tratto non piú da vecchi libri, bensí dalla vita stessa.

In un altro punto dello stesso penitenziale Burcardo ritorna sul tema della fede «delle donne criminali, che hanno ceduto a Satana» e alle loro riunioni notturne. La loro innumerevole orda a cavallo di animali copre spazi immensi, giungendo fino al luogo in cui si svolge il sabba e lí, per alcune notti, è al servizio della «dea pagana Diana, sua signora». «Ahimé, se esse fossero le uniche vittime della loro miscredenza e non attirassero molti altri sul cammino del funesto contagio! – esclama Burcardo. – Giacché un'infinità di uomini, sedotti dalle loro false fantasie, si convince della verità di tutto ciò e, nel credervi, si allontana dalla vera fede, cadendo negli errori pagani, pensando che esistano altre divinità e forze supreme oltre all'unico Dio». In realtà si tratta invece sempre dello stesso diavolo che si presenta sotto maschere e forme diverse e inganna con visioni d'ogni genere la debole coscienza da lui soggiogata. «Ma chi è tanto sciocco e insensato da credere che ciò che ha visto in sogno esiste non solo in spirito, ma anche in corpo?» Basandosi sull'autorità della Bibbia, Burcardo afferma che tutti quelli che credono in simili inganni hanno perso la vera fede e perciò meritano una penitenza di due anni[35].

In quanto serva del diavolo la strega fu in sostanza inclusa nell'ambito della demonologia cristiana; una tale inclusione, com'è noto, ebbe le piú catastrofiche conseguenze, che però si verificarono in un periodo successivo a quello qui in esame. Nei penitenziali non troviamo l'ideologia fanatica de *Il martello delle streghe*. Anche se Istitor e Sprenger utilizzarono i testi medievali sulle streghe, sui loro voli notturni e sabba, compresi anche alcuni di quelli citati in precedenza, ne mutarono però radicalmente il senso: nel testo riguardante il sabba, che Burcardo di Warms trasse, come si è già ricordato, dal canone *Episcopi* (secolo V) e dalle opere di Reginone da Prüm (fine del secolo VIII-inizio del IX), si parla di assurdi errori e di biasimevoli superstizioni che è necessario rinnegare. A quel tempo infatti la Chiesa avrebbe considerato «stupidità popolare» il legame tra la strega e il maligno e dunque non condannava i sabba, in quanto non vi vedeva altro che «una falsa fantasia» di donne disorientate dal diavolo, bensí condannava il fatto che la gente ci credesse. Invece ne *Il martello delle streghe* tutte queste credenze vengono reputate vere e si condannano ormai coloro che osano dubitarne[36]. Da quel momento si fecero strada sia la dogmatica convinzione che certe donne siano capaci di concludere un'alleanza con il diavolo e rovinare i cristiani, sia la fede nella realtà del sabba e del legame carnale tra le donne e il diavolo, e tali atteggiamenti giustificarono le crudelissime persecuzioni di donne accusate di patti con il diavolo. La generale caccia alle streghe, che dilagò in Europa a partire dalla fine del secolo XV, infuriò durante i secoli XVI e XVII e in qualche luogo si rinnovò persino nei secoli XVIII-XIX.

Non si può affrontare in questa sede il problema, complesso e dibattuto dagli storici, di quali forze scatenarono questa demonomania, il cui rigoglio non si verifica nel Medioevo, bensí nell'epoca del Rinascimento e dell'Illuminismo (ciò va sottolineato in modo particolare dal momento che il culto del diavolo e la fede nelle streghe, sue serve, sono tradizionalmente considerati «medievali», e *Il martello delle streghe*, pubblicato negli anni '80 del secolo XV, fu addirittura definito «l'espressione piú piena del Medioevo»)[37]. Occorre soltanto rilevare che gli studi piú recenti dedicano particolare attenzione a quell'insieme di fattori, esaminabili dal punto di vista della psicologia collettiva, che consentirono le persecuzioni delle streghe. Nei nostri penitenziali troviamo uno dei presupposti della isteria di massa che sarebbe poi esplosa: la fede popolare nella stregoneria e nella capacità di una persona di allearsi con il diavolo. Per quanto concerne invece le origini della fede nelle streghe, esse non hanno nulla in comune con il cristianesimo e si ritrovano presso i piú diversi popoli del mondo[38]. L'ipotesi che i sabba delle streghe fossero legati all'antico culto della fertilità viene oggi respinta dalla scienza.

Fino a questo momento nei penitenziali si è parlato delle riunioni delle streghe, ma niente è stato precisato circa le azioni di queste donne malintenzionate. Il confessore riferisce un'affermazione di «molte donne disorientate da Satana»: mentre il marito addormentato crede di riposare tra le braccia della moglie, questa è in grado, con il favore della notte, di fuggire attraversando porte chiuse e, dopo aver percorso in volo gli spazi terrestri insieme ad altre donne soggiogate dallo stesso inganno, è capace di uccidere un cristiano senza alcuna arma visibile, di mangiarne la carne dopo averla cotta, di sostituire al cuore un po' di paglia o un pezzo di legno o qualcosa di simile e di farlo rivivere. Si crede inoltre che anche l'uomo di notte, insieme ai servi del diavolo, dopo aver abbandonato un luogo chiuso, sia capace di levarsi in cielo fino alle nuvole e lí battersi con altri uomini, arrecando e ricevendo ferite[39].

Queste credenze condannate dalla Chiesa risalgono evidentemente alla remota antichità. Abbiamo già ricordato il divieto delle leggi longobarde di credere nelle donne che mangiano le viscere di altri esseri umani, ma nonostante tutto possiamo constatare come simili superstizioni si siano conservate anche in tempi di molto successivi. I racconti dei combattimenti svolti in cielo tra i guerrieri durante il sonno non ricordano forse le credenze antico-scandinave sulle battaglie combattute nel palazzo di Odino, Valhalla, dagli *einkher*, gli eroi caduti sul campo di battaglia? In entrambi i casi le ferite ricevute in battaglia non hanno conseguenza, poiché alla fine del combattimento gli eroi ritornano al banchetto, e l'uomo di cui parla il libro penitenziale, dopo aver preso parte allo scontro nei cieli, ritorna nel suo letto. Simili superstizioni si conservarono molto a lungo. Ancora all'inizio del secolo XIV Rudolf di Schlettstadt racconta delle riunioni e dei banchetti notturni, ai quali giungono in volo uomini cosparsi di unguenti[40], e riferisce anche un altro episodio. Un nobile di nome Svigero, macchiatosi di rapine e di violenze, un giorno incontra per la strada un intero esercito di guerrieri uccisi, che non riescono a trovare pace né di giorno né di notte: come in vita essi hanno servito il diavolo, cosí anche dopo la morte i demoni li tormentano. Tale è evidentemente l'interpretazione cristiana dell'antico mito degli *einkher*. Ma non solo, a Svigero mostrano come tra quegli sciagurati ci sia anche lui: giacché dopo la morte imminente lo attende la stessa sorte[41].

Burcardo di Worms continua: esistono individui che credono in quelle che il popolo chiama *parcae*; alle parche si attribuisce la capacità, per propria volontà o su richiesta di qualcuno, di trasformare un neonato in un lupo – in tedesco *werwolf*, lupo mannaro – o in qualche altra forma. « Se tu hai creduto – cosa che non sarà mai né può essere – che qualcuno, oltre il Signore onnipotente, sia in grado di trasformare l'immagine di Dio in un'altra forma o creatura, devi digiunare a pane e acqua per dieci giorni ». Allo stesso modo non si deve credere neanche nelle donne selvatiche, che chiamano *sylvaticas*, ritenendo che abbiano un corpo e che, quando lo desiderano, si mostrino ai loro amanti, se la spassino con loro e poi scompaiano[42]. Osserviamo che il discorso verte sugli abbagli di « un'infinità » di sciocchi, sedotti dal diavolo, su convinzioni largamente diffuse e radicate molto in profondità, che si trasmettevano di generazione in generazione. Il mondo fiabesco della Germania medievale, come possiamo constatare, è piuttosto multiforme. Non tutti gli esseri che lo popolavano erano stati generati dalla mitologia germanica, ma vi si aggregarono anche alcuni motivi del mondo romano. Accanto a Holda e ai lupi mannari incontriamo qui le parche e i satiri, che nell'insieme formano un miscuglio piuttosto bizzarro. Vorrei di nuovo sottolineare che non sarebbe corretto considerare queste superstizioni « residui » di credenze antico-germaniche, antiche o orientali; le loro origini potevano essere le piú disparate, e i termini impiegati, di per sé, non sono molto eloquenti. Ma quale che fosse l'origine di queste o quelle immagini prese in prestito, esse capitarono nel fertile terreno della coscienza popolare, che assimilava e rielaborava peculiarmente un patrimonio mitologico e fiabesco talvolta molto eterogeneo. L'essenziale consiste nel fatto che la struttura di questa coscienza conservava e ostinatamente riproduceva caratteristiche arcaiche quanto mai stabili, ma ormai nell'ambito del cristianesimo e nonostante tutta l'attività della Chiesa volta ad estirpare l'odiato « paganesimo ».

Ritorniamo tuttavia al penitenziale di Burcardo di Worms. La perfidia delle donne non gli dà pace, ed egli domanda alla donna che si sta confessando: « Non hai agito come fanno certe donne su istigazione del diavolo? Quando un neonato muore senza battesimo, esse portano via il suo cadavere, lo nascondono in un luogo segreto e lo trafiggono con un bastoncino appuntito, dicendo che se non si fa cosí, il bambino risuscita e può procurare un gran danno. Se tu ti sei comportata cosí, o hai acconsentito, o hai creduto in questo, devi scontare una penitenza di due anni». E allo stesso modo, qualora la puerpera morisse insieme al bambino, si trafiggevano con il bastoncino entrambi i corpi[43]. Se invece un neonato moriva dopo il battesimo, esso era sepolto, dopo che gli era stato posto nella mano destra un vaso di cera con un'ostia, e nella sinistra un vaso di cera con del vino[44]. Una simile profanazione dei sacramenti cristiani – senza dubbio inconsapevole e derivata da una peculiare interpretazione del significato dei rituali cristiani – era severamente punita.

La stregoneria e le azioni magiche sui cadaveri assumevano le forme piú bizzarre. Si ricorreva a svariati sistemi per curare le ferite che avevano causato la morte: ad esempio si spalmava dell'unguento sulla mano dell'ucciso prima di seppellirlo[45]. Nel ricorrere a questo rituale, non si doveva avere in mente la resurrezione del morto, bensí il risanamento delle sue ferite, forse perché egli potesse continuare la sua esistenza dopo la morte. «Donne sciocche» facevano le seguenti «cose insensate»: mentre il defunto si trovava ancora in casa esse andavano a prendere dell'acqua e in silenzio la portavano dentro; poi, dopo aver sollevato il cadavere, la versavano sotto la bara e badavano che durante il trasporto il corpo non venisse sollevato piú in alto delle ginocchia dei presenti. Cosí esse facevano per preservare la salute di coloro che erano ancora in vita. I penitenziali vietavano tassativamente i sacrifici in memoria dei defunti e i banchetti nei luoghi di sepoltura[46], i riti funebri pagani e le veglie presso i cadaveri. «Non hai cantato là canzoni diaboliche, e non hai preso parte a danze inventate dai pagani, addestrati dal diavolo, e non vi hai bevuto e non ti sei sfrenato, abbandonando ogni pietà e sentimento d'amore, quasi tu fossi in estasi per la morte del tuo prossimo?»[47]. Ma la Chiesa condannava anche manifestazioni di dolore eccessive presso il corpo del morto come strapparsi e bruciarsi i capelli, graffiarsi il viso con le unghie o con un'altra arma appuntita e lacerarsi gli abiti[48]. Alcuni riti sui cadaveri e sui luoghi di sepoltura garantivano, secondo una credenza diffusa, la possibilità di penetrare il futuro[49]. Gli oggetti del morto avevano qualità particolari. Si poteva ad esempio danneggiare una persona facendo dei nodi alla cintura di un defunto o percuotendo il cadavere con un pettine per cardare la lana; si ricorreva anche ad un altro procedimento, di difficile spiegazione: nel trasportare un corpo fuori di casa si divideva in due il carro funebre e si faceva passare il defunto nel mezzo[50].

Burcardo di Worms non si lascia sfuggire le piú disparate manifestazioni di magia, rivelando in questo un'eccezionale competenza. Ha forse ragione lo studioso americano J. McNeill[51] quando sospetta che il vescovo di Worms avesse un vivo interesse per le «licenziosità» da lui descritte. In questo interesse, è vero, non si riscontra alcuna simpatia, e sarebbe d'altronde strano cercarla in un prelato, preoccupato della salvezza delle anime del suo gregge. Ma tutte le «vanitates» e le «stultitiae» da lui denunciate sono delineate con eccellente conoscenza di causa. A differenza dei suoi predecessori – i compilatori dei libri penitenziali piú antichi – Burcardo fornisce di solito una descrizione dettagliata e molto chiara dei peccati, senza accontentarsi di un'arida elencazione, e rendendo cosí il suo trattato una preziosissima fonte per lo studio della coscienza popolare del Medioevo.

La magia è legata alla divinazione e alla profezia e in tutti i penitenziali ritorna il tema della condanna di maghi e indovini. I *mathematici*, che predicevano il futuro in base ai corpi celesti, sono spesso citati dai libri penitenziali italiani[52], mentre i profeti, i *caragii* (*caraii*), «che promettono di conoscere il futuro sulla base di certe scritture» o per altra via, figurano nelle fonti franche e anglosassoni[53]. Le divinazioni erano condannate già dai padri della Chiesa, che le equiparavano al delitto di omicidio. La repressione contro i *mathematici* fu esercitata anche dagli imperatori romani, ma questi profeti, «che turbavano le menti insicure» durante i «baccanali» da loro organizzati, rimasero popolari durante tutto il Medioevo. Estremamente diffuse erano, a giudicare dai divieti contro di esse che passano da un'opera all'altra, le *sortes sanctorum* – «cosí chiamate contro ragione»[54] – cioè divinazioni condotte sui libri sacri[55]. Si praticavano anche divinazioni osservando il volo degli uccelli, altrettanto condannate dalla Chiesa come «demoniache»[56].

Come in altri casi, Burcardo di Worms disquisisce piú diffusamente degli autori precedenti anche su questo argomento. «Non ti sei consigliato con dei maghi e non ti sei portato in casa degli indovini per riuscire a sapere qualcosa in modo empio, propiziandoti certe forze, o seguendo gli usi dei pagani, e non ti hanno predetto il futuro come falsi profeti, e non sono ricorsi all'aiuto delle divinazioni, contando di vedere il futuro tirando a sorte, e non hai invitato coloro che fanno esorcismi o profezie in base al volo degli uccelli? Se hai fatto ciò, avrai una penitenza di due anni »[57]. Un quadro non meno concentrato delle piú svariate divinazioni, profezie, formule esorcistiche, unite ad azioni magiche e a stregoneria, lo troviamo anche nel penitenziale attribuito a due autorità come Beda il Venerabile e l'arcivescovo Egberto (in realtà questo trattato era una compilazione piú tarda)[58]. Come risulta evidente da questo testo, di tali atti contro Dio si rendevano colpevoli, oltre ai laici, anche gli stessi sacerdoti!

Il confessore cerca di carpire la verità dal parrocchiano: « Non hai fatto divinazioni su libri o tavolette, o sul Salterio e i Vangeli, o su qualcosa di simile? » « Nell'intraprendere una nuova impresa, non sei ricorso all'arte della divinazione o alla magia, invece di invocare il nome di Dio? » Si condannava la divinazione sui chicchi d'orzo, che venivano posti su un focolare bollente e poi osservati: se i chicchi saltavano, c'era un pericolo in vista, se non si muovevano, ci si poteva aspettare un esito favorevole dell'iniziativa. Quando si andava a trovare un malato, non lontano dalla sua casa si cercava una pietra e la si rivoltava: se sotto di essa si trovava un essere vivente, un topo, una formica o comunque qualcosa che si muovesse, ciò era considerato un segno della futura guarigione del malato; se invece non si trovava nulla di vivo, si diceva che egli sarebbe morto. La credenza in simili indizi e il comportamento corrispondente erano proibiti sotto la minaccia di penitenza[59]. In viaggio si riteneva importante osservare da che parte gracchiasse una cornacchia, e se il verso dell'uccello proveniva da sinistra si poteva sperare nel successo. Durante il viaggio si osservava anche il volo di un uccello chiamato *muriceps* (poiché dà la caccia ai topi): esso non avrebbe dovuto attraversare in volo la strada, e si credeva a questo indizio piú che alla volontà divina. Si temeva infine di uscire di casa al mattino prima del canto del gallo, ritenendo che il diavolo avesse piú capacità di fare del male finché il gallo non avesse cantato[60]. E gli esempi possono moltiplicarsi.

Nel complesso si ricava l'impressione che il singolo comportamento fosse accompagnato da atti indirizzati a garantire il successo e ad evitare la sfortuna e il danno. Ovunque si corra o si possa correre pericolo le precauzioni – divinazioni, scongiuri, osservazione dei presagi ecc. – sono costantemente necessarie, e ciò non è ancora sufficiente: è necessaria la stregoneria. Gli esorcismi che potevano uccidere una persona erano puniti in modo particolarmente severo. « Non hai agito come è abitudine di certe donne che ubbidiscono agli ordini del diavolo? Esse seguono le tracce dei cristiani, trovano le loro impronte, prendono dall'impronta un pezzo di terra e lo custodiscono, sperando in tal modo di privare la persona della salute o della vita ». Il penitenziale tedesco puniva questi atti con una penitenza di cinque anni, ma in questo caso, per niente diverso dalla magia primitiva, l'autore non manifesta il suo consueto scetticismo circa l'efficacia di una tale pratica. Si preparavano droghe speciali, per uccidere un feto o per prevenire la gravidanza, e veleni pericolosi per la vita umana, e per combatterli erano inflitte le penitenze piú gravi. Per analoghi scopi forse si disegnavano anche « caratteri » magici, che insieme alle erbe e all'ambra, « su istigazione del diavolo » erano consacrati a Giove[61]; non è escluso che in questo caso ci si riferisse ai caratteri runici, mentre con Giove (*Jovis*) si sottintendeva Thor (*Donar*)[62].

Certe donne uccidevano i loro mariti nel seguente modo. Dopo essersi spogliate completamente e con il corpo spalmato di miele, esse si rotolavano su un panno disteso per terra sul quale era stato sparso del grano; raccolti poi con cura i chicchi che erano rimasti loro attaccati, li tritavano finemente nel macinagrano, ruotando il manico in senso contrario al moto del sole. Con la farina cosí ottenuta facevano il pane, che davano da mangiare ai mariti, affinché essi, dopo averlo mangiato, s'indebolissero e morissero. In un'altra redazione dello stesso testo, tuttavia, la procedura descritta ha lo scopo di accrescere l'amore del marito a cui la moglie offre il pane[63]. Evidentemente gli autori dei penitenziali conoscevano il rituale, ma non il suo significato. Come abbiamo già rilevato, il movimento in senso opposto al naturale andamento delle cose era in particolare un sicuro indizio di fedeltà al diavolo, che veniva immaginato come antipode di tutto quello che è positivo e organizzato da Dio; non a caso Burcardo accenna alla rotazione del manico del macinagrano «in senso contrario al moto del sole».

La magia d'amore in generale attira la massima attenzione dei confessori. «Non hai creduto o preso parte a quella cosa inverosimile – domanda il confessore –, per cui esisterebbe una donna che con cattive azioni e formule magiche è capace di mutare i sentimenti degli uomini, e precisamente dall'odio all'amore o dall'amore all'odio, e con incantesimi è capace di privare gli uomini dei loro beni? Se tu dici che hai creduto o partecipato a questo, devi pentirti per un anno»[64]. Molto in uso erano anche filtri di ogni genere e altre pratiche magiche per rinfocolare l'amore di un uomo, usate da donne traviate dal diavolo[65]. Burcardo di Worms descrive queste pratiche in tutti i particolari, assai piú dettagliatamente degli autori di penitenziali. Talune «adultere», per rendere impossibile il matrimonio del loro amante con un'altra donna, indebolivano con la stregoneria le sue capacità amatorie[66]. Ma ai filtri d'amore non ricorrevano soltanto i laici, bensí anche i sacerdoti e persino vescovi, che cercavano di attirare a sé le donne[67]; per gli ecclesiastici la punizione era naturalmente ancor piú severa che per i laici, e inoltre aumentava a seconda della dignità rivestita.

Le scene di divinazioni, profezie, stregonerie, vari riti magici e altre azioni rituali, raffigurate nei libri penitenziali producono un'impressione suggestiva e ci trasportano in un mondo che il cristianesimo ufficiale di solito teneva celato. Molti di questi usi e di queste procedure ricordano i modi antichi e antico-germanici di affrontare quelle forze considerate sacre; altri, che forse si perdono anch'essi nella remota antichità, allo stesso tempo echeggiano direttamente certi usi popolari che in qualche luogo si sono conservati fino all'era moderna. Troviamo qui sia echi dei miti antichi, sia ciò che V. Ja. Propp ha chiamato le radici storiche della fiaba di magia, sia, infine, paralleli diretti con riti e credenze di tribú «primitive» e di popoli di altri continenti. Ma ciò che va sottolineato non è la genesi di questi o quei motivi toccati nei penitenziali, ma il fatto stesso della loro eccezionale, addirittura stupefacente vitalità in un periodo in cui la Chiesa sembrerebbe dominare incontrastata nella vita spirituale della società medievale.

Se non si classificano i dati raccolti sul « paganesimo » e sul « demonismo » nelle singole categorie dei peccati, come fanno gli autori dei libri penitenziali, e si cerca invece di esaminarli nel loro complesso, come differenti manifestazioni di un comune modo di pensare e del corrispondente modo di comportarsi dell'uomo medievale, allora, a mio parere, esistono seri fondamenti per avanzare una ipotesi: la vita spirituale dell'uomo « medio », cioè del comune parrocchiano, che era naturalmente in primo luogo un contadino, un abitante della campagna, non si limitava al cristianesimo ufficiale. Egli non era certo pagano. Delle divinità pagane, i cui templi e le cui immagini sono distrutte nel periodo della cristianizzazione, i penitenziali parlano di rado e, a giudicare dal contesto, non è questo il nemico che i confessori combattono per primo. Le chiese sono frequentate da fedeli, che pregano Dio, fanno professione di fede e si confessano. Non tutti e non sempre nel tempio di Dio si comportano in effetti come si conviene, e nei libri penitenziali si leggono lamentele sul conto di coloro che recandosi in chiesa non abbandonano i pensieri mondani e parlano di oziosità e, anche entrando in una cappella della chiesa, non si abbandonano ai pensieri confacenti al sacro luogo, non pregano per i defunti lí sepolti e non chiedono alle anime di questi defunti di intercedere per i loro peccati presso il Signore[68]; durante la messa, muovono le labbra per far mostra di pregare, mentre in realtà non sono immersi nella contemplazione del Signore e della sua gloria, ma continuano a chiacchierare e non ascoltano il sacerdote[69]. Ma queste sono lagnanze sull'empia vanità dei parrocchiani piuttosto che sul loro ateismo e la loro ostilità verso la religione di Cristo. Il comportamento ufficiale, se cosí si può dire, di queste persone è cristiano.

Tuttavia con ciò non si esauriva affatto la loro vita spirituale. Il cattolicesimo popolare, nella sua versione piú volgarizzata e spesso anche travisante, comprendeva un forte filone di credenze, stereotipi di comportamento, idee sul mondo e procedimenti mentali che avevano poco in comune con ciò che i sacerdoti insegnavano al loro gregge. Per un lungo periodo il clero si rivelò incapace di sopraffare questo complesso di superstizioni e di usi, e non a caso da un penitenziale all'altro si ripetono sempre le stesse domande sulla pratica « pagana » di coloro che si confessavano. Si potevano annientare o screditare i vecchi dèi, ma non le consuetudini della coscienza, consolidate dal modo di vivere di una società agraria costantemente ispirato alle tradizioni, e non tutto quel complesso di comportamenti legato alla tecnica di influire sul mondo per mezzo della magia. Questa coscienza rimane immutabile o quasi immutabile per molti secoli e sembra non essere soggetta alla storia, riproducendo di continuo la sua struttura originaria.

Nel periodo qui in esame, tuttavia, la coscienza magica, se vogliamo definire cosí questo modo di assimilare il mondo, come è ovvio non era semplicemente una sorta di pietrificato residuo dell'antichità, ma entrava in intensa interazione con le credenze e le idee cristiane che erano in un modo o nell'altro assimilate dalle masse. Nella coscienza dell'uomo medievale la magia tradizionale e il cristianesimo non costituivano «piani» diversi o compartimenti separati. L'unione che nasceva dal loro incontro non era priva di contraddittorietà e di ambivalenza, ma era pur tuttavia un'unione, nel cui contesto sia la vecchia magia che la dottrina di Cristo acquistavano il loro significato e le loro funzioni soltanto in un rapporto di *reciproca correlazione*. Offrendo sacrifici agli spiriti, facendo divinazioni e stregonerie, gli uomini e le donne che popolavano le campagne, se anche non si confessavano, non potevano ignorare di essere complici di atti proibiti; il loro atteggiamento verso la pratica magica, a cui essi non avevano la forza di rinunciare, era infatti radicalmente mutato rispetto all'atteggiamento irrazionale e totalizzante caratteristico dell'epoca di incontrastato dominio del paganesimo. Questo costituisce un aspetto del problema.

Da un altro lato, invece, la magia attuava la sua espansione anche sul «territorio» propriamente cristiano. La messa, durante la quale i fedeli avevano il ruolo di spettatori passivi, veniva da essi recepita, al pari di tutti i sacramenti, come un rituale magico, il cui intimo significato sacramentale rimaneva oscuro.

La coscienza magica assimilò facilmente il culto dei santi; esso nacque proprio come risultato dell'interazione tra questa coscienza e la dottrina della Chiesa: come abbiamo osservato in precedenza, i santi, personificazione dell'ideale cristiano, dell'umiltà, della rinuncia al mondo, della tensione e della devozione verso Dio, agli occhi del popolo erano anche, se non in primo luogo, dei taumaturghi, cioè incarnavano quel tipo di atteggiamento magico verso la realtà, per esso consueto e tanto attraente. Molti altri aspetti della dottrina della Chiesa erano assimilati in modo assai peggiore, e non solo per quanto riguardava la teoria teologica, «il pane dei teologi», dell'élite colta della società medievale, ma anche una serie di problemi di comportamento sociale. A questo proposito sono assai istruttivi i dati dei penitenziali riguardanti il sistema cristiano dei tabú alimentari, matrimoniali e, in senso piú ampio, sessuali.

Le richieste della Chiesa di astenersi dall'uso di cibo impuro o avariato, di prodotti e bevande contaminati da roditori, sterco di uccelli, insetti e anche carogne[70], spesso non incontravano la comprensione dei fedeli. Forse influiva l'inciviltà e lo stato selvatico della massa della popolazione, che viveva in condizioni antigieniche, e basta infatti leggere le descrizioni del cibo toccato da mani sporche, o degli insetti, che «camminavano sul corpo» e si ritrovavano nel cibo. È quanto mai probabile che i poveri non fossero tanto disposti a fare gli schifiltosi, e non potessero permettersi di gettar via i cadaveri degli animali. La Chiesa doveva tenerne conto, e i divieti si facevano meno categorici quando una persona fosse stata costretta dalla fame a mangiare qualcosa di impuro.

Tuttavia si incontrano spesso limitazioni e divieti alimentari dettati dalla stessa lotta della Chiesa contro la magia: il riferimento è alle bevande e ai miscugli per la cui preparazione si impiegavano secrezioni umane, erbe e addirittura topi e altri animaletti, e queste brodaglie avevano potere magico[71]. Particolarmente proibito era l'impiego del sangue degli animali, giacché i pagani bevevano sangue durante le loro libagioni e i loro banchetti rituali[72]. Tali banchetti in luoghi proibiti dalla Chiesa – presso le sorgenti, sulle rocce, nei boschi – erano organizzati anche in epoca cristiana, in Germania ancora nel secolo XI[73]. In qualche località, per determinati rituali, si impiegava persino sangue umano[74].

Era categoricamente proibito, infine, sedersi alla stessa tavola con dei non cristiani: con pagani, ebrei e persone che erano iniziate ai fondamenti della fede cristiana, ma non erano ancora diventate cristiane[75].

Il rigore dei tabú alimentari della Chiesa cristiana, che si possono osservare nei dettagli proprio nei libri penitenziali, si trovava dunque in diretto contrasto con le tradizioni della popolazione, sia per quanto riguarda la concezione del cibo da considerare propriamente «puro» e «impuro», sia in particolare nell'atteggiamento verso i conviti rituali, che svolgevano un ruolo importantissimo nella vita sociale dei barbari e non erano stati affatto eliminati dopo la loro cristianizzazione[76].

La funzione civilizzatrice della Chiesa nel formare una cultura dell'uso del cibo emerge chiaramente anche nei numerosi divieti contro l'ubriachezza e la golosità. Com'è noto, in questo campo i barbari non conoscevano alcuna moderazione; le saghe descrivono scene impressionanti di ebbrezza generale. Nei penitenziali sono citate le opinioni delle autorità della Chiesa sul peccato di ubriachezza, e in particolare le parole di san Benedetto: «Nulla vi è di tanto contrario al cristianesimo quanto l'ebbrezza e l'ubriachezza»[77]. Nel trattato di Burcardo di Worms il confessore domanda a colui che si confessa: «Non hai contratto l'abitudine di mangiare e bere piú del necessario?... Non hai bevuto tanto da vomitare?... Non ti sei ubriacato per millanteria? Intendo dire se ti sei vantato di poter bere piú degli altri, e per la tua vanità hai spinto anche altri a bere tanto da ubriacarsi»[78]. Da un penitenziale all'altro ritroviamo prescrizioni di severa penitenza per chi si abbandona alla gola e mangia troppo perché non ha la forza di aspettare la fine del digiuno o l'ora stabilita per la refezione, e poi sta male di stomaco, come pure per chi si ubriaca, fa ubriacare gli altri (per «falsa amicizia» o «per invidia») e si comporta licenziosamente in stato di ubriachezza. Di questo grave peccato erano sovente colpevoli anche gli ecclesiastici. Sono menzionati sacerdoti ai quali s'ingarbuglia la lingua e recitano le preghiere in modo sconnesso o sono del tutto incapaci di officiare il servizio religioso perché ubriachi. Alcune parti dei libri penitenziali sono dedicate agli ecclesiastici e ai laici che non riescono a trattenere in bocca l'ostia – corpo di Cristo – e la sputano in chiesa, commettendo un peccato gravissimo. Il *vomitum* e le altre manifestazioni di eccessiva golosità e ubriachezza sono citate di continuo nei penitenziali. Dominare questo vizio era evidentemente molto difficile, persino impossibile. Tra i monaci, i sacerdoti e addirittura i vescovi sono ricordati ubriaconi incalliti, litigiosi e bestemmiatori. Tutte queste azioni indegne erano severamente punite, fino alla privazione della dignità ecclesiastica. La pena era mitigata solo nel caso di quei sacerdoti che cadevano in stato di ebbrezza a causa di una malattia o in conseguenza del fatto che prima di una festa a cui erano invitati, essi avevano fatto una lunga astinenza e, senza avere l'abitudine di bere, si ubriacavano per aver acconsentito alle insistenze del padrone di casa.

L'educazione alla temperanza nel mangiare e nel bere fu un momento piuttosto importante nel processo di formazione della società feudale e sviluppò un peculiare sistema di distribuzione e attribuzione del superfluo. Le tradizioni barbariche in materia di consumi, basate sul principio della generosità e dello sperpero come forma di esibizione, dovevano essere spezzate di colpo, cosa probabilmente tutt'altro che facile da fare[79].

La politica della Chiesa in materia di vita sessuale perseguiva scopi diversi. Il primo consisteva nel proibire matrimoni tra persone legate da parentela. Contro il peccato d'incesto è indirizzata tutta una serie di prescrizioni dei penitenziali. I matrimoni tra parenti prossimi erano proibiti anche presso i barbari, ma la Chiesa allargò il numero dei congiunti ai quali si estendevano questi divieti, includendovi tutti i parenti fino al quarto grado di parentela. Dai trasgressori si esigeva, oltre alla penitenza, lo scioglimento della convivenza peccaminosa. Inoltre, nel novero delle persone alle quali si estendevano i divieti matrimoniali, rientravano i parenti spirituali, padrini e figliocci. Castighi particolarmente severi colpivano i sacerdoti ammogliati. Nonostante il voto di castità, i sacerdoti che si attenevano al celibato non erano in fin dei conti numerosi.

Nell'ambito dei rapporti sessuali, un altro scopo per il quale la Chiesa lottava era quello di conformarli alla moralità sociale e alla dottrina cristiana[80]. Com'è noto, l'atto sessuale in sé era considerato peccaminoso e la Chiesa lo tollerava solo in quanto il Signore aveva ordinato agli uomini di riprodursi e moltiplicarsi. Sulla base dell'antinomia piacere-perpetuazione della specie[81], i penitenziali condannano di conseguenza qualsiasi manifestazione di concupiscenza carnale. Il marito può unirsi alla legittima consorte esclusivamente per perpetuare la specie, ma non «per lussuria»[82].

La Chiesa si considerava obbligata a ingerirsi nel modo piú energico nella vita matrimoniale dei laici sotto tutti i suoi aspetti, fino ai piú intimi. Evidentemente l'idea di una separazione tra la vita pubblica e quella privata era del tutto assente. I manuali per i confessori obbligavano i sacerdoti a badare che i fedeli non si abbandonassero all'amore sessuale nei periodi in cui la Chiesa proibiva i rapporti carnali: prima della confessione, nelle feste religiose e nei digiuni, durante la gravidanza e nel periodo puerperale, nei giorni delle mestruazioni, durante le penitenze, talvolta prolungate, ecc. Tutte queste trasgressioni comportavano obbligatoriamente una penitenza, ma i confessori non si limitavano a questi aspetti, perché mettevano in guardia i fedeli contro quei rapporti sessuali che presupponevano lussuria o desiderio di evitare la procreazione[83].

La concupiscenza carnale è un pericoloso nemico della Chiesa. I sacerdoti erano tenuti a sorvegliare rigorosamente il rispetto dei tabú sessuali da parte dei credenti, e tali tabú riguardavano, oltre alla vita matrimoniale, tutte le forme di rapporti extraconiugali: dalla violazione della fedeltà coniugale, dal concubinaggio, dallo stupro e dalla corruzione di minorenni fino a tutta una vasta gamma di perversioni. Nei libri penitenziali sono elencati molto apertamente tutti questi atti inammissibili; e anche in questo caso Burcardo di Worms è superiore ai suoi predecessori per competenza e volontà di abbracciare al massimo la varietà della vita. Il «lessico erotico» di questo prelato è cosí ricco, che sarebbe imbarazzante da citare persino in latino una parte della terminologia da lui usata.

Le parti dei libri penitenziali dedicate all'osservanza del voto di purezza e di castità da parte degli ecclesiastici producono una impressione penosa. La Chiesa puniva senza pietà tanto l'adulterio, quanto anche il solo pensiero della fornicazione, benché la gravità delle penitenze non fosse uguale. L'immagine dell'uomo che è condannato al celibato e attraversa tutte le sofferenze e gli eccessi ad esso legati balza ai nostri occhi. Spesso doveva essere difficile dominare le tentazioni della carne, i cui appetiti trovavano sfogo nelle forme piú inaspettate, perciò l'insieme dei peccati di cui erano sospettati i ministri del culto tormentati dalla lussuria, era assai ampio e multiforme.

Agli occhi di Burcardo e degli altri autori la personificazione di tutte le seduzioni, che trascina nel baratro del peccato carnale, è la donna, serva del diavolo e di ogni altra forza impura, strega, pagana per sua stessa natura. Ai peccati delle donne e ai peccati con le donne è riservato moltissimo spazio nel trattato di Burcardo di Worms, ed è percepibile in modo particolarmente chiaro il legame diretto che la Chiesa instaurava tra l'atteggiamento verso il mondo complessivamente condizionato dalla magia e il lato sessuale della vita. Nei rapporti sessuali la Chiesa vedeva sempre la minaccia di una penetrazione in un mondo non sottomesso alla ragione, indisciplinato e che perciò incuteva timore. La sensualità produce stati d'animo indesiderabili. L'atto sessuale trascina l'uomo lontano da Dio, insegnavano le autorità cristiane, perciò, nell'impossibilità di reprimere questa sfera della vita umana, era necessario porla sotto un ferreo controllo e diffondere la convinzione del suo carattere peccaminoso e della sua pericolosità per l'uomo. Nel Medioevo la sensualità repressa provocava sia sublimi slanci di spiritualità (nei mistici e in una parte degli eretici), sia anche isterie di massa e perversioni di ogni genere[84].

Il complesso dei piú disparati problemi che sorgono studiando i libri penitenziali non si esaurisce certo nelle considerazioni delle pagine precedenti. Essi offrono la possibilità di osservare la cultura e la religiosità popolari con gli occhi dei confessori medievali. I libri penitenziali, a dir il vero, si rivelano fonti per studiare non solo la mentalità, le tradizioni, i rituali, le forme di comportamento del popolo, ma anche gli umori e le tensioni del clero, che li componeva e li usava. A me personalmente, però, interessa in primo luogo un altro aspetto del dialogo che le domande della confessione presuppongono.

I libri penitenziali, usciti dalla penna di scrittori religiosi e di coloro che s'impegnavano direttamente nella lotta contro i peccati umani dànno un quadro molto unilaterale e distorto delle credenze e degli usi popolari. Quadro unilaterale, perché i questionari dei confessori interpretano tutta una serie di aspetti della cultura popolare riferendosi esclusivamente alle categorie del peccato e della trasgressione alla normale vita cristiana, e li considerano come prodotti del diavolo. Quadro distorto, poiché nei libri penitenziali quegli elementi, fra loro concatenati, che nel loro insieme costituiscono la concezione popolare del mondo, sono invece frantumati in singoli frammenti sconnessi, come in uno specchio rotto. Gli autori dei questionari – prelati della Chiesa e teologi – non comprendono o non vogliono comprendere la cultura delle masse, a loro estranea; in ogni caso, non vogliono palesemente tenerne conto. Proprio questa incomprensione o la mancanza di volontà rende particolarmente percettibile la distanza tra la cultura cristiana ufficiale della Chiesa e la cultura del popolo. Per secoli quest'ultima non poté avere accesso alla «grande» letteratura, che la ignorava e la passava sotto silenzio.

Ma nei manuali per gli ecclesiastici tale silenzio era impensabile: occorreva accertare se i fedeli avessero opinioni e usi contrari a Dio, se celebrassero rituali condannati dalla Chiesa, se praticassero culti pagani. Non sappiamo né possiamo sapere con quale frequenza coloro che si confessavano rispondessero «sí» o «no» alle domande dei sacerdoti, e perciò è difficile affermare qualcosa di preciso circa il grado di diffusione sia delle opinioni e delle superstizioni non ortodosse, sia delle forme di comportamento contrarie alla moralità sociale. È tuttavia chiaro che i «formulari» dei confessori non erano oziose invenzioni; anche se seguivano una tradizione consolidata, gli autori dei penitenziali indubbiamente conoscevano la vita, che appunto suggeriva loro le domande appropriate. I libri penitenziali erano guide pratiche, manuali d'uso, e in questo sta il loro immenso valore informativo per lo storico della cultura.

Essi ci illuminano il mondo degli usi e delle credenze popolari, della vita quotidiana della gente semplice. L'insieme dei rituali con cui uomini e donne delle campagne cercavano di influire sul corso del tempo e sul tempo meteorologico, di aumentare il raccolto e la prolificità del bestiame, di guarire i malati, di difendersi dalle calamità e di provocarne ai nemici, di conoscere il futuro o ammaliare un amante ecc., è in sostanza lo stesso in cui s'imbattono gli etnologi, quando studiano i popoli «primitivi» o rinvengono «vestigia religiose» nella coscienza di una parte arretrata della società dell'età moderna: nel corso dei secoli e dei millenni la magia popolare non ha subíto mutamenti molto sensibili. Nell'analizzare la magia, è essenziale non scomporla in singoli dettagli esotici, che sono forse interessanti dal punto di vista di taluni studiosi, ma che difficilmente meritano una seria interpretazione proprio perché «cosí accade sempre e ovunque»; la magia va piuttosto intesa come la manifestazione di un certo rapporto con il mondo. Giacché, come afferma giustamente un'autorità moderna in materia di religione primitiva, la magia « dipende sempre dal sistema di interpretazione del mondo, che determina il ritmo e l'orientamento delle sue attività »[85]. L'analisi della magia popolare si rivela fruttuosa proprio in relazione al «sistema di interpretazione del mondo» che esisteva nella mente di quegli uomini e in gran parte determinava tutto il loro comportamento.

Le domande dei libri penitenziali ridanno spesso vita agli stessi motivi, e talvolta anche agli stessi personaggi, delle narrazioni e delle leggende popolari, annotate prevalentemente in epoca piú tarda. Divinazioni, profezie e stregoneria; una rete assai varia dei riti piú diversi, legati alla nascita e alla morte, alla malattia e all'amore, alla fertilità, al corso del tempo e al tempo meteorologico; lupi mannari e streghe, maghi e indovini: tutto ciò appartiene al folklore[86]. Una fiaba non era però occasione di persecuzione, e quelli che raccontavano le leggende non venivano chiamati a far penitenza. Nei penitenziali non troviamo il fiabesco mondo del meraviglioso, inoffensivo per la Chiesa, bensí il mondo della magia, dei riti e delle sciamanzie, in definitiva le manifestazioni di una pratica quotidiana dell'uomo del popolo. A differenza del folklore – nel quale tutta questa attività non è presentata come oggetto di fede ma, in quanto prodotto dell'assimilazione artistica della realtà, di una creazione, è trasportata in un tempo fiabesco e irreale e perciò la separa dalla vita reale un confine che è allo stesso tempo vago e percettibile da tutti – la magia, che tanto preoccupava gli autori dei penitenziali, costituiva una parte integrante proprio della vita reale, del comportamento sociale della massa della popolazione. Qui la Chiesa s'imbatteva in un mondo le cui forze determinanti non avevano nessun rapporto con il Dio cristiano, ma forse con nessun dio in genere: esse erano forze primordiali, originarie, e univano l'uomo e la natura in uno stato di complessa interazione e di costante scambio.

Il problema del rapporto tra la magia e la religione è molto complesso e difficilmente può trovare una soluzione univoca[87]. È certo legittimo considerare la magia come una parte della pratica religiosa; anche nel cristianesimo l'aspetto piú attraente per il comune credente è quello rituale, pure permeato di magia. *Ma c'è magia e magia*. I penitenziali non lottano contro la magia « domata » dalla Chiesa, ma contro quella che non è « cristianizzata » e non si lascia incorporare nel rituale al servizio di Dio.

Nonostante una certa comunanza tra religione e magia, una considerevole differenza tuttavia permane: la religione è una forma di umanizzazione del mondo, al quale sono conferite caratteristiche e qualità antropomorfe; la religione è legata alla « personificazione » di questi segni, che vengono attribuiti alle divinità. La magia invece è una sorta di « naturalizzazione » dell'uomo, che scopre in sé le qualità di tutto il mondo circostante e percepisce se stesso come una particella che fa organicamente parte di un tutto. Nel compiuto sistema precristiano della mentalità magica la natura non si contrapponeva all'uomo come qualcosa di esterno. Essa era immaginata come un universo vivo, permeato di possenti forze misteriose, e che comprendeva l'uomo. L'interazione dell'uomo con la natura è cosí intensa e completa che egli è incapace di osservarla dall'esterno, *è dentro di essa, è attraversato dalle linee di forza che fanno funzionare il mondo e partecipa in modo costante e attivo a questa pulsazione cosmica*. Perché il moto circolare del tempo segua il suo corso normale, sono necessari rituali e festeggiamenti, che « accompagnano » il tempo passato e « accolgono » quello che viene: la luna calante o nuova non riprenderà il suo pieno splendore senza gli esorcismi umani[88], il campo non darà il raccolto senza gli olocausti, tanto obbligatori quanto l'aratura e la semina, gli animali domestici e i volatili saranno sani e figlieranno soltanto se la loro padrona farà delle fatture, e la siccità non cesserà fino a quando le bambine non restituiranno la pioggia alla campagna, dopo aver celebrato i riti stabiliti per l'« adescamento » della pioggia. Un simile atteggiamento verso la natura non costituisce un sistema di mezzi che « completano » la causalità naturale e favoriscono il « normale » andamento delle cose: questi uomini sono assolutamente convinti che la *magia rappresenti una parte integrale del sistema ciclico del mondo* e uniscono il naturale e il soprannaturale in un tutto indissolubile.

Tali erano le origini della concezione magica del mondo, tale era il suo passato. Vorrei tuttavia sottolineare ancora una volta come nei penitenziali esso si presenti nel confronto con la concezione cristiana del mondo; entrambi perciò possono essere compresi in modo corretto solo se considerati aspetti interagenti e contrastanti di un'unione forzata, per nulla identici, ma piuttosto legati tra loro come due poli lo sono indissolubilmente. Pur sentendosi parte della natura, nello stesso tempo l'uomo non poteva non essere già cosciente in misura diversa anche della sua estraneità ad essa; il suo legame con la natura da allora in avanti non fu piú considerato organico, ma simbolico.

La natura animata delle credenze popolari esercita incessantemente sugli uomini un influsso – ora benefico, ora dannoso – e perciò occorre saper discernere i suoi segreti e sfruttare le forze che si celano in essa. Guaritori, maghi, stregoni e streghe sono iniziati a questi segreti, ne sono complici e li utilizzano per i propri scopi a danno o a vantaggio degli esseri umani. In una simile interpretazione la natura ha un rapporto diretto con i destini umani[89]. Da essa si possono ricevere le garanzie del successo della propria attività: nell'osservare il moto delle stelle e dei pianeti, nel seguire il volo degli uccelli, nello studiare i presagi. Infusi di erbe, miscugli di secrezioni umane o brodaglie di carne e pelle di certi animali sono capaci di suscitare l'amore o di mutare i pensieri, l'aspersione con acqua preserva dalla malattia gli abitanti di una casa, gli atti magici compiuti su un pezzo di terra esercitano un'influenza radicale sulla persona che vi ha lasciato le sue impronte. I modi in cui interagiscono l'uomo e la terra sono particolarmente multiformi. Le forze ctonie hanno un ruolo importante in queste credenze e in questi riti. Sentendosi parte della natura e dandone palese dimostrazione, alle calende di gennaio uomini e donne indossano pelli di vitello o di renna «secondo le usanze pagane»[90]. Le assemblee popolari, le feste, i giochi e gli olocausti si svolgono di solito all'aria aperta, presso le sorgenti, nei boschi, sulle rocce, ai crocevia. Numerose domande dei penitenziali sono dirette ad impedire questo genere di rapporto tra gli uomini e la natura, a strapparli dal suo grembo, poiché, dal punto di vista del clero, uno solo è il luogo in cui l'uomo può e deve entrare in contatto con la forza suprema: il tempio di Dio.

La pratica magica precristiana continua dunque a vivere. Ma è posta in un contesto ormai fondamentalmente diverso:

le persone che ne sono partecipi conoscono i suoi limiti e devono imparare ad avere verso di essa un atteggiamento critico. Giacché la confessione non aveva luogo soltanto durante le brevi e irregolari conversazioni tra il parrocchiano e il sacerdote; il fedele, anche inconsciamente, doveva percepire il divario tra le diverse forme del suo comportamento, naturale-magico e cristiano. La magia svolgeva un ruolo troppo importante nella sua vita perché egli potesse abbandonarla, ma nello stesso tempo non potevano non perseguitarlo sia il pensiero che era proibita e peccaminosa, sia – di conseguenza – la paura del castigo che lo attendeva nell'aldilà per aver trasgredito i comandamenti del Signore.

L'analisi delle false credenze denunciate dai penitenziali testimonia come la forza che secondo queste credenze governa il mondo e che si tenta di conoscere, di rabbonire e di esorcizzare, sia il *destino*. Le sue incarnazioni possono essere «le tre sorelle» (le parche), Holda, Frija o altre creature analoghe. Proprio all'idea del destino – alla base di tutto il sistema delle credenze e dei rituali – sono legate le divinazioni, le profezie, le azioni magiche. Le nostre fonti non permettono di penetrare piú da vicino nella struttura di questo concetto, e noi non possiamo sapere se gli uomini del Medioevo immaginassero il destino come un principio impersonale o sovrapersonale, oppure come una forza insita in ogni uomo o appartenente a singole famiglie o stirpi. Se nelle opere antico-islandesi, nelle saghe, nei canti sugli eroi e sugli dèi, che a questo riguardo contengono il materiale piú ricco, il destino si presenta prevalentemente come una necessità etica che detta il comportamento dell'individuo, come espressione delle concezioni sociali della collettività che esercita una pressione morale sui suoi membri[91], nei penitenziali invece il destino viene raffigurato da un punto di vista leggermente diverso: esso si estende anche al rapporto tra l'uomo e la natura, cioè a tutto quel complesso – relativamente unitario agli occhi degli appartenenti a una società agraria – che rientrava nella sfera della pratica magica.

Tale divario nella trattazione del destino è facilmente spiegabile con la diversità dei generi delle fonti: la saga e la poesia germanica si occupano esclusivamente dei rapporti tra gli uomini e sorvolano con indifferenza sulla natura e sui mezzi che l'uomo ha per influire su di essa, considerandoli qualcosa di sottinteso e che non crea problemi[92]; gli autori dei libri penitenziali erano invece seriamente preoccupati che il comportamento dei fedeli non fosse in contrasto con la fede nel Signore onnipotente[93]. Perciò la Chiesa voleva distruggere ad ogni costo l'intimità del rapporto pagano tra l'uomo e la natura, che contraddiceva l'orientamento del cristianesimo, secondo il quale la natura è priva di valore autonomo ed è al servizio del Signore. Nel complesso magico uomo-natura non rimaneva invece spazio per la provvidenza divina. I confessori formulano in modo molto reciso questa radicale contrapposizione di vedute sulle forze che muovono il mondo: «Non crederai forse, – domandano sdegnati al peccatore che ha assunto atteggiamenti "pagani", – che il canto del gallo possa scacciare il diavolo piú della mente divina?!» «Nell'intraprendere una nuova impresa, ti sei forse rivolto all'arte della divinazione e della magia, invece di invocare il nome di Dio?» O a proposito della fede popolare nel lupo mannaro (*Werwolf*): «Davvero hai creduto che qualcuno, oltre al Signore onnipotente, sia capace di trasformare una creatura di Dio in un'altra forma o in un altro essere?!» I riti magici erano considerati dal clero tentativi di «evitare il giudizio divino»[94].

A questo punto sorge la domanda piú importante: quale forza devono adorare gli uomini? Queste domande ponevano l'uomo medievale di fronte ad una alternativa: egli doveva scegliere un determinato comportamento, dopo aver valutato che fosse quello giusto, mentre in epoca precristiana la magia forniva o piú esattamente imponeva al pagano uno «scenario» universale di comportamento, senza proporgli nessuna scelta e nessuna possibilità di autoanalisi. Il concetto di peccato, in un modo o nell'altro instillato dal sacerdote nei fedeli, aveva profondamente trasformato la loro vita spirituale, e se i penitenziali contengono le domande che il confessore doveva porre al credente, nella vita reale lo stesso credente imparava inevitabilmente ad autointerrogarsi. Il problema non si limita solo alla prassi quotidiana del semplice contadino o artigiano, ma si tratta delle nuove condizioni che si erano formate in seguito all'incontro tra la nuova cultura appunto e quella tradizionale e alla loro interazione.

Numerosi paragrafi dei libri penitenziali sono diretti contro il culto, diffuso tra il popolo, delle forze naturali e soprannaturali (che non riguardano però il Dio-creatore cristiano): il culto degli alberi e delle sorgenti, dei demoni e degli astri celesti[95]. La stabilità e l'inestirpabilità di questi culti si spiega in notevole misura con il fatto che essi costituivano atteggiamenti vicini e comprensibili alla coscienza dell'uomo della società agraria, che poteva costantemente contemplare queste forze naturali e supporre la loro effettiva influenza sulla sua vita, mentre le astrazioni teologiche del cristianesimo erano poco accessibili alla sua mente, orientata come era verso ciò che è concreto e percettibile con i sensi.

La pratica magica soddisfaceva contemporaneamente sia le esigenze religioso-rituali del popolo, sia quelle legate alla sua concezione del mondo, sia quelle estetiche. È curioso che gli autori dei penitenziali trovino difficoltà nel determinare con esattezza che cosa propriamente facciano quei loro fedeli, quando hanno ceduto alla tentazione del diavolo, quando si radunano nelle loro assemblee pagane: pregano forse, offrono sacrifici, giocano, banchettano? Giacché nel rito magico le piú disparate forme di rapporto sociale non si presentano disgiunte. Il clero è estraneo a questo e i suoi rappresentanti sono sdegnati dal fatto che, ad esempio, durante le veglie sul corpo di un morto e ai funerali, quando dai parenti prossimi del defunto ci si dovrebbero aspettare lamenti e lacrime, i fedeli al contrario cantano, danzano e banchettano[96], mentre durante il servizio divino sono apatici e distratti, come bambini. In una simile indicazione però lo storico della cultura vedrà un frammento per lui prezioso di un rito arcaico – il riso rituale – e un sintomo dell'atteggiamento di questa gente verso la morte. Il riso rituale che accompagna la morte, secondo V. Ja. Propp, è un atto di devozione, che trasforma la morte in una nuova nascita, «un mezzo magico di creazione della vita»[97]. Ma questa devozione chiaramente non è religiosa! A giudicare dalle nostre fonti, tra gli ecclesiastici e il gregge non esiste sempre una reciproca comprensione: i fedeli non dànno ascolto alle esortazioni e agli ammonimenti e ricadono sempre nei vecchi peccati, mentre i sacerdoti talvolta interpretano il loro comportamento in modo palesemente sbagliato.

Le divergenze tra la cultura ecclesiastica e la cultura popolare nell'interpretazione del mondo e delle forze che lo muovono, divergenze che la confessione faceva oggetto del contenuto della coscienza del parrocchiano, si manifestano chiaramente nelle diverse concezioni del tempo proprie di entrambi questi modi di percepire la realtà.

Il tempo in cui vive una società agraria è il tempo naturale, il susseguirsi dei cicli annuali. I punti di riferimento temporale che hanno valore in questo sistema di coscienza sono dati dall'avvicendarsi delle stagioni. In determinati momenti di un ciclo sono organizzate delle feste (gli autori dei libri penitenziali mettono in guardia contro i giochi e i riti pagani che si celebrano alle calende di gennaio), che riportano il tempo ai prototipi mitologici, poiché in questo sistema di coscienza il tempo è anche un tempo mitico. Nel mondo contadino non accade fondamentalmente nulla di nuovo, tutto si ripete, il cerchio della vita dalla nascita alla morte attraversa per tutti la medesima catena di avvenimenti. Il fatto che uomini condizionati dalla vita ripetitiva dell'agricoltura seguissero da secoli certi stereotipi di comportamento e celebrassero riti tradizionali, non presuppone né ricerca del nuovo, né interesse per esso.

La percezione ciclica del tempo è legata ad una particolare concezione di aspetti temporali come il passato, il presente e il futuro: essi non formano una rigorosa, irreversibile successione, ma sono piuttosto disposti uno accanto all'altro in un unico spazio mitologico. Il passato si ripete e il futuro si può predire e prevedere ancor prima che si avveri, perché da qualche parte esso, in un certo modo, già esiste, e perciò è possibile impadronirsene con l'ausilio di mezzi magici. I penitenziali scagliano tutta una serie di castighi contro indovini, maghi, «matematici», àuguri e contro quelli che a loro credono e si rivolgono per chiedere consiglio e aiuto. Secondo la dottrina cristiana il tempo è infatti una creazione di Dio, è determinato soltanto dal Signore e si trova nella sua mano destra. L'uomo non può influire sul corso del tempo e conoscerne in anticipo il contenuto, che dipende interamente dalla provvidenza divina.

Ma non si tratta soltanto di questo. La concezione cristiana del tempo è, per sua essenza, storica; il tempo ha avuto un inizio, ha una direzione e, quando si sarà compiuto, giungerà al termine. Il mondo cambia con il passare del tempo, e una simile concezione esclude la ciclicità e la possibilità di un ritorno al passato, benché anche la concezione cristiana, essendo un modo particolare di percepire mitologicamente il mondo, presupponga una certa ripetitività, non letterale, bensí simbolica: una corrispondenza sacrale tra gli avvenimenti della storia vetero- e neo-testamentaria, per cui i primi risultano essere prototipi e preannunci degli ultimi.

In forma semplificata e chiara queste idee erano instillate nei fedeli, che potevano assimilare le concezioni storiche del cristianesimo sia nel sermone, sia nell'iconografia ecclesiastica. Ma simili concezioni si scontravano nella loro coscienza con un atteggiamento qualitativamente diverso verso la durata del tempo. La percezione magica del mondo è atemporale e il meccanismo che genera interazione tra le collettività umane e il mondo circostante, come pure il meccanismo dei rapporti tra gli uomini, presuppone la staticità, l'immobilità o un movimento eternamente ciclico.

A questo proposito vorrei avanzare delle riserve sull'opinione di M. M. Bachtin, che è propenso ad escludere la nozione del tempo nella concezione del mondo del cristianesimo medievale e che attribuisce storicità alla coscienza popolare quale appare nella cultura carnevalesca[98]. Non v'è forse un'inconciliabile contraddizione tra l'idea della cosmicità del rapporto del popolo con il mondo e la tesi della sua storicità? «L'unità nel tempo» del «corpo popolare», la percezione che esso ha della propria «durata ininterrotta» e «immortalità storica» sono difficilmente considerate storiche per loro natura. Il «parametro» essenziale di una concezione cosmica del mondo è il ciclo, l'eternità, ma non il tempo, che è percepito come un movimento con una direzione, come un alternarsi di avvenimenti e fenomeni unici; il tempo individualizza, mentre la cultura popolare carnevalesca, su cui Bachtin ha scritto con tanta acutezza, è piú di tutto estranea a qualsiasi individualizzazione. Una festività popolare è un intervallo nel normale corso del tempo, di cui esprime il ritmo originale, ma le festività sono solo intaccature sulla ruota di una millenaria ripetitività, punti di un cerchio, e non momenti che conferiscono una struttura storica al corso del tempo.

L'idea dello scorrere lineare e dell'unicità del tempo e la netta contrapposizione tra tempo e eternità nella dottrina cristiana diedero luogo a una certa svalutazione della categoria del tempo, segno dell'imperfezione, della vanità della triste vita terrena dell'uomo. Al contrario, nella percezione arcaica del mondo non esiste affatto un'autonoma astrazione «tempo»; il tempo è un elemento imprescindibile dell'essere, che non viene percepito separato dal suo contenuto concreto.

Tutto ciò non significa che i due citati modi di vivere il tempo non interagissero tra loro; al contrario, dal loro reciproco compenetrarsi si formò l'originale storicismo medievale, sintesi di mutabilità e immutabilità. Nella misura in cui assimilava la fede cristiana, il popolo doveva in certo modo rendersi conto di essere coinvolto nella storia della salvezza e perciò di essere compreso in un progressivo movimento verso una precisa direzione, verso la fine del mondo, verso il Giudizio universale e la punizione dei peccati. È del tutto probabile che proprio per il tramite della paura della punizione – e la paura in questo sistema di coscienza è un fattore potente[99] – gli uomini si accostassero lentamente all'idea della storia e a quella, ad essa legata, dello scorrere lineare del tempo[100].

In tal modo la contraddizione tra due sistemi molto diversi di percezione del mondo non appariva una contraddizione esterna tra il clero e il popolo; era piuttosto intimamente inerente alla coscienza umana. Proprio in conseguenza dell'interazione tra questi «modelli di mondo» e i relativi diversi approcci alla comprensione del cristianesimo, venne formandosi quell'originale «cattolicesimo parrocchiale», che esprimeva l'interpretazione popolare della fede ufficiale ed era di gran lunga piú sensibile alle esigenze delle persone non esperte di sottigliezze teologiche rispetto al dogma teologico, astrattamente speculativo e fondamentalmente statico.

In virtú della loro specificità nei penitenziali, la contraddizione si presenta sotto forma di profonda frattura tra «la retta via», additata dai sacerdoti, e «gli errori pagani», «le suggestioni del diavolo che hanno sedotto i peccatori». In realtà, naturalmente, il problema era tutto piú complesso[101]. Ma se studiamo i penitenziali è quasi impossibile ricostruire questa tensione creatasi in seguito al conflitto tra i due «modelli di mondo», dal momento che possiamo ascoltare solo le domande del prete, che indaga sui peccati del parrocchiano, lo ammonisce e lo rimprovera, ma non le risposte di quest'ultimo; la confessione vera e propria con le sue ammissioni, le esitazioni, i tentativi di autogiustificazione e, forse, anche le reticenze, ci è ignota. Allo sguardo dello studioso sfugge il conflitto interiore che l'uomo doveva vivere dal momento che nel suo animo si intersecavano due diverse «immagini del mondo». Le nostre fonti illustrano prevalentemente gli aspetti esteriori della confessione e della penitenza e basandosi sul loro studio è molto difficile accertare come e in quale misura l'*homo naturalis* si stesse trasformando nell'*homo christianus*.

Nel valutare questi penitenziali per quanto riguarda la concezione popolare del mondo va anche tenuto presente che nelle domande dei confessori le superstizioni e la devozione ai vecchi culti si presentano prevalentemente come peccati individuali di singole persone, benché in alcuni casi gli autori dei libri penitenziali rilevino in quale misura siano diffusi gli errori da loro denunciati e puniti e il carattere collettivo delle azioni peccaminose: il peccato è per sua natura individuale, ogni peccatore rovina prima di tutto la propria anima ed è personalmente responsabile del proprio comportamento. Invece le superstizioni nello stesso tempo erano indubbiamente anche espressioni della *coscienza collettiva*. La partecipazione alle cerimonie stregonesche, agli olocausti, ai banchetti e alle feste, che la Chiesa condannava in quanto fallaci, presuppone delle attività di gruppo, l'appartenenza dei colpevoli a collettività per le quali l'insieme dei rituali e delle credenze erano norma e principio inviolabili. La stabilità di siffatte collettività nella società agraria era quanto mai notevole; riproducendosi su basi precedenti, esse naturalmente riproducevano anche il tradizionale patrimonio di idee socio-psicologiche. Le pratiche o le abitudini magiche della coscienza acquisivano una forza e un'efficacia ripetutamente accresciute, poiché diventavano attributi di una collettività; esse *erano imposte* a ciascun suo membro, il quale, per ribadire la propria appartenenza alla collettività – talvolta consapevolmente, ma per lo piú involontariamente – conformava i propri pensieri, gli umori, le valutazioni e il comportamento all'ethos del gruppo[102].

A mio parere, ciò rappresenta una delle ragioni essenziali dell'eccezionale stabilità di quel potenziale di idee, concezioni e forme di comportamento, estranee alla dottrina cristiana, che la Chiesa non riuscí a sopraffare durante tutto il Medioevo. È presumibile che un ecclesiastico avesse i mezzi per poter costringere tutti (o quasi tutti) i singoli parrocchiani a confessare un comportamento empio, a pentirsi e a far penitenza. Rimane tuttavia aperta una questione: il pentimento e la successiva espiazione erano in ogni caso definitivi, denotavano che il peccatore si era messo sulla retta via e sarebbe stato per sempre esente dalla pratica del peccato? In questo modo egli non veniva allontanato da quell'ambiente socio-psicologico che generava e consolidava nella sua coscienza le forme di pensiero considerate pericolose dalla Chiesa e che gli imponeva allo stesso tempo la necessità di partecipare ai rituali pagani (escludendo però i casi relativamente poco frequenti di scomunica, quando la società personificata dalla Chiesa rompeva ogni legame con un peccatore impenitente e lo espelleva). I penitenziali non dànno una risposta a questa domanda, benché talvolta menzionino peccati nei quali le stesse persone cadevano ripetutamente e, come si è già rilevato, il fatto stesso che per molti secoli nei penitenziali si ripetessero tenacemente le medesime domande sui peccati, non può essere spiegato soltanto con la fedeltà dei loro autori alla tradizione letteraria.

Lo specchio in cui i libri penitenziali riflettono la cultura e la religiosità popolari non fornisce dunque un «riflesso speculare», ma parzialmente deforma l'immagine di questa cultura, mentre non fissa affatto altre sue caratteristiche. Ma quale fonte storica in un modo o nell'altro non pecca in questo stesso senso e non richiede seri correttivi per esprimere in modo attendibile la realtà da essa riflessa? Nonostante tutta la tendenziosità e l'incompletezza, i penitenziali sono di eccezionale interesse per lo studio delle credenze e del comportamento di larghi strati della società nel periodo medievale. Queste fonti, infatti, diffuse in tutta l'Europa occidentale, furono scritte a scopi puramente pratici dai rappresentanti di quella parte del clero che, dal momento che il proprio servizio pastorale lo imponeva, doveva interessarsi alla vita popolare, ingerirsi in essa, influire sugli animi e i sentimenti delle persone, plasmando la loro concezione del mondo. In quanto costituivano una sorta di «formulari», che richiedevano risposte alle proprie domande e presupponevano una «comunicazione di ritorno», i penitenziali consentono di osservare un po' piú da vicino certi aspetti della vita spirituale del popolo; ovviamente, solo taluni aspetti, e dovremo rivolgerci ad altre fonti per esaminarne altri.

Chi erano questi uomini, in conclusione? Cristiani o devoti al paganesimo, ufficialmente annientato, ma che in pratica si era conservato? Essi erano certamente cristiani. La confessione, mentre richiedeva al parrocchiano un'analisi e una valutazione del proprio comportamento, orientava il suo sguardo spirituale nell'intimo del proprio essere morale e attraverso questo processo non poteva non esercitare su di lui un'influenza educativa. L'autoanalisi non avveniva certo spontaneamente, era anzi imposta a chi si confessava nel corso della conversazione privata con il sacerdote; ma la pratica introspettiva cosí acquisita ebbe modo di consolidarsi col tempo. Qui conta il fatto che la cultura offrisse all'individuo una tale possibilità di autovalutazione e la consolidasse istituzionalmente nella procedura della confessione.

Tra gli antropologi ed etnologi contemporanei alcuni propongono (in particolare P. Benedikt) una classificazione dei sistemi morali in base a due tipi: « cultura della vergogna » e « cultura della colpa »; nelle culture del primo tipo il comportamento dell'individuo è determinato e limitato dal timore che, in caso di una sua trasgressione alle regole sociali, la società lo biasimi e lo condanni, e la sua autovalutazione dipende dalla valutazione della collettività. Nelle culture del secondo tipo invece la coscienza morale dell'individuo è rivolta prevalentemente non verso l'esterno, bensí verso un sistema interiorizzato di valori, secondo il quale egli deve costruire il proprio comportamento indipendentemente dal fatto che altri ne siano a conoscenza. È ovvio che tale divisione è convenzionale e ha significato solo come espressione di confini ideali, poiché nelle società è sempre possibile rinvenire empiricamente una gamma piuttosto complessa e ampia di norme che regolano il comportamento umano. Se restiamo nei confini dell'Europa medievale, possiamo probabilmente constatare entrambi i tipi. È presumibile che nel mondo precristiano dei barbari « la vergogna », cioè l'autovalutazione dell'individuo, dettata dalla società, prevalesse sulla « colpa », sentimento generato da una crescente autocoscienza. L'eroe dell'epos germano-scandinavo guarda se stesso con gli occhi della collettività, e sarebbe difficile descrivere questa etica attraverso una categoria come la « coscienza ». In questa società si giudicano le azioni, ma non le intenzioni, la colpa non viene dimostrata dalla confessione, ma dalle prove e dai testimoni o per mezzo della procedura giudiziaria. Presso i germani le piú importanti e supreme categorie etiche sono «l'onore», «la gloria», il giudizio dei contemporanei e dei posteri. Il comportamento non è tanto interiorizzato quanto piuttosto formalizzato.

I tratti essenziali della «cultura della vergogna» permangono anche in epoca cristiana. L'orientamento morale verso il gruppo al quale l'individuo appartiene rimane un fattore estremamente importante del comportamento dell'individuo, basta ricordare a mo' di esempio quel complesso di idee che rientra nel concetto di «onore cavalleresco». La quotidiana e minuziosa sorveglianza cui era sottoposto ogni membro di una parrocchia procedeva di pari passo con l'adeguarsi dell'individuo alla collettività. I caratteri di questa situazione sono tuttavia estremamente articolati. L'individuo impara a giudicarsi da solo, indipendentemente dal fatto che al giudizio partecipino altre persone, e questa autoanalisi è sempre un dialogo, non soltanto nella forma – nel senso che la persona si interroga sulle sue azioni, gli errori, i desideri, e risponde alle domande –, ma anche nella sostanza, in quanto questo dialogo avviene al cospetto del supremo giudice onnisciente. La confessione orientava la coscienza del parrocchiano proprio in questa direzione[103].

Dunque abbiamo di fronte dei cristiani. È però indispensabile tener presente l'effettiva composizione delle idee e delle concezioni nelle menti di questi figli e di queste figlie della Chiesa e non presupporre in loro un cattolicesimo «puro» come quello che emerge dai decreti papali, dalle deliberazioni dei concilii o dalle *summae* teologiche. Il cristianesimo popolare come fenomeno della coscienza di massa e come fattore del comportamento sociale nell'Europa medievale differiva sostanzialmente dalla dottrina della Chiesa e dallo spiritualismo clericale-monastico. Estraneo «a questo mondo», il cristianesimo acquisiva un nuovo volto, impadronendosi della coscienza e della vita morale delle masse.

Lo studio dei penitenziali contribuisce a comprendere perché nell'agiografia si attribuisca un significato tanto grande al miracolo. Abbiamo potuto osservare quanto profondamente fosse radicata nella coscienza popolare la convinzione che mediante certi rituali magici e certe formule fosse possibile influire sul mondo e sull'uomo. Nella forza taumaturgica di un santo, che può disporre di persone, animali, esseri inanimati, oggetti, fenomeni meteorologici e che sottomette alla sua volontà gli abitanti dell'aldilà, non si riscontrano forse elementi per ravvisare, oltre a una testimonianza dell'onnipotenza del Creatore, anche una versione cristianizzata di quella stessa fede nell'onnipotenza della magia? Nell'agiografia la coscienza magica attribuisce ai santi capacità soprannaturali, anzi attribuisce proprio a loro e soltanto a loro la capacità di compiere miracoli, purificando cosí il miracolo tipico del paganesimo e introducendolo nel contesto del cristianesimo. Ma se analizziamo i manuali dei confessori si ripresenta un altro interrogativo, forse con maggiore drammaticità, che già lo studio della letteratura delle vite ci aveva proposto: in quale modo la coscienza dell'uomo medievale fondeva gli aspetti della cultura popolare e di quella dotta e in quale modo riusciva a equilibrarli, ad armonizzarli? È necessario lasciar ruotare ancora il prisma della nostra indagine e dedicarci all'esame di altri generi della letteratura mediolatina.

[1] Cfr. tuttavia i lavori di O. Dobiache-Rojdestvensky, *La vie paroissiale en France au XIIIe siècle d'après les actes épiscopaux*, Paris 1911; Id., *Cerkovnoe obščestvo vo Francii v XIII veke* [La società ecclesiastica in Francia nel secolo XIII], vol. I, Petersburg 1914, che costituiscono tuttora un importante contributo. Le ricerche di G. Le Bras, dedicate alla vita parrocchiale nell'età moderna, sono comunque importanti anche per il medievista. Cfr. anche J. Ferté, *La vie religieuse dans les campagnes parisiennes (1622-1695)*, Paris 1962; F. Rapp, *L'Église et la religion en Occident à la fin du Moyen Agê*, Paris 1971.

[2] Cfr. Dobiaš-Roždestvenskaja, *Cerkovnoe obščestvo* cit., pp. 85 sgg.

[3] «Intorno alla chiesa si scatena un vero e proprio baccanale di rozza baldoria, con riti popolari e divertimenti di cui molti ispirati al paganesimo» (Dobiaš-Roždestvenskaja, *Cerkovnoe obščestvo* cit., pp. 133-34). A proposito delle danze dentro e intorno alle chiese e della lotta della Chiesa contro questa consuetudine cfr. J. Gougaud, *La danse dans les églises*, in «Revue d'histoire ecclésiastique», vol. 15 (1914), n. 1-2.

[4] C. Erikson, *The Medieval vision. Essays in history and perception*, New York 1976, p. 76.

[5] Sumption, *Pilgrimage* cit.

[6] L'analisi forse piú approfondita della vita religiosa nella campagna medievale ci è fornita dallo studio di Le Roy Ladurie, *Montaillou* cit. Il quadro che egli ha ricostruito della vita degli abitanti di un villaggio dei Pirenei durante gli ultimi anni del secolo XIII e nel primo quarto del XIV, ha naturalmente delle caratteristiche del tutto particolari, soprattutto perché l'eresia catara era pene-

trata profondamente in questo ambiente, intaccandone la monoliticità culturale e religiosa; ciò nondimeno sia i rapporti tra i parrocchiani, sia i loro rapporti con il clero locale, sono descritti con un rilievo e una poliedricità di solito irraggiungibili per un medievista. Le Roy Ladurie ha utilizzato i dettagliatissimi verbali degli interrogatori cui gli abitanti del luogo furono sottoposti dall'inquisizione. Questi materiali hanno permesso allo studioso di porre ai contadini di Montaillou una vasta gamma di domande, dalla loro concezione del mondo ai rapporti intimi.

[7] Cfr. sopra, cap. 1.

[8] *Elucidarium*, 2, 71 (p. 432): «sacerdos, Christi vicarius, judex, homo et accusator et reus; poenitentia est sententia».

[9] Cfr. W. Boudriot, *Die altgermanische Religion in der amtlichen kirchlichen Literatur des Abendlandes vom 5. bis 11. Jahrhundert*, Bonn 1928.

[10] Cfr. S. A. Tokarev, *Suščnost' i proischoždenie magii* [Essenza e origine della magia], in *Issledovanija i materialy po voprosam pervobytnych religioznych verovanij* [Ricerche e materiali sui problemi delle credenze religiose originarie], in «Trudy In-ta etnografii im. N. N. Miklucho-Maklaja», n.s., vol. 51 (1959).

[11] *Excarpsus*, 130 (Schmitz, *Die Bußbücher* cit., vol. 2, p. 695).

[12] *Poenit. Arundel*, 95 (*ibid.*, vol. 1, p. 463); *Die Sammlung Halitgar's von Cambrai*, 26 (*ibid.*, p. 727); *Poenit. Eccles. Germ.*, 61: «Si observasti traditiones paganorum, quas, quasi hereditario jure diabolo subministrante, usque in hos dies semper patres filiis reliquerunt, id est ut elemente coleres, id est lunam aut solem, aut stellarum cursum, novam lunam, aut defectum lunae, ut tuis clamoribus aut auxilio splendorem ejus restaurare valeres, aut illa elementa tibi succurrere aut tu illis posses, aut novam lunam observasti pro domo facienda aut conjugiis sociandis?» (*ibid.*, vol. 2, p. 423).

[13] Schmitz, *Die Bußbücher* cit., vol. 2, pp. 423, 432.

[14] *Ibid.*, vol. 1, pp. 308, 460, 811; cfr. vol. 2, pp. 422, 425.

[15] *Ibid.*, vol. 2, p. 452. Per paralleli con gli altri popoli cfr. Tokarev, *Suščnost' i proischoždenie magii* cit., p. 68.

[16] Schmitz, *Die Bußbücher* cit., vol. 2, pp. 423-24. L'intrecciatura di nodi magici, accompagnata da scongiuri, era praticata dai germani fin dai tempi antichi.

[17] *Ibid.*, vol. 1, pp. 459, 463; vol. 2, pp. 424, 446. Si potevano rimettere in sesto i propri affari anche nel seguente modo: dopo aver preparato giocattoli e archi da bambini, essi andavano lasciati in cantina o nel magazzino, «affinché i satiri o i *domovoj* ci si trastullino e ti portino i beni altrui e tu ti arricchisca» (*ibid.*, vol. 2, p. 432). Un'altra credenza consisteva nell'aspettarsi degli interventi a proprio favore da parte di «quelle tre sorelle che l'antichità e l'antica stupidità chiamavano parche»: in un determinato periodo dell'anno si offriva loro da mangiare, e se esse apparivano e mangiavano ciò che era stato preparato, allora il padrone di casa poteva contare su dei profitti nel presente o nel futuro (*ibid.*, vol. 2, p. 443).

[18] Nella magia credevano non solo i popolani, ma anche molti grandi ingegni e dotti dell'epoca (L. Thorndike, *A history of magic and experimental science during the first thirteen centuries of our era*, New York 1923, voll. 1-2).

[19] Schmitz, *Die Bußbücher* cit., vol. 2, pp. 430, 535, 556, 667, 682.

[20] Cfr. *Leechdoms, wortcunning and starcraft of early England*, a cura di O. Cockayne, voll. 1-3, London 1864-66; E. Ettlinger, *Documents of British superstition in Oxford*, in «Folk-Lore», vol. 54 (1943), n. 1. Ecco un modo sicuro per difendersi dalla loquacità femminile: di notte occorreva mangiare un ravanello e il giorno dopo i pettegolezzi non avrebbero piú nuociuto (J. F. Payne, *English medicine in Anglo-Saxon times*, London 1904).

[21] Schmitz, *Die Bußbücher* cit., vol. 2, p. 424.

[22] *Ibid.*, vol. 1, p. 619; vol. 2, pp. 437, 448. «Stercus asini comedunt mulieres Salernitanae... et dant viris suis ut melius retineant sperma et sic concipiant» (secolo XIII. Cfr. Thorndike, *A history of magic and experimental science* cit., vol. 1, p. 740).

[23] Schmitz, *Die Bußbücher* cit., vol. 1, p. 382: «Mulier, quae sanguinem viri sui pro remedio biberit...».

[24] *Ibid.*, vol. 2, p. 448. Su analoghi metodi della «pediatria» popolare medievale cfr. Schmitt, *Le saint levrier* cit., pp. 104-9 [trad. it. pp. 98-102].

[25] Cfr. in particolare, l'ipotesi di M. Bröens (*The resurgence of preindoeuropean elements in the western Medieval cult of the dead*, in «Diogenes», 1960, 30) a proposito della rinascita, nell'Europa medievale, di concezioni arcaiche («preindoeuropee») sulla madre-terra e sul culto dei morti, legato a queste credenze ctonie. Cfr. anche J. Bordenave e M. Vialelle, *Aux racines du mouvement cathare: la mentalità religieuse des paysans de l'Albigeois médiéval*, Toulouse 1973.

[26] Schmitz, *Die Bußbücher* cit., vol. 1, p. 460: «Si quis in aerem inquiete noctis silentio se a maleficis feminis sublevari crediderit...».

[27] *Ibid.*, vol. 2, p. 425. Imbattutosi in simili credenze diffuse nel suo gregge, Burcardo inserí nel *Corrector* un testo tratto dalle opere di Reginone da Prüms e risalente al canone *Episcopi*. Troveremo alcuni di questi testi anche ne *Il martello delle streghe*, ma con tutt'altra applicazione.

[28] *Deutsche sagen, hg. von den Brüdern Grimm*, Berlin 1956, pp. 35 sgg.

[29] J. Grimm, *Deutsche Mythologie*, a cura di K. H. Strobl, Wien-Leipzig 1939, pp. 48, 188.

[30] Antico inglese *frigedag*, antico alto tedesco *friatac*, antico frisone *fri(g)endei*, antico norvegese *Frjádagr*, inglese *Friday*, tedesco *Freitag*.

[31] V. Waschnitius, *Perht, Holda und verwandte Gestalten. Ein Beitrag zur deutschen Religionsgeschichte*, in «Sitzungs-berichte der Kais. Akademie der Wissenschaften in Wien. Philos.-hist. Kl.», vol. 174 (1913), sezione 2.

[32] Cfr. Boudriot, *Die altergermanische Religion* cit., p. 54.

[33] Antico islandese *hollr*, antico alto tedesco, tedesco *hold*, antico inglese *hold*, norvegese *hull*, islandese *hollur*, svedese, danese *huld*: «gentile», «clemente», «buono», «benevolo», «utile», «fedele».

[34] Grimm, *Deutsche Mythologie* cit., p. 188.

[35] Schmitz, *Die Bußbücher* cit., vol. 2, p. 429.

[36] Cfr. G. Roskoff, *Geschichte des Teufels*, vol. 1, Leipzig 1869, p. 271.

[37] Quanto si è detto vale allo stesso modo anche per l'inquisizione, a proposito della quale A. F. Losev osserva molto giustamente: «Riguardo all'inquisizione, agli storici spesso si affievolisce la memoria ed essi la collegano necessariamente solo al Medioevo». Dopo aver mostrato che l'attività degli inquisitori rimase per lungo tempo dipendente dalla volontà di singoli vescovi e si sviluppò nei secoli XV e XVI, Losev conclude: «L'inquisizione, erroneamente attribuita a molti secoli, fu dunque figlia esclusivamente dell'epoca del Rinascimento» (*Estetika Vozroždenija* [Estetica del Rinascimento], Moskva 1978, p. 134). Sulle persecuzioni delle streghe in Europa prima dell'inizio del secolo XIV e nell'età del Rinascimento cfr. *ibid.*, p. 135.

[38] Cfr. *Witchcraft and sorcery. Selected readings*, a cura di M. Marwick, Harmondsworth 1975.

[39] Schmitz, *Die Bußbücher* cit., vol. 2, pp. 446, 447.

[40] *Historiae memorabiles*, n. 33, pp. 93-94.

[41] *Ibid.*, n. 34, p. 95.

[42] Schmitz, *Die Bußbücher* cit., vol. 2, p. 442.

[43] *Ibid.*, vol. 2, p. 448.

[44] *Ibid.*, p. 450.

[45] *Ibid.*, p. 431.

[46] *Ibid.*, vol. 1, p. 461; vol. 2, p. 430.

[47] *Ibid.*, vol. 2, p. 429.

[48] *Ibid.*, vol. 1, p. 338; vol. 2, pp. 338, 344.

[49] *Ibid.*, vol. 1, p. 61.

[50] *Ibid.*, vol. 2, p. 430. Cfr. Boudriot, *Die altergermanische Religion* cit., pp. 49-50.

[51] *Medieval handbooks of penance*, con una Introduzione di J. T. McNeill, New York 1938, p. 43.

[52] *Poenit. Valicell.* 1, 80: «Si quis mathematicus fuerit, id est per invocationem demonum mentes hominum tulerit ant devacantes fecerit, V annos peniteat in pane et aqua». Di questo testo viene fornita una glossa: «Mathematicos dicimus incantatores, qui demones invocant et instabiles effecit homines vel mentes evertit» (Schmitz, *Die Bußbücher* cit., vol. 1, p. 303).

[53] *Ibid.*, p. 581.

[54] *Ibid.*, vol. 1, pp. 327, 379, 414, 462; vol. 2, pp. 324, 336.

[55] Riché, *Education et culture* cit., p. 539.

[56] Schmitz, *Die Bußbücher* cit., vol. 1, p. 414; vol. 2, pp. 181, 236, 285, 296, 321, 336, 342-43, 361. Nonostante tutti i divieti della Chiesa contro le divinazioni e le profezie, ad esse facevano ricorso molti dotti del Medioevo, cioè chierici e monaci; cfr. Thorndike, *A history of magic* cit.

[57] Schmitz, *Die Bußbücher* cit., vol. 2, p. 422.

[58] *Ibid.*, pp. 694-95.

[59] *Ibid.*, pp. 425, 431, 432.

[60] *Ibid.*, pp. 441-42.

[61] *Ibid.*, pp. 429, 444, 445, 447.

[62] Boudriot, *Die altgermanische Religion* cit., p. 58.

[63] Schmitz, *Die Bußbücher* cit., vol. 2, pp. 451, 452.

[64] *Ibid.*, p. 452. A proposito dei maghi capaci di «mentes hominum mutare», cfr. *ibid.*, p. 425.

[65] *Ibid.*, pp. 445, 447, 502: «Si semen viri sui in cibo miscet, ut plus amet vel ametur... Si piscem vivum tenet in puerperium donec moriatur et coctum dat marito ad comedendum, ut plus amet vel ametur...»

[66] Schmitz, *Die Bußbücher* cit., vol. 1, p. 460. Casi analoghi di efficaci incantesimi operati da donne gelose sono descritti nelle saghe islandesi. Cfr. ad esempio la *Saga di N'jal*, capp. 6-7.

[67] Schmitz, *Die Bußbücher* cit., vol. 2, pp. 351, 360, 484.

[68] *Ibid.*, p. 451.

[69] *Ibid.*, p. 441. Si veda sopra (cap. 1) a proposito dei monaci che non stavano attenti al sermone, ma erano pronti ad ascoltare favole sui cavalieri. In seguito parleremo ancora del demonio che cercava le sue prede tra questi cristiani negligenti.

[70] Schmitz, *Die Bußbücher* cit., vol. 1, pp. 488, 668-69; vol. 2, p. 437.

[71] *Ibid.*, vol. 1, p. 317.

[72] *Ibid.*, p. 320: «Se una persona assaggia in buona fede il sangue, o le carogne, degli animali sacrificati agli idoli...» Cfr. *ibid.*, vol. 2, pp. 182, 338, 448. Il carattere di questi divieti diventa piú chiaro se si tiene conto che la condanna della

Chiesa contro chi beveva il sangue degli animali, relativamente tenue verso la fine del secolo v, fu ripristinata in tutta la sua severità a cominciare dal secolo vi, quando iniziò la vasta attività missionaria del clero tra i germani.

[73] Schmitz, *Die Bußbücher* cit., vol. 1, pp. 303, 305, 330; vol. 2, pp. 424, 429. *Das Poenit. Columban's*, 24: « Se una persona in buona fede mangia o beve nei templi pagani... Se invece agisce cosí per negligenza, cioè dopo che il sacerdote gli ha predicato che è un sacrilegio, ma lui poi prende parte ad un banchetto diabolico... Se poi agisce cosí servendo il demonio o adorando le immagini... » (Schmitz, *Die Bußbücher* cit., vol. 1, p. 600).

[74] *Ibid.*, 1, p. 415; vol. 2, p. 344.

[75] *Ibid.*, vol. 1, pp. 416, 618.

[76] Sulla correlazione tra le opinioni precristiane e cristiane riguardo al cibo e al suo consumo negli aspetti socio-etico e religioso cfr. S. Piekarczyk, *Barbarzyńcy i chrzescijaństwo*, Warszawa 1968, pp. 96, 99 sgg.; A. Hauck, *Rituelle Speisegemeinschaft im 10. und 11. Jahrhundert*, in « Studium generale », 3 (1950), n. 11; sui banchetti presso i barbari e sulla funzione del banchetto nel feudalesimo cfr. A. Ja. Gurevič, *Problemy genezisa feodalizma v Zapadnoj Evrope* [Problemi di genesi del feudalismo nell'Europa occidentale], Moskva 1970, pp. 76 sgg.; Id., *Kategorii srednevekovoj kul'tury* cit., pp. 87, 189, 206 e *passim* [trad. it. cit., pp. 100, 216].

[77] Schmitz, *Die Bußbücher* cit., vol. 2, p. 494.

[78] *Ibid.*, pp. 427-28.

[79] Queste tradizioni si sono conservate nell'epoca feudale nell'ambiente dei cavalieri. Cfr. Gurevič, *Kategorii srednevekovoj kul'tury* cit., pp. 225 sgg. [trad. it. cit., pp. 238 sgg.].

[80] Cfr. P. Browe, *Beiträge zur Sexualetik des Mittelalters*, Breslau 1932; J. T. Noonan, *Contraception, a history of its treatment by the Catholic theologians and canonists*, Cambridge (Mass.) 1966.

[81] J.-L. Flandrin, *Contraception, mariage et relations amoureuses dans l'Occident chrétien*, in « Annales ESC », 24 (1969), n. 6, p. 1384.

[82] Schmitz, *Die Bußbücher* cit., vol. 1, pp. 508, 789.

[83] Per questa stessa ragione venivano condannati in maniera severissima tutti i mezzi per procurare gli aborti e uccidere il feto. Cfr. Flandrin, *Contraception* cit. Con altrettanta fermezza si perseguiva l'uccisione dei bambini (per lo piú per soffocamento, che si diceva provocato dall'imprudenza dei genitori che li mettevano a dormire con sé nel loro letto).

[84] Ricordiamo le estasi mistiche delle visionarie e delle monache, che spesso vivevano il loro « matrimonio » sacramentale con Cristo in forme di evidente sessualità (P. Bicilli, *Elementy srednevekovoj kul'tury* [Elementi di cultura medievale], in « Gnosis », 1919, pp. 19 sgg.). Sull'antifemminismo che alla fine dell'età medievale portò alla « demonizzazione » delle donne, cfr. J. Delumeau, *La peur en Occident (xive-xviiie siècles). Une cité assiégée*, Paris 1978, pp. 305 sgg.

[85] A. Leroi-Gourhan, *Religii doistorii* [Religioni della preistoria], in *Pervobytnoe iskusstvo* [Arte primitiva], Novosibirsk 1971, p. 86.

[86] In un penitenziale spagnolo, tra i personaggi delle rappresentazioni condannate dalla Chiesa si nomina l'*orcus*. H. J. Schmitz dice che nel folklore spagnolo figurava con il nome di *orco* un uomo selvaggio con un occhio solo, un ciclope carnevalesco (*Die Bußbücher* cit., vol. 1, p. 711).

[87] Cfr. Tokarev, *Suščnost'i proischoždenie* cit.

[88] Nell'elenco di superstizioni e di usi pagani composto nello stato franco nel secolo viii (*Indiculus superstitionum et paganiarum*) si dice che durante un'eclissi di luna i contadini gridavano « Vince luna! ». *MGH*, *Leges*, II, 1, p. 222.

[89] Un'analoga concezione del legame reciproco esistente tra la natura da un lato e l'uomo e le sue azioni dall'altro («principio di analogia») si osserva d'altronde anche negli autori colti del Medioevo, cfr. R. Sprandel, *Mentalitäten und Systeme. Zugänge zur mittelalterlichen Geschichte*, Stuttgart 1972, pp. 24 sgg.

[90] Schmitz, *Die Bußbücher* cit., vol. 1, pp. 311, 413, 479.

[91] Cfr. S. Pekarčik, *Vera v sud'bu. Gruppa, individ, etalony povedenija. (Nekotorye vyvody iz istočnikov epochi vikingov)* [La fede nel destino. Gruppo, individuo, modelli di comportamento. (Alcune conclusioni basate sulle fonti dell'epoca dei vichinghi)], in «Srednie veka», 34 (1971), pp. 96 sgg.; Gurevič, *«Edda» i saga* cit., pp. 40, 51 sgg., 150 sgg.

[92] Ma anche queste opere contengono molte informazioni sulla magia popolare e sullo stesso atteggiamento verso la natura che risulta anche dai penitenziali.

[93] Secondo il parere di alcuni studiosi moderni tra la fede nella provvidenza divina e la fede nel destino presso i germani nel periodo del primo Medioevo non c'era alcuna contraddizione: nelle opere dell'antica letteratura inglese, scandinava e tedesca il destino, secondo tale teoria, veniva visto solo come principio creativo, stabilito da Dio ed esprimente la mutevolezza delle vicende umane (cfr. ad esempio G. W. Weber, *Studien zum Schicksalsbegriff der altenglischen und altnordischen Literatur*, Bad Homburg 1969). L'erroneità di tale conclusione, a mio parere, deriva dall'approccio stesso dello studioso, che ha concentrato la sua attenzione solo su un genere di testi della letteratura cristiana, lasciando fuori dai confini della sua analisi tutto il rimanente complesso di opere, che avrebbero potuto chiarire questo problema da un altro punto di vista.

[94] Schmitz, *Die Bußbücher* cit., vol. 1, p. 811: «Si quis aliquid commederit aut biberit, aut super se portaverit ad evertendum judicium Dei, poenitentiam aget ut magus».

[95] Cfr. sopra, cap. II.

[96] Schmitz, *Die Bußbücher* cit., vol. 2, p. 496: «Nullus presumat diabolica carmina cantare, ioca saltationes facere, ibi letari, inebbriari, cachinnis ora disolvi, quasi de fraterna morte exultare, ubi luctus et planctus debet resonare».

[97] *Ritual'nyj smech v folklore* [Il riso rituale nel folklore], in *Folklor i dejstvitel'nost'. Izbrannye stat'i* [Folklore e realtà. Saggi scelti], Moskva 1976, pp. 177, 188 sgg.

[98] Cfr. Bachtin, *Tvorčestvo Fransua Rable i narodnaja kul'tura* cit., pp. 277, 351, 429, 436-39 e *passim* [trad. it. cit., pp. 279, 355, 434, 440-44].

[99] La paura della divinità terribile, del demonio, delle avversità sociali e delle calamità naturali, della fame in particolare, e soprattutto la paura del giudizio finale e dell'inferno era un tratto imprescindibile della coscienza popolare medievale, che spesso sfociava in psicosi di massa. La «mentalità che spaventa ed è spaventata» (M. Bachtin), a quanto pare, non è una caratteristica solo del cristianesimo ufficiale, ma è anche parte integrante della sua versione popolare, permeata di pessimismo riguardo alle prospettive di salvezza. La sofferenza religiosa dei credenti nasceva proprio dall'intenso sentimento di paura per il castigo dopo la morte. Perciò è difficile essere d'accordo con M. Bachtin quando parla di «assenza di paura» nella percezione popolare del mondo nel Medioevo. Il superamento della paura del mondo cosmico e sociale nel carnevale rappresenta piuttosto una sorta di compensazione psicologica, di distensione, indispensabile per un uomo che nella sua vita quotidiana si trovava sotto la pressione costante di forze che cercava continuamente di dominare. Sulla paura come fattore della vita sociale nel Medioevo si potrebbero scrivere delle monografie. (Dopo aver avanzato questa ipotesi, ho avuto modo di consultare il dettagliato studio di Delumeau, *La peur en Occident* cit., sul sentimento della paura nella popolazione dell'Europa occidentale alla fine del Medioevo e all'inizio dell'Era moderna).

[100] Cfr. oltre, capp. IV e V.

[101] Una sorta di «sintesi» tra cristianesimo e paganesimo è probabilmente testimoniata da quelle forme di feste popolari carnevalesche che si tenevano nei giorni dei santi e contro le quali la Chiesa tentava invano di lottare. Schmitz, *Die Bußbücher* cit., vol. 2, p. 337: «Si quis balationes [saltationes] ante ecclesias sanctorum fecerit, seu qui faciem suam transformaverit in habitu mulieris aut ferarum, seu mulier in habitu viri...» Non si parla di un'analoga «sintesi» anche nel caso di quelle divinazioni proibite che «contro ragione vengono chiamate *sortes sanctorum*»? (*ibid.*, vol. 2, p. 321).

[102] Cfr. sopra, cap. II.

[103] Il domenicano John Bromyard racconta gli slanci improvvisi dei parrocchiani che provavano l'esigenza di confessare immediatamente i propri peccati: «Domandami, ascoltami subito, devo dire una sola parola!» (Owst, *Literature and pulpit in Medieval England* cit., p. 237).

Capitolo quarto

La *Divina Commedia* prima di Dante

Le idee sull'aldilà sono una componente fondamentale dell'« immagine del mondo » alla base della cultura di qualsiasi epoca. Queste idee possono svilupparsi fino a formare un quadro straordinariamente ricco e possono essere « nulle », quando il cielo è vuoto e dopo la vita c'è il non essere. Nella coscienza di una cultura sono sempre presenti entrambi i mondi – della vita e della morte –, che della cultura determinano i tratti essenziali[1]. Il cristianesimo trasferisce il premio e il castigo per la vita passata nel regno dell'aldilà; là dimorano le forze da cui dipende il destino dell'anima. Il mondo dell'oltretomba, secondo questa concezione, è il vero mondo, mentre il mondo terreno è un suo pallido simulacro, una temporanea residenza dell'anima nel viaggio verso la sua vera patria. Le paure e le speranze generate dall'attesa del passaggio all'altro mondo perseguitavano insistentemente l'uomo medievale ed egli non poteva non formarsi delle idee sulla sua struttura.

Studiare l'atteggiamento degli uomini di quell'epoca verso la morte e le loro idee sull'oltretomba significa accostarsi alla comprensione di un aspetto importante della loro coscienza. Dando forma al regno dei morti, essi lo popolavano delle proprie aspettative e dei propri incubi; nelle scene e nelle immagini dell'aldilà dipinte dalla loro fantasia s'incarnavano i complessi psichici collettivi e le ossessioni dell'epoca; inoltre, inevitabilmente e, piú probabilmente, senza neanche rendersene conto, questi uomini trasferivano nella struttura dell'aldilà le idee sul tempo e lo spazio, sulla personalità umana, sul rapporto tra spirito e materia, che costituivano i parametri fondamentali della loro visione del mondo.

Lo storico può analizzare queste idee in maniera relativamente dettagliata, poiché durante tutto il Medioevo nell'arte e nella letteratura continuano a riprodursi le immagini dell'esistenza ultraterrena che costituiscono una parte fondamentale dell'iconografia sacra; esse nascono nella coscienza di numerosi visionari, che ci hanno lasciato racconti di peregrinazioni nell'oltretomba. La rappresentazione visuale della morte e della risurrezione dell'anima in una scultura, nella miniatura di un libro o in una stampa da un lato e la «visione» letteraria dall'altro forniscono però due modi diversi di interpretare il passaggio nell'aldilà e la struttura di quel mondo.

Iniziamo dall'arte figurativa. Entrando in un tempio, universo sacro, il credente contemplava le scene della fine del mondo, della risurrezione dei morti e del Giudizio universale, ed è assolutamente evidente la forza dell'influenza esercitata su di lui da questi quadri, che attiravano e incutevano terrore, ispirando timore e venerazione di fronte alla divinità e paura della sua ira e del suo castigo. I maestri medievali che erigevano e decoravano le cattedrali, non lavoravano solo seguendo la loro personale ispirazione: si attenevano alle indicazioni dei committenti religiosi e nelle loro creazioni artistiche dovevano illustrare i testi sacri con la massima precisione. Le scene e le immagini che andavano rappresentate sul portale occidentale del tempio s'ispiravano all'Apocalisse e al Vangelo secondo Matteo; le visioni di Giovanni Teologo e la profezia di Cristo sulla «fine dei tempi» dovevano essere tradotte nel linguaggio delle immagini; per una corretta interpretazione di questi passi spesso oscuri della Scrittura si utilizzavano i lavori dei commentatori e dei teologi medievali[2].

Tuttavia, gli incisori, gli scultori e i mastri vetrai non si limitavano ad una servile illustrazione dei testi canonici, e sarebbe stato anche impossibile, poiché il passaggio dalla parola alla raffigurazione li poneva di fronte a nuovi, complessi problemi, e non solo di ordine puramente tecnico, ma anche semantico. Bisognava esprimere in modo chiaro tutta una serie di simboli; i problemi della composizione di singoli momenti della narrazione sacra occupavano in questo lavoro un posto sostanziale. Come osserva un'eminente autorità nel campo della storia dell'arte sacra medievale in Francia, lo spirito latino dell'Occidente dava forme compiute alla percezione tipica dell'Oriente, piú incline alle visioni, priva di armonia e di plasticità, e questo passaggio era accompagnato da inevitabili perdite[3], ma non solo da perdite, giacché i costruttori delle cattedrali introducevano in tali raffigurazioni anche motivi nuovi e interpretazioni originali, ponendo gli accenti a modo loro. Le innovazioni erano dettate in notevole misura dai dotti commentatori alle cui indicazioni si attenevano i maestri. Nel contempo trovava espressione anche la percezione popolare del mondo, naturalmente non nel progetto né nella struttura dell'insieme, bensí in molti dettagli e nei modi di interpretare il materiale.

L'immagine del dramma della fine del mondo si dispiegava sulle facciate delle cattedrali in una serie di atti successivi, che il credente imparava a percepire come susseguentisi nel tempo. Nel primo atto, conformemente alla *Rivelazione di Giovanni*, figuravano i cavalieri dell'Apocalisse, che preannunciavano l'imminente Giudizio. Piú avanti, nel timpano centrale, era raffigurato Cristo assiso sul trono in veste di giudice, circondato dagli angeli, che annunziano l'imminente Giudizio. Alla destra e alla sinistra di Cristo stanno la Vergine Maria e Giovanni Battista, che intercedono presso Dio in favore del genere umano peccatore; è per questo motivo che in molte cattedrali essi vengono raffigurati genuflessi.

Allo squillo delle trombe angeliche si spalancano le tombe e ne escono i morti. La scena dei cimiteri che rivivono viene posta ai piedi del Cristo. Tra i risorti, di solito dipinti nudi, si incontrano figure cinte di corone e tiare. Ciò doveva mostrare in modo evidente che davanti al tribunale divino sono tutti uguali, dal popolano al papa e all'imperatore. Secondo la dottrina dei teologi medievali, tutti risorgeranno a trent'anni, l'età che aveva Cristo quando sconfisse la morte, risorgendo dopo la crocifissione, e perciò sui portali delle chiese mancano figure di bambini o di vecchi: tutti coloro che lasciano le loro tombe sono giovani e belli, indipendentemente dall'età in cui sono morti.

La scena del Giudizio universale, che occupa il successivo riquadro del portale, non corrisponde tanto alle parole della scrittura, quanto alle indicazioni dei suoi commentatori. Al centro è raffigurato l'arcangelo Michele con una bilancia in mano. Accanto a lui sta la misera anima, trepidante nell'attesa del verdetto. Su un piatto della bilancia si trovano le sue buone azioni, sull'altro i peccati, e il diavolo, che ha il ruolo dell'accusatore, tenta invano di ingannare la giustizia suprema premendo furtivamente sul piatto dei peccati. La grottesca mescolanza di alto e basso, di solennemente spaventoso e di ridicolo, di spiritualmente bello e di fisicamente mostruoso – mescolanza nell'ambito di una sola immagine che abbraccia gli estremi della medesima raffigurazione – permea tutta questa serie che si esprime attraverso le immagini e i segni. L'idea di pesare fisicamente le azioni umane è assai piú antica del cristianesimo (era già nota anche nell'antico Egitto)[4] e non si riferisce direttamente ai testi evangelici, benché trovasse espressione proprio nelle opere dei teologi, a cominciare da Agostino e Giovanni Crisostomo. L'incarnazione materiale dei peccati e delle buone azioni (nella cattedrale di Chartres raffigurati come piccoli esseri seduti sulla bilancia) rispondeva nel miglior modo possibile all'interpretazione popolare della metafora. In altri casi (Bourges, Amiens) sulla bilancia delle buone azioni è raffigurato l'Agnello di Dio, che illustra in maniera quanto mai evidente la tesi secondo cui la salvezza dell'anima non dipende dai meriti dell'uomo, ma dalla grazia divina.

A destra e a sinistra della figura dell'arcangelo Michele ci sono due gruppi che si stanno allontanando da lui. Queste parti della raffigurazione non sono contemporanee all'azione della scena centrale e dànno l'idea di ciò che accade dopo il giudizio. Alla destra dell'arcangelo il credente vedeva gli eletti di Dio, che, gioendo della propria assoluzione, si dirigono verso le porte del paradiso. L'apostolo Pietro, posto di guardia ai cancelli del paradiso, con le chiavi alla cintura, simboleggia la Chiesa, l'unica che può aprire la via verso la salvezza. Il paradiso come tale non si può descrivere né con la parola, né con le immagini. Ciò nonostante le parole sull'arrivo dei beati nel «grembo di Abramo», trovano la loro espressione plastica: ad Abramo assiso sul trono gli angeli porgono degli ometti in miniatura, le anime degli eletti, e questi si inginocchiano presso di lui. Una simile incarnazione, letterale e per immagini, di una metafora biblica ancora una volta soddisfaceva l'esigenza dei credenti di configurarsi le astrazioni e i simboli nell'unico modo che doveva essere accessibile alla loro comprensione. Le figure femminili incoronate, sul portale settentrionale della cattedrale, simboli dei meriti spirituali e materiali, esattamente come le immagini degli angeli e dell'esercito celeste, dovevano raffigurare le gioie del paradiso.

Ma torniamo alla raffigurazione sul portale occidentale. Alla sinistra dell'arcangelo Michele si trova il gruppo dei peccatori condannati. Legati da una catena comune, sono trascinati all'inferno dai demoni. In contrasto con i volti luminosi e raggianti dei beati, i volti e i corpi dei dannati sono pieni di disperazione e di sconforto. Se il gruppo degli eletti di Dio si muove in modo solenne e armonioso verso i cancelli del paradiso, il gruppo dei dannati è irrequieto e caotico, e proprio in quest'ultima interpretazione i maestri medievali potevano permettersi di dare libero sfogo alla fantasia. Demoni che fanno smorfie e sghignazzano, nel cui aspetto si mischiano tratti antropomorfi e animaleschi, sospingono i dannati, li afferrano e li precipitano nella cloaca spalancata dell'inferno, raffigurata o come le mastodontiche fauci del Leviatano, o come un calderone sotto cui arde il fuoco. Intorno ad esso i demoni si dànno da fare con i mantici, attizzando la fiamma che infuria. Essi picchiano i dannati con dei bastoni e rimestano la brodaglia infernale. A differenza della letteratura delle visioni, nella quale categorie diverse di peccatori subiscono tormenti di genere diverso a seconda del carattere dei peccati da loro compiuti, nelle raffigurazioni scultorie dei peccatori non c'è differenziazione dei peccati e delle pene, e tutta la mandria dei condannati viene scortata dai diavoli nella fornace infernale. Fa eccezione l'avidità, peccato che si può riconoscere dal sacchetto appeso al collo del dannato. Tra i peccatori si vedono prelati e re, che nella cattedrale di Reims sono raffigurati vestiti di tutto punto, con corone e mitre.

La trattazione plastica dell'inferno, a differenza della struttura di altre scene sulla fine del mondo, non si basava sui testi teologici. La rappresentazione dei supplizi infernali sui bassorilievi scultori era anzi in diretto contrasto con le interpretazioni dei teologi, giacché questi ultimi ritenevano che i tormenti dell'inferno andassero interpretati in senso figurato, che avessero un significato simbolico; secondo il parere di Tommaso d'Aquino, i tormenti dell'inferno denotano l'afflizione spirituale, il rimorso di coscienza. Perciò i rospi e i serpenti che divorano i dannati; l'inferno brulicante di mostruosi animali fiabeschi le cui colossali zampe comprimono le teste dei peccatori che piangono e strillano, e straziano i loro corpi con gli artigli, e le cui fauci penetrano nelle loro carni con denti aguzzi; i demoni, simili a cuochi, che si affaccendano intorno al calderone infernale in cui cuociono i dannati; gli omuncoli che per sfuggire ai diavoli si nascondono sotto i lunghi paramenti dell'arcangelo; i corpi mostruosamente contorti e deformati dei dannati, i loro volti, o grottescamente distorti dai singhiozzi, o scossi da una folle risata (si veda il timpano della cattedrale di Bamberga, dove tutte le tappe successive del Giudizio universale – dall'apparizione del Giudice e dalla risurrezione dei morti fino alla separazione dei buoni dai cattivi – sono rappresentate simultaneamente, riunite in un unico spazio angusto con pochi personaggi e dove alle raffigurazioni dei tormenti dell'inferno subentra il tentativo di rendere le reazioni emozionali dei beati e dei dannati), tutte queste scene e immagini, dunque, non erano ispirate tanto dalla letteratura dotta (ma anche da essa, si veda lo stesso *Elucidarium*), quanto dalla fantasia degli scultori e degli incisori. Essa attingeva il proprio materiale da ogni parte: dai sermoni e dall'agiografia, dal folklore e dai racconti delle visioni ultraterrene.

Come i predicatori ammonivano il gregge che il diavolo stava continuamente e ovunque in agguato, cosí anche nelle cattedrali si potevano trovare, nelle varie parti dell'universo scultorio, rappresentazioni di demoni dei piú disparati generi, da quelli indicibilmente spaventosi a quelli buffi e miseri. La fantasia dei maestri medievali, che avevano conquistato una certa libertà, non conosceva limiti[5]. Esaminando le numerose versioni artistiche delle scene del Giudizio universale e delle punizioni cui i diavoli sottoponevano i peccatori, è difficile liberarsi dall'impressione che la fede della gente di quell'epoca nella realtà dell'inferno e dei suoi tormenti non impedisse loro affatto di ricevere un appagamento estetico dalla creazione e contemplazione di quelle raffigurazioni, appagamento evidentemente accompagnato da una sorta di catarsi: colui che vedeva l'oggettiva incarnazione artistica delle proprie paure del castigo postumo, non doveva sentirsi forse psicologicamente alleviato?

Lo schema di disposizione dei quadri sulla fine del mondo che abbiamo delineato in precedenza non esprime certo la varietà della loro trattazione nelle diverse cattedrali e nelle diverse tappe dello sviluppo dell'arte sacra. Vorrei soltanto menzionare il timpano della cattedrale di Autun, nel quale le scene del Giudizio universale spiccano per eccezionale dinamismo ed espressività. L'autore di questo insieme scultorio, di cui, contrariamente alla regola generale, è noto il nome, «Gislabertus», ottiene un fortissimo effetto allungando e spezzando al massimo le figure umane; le loro pose coprono un amplissimo spettro dei sentimenti piú contrastanti. La drammaticità di ciò che sta avvenendo è resa dal tremito che scuote coloro che partecipano al giudizio divino. Lo spettatore ha di fronte un vero e proprio uragano di gesti, sembra di udire i lamenti e le grida dei dannati, che si mescolano all'ululato dei demoni che li trascinano nell'inferno. Tremano anche gli apostoli che circondano il Giudice terribile. Qui non c'è pace in nessun luogo, tranne forse nella figura colossale del Cristo, che attira su di sé l'attenzione per l'assoluta simmetria, ma dalle sue braccia leggermente aperte scaturisce un intenso movimento che d'altronde permea tutta la composizione. Una particolarità del bassorilievo di Autun è costituita anche dal fatto che i risorti lasciano le loro tombe con un'espressione di estasi o di paura. A questo proposito E. Mâle avanza l'ipotesi che «Gislabertus» condividesse la dottrina della predestinazione: i risorti, egli pensa, sanno già se sono stati eletti alla salvezza o condannati ai tormenti dell'inferno[6]. Le relative scritte sulle teste dei giusti e dei peccatori recitano: «Cosí risorgerà chi non ha condotto un'esistenza scandalosa» e «Che tremi di paura chi è caduto negli errori terreni, poiché tale è il suo tremendo destino, qui raffigurato»[7].

È facile convincersi che le immagini sul mondo dell'oltretomba e sui tormenti che attendono coloro che sono stati condannati nel giorno del Giudizio universale, sono notevolmente piú varie delle immagini sulla beatitudine celeste degli eletti, che piú rigorosamente sottostavano al canone della Chiesa. Ma vorrei ribadire che tutte queste scene costituivano le maglie, collegate l'una e l'altra, di un'unica narrazione articolata, che erano tutte riferite, secondo le promesse evangeliche e la dottrina dei teologi, al momento in cui avrebbe avuto termine la storia del genere umano, in un futuro imprecisato, ma costantemente atteso (di tanto in tanto con particolare intensità). Esse venivano perciò disposte sulla facciata occidentale della cattedrale, che simboleggiava la fine del mondo. In altre parole, come d'altronde era presumibile, l'iconografia e la scultura sacra rimandavano alla «fine dei tempi» il premio o il castigo per la vita passata sulla terra. Voglio ancora rilevare che l'arte figurativa dei secoli XII e XIII non conosce il purgatorio, interpretando il regno dell'oltretomba sotto forma di dicotomia tra paradiso e inferno[8]. Secondo quanto osservano G. e M. Vovelle[9], il purgatorio trova posto nell'iconografia sacra solo alla fine del Medioevo.

Questa è la concezione escatologica che sta alla base del modo di trattare il mondo ultraterreno nell'arte sacra. Non ho affrontato altre forme di arte oltre la decorazione delle cattedrali, perché il popolo, la cui cultura è al centro della mia analisi, riceveva la sua istruzione religiosa proprio contemplando le scene scolpite sui frontoni delle chiese o create dai mosaici delle vetrate, mentre le miniature dei libri, estremamente ricche e istruttive a questo riguardo, gli erano accessibili in misura incomparabilmente minore, come d'altronde i libri stessi.

Le concrete raffigurazioni delle forze sacrali e dei demoni, che tormentano i peccatori, e degli eletti beati, delle scene della risurrezione dalle tombe e del giudizio finale erano un mezzo efficace per dare un'educazione religiosa al gregge, per instillargli sentimenti di speranza nella salvezza e di paura per la perdizione dell'anima. Ma in che modo lo spettatore medievale recepiva l'escatologia cristiana, trattata in maniera tanto impressionante dall'iconografia sacra? Le scene del Giudizio universale che i fedeli contemplavano sui portali occidentali delle cattedrali, si associavano nella loro coscienza ai racconti sulle peregrinazioni dell'anima nell'inferno e nel paradiso, racconti che avevano ampia diffusione in tutti gli ambienti sociali ed erano stati in parte annotati, formando il particolare genere letterario delle «visioni». In tal modo, nello spazio spirituale degli uomini di quell'epoca le notizie sulle visite all'altro mondo s'intersecavano alle scene apocalittiche dell'arte figurativa, e interpretarne il significato è possibile solo confrontando entrambi i generi, nella loro reciproca correlazione.

Insieme alle vite, le narrazioni sul mondo ultraterreno, sono forse il genere di letteratura piú popolare e avvincente del Medioevo. Come vedremo in seguito, la trasformazione, che nel crogiolo della fantasia dell'uomo Medievale, subivano le immagini e i soggetti ereditati dall'Oriente, dall'antichità e dal primo cristianesimo, in questo genere della letteratura mediolatina andava forse ancora piú lontano che nell'arte figurativa. Molte narrazioni sulle peregrinazioni dell'anima nei regni dell'oltretomba erano tradotte nelle lingue popolari, per secoli furono trascritte, lette, diffuse in racconti orali, che erano nuovamente annotati, acquistando una nuova forma. La vita di questo ramo della letteratura medievale scorreva secondo le leggi sia della letteratura dotta sia del folklore, e in essa contemporaneamente le due tradizioni si fondevano.

I grandiosi quadri raffigurati dall'*Apocalisse* e dalla *Commedia* di Dante distano nel tempo uno dall'altro piú di mille anni: durante questo periodo il pensiero dei cristiani, con speranza e disperazione, si volse instancabilmente all'inferno e al paradiso. Nel Medioevo la forma usuale per descrivere il mondo dell'oltretomba era il racconto su una persona che si era miracolosamente ritrovata nelle contrade ultraterrene, nell'aldilà, per poi ritornare in vita e rivelare ai suoi simili ciò che aveva visto «là». Questa peregrinazione nell'oltretomba diventava possibile in seguito alla morte, mentre il racconto che la riguardava diventava invece possibile grazie alla risurrezione della persona cui era stato concesso l'onore di una simile esperienza miracolosa; o, ancora, il racconto poteva essere messo in bocca a un peccatore, che pativa i supplizi dell'inferno e cui era consentito raccontare i propri tormenti alle persone cui egli fosse apparso dall'aldilà.

Presupposto per l'evoluzione del genere letterario delle visioni ultraterrene era il fatto che nella coscienza medievale si era in parte cancellato il confine assoluto che separa la vita e la morte. Nella letteratura antica le immagini del regno dei morti si presentavano allo sguardo del viaggiatore che vi era sí in qualche modo capitato, ma che tuttavia restava vivo. Nelle opere mediolatine, invece, ritrovarsi nell'aldilà significava esser morti, mentre parlarne ai vivi significava tornare in vita o apparire a qualcuno. La risurrezione diventa dunque la condizione per l'esistenza della letteratura delle visioni, una convenzione generalmente accettata nel Medioevo; il mezzo con cui i due mondi, quello terreno e l'aldilà, comunicano è il miracolo, manifestazione della onnipotenza delle forze sacrali.

Si sono conservate molte descrizioni di tal genere. Nella letteratura scientifica l'interesse per le visioni medievali è dettato prevalentemente dal desiderio di stabilire in quale misura il pensiero e il sistema delle immagini di Dante siano stati preparati e anticipati dai suoi predecessori; le annotazioni dei sogni e delle visioni degli uomini medievali da questo punto di vista non hanno un valore autonomo, e meritano attenzione propriamente solo nella retrospettiva creata dalla *Commedia*, costituendone la «preistoria». Le visioni ultraterrene del Medioevo sono analizzate anche in un'altra prospettiva: quella della letteratura antica e del primo cristianesimo; gli studiosi evidenziano in esse gli elementi tratti dalla mitologia antica, dai poemi di Omero e dall'*Eneide*, dal *Sogno di Scipione* di Cicerone, dalle opere di Luciano o dalle profezie bibliche e dalla *Rivelazione di Giovanni*. Entrambi questi approcci, che d'altronde si combinano sovente[10], sono del tutto ammissibili e a loro modo necessari. La loro insufficienza sta nel fatto che cosí il Medioevo resta proprio il «mediastino» tra l'antichità e il Rinascimento, un'epoca che ha vissuto dei frammenti della saggezza e della cultura antiche e che agli occhi degli studiosi trova la sua giustificazione nella misura in cui «preparò» il Rinascimento. Si può avanzare un'ipotesi: se non ci fosse stato Dante, forse anche gli storici della letteratura non avrebbero prestato particolare attenzione alle visioni medievali. Per tradizione la medievistica continua ancora spesso ad attingere i criteri di selezione e valutazione del materiale non dall'età studiata, ma dalle piú «rispettabili» età contigue: dall'antichità o dal Rinascimento e dall'età moderna.

Ma non vale forse la pena di isolare le visioni medievali del mondo ultraterreno come autonomo oggetto d'indagine, come *fenomeno specifico della concezione medievale del mondo*, e cercare di determinarne le particolarità e, soprattutto, di cercarne le fonti non fuori dei confini dell'epoca, bensí *al suo interno*? Occorrerebbe inoltre spostare un poco la prospettiva consueta ed esaminare queste descrizioni non sul piano della figliazione di soggetti o dei prestiti letterari, per altro innegabili, bensí considerando i modi e le forme in cui la coscienza medievale viveva queste immagini, che trovavano una viva risonanza in un'epoca estremamente preoccupata dall'idea dell'esistenza ultraterrena. Vorrei appunto radicare le visioni medievali nella loro epoca, quando nacquero, quando non venivano recepite come prodotti di una tradizione letteraria, ma come rivelazioni e squarci nel mondo trascendente. Secondo tale approccio non sono poi tanto importanti i loro pregi artistici, la ricchezza della fantasia e l'originalità dei loro autori, poiché si può già dire in anticipo che a questo riguardo erano inferiori sia all'*Apocalisse* che alla *Commedia*; è però essenziale constatare come le annotazioni delle visioni, che di regola appartengono a persone del ceto ecclesiastico, perseguissero precisi scopi pratici, edificanti o politici.

Il racconto della visita di un'anima nell'oltretomba era un mezzo efficace in mano ad un sacerdote, per influire sui fedeli. La minaccia del castigo postumo talvolta agiva con piú successo di un sermone sulla necessità di astenersi dai peccati. Nella descrizione dei tormenti infernali certi autori (come piú tardi Dante) non esitavano a includere episodi con persone reali, personaggi storici, re ad esempio, e perciò ad usare tali descrizioni per terrorizzare i successori di questi sovrani e metterli in guardia dal ripetere i loro errori e peccati.

Lo studio di un'opera letteraria consente di porla in contesti diversi. Si possono analizzare i legami di un'opera artistica con quelle che l'hanno preceduta e seguita, per mettere in luce una determinata tradizione a cui essa aderisce e di cui è il prodotto, per seguire la topica in essa riprodotta e rinvenire il contributo di novità che l'autore ha portato in questa tradizione. Per quanto riguarda la letteratura latina medievale, che era orientata verso la tradizione e tendeva consapevolmente a seguire modelli stabiliti, questo metodo si presenta naturale, e qui è particolarmente fecondo, basti ricordare il lavoro di E. R. Curtius[11]. Ma accanto al sistema predecessori-opera-successori, sistema che si serve di concetti cardinali come «modello», «topica» e «tradizione», è ammissibile anche un altro schema, che non prende in considerazione in primo luogo la serie evolutiva in cui si situa una data opera, bensí il sistema sincronico. Con quest'ultimo si intende da un lato la creazione artistica condizionata dalla mentalità che le è contemporanea e correlata alla realtà effettiva, che dà all'autore anche altri stimoli oltre il canone artistico ereditato (questo stesso canone rientra nella contemporaneità), e dall'altro lato la possibile influenza di questa creazione sull'ambiente, *la sua funzione socio-culturale*. Qualsiasi opera presuppone una lettura e decifrazione da parte di una data cerchia di persone.

Le visioni medievali, destinate a un vasto uditorio, ci interessano proprio sotto questo aspetto, in quanto componente essenziale della letteratura latina, di cui, nel contesto della tradizione ecclesiastica e ricevendo da essa una nuova sfumatura e un nuovo significato, fanno parte le fondamentali concezioni del mondo proprie del popolo. Tale impostazione del problema induce a introdurre una limitazione nella scelta del materiale. Da un lato, ho scelto di non occuparmi sia delle visioni del periodo che propriamente precede il Medioevo, quali ad esempio il *Libro di Enoch*, l'*Apocalisse di Esdra*, l'*Apocalisse di Pietro* e altre, sia delle immagini dell'oltretomba che si incontrano nella poesia del primo Medioevo nei volgari. Dall'altro lato, la *Divina Commedia* rimarrà naturalmente fuori dall'ambito della mia indagine. E non solo perché non è scritta in latino. Questa grandiosa conclusione di tutta la letteratura medievale sulle peregrinazioni nell'oltretomba, a rigor di termini, non appartiene piú al genere qui in esame delle visioni del regno ultraterreno, di cui fu il prodotto, ma che allo stesso tempo concluse e superò.

Occorre tuttavia tener conto del fatto che il lettore di oggi «misurerà» le narrazioni medievali sulle visite nell'aldilà rispetto alla creazione di Dante, cercando in essa i criteri per valutarle. Questo procedimento è legittimo, ma vorrei che in questo contesto la *Commedia* non figurasse come il modello artistico che nessuna delle esperienze precedenti ha chiaramente raggiunto[12], ma come un fenomeno specifico, il cui confronto con le visioni medievali dà la possibilità di porre in risalto l'originalità di queste ultime.

Le visioni ultraterrene dell'inizio del Medioevo non raggiungono la tensione escatologica e l'alta drammaticità dell'Apocalisse, sebbene anche a quel tempo gli scrittori della Chiesa parlino ripetutamente dell'imminente «fine dei tempi», della fine «della notte di questo mondo» e del prossimo sopraggiungere del «giorno del mondo futuro»[13]. In un modo o nell'altro, questi due mondi sono tra loro in contatto, e la migliore testimonianza ne sono i santi. Il santo vive tra gli uomini, ma in lui si manifesta, in modo costante e palese, una volontà suprema, che gli dà appunto la forza con cui compie i miracoli. Il santo ha un rapporto diretto con l'aldilà, tanto che si potrebbe affermare che in un certo senso, già da vivo, egli appartiene al regno dei cieli.

Ma esistono anche altri esseri umani che hanno avuto la fortuna di stare « nell'aldilà » e di tornare indietro per raccontare ai vivi ciò che li attende dopo la morte. Secondo Gregorio I le loro testimonianze avevano un valore eccezionale, in quanto davano la possibilità di dimostrare in modo chiaro e *per experimentum* l'esistenza dell'oltretomba e del castigo o premio postumo. Casi del genere, a giudicare dai suoi *Dialoghi*, non erano affatto una rarità. Cosí accadde, scrive il papa, ad un padre di famiglia. Egli era morto, senza aver aspettato il prete Sever, che si era trattenuto in un vigneto. Quando Sever seppe che chi l'aveva chiamato era già morto senza aver ricevuto assoluzione finale dei suoi peccati, prese a pentirsi ad alta voce, considerandosi il suo assassino. Dio esaudí le suppliche del santo, e il defunto resuscitò. Quando gli domandarono dove era stato e in che modo era ritornato, egli rispose che subito dopo la morte « uomini repellenti », che sprigionavano fiamme dalla bocca e dalle narici, l'avevano afferrato e trascinato in certi « luoghi bui », ma uno splendido giovane apparso all'improvviso aveva ordinato di lasciarlo andare, giacché il Signore esaudiva la preghiera e gli restituiva il morto. Dopo sette giorni di penitenza l'uomo morí « in letizia »[14].

Gregorio I riconduce costantemente il messaggio spirituale ad un livello sensibile-materiale, cercando di conformarsi alla comprensione dell'uditorio cui erano destinati i suoi *Dialoghi*[15]. Anche le sue descrizioni delle visioni ultraterrene sono ispirate allo stesso sentimento. Il nobile Reparatus, che era stato nell'altro mondo, aveva visto un rogo preparato per un noto sacerdote, il quale era ancora vivo e si abbandonava ai piaceri della carne; Reparatus gli mandò un messaggero, scongiurandolo di rinunciare a quel modo di vivere peccaminoso, ma in quello stesso momento il prete morí[16]. Non è chiaro dove si trovi l'inferno visitato da quest'uomo, e anche Gregorio I non riferisce niente di preciso circa la sua struttura, tranne che in esso arde un solo fuoco, ma i dannati subiscono punizioni diverse a seconda dei loro peccati e i loro tormenti non avranno mai fine[17]. Nel secolo VI evidentemente non esisteva ancora un quadro chiaro del regno dell'oltretomba; anche l'alto clero si accontentava dell'idea generale di una contrapposizione tra paradiso e fiamme della Geenna.

Successivamente, nella letteratura delle visioni il motivo del tormento infernale inflitto al peccatore a seconda del carattere dei suoi peccati assumerà una forma quanto mai eloquente: ai falsi testimoni e agli spergiuri i diavoli feriscono la lingua, con la fame si castigano i golosi, con la sete gli ubriachi; davanti agli occhi delle madri che hanno ucciso i neonati concepiti nella lussuria, questi ultimi si librano costantemente nell'inferno a mo' di rimprovero e accusa, ecc. Un compagno d'armi di Carlo Magno, famoso per la sua avidità, giace disteso sulla schiena mentre gli spiriti maligni gli versano in gola dell'oro fuso, dicendo: «Ne hai avuto sete da vivo e non hai potuto saziarti, allora eccotelo, bevi a volontà!»[18]. Ciò che a questo mondo è piacere si trasforma in tormento nell'altro, il torturatore diventa un torturato. All'inferno regna lo *ius talionis*.

Allo stesso modo in cui in paradiso i giusti che hanno condotto una vita simile ed hanno avuto lo stesso comportamento si ritrovano insieme, cosí anche gli spiriti maligni riuniscono i peccatori che hanno commesso colpe simili e li sottopongono a torture analoghe: i superbi soffrono insieme ai superbi, i libertini con i libertini, gli avidi con gli avidi, i bugiardi con i bugiardi, gli invidiosi con gli invidiosi[19]. Il mezzo principale per la punizione ultraterrena, secondo Gregorio Magno, è il fuoco infernale. Le persone che sono state nell'aldilà, dopo essere risuscitate, di solito muoiono subito dopo definitivamente; la loro breve risurrezione serve a Dio, con ogni evidenza, solo per confidare ai vivi i segreti dell'oltretomba per mezzo di quei racconti. Tale è la misericordia divina: certe persone dopo la morte ritornano nel proprio corpo e hanno paura delle pene infernali da loro patite concretamente, mentre prima non le temevano, poiché le conoscevano solo indirettamente[20]. La fede del papa nella possibilità di visitare il mondo dell'oltretomba e poi di ritornare in vita è incrollabile, poiché di alcuni casi egli aveva avuto diretta notizia proprio dalle persone che erano state nell'aldilà. Il «magnifico uomo» Stefan raccontò al papa di essere morto a

Costantinopoli e, per il tempo che il suo corpo non era stato ancora sepolto, di essersi trovato all'inferno, dove aveva visto molte cose a cui prima non credeva. Quando Stefan fu condotto al cospetto del Giudice supremo, questi lo respinse: «Non è lui, Io vi avevo ordinato di condurre da me il fabbro Stefan». Stefan fu immediatamente restituito al suo corpo e in quello stesso momento morí il suo vicino, il fabbro Stefan[21]. I diavoli avevano evidentemente sbagliato indirizzo...

Un altro testimone di Gregorio Magno fornisce un quadro piú preciso dell'oltretomba. Questo guerriero, morto e poi risorto, raccontava che l'avevano fatto passare su un ponte sospeso sopra un torrente nero e fetido. I giusti raggiungevano senza difficoltà l'altra sponda, ritrovandosi tra splendidi prati profumati, sui quali passeggiavano persone vestite di bianco. Là si ergevano dimore luminose e tra queste un edificio che gli parve tutto d'oro. I reprobi invece, tentando di attraversare il ponte, cadevano nel fiume fetido. Il ponte sul torrente tenebroso, che separa la sponda dei beati da quella dei dannati o di coloro che attendono si decida del loro destino, a partire dall'epoca di papa Gregorio I diventa una componente tradizionale ed essenziale del quadro dell'aldilà.

Il guerriero di cui parla Gregorio I aveva visto anche un sacerdote, morto quattro anni prima, appeso a testa in giú e con un peso legato al collo. Nell'episodio del fabbro Stefan l'uomo era inciampato nell'attraversare il ponte ed esseri dall'aspetto terrificante, emersi dal torrente, avevano fatto per trascinarlo nel baratro: in quello stesso momento, però, uomini alati e stupendi avevano afferrato Stefan e avevano preso a tirarlo verso l'alto. Era divampata una battaglia tra gli spiriti buoni e quelli maligni. Era la carne cattiva che lottava in Stefan contro le azioni misericordiose, spiega il papa[22]. In questo caso non è chiaro quale sia la funzione del torrente, se esso appartenga all'inferno o al purgatorio.

Le notizie che giungono dall'aldilà possono contribuire ad alleviare la sorte dei peccatori che soffrono all'inferno, giacché i vivi, conosciuti i loro tormenti, prenderanno a pregare per loro e a compiere buone azioni, mitigando cosí la pena.

Questo tema fu elaborato in modo particolarmente approfondito dall'autore della *Visione di Bernoldo*, Incmaro di Reims. Nell'oltretomba Bernoldo incontrò piú di quaranta vescovi, che si trovavano in condizioni estremamente pietose, ora tremando per il gelo intollerabile, ora soffocando di caldo. Il visionario trasmette ad altri uomini di Chiesa la supplica dei vescovi di pregare per le loro anime, e le preghiere subito esercitano un'azione benefica: egli trova i sofferenti lavati, rasati e debitamente vestiti. Costretto a rotolarsi tra i rifiuti e divorato dai vermi, Carlo il Calvo si pente di non aver ascoltato da vivo i consigli dell'arcivescovo Incmaro: Bernoldo trasmette la sua supplica di pregare per lui e questo migliora la sorte dell'imperatore[23]. Un monaco, dannato dopo la morte per essersi appropriato del denaro della congregazione, apparve ad uno dei suoi confratelli e gli rivelò che le sue condizioni erano migliorate grazie alla misericordia dell'abate che l'aveva scoperto. Un altro sacerdote incontrò ai bagni pubblici l'ex proprietario dei bagni stessi; per punizione dei suoi peccati, dopo la morte l'uomo era stato assegnato ai bagni in qualità di servo. Egli chiese al sacerdote di pregare per la sua anima[24]. La preghiera può aiutare un defunto, se la sua colpa è espiabile. Cosí era successo ad un giovane che viveva in un monastero, ma che in vita sua non aveva fatto niente di buono ed era un bestemmiatore e un birbante matricolato. Quando, durante un'epidemia di peste, egli giunse in punto di morte, i monaci, radunati intorno a lui, iniziarono a pregare per la sua anima. Ma il moribondo li interruppe: «Andatevene, andatevene, sono preda di un drago che mi divora, ma non può finire di divorarmi a causa della vostra presenza. Ha già ingoiato la mia testa, allontanatevi quindi, affinché non mi torturi e faccia ciò che deve. Se sono la sua preda, a che pro indugiare?» Egli non ebbe la forza di farsi il segno della croce, perché era schiacciato dalle squame del drago. Ciò nonostante la preghiera dei confratelli facilitò la sua lotta con il mostro, che infine fuggí, non sopportando le preghiere. Guarito, il peccatore si pentí e si fece frate[25].

L'idea che le preghiere e l'intervento dei santi potessero alleviare la sorte delle anime dei peccatori condannati alle pene dell'inferno, ampiamente rappresentata in molti racconti sulle visioni dell'oltretomba, non esprimeva la dottrina ufficiale della Chiesa[26]; la «teologia del sentimento» era in contrasto con la teologia dogmatica.

Nei *Dialoghi* di Gregorio Magno compaiono molti tra i temi fondamentali delle descrizioni dell'oltretomba, che diventano un tema ricorrente nella letteratura latina delle visioni. I *Dialoghi* godettero di eccezionale popolarità e furono considerati un'autorevole fonte di saggezza durante tutto il Medioevo.

Descrizioni di visite nel mondo ultraterreno s'incontrano anche nelle opere di un contemporaneo di Gregorio Magno, Gregorio, vescovo di Tours. Il priore di un monastero, che si distingueva per la sua straordinaria mitezza, sognò di trovarsi in luoghi dove scorreva un fiume di fuoco, verso il quale affluiva un'enorme moltitudine di uomini, come api che si affollavano all'alveare; essi si immergevano nel torrente infuocato, alcuni fino alla vita, altri fino alle spalle, altri ancora fino al mento, e tutti gridavano e gemevano, patendo spaventosi tormenti. Al di sopra del torrente era sospeso un ponte, cosí stretto che a stento ci si poteva posare la pianta del piede. Sull'altra sponda del torrente invece torreggiava una grande casa bianca. All'abate fu spiegato che cadevano dal ponte coloro che non si erano presi cura del proprio gregge, mentre quelli che erano stati zelanti passavano senza pericolo sull'altra sponda e in letizia raggiungevano la casa bianca. A queste parole l'abate si risvegliò e da allora diventò molto severo con i monaci[27]. Questa visione gli era stata inviata per metterlo in guardia dall'eccessiva mitezza, che poteva condurre all'indisciplinatezza della confraternita e infine alla rovina delle anime dei monaci.

Un'altra visione citata da Gregorio di Tours si può annoverare nella categoria delle «visioni politiche», che furono piuttosto numerose nel periodo franco (ma particolarmente al tempo dei Carolingi). Il vescovo di Treviri vide in sogno una torre con moltissime finestre, tanto alta da accostarsi al cielo. Sulla torre stava in piedi il Signore in persona circondato dagli angeli, uno dei quali teneva in mano un grosso libro. L'angelo comunicò le date di morte dei re franchi e li elencò tutti nell'ordine, tanto quelli passati, quanto quelli futuri; annunciò il carattere del governo di ciascuno e la durata della loro vita. Il vescovo riferí tutto ciò agli astanti e, come afferma Gregorio di Tours, in seguito si avverò tutto quello che era stato profetizzato[28]. Il «libro della vita» qui citato è un evidente prestito dall'Apocalisse.

Nel descrivere il paradiso, la fantasia dei nostri autori (come pure quella degli artisti che decoravano i templi) è di gran lunga piú pallida che nel raffigurare i tormenti dell'inferno. San Salvio si ammalò ed esalò l'ultimo respiro. In quel momento la sua cella s'illuminò di vivida luce e tremò. I monaci si misero a pregare e a preparare il corpo del santo per il funerale, ma il mattino dopo egli risuscitò e si rivolse a Dio lamentandosi che questi l'avesse fatto tornare dai cieli in questo mondo sventurato. Ai monaci egli raccontò che dopo la morte gli angeli lo avevano innalzato al cielo, cosí che sotto di sé egli non aveva visto solo questa triste terra, ma anche il sole e la luna, le nubi e le stelle. Attraverso una porta splendente era stato introdotto in un palazzo, il cui pavimento brillava come l'oro e l'argento, e che era d'indicibile grandezza, illuminato da una luce indescrivibile; all'interno si trovava una tale moltitudine di persone di ambo i sessi che abbracciarli tutti con lo sguardo era impossibile. Gli angeli avevano fatto strada a Salvio verso un punto sul quale era sospesa una nuvola, piú splendente della luce, da cui era echeggiata una voce, «come il frastuono di molte acque»[29]. Salvio era stato salutato da uomini in abiti sacerdotali e laici: i santi e i martiri. Investito da un profumo di tale inaudita dolcezza da togliergli il desiderio di mangiare e di bere, Salvio aveva poi udito una voce: «Costui ritornerà sulla terra, poiché è indispensabile alla nostra Chiesa». Si sentiva la voce, ma non si riusciva a vedere chi parlava. Salvio si era prosternato, affliggendosi all'idea di dover ritornare sulla terra dopo tutto quello che aveva visto e sentito nei cieli, e implorando il Creatore di lasciarlo rimanere accanto a lui, ma quella stessa voce gli aveva ordinato di andare in pace, promettendogli che sarebbe ritornato in quel luogo. Per coloro ai quali questo racconto può sembrare inverosimile, Gregorio di Tours assicura di averlo sentito dalle labbra dello stesso Salvio[30]. Quale stupefacente fusione di suprema umiltà e di estrema arroganza! Un santo che testimonia della propria predestinazione alla salvezza... Descrivere il paradiso con le risorse umane è impossibile, perciò lo storico franco ricorre continuamente ad espressioni come «ineffabilis», «inenarrabilis», «nimius»[31].

Troviamo annotazioni di alcune visioni anche nella *Storia religiosa del popolo degli angli* di Beda il Venerabile. Il racconto della visione dell'irlandese Fursa è il primo della serie[32]. Fursa si era ammalato e una notte la sua anima si staccò dal corpo, ed egli ebbe l'onore di contemplare l'esercito degli angeli e di ascoltarne il canto. Quando gettò uno sguardo alla terra sotto di sé, vide una valle oscura sovrastata da quattro fuochi che ardevano a poca distanza uno dall'altro. Gli angeli che lo accompagnavano gli dissero che quei fuochi avrebbero bruciato il mondo. Uno di essi è il fuoco della menzogna, poiché gli uomini non tengono fede al voto, fatto al battesimo, di rinunciare a Satana e a tutte le sue azioni; un altro è il fuoco dell'avidità, poiché gli uomini pongono l'amore per le ricchezze terrene al di sopra dell'amore celeste; il terzo è il fuoco della discordia, poiché essi non esitano a danneggiare il loro prossimo anche per delle sciocchezze; il quarto è il fuoco dell'empietà, dell'ingiustizia, poiché gli uomini non si peritano di derubare e opprimere i deboli.

Fursa vide anche i demoni, che volavano avvolti da una fiamma cercando di dirigerla contro i giusti. Piú avanti, nel libro che racconta la visione di Fursa, vengono elencate, come scrive Beda, le accuse avanzate contro di lui dagli spiriti maligni e le argomentazioni addotte in sua difesa dagli spiriti benigni, e da ciò si può dedurre che l'anima del santo era stata processata. Nell'oltretomba egli incontrò dei santi della sua stessa stirpe, che gli rivelarono molte cose utili e istruttive. Poi i santi si allontanarono nei cieli e gli angeli che accompagnavano Fursa si accinsero a riportare la sua anima nel corpo. Di nuovo egli dovette attraversare il fuoco, ma quando entrò nel varco creatosi tra le fiamme, gli spiriti maligni afferrarono una delle anime che soffrivano i tormenti del fuoco e la spinsero proprio addosso a Fursa: ciò gli provocò delle ustioni sulla spalla e sul mento che gli rimasero fino alla fine dei suoi giorni. Fursa riconobbe quell'uomo: dopo la sua morte egli aveva ricevuto qualche capo del suo vestiario. L'angelo lo scagliò di nuovo nel fuoco e lo spirito maligno disse: «Non respingere chi un giorno accogliesti, giacché, avendo preso le cose di un peccatore, sei diventato complice del suo peccato». Dopo che l'anima fu ritornata nel corpo, Fursa visse ancora a lungo.

Uno studioso contemporaneo ritiene che la visione di Fursa sia di grande interesse per lo psicanalista, dal momento che testimonia i tormenti di coscienza e la consapevolezza di vivere nel peccato, che generavano in lui uno stato febbrile ed estatico cosí intenso che egli prese per marchi infernali le ustioni provocategli da una malattia[33].

Di un'altra visione raccontata da Beda, quella di un certo Driktchelm, analizzeremo solo alcune scene[34]. Sul lato sinistro di una valle immensa egli vide ardere un fuoco terrificante, mentre sull'altro lato regnava un freddo insopportabile e infuriava una bufera con neve e grandine. Da entrambe le parti c'era un'enorme moltitudine di anime che si agitavano tra il caldo e il freddo: quando non riuscivano piú a sopportare il caldo, gli sventurati si ritrovavano in preda al gelo, ma, non trovando requie, si gettavano di nuovo tra le fiamme, e cosí ininterrottamente. Driktchelm pensò che quello fosse l'inferno, ma la sua guida, indovinando il suo pensiero, rispose: «Non è ancora l'inferno». In un altro luogo si levarono davanti a lui colonne di fuoco orrendo, che con fragore si sprigionavano da un pozzo enorme e poi vi ripiombavano. Driktchelm si accorse che le lingue di fuoco che si sollevavano e si abbassavano erano gremite di anime: volavano in aria come scintille e venivano poi inghiottite di nuovo dalla voragine. Lí dilagava un fetore insopportabile. All'improvviso egli udí dietro di sé delle urla disperate, accompagnate da un riso selvaggio, come se una folla bruta stesse facendo giustizia di una vittima catturata, e scorse una schiera di spiriti maligni che, ululando e gridando, trascinava nelle tenebre le anime gementi e piangenti, e, quando le sventurate sprofondavano nella voragine in fiamme, le urla delle vittime si fondevano alle esclamazioni gioiose dei demoni. Tra i dannati Driktchelm scorse un sacerdote, che riconobbe dalla tonsura, e una donna.

Alcuni spiriti neri sbucarono da quell'abisso infuocato e circondarono Driktchelm; i loro occhi erano infuocati ed egli era investito dalle fiamme che si sprigionavano dalle loro fauci e dalle narici. I demoni minacciavano di afferrarlo con tenaglie incandescenti, ma tuttavia non si decidevano a toccarlo. Una guida venuta in suo aiuto fece uscire Driktchelm dalla parte dove sorge il sole invernale. Alla luce del giorno il pellegrino vide da lontano un grande muro, che sembrava infinitamente lungo e smisuratamente alto, senza finestre, né porte, né una scala, e nonostante ciò, senza capire in che modo, egli si ritrovò in cima al muro. Là trovò un vasto prato splendido che profumava di fiori, cosí che svaní il fetore dell'oscura fornace. La luce che illuminava questi luoghi superava in splendore la luce del sole. Sul campo, in sconfinata letizia, passeggiava un'enorme moltitudine di persone con paramenti bianchi. A Driktchelm venne in mente che quello fosse proprio il regno dei cieli, di cui aveva spesso sentito parlare dal predicatore, ma la guida gli lesse di nuovo nel pensiero: «No, non è il regno dei cieli come tu credi». Piú avanti infatti videro luoghi in cui echeggiava un dolce canto e la luce era di gran lunga piú splendente e i profumi notevolmente piú gradevoli e forti che in quelli precedenti; qui però la guida, dopo aver spiegato a Driktchelm il significato di ciò che aveva visto, tornò indietro. La valle in cui da un lato infuriano le fiamme e dall'altro regna un freddo insopportabile, non è altro che il luogo in cui vengono messe alla prova e purificate le anime di coloro che fino alla morte hanno rimandato la confessione e l'espiazione dei peccati. Ma poiché essi si sono pentiti, anche se sul letto di morte, il giorno del giudizio entreranno tutti nel regno dei cieli; molti di loro saranno aiutati dalle orazioni, dalle penitenze e dai digiuni funebri, in particolare dalle messe celebrate in loro memoria. Il fetido pozzo infuocato è l'entrata della Geenna e chi vi è caduto dentro, non ne uscirà piú per l'eternità. Nel luogo fiorito che essi hanno visitato sono ammesse le anime di coloro che in vita hanno compiuto buone azioni, ma non hanno raggiunto un tale grado di perfezione da meritare subito l'accesso al regno dei cieli; ciò nonostante, il giorno del giudizio saranno degne delle gioie celesti. Ma coloro che sono perfetti in tutte le loro parole, in tutte le loro azioni e in tutti i loro pensieri, dopo aver abbandonato il corpo, entrano subito in paradiso. Ricevuti questi insegnamenti, Driktchelm molto malvolentieri ritornò in vita.

Questa visione è di gran lunga piú dettagliata delle altre dello stesso periodo. Il quadro dell'oltretomba dipinto da Beda o dal suo informatore è piú preciso di quello descritto dai suoi predecessori. Oltre all'inferno, di cui il pellegrino vide l'ingresso, e al paradiso, di cui egli ebbe l'onore di assaporare da lontano i suoni e i profumi, esistono anche altri luoghi; uno di questi si potrebbe chiamare purgatorio, benché i teologi del primo Medioevo non avessero ancora elaborato il concetto di purgatorio. Qui vengono effettivamente messe alla prova e purificate le anime prima di entrare in paradiso. Beda, come pure Gregorio di Tours, ha evidentemente difficoltà nel descrivere il paradiso: esso è troppo bello, la sua beatitudine non si può esprimere a parole. Nella topografia del mondo ultraterreno fanno la loro comparsa alcune coordinate che hanno un certo valore: alto e basso, oriente e occidente, destra e sinistra. Un orientamento simbolico in base ai paesi del mondo è presente anche in altre visioni[35].

Voglio soffermarmi ancora su una visione avuta da un guerriero e annotata da Beda[36]. Egli conduceva un'esistenza empia e non voleva pentirsi, e giunse a un tragico epilogo: si ammalò gravemente e rivelò allora a chi gli stava vicino che ormai nulla poteva aiutarlo. A quanto diceva, nella sua casa erano comparsi due adolescenti che si erano seduti uno al capezzale e uno ai piedi del suo letto. Essi gli avevano dato da leggere un libro bello, ma molto piccolo, nel quale il guerriero trovò annotate tutte le sue buone azioni, che erano però poche e insignificanti. In silenzio i due giovani avevano ripreso il libro e subito era giunta all'improvviso un'orda di spiriti maligni dall'aspetto terribile, che avevano circondato la casa, riempiendone la maggior parte. Anch'essi si erano seduti intorno al letto del malato e quello che, a giudicare dal ceffo scuro e spaventoso, sembrava il capo, gli aveva dato da leggere un altro libro. Questa volta era un codice dall'aspetto tremendo, di dimensioni colossali e di incredibile pesantezza. Leggendone i mostruosi caratteri, il malato aveva scoperto in esso dettagliate annotazioni di tutti i suoi misfatti, tanto nelle azioni e nelle parole, quanto nei pensieri. Il diavolo aveva detto ai giovani ben vestiti: «Che cosa state lí seduti, quando sapete anche voi che lui è nostro!» Quelli avevano risposto: «Voi dite il vero, prendetevelo e aggiungetelo al numero dei dannati», ed erano scomparsi. Allora i due spiriti maligni piú ripugnanti si erano avvicinati al guerriero dalla parte della testa e da quella dei piedi e avevano affondato dei pugnali nelle sue viscere. Adesso, concluse egli il suo racconto, essi continuano la tortura e non appena le loro lame s'incontreranno, io morirò e andrò all'inferno.

La spaventosa fine di questo peccatore, conclude Beda, serva d'insegnamento agli altri. Per quanto riguarda invece i libri, portati dagli spiriti benigni e maligni, essi sono compilati con il consenso divino, affinché noi si sappia che tutti i nostri pensieri e tutti i nostri atti sono custoditi e pesati dal supremo Giudice e ci saranno presentati alla nostra morte o dagli angeli o dai loro nemici.

Il tema del processo all'anima di un defunto, durante il quale un angelo legge il libro contenente l'elenco delle sue azioni buone e cattive, risale alla *Rivelazione di Giovanni*[37], ma Beda lo rielabora a modo suo. Nell'Apocalisse ci si riferisce al libro dai sette sigilli, nel quale sono scritti i destini del mondo e che verrà aperto soltanto il giorno del Giudizio universale. Per Beda invece al centro dell'attenzione sta *la salvezza o la dannazione del singolo individuo*: per ciascuno viene tenuto uno speciale registro dei meriti e dei peccati. Dobbiamo rilevare anche un'altra caratteristica essenziale delle visioni: la condanna o l'assoluzione hanno luogo *al momento della morte dell'uomo* e non vengono rimandate alla fine del mondo[38].

Piú esattamente, nelle visioni il quadro del Giudizio universale si sdoppia. Come abbiamo visto, nella visione di Driktchelm Beda cita i peccatori gravi, che vanno tra le fiamme della Geenna subito dopo la morte e non l'abbandoneranno piú per l'eternità, e quelli che vengono messi alla prova e purificati con i supplizi, ma che il giorno del Giudizio entreranno nel regno dei cieli; anche tra i giusti egli distingue quelli non ancora degni del paradiso e quelli che, abbandonato l'involucro corporeo, si ritrovano subito in paradiso. In altre parole, è come se si presupponesse l'esistenza di due giudizi: un giudizio è individuale e ha luogo subito dopo la morte del cristiano; l'altro giudizio invece viene rimandato alla seconda venuta di Cristo. Una soluzione di compromesso, incompleta, ma quanto mai sintomatica! È come se esistessero due escatologie: una «minore», personale, e una «maggiore», storico-universale. Questa dualità, già visibile nella letteratura delle visioni, emerge ancor piú distintamente quando la si confronti con l'iconografia sacra, che conosce solo il giudizio alla fine del mondo.

A questo proposito vorrei muovere delle obiezioni a Ph. Ariès, autore di un interessante e innovatore studio sull'atteggiamento verso la morte in Occidente, dal Medioevo fino ai nostri tempi[39]. Nella parte che riguarda la percezione medievale della morte, Ariès si basa sull'iconografia, tralasciando stranamente del tutto la letteratura delle visioni. Questa esclusione dal campo di osservazione di un intero corpo di testi, che riguardano direttamente il tema del suo studio, ha portato Ariès a fare un'asserzione erronea. In particolare egli ritiene che l'idea del Giudizio universale non si fosse diffusa prima del secolo XII, mentre sarebbe prevalsa l'opinione secondo cui la morte procurava un sonno che durava fino alla seconda venuta di Cristo, dopo la quale tutti sarebbero risorti e sarebbero entrati nel regno dei cieli, tutti tranne i peccatori gravi: questi non si sarebbero svegliati e sarebbero stati annientati. Tale concezione della morte, non legata all'idea di un giudizio, scrive Ariès, eliminava il problema della responsabilità personale dell'individuo. Solo a cominciare dal secolo XII nasce l'idea di un giudizio divino, mentre alla fine del Medioevo «il libro della vita», nel quale sono riportati i meriti e i peccati di ciascuno, comincia ad essere interpretato come una sorta di «passaporto» individuale o di «conto bancario» da esibire alle porte dell'eternità: l'idea del Giudizio universale risultò legata alla biografia personale dell'individuo. Ariès passa poi alle raffigurazioni del letto di morte di un peccatore attorniato, da un lato dal Dio padre, da Cristo, la Madonna e i santi, e dall'altro da Satana e i demoni [40]: siffatte incisioni ebbero diffusione nel secolo XV. Qui, secondo Ariès, Dio non svolge il ruolo di giudice, ma piuttosto quello di arbitro o osservatore, e dal comportamento dell'uomo nell'ora suprema dipende il destino della sua anima.

Del tutto giustamente Ariès (e dopo di lui Chaunu) [41] indica il legame esistente tra il giudizio sull'anima del defunto e l'idea dell'individualità: invece di un generale giudizio sul genere umano alla fine del mondo, ogni anima viene giudicata separatamente. In effetti, la dottrina secondo cui la valutazione dell'uomo sarà data solo alla «fine dei tempi», quando tutto il genere umano comparirà al cospetto del Giudice supremo, non era legata all'idea di un'integra e compiuta biografia individuale: vissuta la propria esistenza terrena l'uomo, per ricevere il verdetto definitivo, doveva rimanere in attesa per un periodo di tempo imprecisato; in altre parole, il finale della sua biografia – la salvezza o la dannazione – risultava staccato da questa stessa biografia. Invece, l'introduzione di una escatologia «minore» per ciascuno, concentrando l'attenzione sulla sua persona, isolata dagli altri al momento del giudizio, fondeva in un'unità indissolubile tutti i frammenti della sua esistenza, giacché le azioni da lui compiute durante la vita venivano valutate, secondo questa concezione, immediatamente dopo la sua conclusione, al confine che separa la vita e la morte, e in questo modo la biografia si concludeva senza alcuna lacuna temporale. Ariès però sposta arbitrariamente la genesi di tali idee ai secoli XII-XIII o addirittura XV-XVI, mentre, come abbiamo avuto modo di persuaderci, già nei racconti di visioni dei secoli VI-VIII queste idee erano espresse con sufficiente precisione, mentre nell'iconografia, in effetti, esse penetrano piú tardi.

L'«interiorizzazione» del castigo o del premio per la vita vissuta, il trasferimento del centro di gravità dal comune destino del genere umano al destino personale dell'individuo è un tratto caratteristico di tutta la letteratura medievale delle visioni. L'idea di una resa dei conti comune, di un giudizio nel quale ognuno comparirà davanti al Creatore contemporaneamente a tutti gli altri uomini, non scomparve; abbiamo visto in precedenza che proprio questa idea trovò la sua incarnazione artistica nei bassorilievi scultorii raffiguranti il Giudizio universale. Ma nelle narrazioni delle visite nell'aldilà balza in primo piano il lato individualizzante della dottrina sulla morte e il giudizio finale.

Certo, il concetto di «individualismo» applicato al Medioevo va precisato e limitato. Il cristianesimo fa ricadere sul singolo la responsabilità personale della scelta tra la retta via o quella del peccato. Perciò nei racconti delle visioni si sottintende un giudizio dell'anima del singolo. Nello stesso tempo però né gli impulsi né gli atti dell'individuo vengono valutati come spontanee manifestazioni della sua volontà, la loro origine è come posta al di fuori della sua personalità. Benché siano proprio suoi i pensieri, i desideri e gli atti, nello stesso tempo non dipendono da lui e rappresentano delle entità autonome. Tale trattazione dell'anima e del giudizio che essa subisce si può rinvenire nel racconto della visione di un monaco inglese che troviamo nelle opere di Wynfrith-Bonifacio[42]. Questo monaco raccontava che nell'aldilà i demoni l'avevano informato di tutti i suoi peccati che non aveva espiato o che aveva dimenticato, e inoltre raccontava che tutte queste azioni vergognose si lagnavano di lui ad alta voce. Ogni peccato era personificato e si annunciava: «Io sono la tua lussuria...» oppure: «Io sono la vanagloria», «Io sono la falsità»,

« Io sono il vaniloquio ». Un altro proclamava: « Io sono la vista, con la quale tu hai peccato, guardando ciò che è proibito », e un altro ancora: « Io sono la testardaggine e la disubbidienza... » Echeggiavano altre voci: « Io sono la pigrizia e la lentezza che tu hai mostrato trascurando lo studio delle materie sacre », « Io sono le fantasticherie e i vani pensieri ai quali troppo ti abbandonavi sia in chiesa sia in tutti gli altri luoghi », « Io sono la sonnolenza », « Io sono la negligenza e la superficialità » ecc. Gli spiriti maligni dimostravano che egli era un peccatore, fornendo testimonianze e nominando non solo i luoghi, ma anche il momento in cui aveva peccato. Egli incontrò là un uomo da lui ferito ancora prima di entrare in monastero e che, pur essendo ancora vivo, era stato chiamato a testimoniare contro di lui: « La sua ferita, aperta e sanguinante, a gran voce gridava vendetta e lo accusava di quel crimine [accusava il monaco che racconta la visione] ».

Raccolti ed elencati tutti i suoi peccati, i demoni dichiararono il monaco colpevole e indubbiamente loro preda. Ma contro i peccati testimoniarono in favore del monaco i suoi piccoli, miseri meriti. Uno di essi proclamava: « Io sono l'ubbidienza », un altro: « Io sono il digiuno », un terzo: « Io sono la preghiera sincera », un altro ancora: « Io sono l'aiuto ai deboli », e ancora: « Io sono il salmo che egli cantò in gloria del Signore, per espiare il vaniloquio ». E cosí ogni merito intercedeva per lui e gli angeli lo sostenevano, per cui anche i meriti sembravano piú significativi. Alla fine l'anima fu restituita al corpo ed egli risuscitò, anche se poi per un'intera settimana i suoi occhi non furono ancora in grado di vedere.

Come la confessione sollecitava il credente ad analizzare e valutare la propria vita morale, cosí anche una visione come questa rappresentava una sorta di tentativo di analisi della personalità; inferno e paradiso lottano nell'intimo dell'anima: il monaco medita sui suoi meriti e sui suoi peccati e li mette a confronto per fare un « bilancio ». In questo processo il ruolo principale non è piú svolto né dai demoni-accusatori né dagli angeli-difensori, ma dalla coscienza dell'imputato stesso; in conformità però alla concezione della personalità di quell'epoca, gli aspetti della sua coscienza si presentano in forma personificata e quasi indipendente da lui.

Il materiale della letteratura delle visioni contraddice anche un'altra affermazione di Ariès e di Chaunu, a proposito del fatto che nel primo Medioevo la morte fosse immaginata come un sonno che sarebbe durato fino alla fine del mondo[43]. Secondo la testimonianza dei personaggi delle visioni, degni di gettare uno sguardo nell'oltretomba, quest'ultimo non era affatto immerso nel sonno e nell'immobilità: all'inferno regnano sinistro dinamismo e agitazione, e i tormenti morali patiti dai peccatori non hanno niente a che vedere con la quiete. La quiete è possibile solo nel regno dei cieli, ma neanche il paradiso, per quanto si riescono a interpretare i suoi indizi, è immerso nel letargo: i suoi abitatori vivono in indicibile letizia, facendo risuonare di canti la Gerusalemme celeste.

L'età carolingia è il periodo di rigoglio delle «visioni politiche». In queste opere, uscite dalla penna dei rappresentanti dell'alto clero, Carlo Magno, i suoi avi e i suoi discendenti figurano piú volte come prigionieri dell'inferno. Tale è la *Visione di Vettino*: nell'aldilà vivono tra i tormenti un abate morto da poco, il vescovo Adalelmo, che non credeva nelle visioni, due conti e, infine, Carlo Magno in persona, anche se, a dire il vero, a questi è stata profetizzata la futura purificazione dai peccati. Ci sono anche enormi ricchezze, tolte ai poveri. Nella *Vita di Eucherio* di Incmaro di Reims, all'inferno soffre Carlo Martello, colpevole di aver attentato alle proprietà della Chiesa: non a caso all'apertura del sepolcro di questo monarca uscí volando un drago e il corpo di Carlo era sparito! Nella *Visione di Bernoldo*, nel tenebroso Tartaro c'è Carlo il Calvo, che in vita non aveva dato ascolto ai consigli del clero. Analoghe visioni sono descritte da Guglielmo di Malmesbury, che nelle oscure regioni dell'oltretomba mise vescovi, cattivi consiglieri, vassalli del re e persino qualche testa coronata; botti di acqua bollente sono già pronte anche per il sovrano che gode buona salute, nel caso in cui non si affretti a pentirsi; infine, in paradiso uno dei re pii fa profezie riguardo al futuro ordine della successione al trono[44]. Gli scopi politici e il significato di queste visioni sono evidenti. Le valutazioni su questo o quel sovrano erano discordanti nelle diverse «visioni politiche». Cosí, nella *Visione di Rotario* Carlo Magno non era all'inferno, bensí tra i santi: per lui pregavano i credenti[45].

Nelle «visioni politiche», con la stessa precisione di tutte le altre opere di questo genere, emerge l'idea di un Giudizio universale «minore», che si compirà sull'anima del defunto immediatamente dopo la sua morte. Anche in queste visioni s'incontra il motivo della purificazione dai peccati, benché sia ancora assente la parola *purgatorium* e la struttura binaria dell'oltretomba non sia stata ancora sostituita da quella ternaria[46]: le funzioni del purgatorio dovevano appartenere all'inferno o a qualche sua sezione.

Il patrimonio delle visioni del primo Medioevo è lungi dall'essere esaurito; il materiale è troppo perché lo si possa includere tutto in un solo saggio. Ma probabilmente quest'operazione non è neanche necessaria. Con tutte le variazioni e le particolarità individuali, differenziandosi per la maestria con cui raffigurano i tormenti dell'inferno e le gioie del paradiso, le visioni ripetono gli stessi motivi e le stesse immagini. Questa ripetitività può facilmente stancare il lettore di oggi. A conclusione di una rassegna delle narrazioni riguardanti il mondo ultraterreno, uno studioso ha argutamente osservato: «Non si può negare che la monotonia sia conseguenza quasi inevitabile delle evidenti ripetizioni... Forse ha una certa importanza conoscere la geografia dell'aldilà, ma quando lo visiteremo in questa vita o nell'altra, sarà in parte perduta la novità»[47]. Non bisogna però perdere di vista il fatto che al pensiero medievale e, di conseguenza, alla letteratura, era estranea la tendenza all'originalità e alla diversità. Nelle eterne ripetizioni, nelle variazioni sullo stesso tema, nell'impiego di concetti e immagini standard l'uomo di quell'epoca si convinceva della verità delle sue credenze e delle sue idee.

Ma leggendo le numerose descrizioni di visite nell'aldilà ci imbattiamo di continuo nell'iterazione degli stessi motivi in visioni diverse: il ponte che unisce il paese dei beati alla valle di lacrime dei peccatori ed è sospeso su un torrente in cui si trovano le anime ivi trascinate dai loro peccati; i libri in cui sono annotate tutte le azioni buone e cattive dell'uomo; la lite per un'anima tra angeli e forze del male; il pozzo da cui si sprigionano le fiamme dell'inferno che bruciano le anime dei peccatori incalliti; la tortura del continuo alternarsi di freddo e caldo; il dolce profumo, il tenero canto dei cori di angeli e di eletti di Dio, il meraviglioso splendore dei paramenti, l'indicibile bellezza del palazzo e del muro della Gerusalemme celeste e le altre ineffabili delizie del paradiso; gli angeli-custodi o le guide che innalzano nei cieli l'anima del morto; l'anima che nell'oltretomba incontra uomini potenti che si sono macchiati di vari peccati, in particolare di delitti contro la Chiesa, e negligenti sacerdoti, che scontano nell'aldilà le loro colpe; l'afflizione che l'anima di chi è temporaneamente morto prova all'idea di dover abbandonare l'oltretomba per tornare sulla terra peccaminosa, il proponimento di condurre da quel momento un'esistenza pia, ecc. Gli autori delle descrizioni prendono chiaramente in prestito questi motivi costanti dai loro predecessori, anche se i motivi variano e quasi ogni volta sono formulati in modo nuovo[48]. Si tratta dunque di modelli di un genere della letteratura mediolatina che si sta formando e gradualmente «solidificando», con una sua topica costante[49].

Nei motivi della letteratura delle visioni, le paure e le speranze degli uomini del primo Medioevo si trasformano in immagini artistiche che sono raggruppate in quadri d'insieme. Senza cessare di credere nella loro realtà, gli autori nel contempo erano capaci di provare anche un appagamento estetico nel raggruppare questi motivi e queste immagini nel contesto della narrazione. Lo stesso avveniva, come si è già rilevato in precedenza, anche nell'arte figurativa. I maestri che decoravano le chiese con raffigurazioni dell'inferno e delle forze dominanti nell'aldilà strutturavano le loro composizioni secondo le leggi dell'arte. Nell'iconografia e nella letteratura delle visioni verità e invenzione, fede e arte entravano in una specifica interazione. Impressioni ed emozioni puramente religiose in questo modo si trasformavano in composizioni artistiche, senza perdere la loro natura iniziale, e nasceva cosí una peculiare unione di due principî, ognuno dei quali può essere compreso soltanto nel contesto che li riunisce, e non da solo, preso isolatamente. Questa osservazione ci riporta al problema del grottesco medievale, di cui però dobbiamo per ora rimandare un esame piú approfondito.

Le visioni ultraterrene, descritte da molti autori del primo Medioevo, appartengono dunque ad un determinato ramo della letteratura e riproducono un certo insieme di immagini e concetti che rientravano nei cliché da essa adottati. Ma questo significa forse che i nomi dei visionari menzionati dai nostri autori sono fittizi? Che sia le persone sia le circostanze in cui costoro avrebbero avuto le visioni, sono completamente inventate? Che anche i richiami, numerosi in simili descrizioni, a testimoni che hanno conosciuto i visionari e da questi o da altri hanno sentito raccontare le loro visite nell'aldilà, o addirittura i richiami ai visionari stessi, talvolta ancora viventi, richiami particolarmente frequenti e puntuali in Beda, non sono altro che un «procedimento letterario»? Non sono disposto a sottoscrivere risposte positive a tali domande.

In primo luogo non va dimenticato che il modo di vivere, l'ideologia dominante, la generale atmosfera spirituale e la condizione psicologica predisponevano completamente l'uomo medievale ad immedesimarsi nelle visioni e ad avere un atteggiamento estremamente serio verso i sogni e le allucinazioni, cosí come verso le profezie e le divinazioni. Visioni e sogni non solo non si annoveravano allora nella categoria dell'illusorio, ma erano anzi considerati irruzioni della realtà suprema nella vita quotidiana; in questo modo era possibile penetrare nei misteri dell'aldilà o prevedere il futuro. Per gli uomini del Medioevo il confine tra questo e altri mondi era penetrabile in entrambe le direzioni. Perciò *la realtà dell'uomo medievale aveva una capienza assai maggiore che nell'epoca successiva*: abbracciava molte regioni che si trovano fuori dai confini dell'esistenza terrena. Nella letteratura coeva si parla continuamente delle visioni; ne ho qui trattato solo una parte esigua, poiché ovviamente non in tutte le descrizioni di tal genere si incontrano quadri del mondo ultraterreno: molto piú spesso accade che nelle visioni vi siano apparizioni di santi o di angeli.

Le affermazioni precedenti non vanno intese nel senso che l'uomo di quel tempo credesse in tutto senza discernimento e fosse completamente privo di qualunque senso critico, e abbiamo già avuto modo di convincerci che non era affatto cosí in precedenza[50]. Un monaco, che aveva avuto una visione, annotata da Bonifacio, raccontava volentieri la sua visita nell'aldilà alle persone devote, ma si guardava dagli scettici; vi era dunque qualcuno che non considerava con la dovuta serietà le sue confessioni[51]. Ma la stessa scrupolosità con cui gli autori del primo Medioevo menzionano le fonti delle loro informazioni non testimonia forse che non si era disposti a credere a qualsiasi racconto, senza pretendere delle prove?

Questo riguarda anche i sogni. Nei *Dialoghi* di Gregorio I il suo discepolo domanda: bisogna dare importanza ai sogni? È già significativa l'impostazione della domanda. Non meno interessante è la risposta. Il papa non è affatto propenso a concedere pieno credito a tutto quello che si sogna e divide i sogni in alcune categorie. In primo luogo, i sogni provocati da stomaco troppo pieno o dalla vanità; in secondo luogo, i sogni futili; poi i sogni generati dai desideri, oppure dai desideri e dalla leggerezza di spirito insieme; poi vengono i sogni-rivelazioni; ma da questi occorre distinguere i sogni per cosí dire «misti», provocati tanto da una rivelazione, quanto dai desideri[52]. Tra sei tipi di sogni il papa è perciò propenso ad ascriverne propriamente solo uno alla categoria delle rivelazioni autentiche.

In che modo però individuare proprio questo tipo? È difficile ricostruire i pensieri degli uomini di quel tempo a questo riguardo. Ciò nonostante non si deve dubitare del fatto che gli autori che annotavano le visioni, le annoveravano tra le rivelazioni, degne della massima attenzione e del massimo credito. Va ricordato che gli uomini avevano queste visioni in un momento decisivo della loro vita: sulla soglia della morte, oppure, come loro stessi e i loro contemporanei immaginavano, già al di là di questa soglia, che essi avevano avuto la fortuna di varcare dapprima solo per un certo tempo... A differenza delle regioni ultraterrene visitate dai viaggiatori dell'antichità o dagli eroi dei romanzi cavallereschi e delle saghe islandesi, l'oltretomba delle visioni è il quadro, trasposto in modo originale sullo schermo della teologia, il quadro del mondo interiore dell'uomo che brama la salvezza ed è sopraffatto dalla paura dei castighi dopo la morte.

Quando oggi parliamo della realtà di un certo avvenimento, intendiamo probabilmente qualcosa di diverso rispetto a quello che era un fenomeno reale dal punto di vista dell'uomo del primo Medioevo. Per dare una valutazione alla propria esperienza individuale, pratica o spirituale, quest'uomo doveva infatti rapportarla alla tradizione, doveva cioè comprendere e vivere la propria esperienza secondo le categorie della coscienza collettiva, materializzate nel rituale religioso o sociale, nei modelli di comportamento o nelle convenzioni letterarie. L'avvenimento era avvertito come autentico in quanto poteva essere *ricondotto al suo relativo modello*, identificato con qualcosa che esorbitava dalla sfera dell'individuale, dell'irripetibile, e in quanto era stemperato nella tipicità. In questo sistema di coscienza evidentemente conoscere l'essenza dei fenomeni consisteva in primo luogo nel *riconoscere* in essi determinati archetipi[33].

La forma stereotipata che le visioni assumevano in autori diversi era propriamente *l'unico modo possibile per descriverlo e prenderne coscienza*. Questa tendenza a ricondurre la visione a un modello prestabilito non la trasformava ancora in una composizione «puramente» letteraria (secondo la nostra concezione attuale, che si basa sulla contrapposizione tra vita e letteratura). Perché già il visionario stesso, mentre tentava, dopo lo stato di allucinazione da lui vissuto, di comunicare agli altri i misteri dell'aldilà , non poteva che descrivere le sue visioni con immagini tradizionali a lui note. È ovvio che un autore religioso, quando si proponeva di inserire in una sua opera il racconto di una visione, gli conferiva inevitabilmente la forma prescritta dal genere, utilizzando motivi antichi, paleocristiani e agiografici. Come un avvenimento storico acquistava significato per lo storico medievale in quanto egli aveva la possibilità di compararlo ad un altro, che era accaduto in precedenza e gli serviva da modello e da prototipo; come un condottiero, un legislatore o un pastore spirituale sotto la penna dell'autore medievale si trasformavano in un «novello Alessandro», in un «novello Mosè» o in un «novello Davide»; come la vita di un santo nei suoi tratti essenziali non era altro che l'«imitazione di Cristo», esattamente allo stesso modo l'autore di quell'epoca scomponeva necessariamente anche un'esperienza psicologica, sua o altrui, nelle unità semantiche per lui significanti, nei motivi già noti e li organizzava secondo uno schema aprioristico, consueto per quel dato genere.

L'arcivescovo di Reims Incmaro aveva dunque annotato la visione di Bernoldo. Come era uso, egli nominò il sacerdote al quale Bernoldo, dopo esser risorto, aveva confidato ciò che aveva visto nell'aldilà, rilevando la sincerità e l'intelligenza del testimone, che a sua volta aveva riferito questa visione allo stesso Incmaro. «Sono convinto che ciò corrisponda a verità – scrive Incmaro – poiché ho letto qualcosa di simile sia nei *Dialoghi* di san Gregorio, sia nella storia degli Angli [di Beda], sia nelle opere del santo e martire Bonifacio, e anche nel racconto della visione di un ecclesiastico, tale Vettino, racconto che risale al tempo dell'imperatore Ludovico»[54]. La testimonianza di un «testimone oculare» s'inserisce senza sforzo in una nota e autorevole tradizione e proprio in essa trova nuovo fondamento alla propria autenticità!

In sostanza, troviamo lo stesso fenomeno nei casi in cui gli autori medievali «verificano» le proprie visioni o quelle di altri. Alla madre di Gilberto di Nogent apparve la Vergine, e somigliava alla Vergine della cattedrale di Chartres! Un contadino cieco cui santa Fede aveva restituito la vista, la riconobbe in una visione, giacché ella corrispondeva esattamente alla statua di una Madonna nella cattedrale. Quando un giovane monaco di Montecassino scorse l'arcangelo Michele che portava via l'anima di un fratello morto, lo vide «esattamente tale e quale lo raffigurano gli artisti»[55].

Perciò, domandarsi se le descrizioni dell'oltretomba fossero «creazioni letterarie» o fissazione di visioni o sogni avuti da persone in carne ed ossa, sarebbe evidentemente un quesito mal posto[56]. Qui non si presenta un'alternativa. Nelle sue fantasie e nei suoi incubi l'uomo del primo Medioevo visitava l'aldilà, si sforzava di descrivere questi quadri e queste impressioni e per esprimerli ricorreva all'unico linguaggio a lui possibile e accessibile, il linguaggio delle immagini tradizionali, proprio quelle che per lui conferivano a questi quadri supremo significato e li rendevano allo stesso tempo artisticamente convincenti e attendibili.

Nelle concezioni medievali dell'oltretomba la dottrina cristiana s'intrecciava in modo bizzarro con frammenti di leggende antiche od orientali, con credenze e leggende popolari. «Erbacce nel giardino del pensiero cristiano», cosí A. Rüegg definisce queste credenze[57]. Non solo erano inestirpabili, ma persino i teologi piú colti, come Gregorio Magno, sfruttavano ampiamente questo ricchissimo patrimonio di superstizioni e leggende primitive per rendere accessibili a vasti strati di fedeli le idee cristiane sull'anima, la morte, la risurrezione e il castigo o il premio dopo la morte. Parlare loro diversamente che nel semplice linguaggio delle loro credenze e dei loro pregiudizi, era impossibile. Ma la traduzione delle idee fondamentali della religione in questo linguaggio comune a tutto il popolo era inevitabilmente accompagnata da una loro volgarizzazione. Benché si tratti di testi della letteratura sacra, tramite loro possiamo in certa misura accostarci alle fonti della fantasia popolare. Per quanto fosse grande la dipendenza delle narrazioni latine sulle visite nell'oltretomba dalle opere letterarie di epoca anteriore, sarebbe sbagliato trascurare il loro stretto legame con il folklore. I racconti dei «pellegrinaggi nell'oltretomba» erano ampiamente diffusi; si basavano in notevole misura su antiche credenze e miti, sul culto degli antenati e sulle concezioni popolari riguardanti la morte e la struttura del mondo ultraterreno. Questi testi si possono comprendere in modo corretto solo ricordando che accanto ad essi esistevano i racconti orali, le canzoni, le ballate, che si alimentavano di motivi assimilati dalla letteratura latina (tramite i sacerdoti) e che a loro volta esercitavano su di essa il loro influsso.

Certo, se avessimo la possibilità di conoscere le credenze popolari riguardanti l'oltretomba e il destino dell'anima dopo la morte, il quadro sarebbe un po' diverso. Di ciò ci convince un documento unico per il Medioevo: le deposizioni degli abitanti di Montaillou, un villaggio sui Pirenei, rese di fronte ad un tribunale ecclesiastico all'inizio del secolo XIV. E. Le Roy Ladurie, che ha esaminato i protocolli dell'inquisizione, rileva l'eterogeneità e la contraddittorietà delle idee che i contadini del luogo avevano sull'esistenza ultraterrena. Una parte di loro credeva nella metempsicosi, nella trasmigrazione delle anime. Secondo quanto affermavano alcuni abitanti di Montaillou, i morti, nelle sembianze corporee dei sosia, vagavano non lontano dal villaggio in luoghi deserti, perseguitati dai demoni: l'inferno iniziava ai margini dell'abitato. Accanto a quanti si dicevano sicuri che tutte le anime sarebbero state salvate il giorno del Giudizio universale, esistevano anche altri che si rifiutavano di credere in questo stesso Giudizio e nella risurrezione della carne, ritenendo il mondo eterno, senza inizio e senza fine. Taluni credevano nell'esistenza del paradiso terrestre o di altri luoghi di quiete per i defunti. Solo pochi credevano che le messe e le buone azioni potessero salvare le anime del purgatorio, e persino che quest'ultimo esistesse davvero[58]. Occorre però tener presente che gli uomini di Montaillou erano in maggioranza eretici catari e perciò sarebbe estremamente imprudente estendere al cristianesimo medievale e in generale al popolo le osservazioni riguardanti le loro idee sull'oltretomba e sul destino postumo dell'anima. Il confronto tra le opinioni della popolazione di Montaillou sull'aldilà e le descrizioni dell'oltretomba nella letteratura religiosa, in particolare nella *Legenda aurea* (com'è noto, Iacopo da Varazze vi raccolse molto di quello che a questo proposito avevano scritto gli autori a lui precedenti), rivela sia affinità sia differenze piuttosto considerevoli[59].

Le idee sull'oltretomba e sui tormenti o la beatitudine delle anime, idee che sono venute formandosi in seguito alla convergenza tra il dogma religioso e le leggende, le superstizioni, il grottesco popolare e i miti antichi, non sono soggette ad evoluzione: si ripetono di continuo, riproducendo un patrimonio originario di motivi e di immagini. Mutava il genere letterario delle visioni; gli autori disponevano questi motivi e queste immagini in schemi letterari sempre piú compiuti e plastici, rivelando una notevole maestria; qui si può parlare di una certa evoluzione, che raggiunse il culmine nel poema di Dante. Per altro anche questa evoluzione si svolgeva in modo molto irregolare.

Se si confrontano le visioni del mondo ultraterreno uscite dalla penna di Gregorio I, Gregorio di Tours, Beda o Bonifacio con le visioni dell'epoca successiva, le descrizioni che ci dànno gli autori dei secoli VI-VIII appariranno assai confuse e poco dettagliate: in base ad esse è difficile comporre un quadro preciso dell'inferno e del paradiso come si presentavano agli uomini dell'inizio del Medioevo. In luogo di questi schizzi frammentari si formeranno in seguito quadri del regno dell'oltretomba notevolmente piú dettagliati e sviluppati.

Le visioni dell'oltretomba fin qui esaminate erano per lo piú inserimenti in opere di carattere storico o agiografico. Gli autori religiosi, comunicate al lettore queste stupefacenti notizie, non sembrano conferirvi un significato autonomo. Dopo aver raccontato la visione di Salvio, Gregorio di Tours scrive: «Da quest'uomo ho sentito raccontare molte altre cose straordinarie, ma poiché voglio ritornare alla storia iniziata, le lascerò da parte»[60]. Gregorio di Tours è uno storico, perciò le visioni nella sua *Storia*, per quanto degne di menzione, non possono essere l'oggetto principale dell'esposizione. Nelle sue leggende agiografiche o nei *Dialoghi* di Gregorio I simili racconti hanno invece uno scopo edificante; era essenziale spaventare il lettore con i tormenti dell'inferno e incoraggiare con la promessa della beatitudine ultraterrena chi conduceva un'esistenza retta; in questi testi gli scopi didattici prevalgono chiaramente sull'obiettivo di descrivere dettagliatamente le peregrinazioni nel paradiso e nell'inferno. Ciò riguarda anche i relativi frammenti della *Storia religiosa* di Beda e la visione nell'epistola di Wynfrith-Bonifacio.

Nell'Europa occidentale intanto veniva formandosi e diffondendosi un particolare genere di visioni[61]. Le opere di questo genere sono incentrate proprio sulle visite nell'oltretomba; gli autori di tali descrizioni costruiscono dei sistemi piú o meno meditati. Essi utilizzano indubbiamente il materiale della letteratura antica, la tradizione cristiana, a cominciare dalla *Rivelazione di Giovanni*, compresi i racconti di Gregorio I e di Beda, e si basano anche sulle leggende popolari. Ma in ogni caso è chiaro che abbiamo di fronte delle opere letterarie ormai compiute. L'elemento di spontaneità e di immediatezza che in certa misura era implicito nelle testimonianze esaminate in precedenza, qui è ridotto al minimo.

Tra le opere di questo genere occupa un posto particolare la *Visione di Paolo*. Trattandosi della traduzione di un testo greco che risale al secolo III e alla tradizione orientale (il suo autore presunto è un egiziano), non la si può certo considerare un documento originale del pensiero dell'Europa occidentale[62]. Ciò in sostanza risulta evidente anche dal contenuto stesso della *Visione di Paolo*, che si differenzia nettamente dai racconti di visioni nell'Europa dei secoli VI-VIII. L'autore cerca di descrivere tutte le sezioni e tutti i cantucci dell'inferno e del paradiso e le loro « curiosità » in modo cosí dettagliato che l'editore non senza ragione definisce questa opera « un completo *Baedeker* del mondo ultraterreno »[63]. Nella *Visione di Paolo* sono consapevolmente condensati tutti gli orrori possibili e immaginabili e sono descritti in modo straordinariamente circostanziato i tormenti dei peccatori, distribuiti nei vari luoghi di tortura a seconda della gravità e del carattere dei peccati; nessuna delle torture cui potrebbe essere sottoposta la sventurata anima caduta nelle grinfie del diavolo e del suo seguito sembra essere trascurata. Se l'autore si proponeva di spaventare i lettori, non si può dubitare che abbia pienamente raggiunto lo scopo.

Anche gli scrittori occidentali del primo Medioevo si ponevano naturalmente obiettivi simili, ma le loro descrizioni dei castighi ultraterreni impallidiscono di fronte alle descrizioni di tecnica della tortura estremamente dettagliate che troviamo nella *Visione di Paolo*[64]. Occorre riconoscere che nelle visioni già prese in esame le sofferenze dei peccatori non erano esclusivamente fisiche; soffrendo tra le fiamme dell'inferno, nelle grinfie di ripugnanti demoni, le vittime non pativano minori sofferenze spirituali. Nell'oltretomba, com'è raffigurato da Gregorio I o da Beda, prosegue la lotta per impadronirsi dell'anima dell'uomo che ha deviato dalla retta via. Nella *Visione di Paolo* invece colpisce in un primo luogo la fantasia morbosa del boia e scorticatore, che accumula supplizi su supplizi[65]. A differenza della *Rivelazione di Giovanni*, dove la profetizzata fine del mondo è accompagnata da grandi calamità di proporzioni cosmiche e da immagini piene di pittoresca grandiosità, l'*Apocalisse di Paolo* descrive piuttosto delle celle di tortura. Qui sembra mancare completamente il senso della misura. Ma sto forse adottando criteri interpretativi non commisurati a quell'epoca? Ho cercato tuttavia di stabilirli basandomi sul contenuto e sullo spirito delle visioni scritte in Occidente, al pari di quelle provenienti da ambienti orientali destinate a distogliere i lettori e gli ascoltatori da una vita di peccato, senza lasciarli però in uno stato di depressione e senza privarli di una certa speranza. Nella visione di Ausello Scolastico, ad esempio, grazie alle preghiere dei ministri del culto Cristo libera dall'inferno i peccatori, lasciandovi soltanto i peggiori[66], mentre l'autore della *Visione di Paolo* cosí si esprime a proposito dei peccatori che soffrono all'inferno: «Sarebbe stato meglio per loro non venire affatto al mondo»[67]. L'autore conclude il lungo racconto di tutte le possibili sofferenze destinate nell'aldilà ai peccatori dicendo: «Cosí san Paolo ha descritto molti castighi e il loro numero è di centoquarantaquattro. Anche se dall'inizio del mondo fossero esistiti cento uomini, ognuno dei quali avesse avuto una lingua di ferro, essi non avrebbero saputo raccontare neanche uno dei tormenti infernali». Queste parole sono una reminiscenza del VI libro dell'*Eneide* («Non se cento lingue e cento bocche e la voce di ferro | avessi, tutte io delle colpe le forme abbracciare, | tutti potrei delle pene scorrere i titoli»)[68]. In un'altra redazione gli orrori continuano ad aumentare. Alla domanda di Paolo su quanti siano in tutto i tormenti infernali, l'angelo risponde:

«I tormenti dell'inferno sono centoquarantaquattromila, e se dall'inizio del mondo fossero esistiti cento uomini e ognuno avesse avuto quattro lingue di ferro, essi non sarebbero riusciti ad elencare i tormenti infernali». Ma il tema non si esaurisce neanche qui, e l'anglosassone Wulfstan sviluppa ulteriormente questa apocalittica iperbole: in un suo sermone gli uomini che avrebbero dovuto descrivere il quadro dei supplizi infernali hanno già sette teste e sette lingue ciascuno[69]. L'autore della piú tarda *Visione di Tnugdal*, sforzandosi di superare i suoi predecessori, dichiara che non avrebbe potuto descrivere gli orrori dell'inferno neanche se avesse avuto cento teste e cento lingue per ogni testa[70]. Ma questo non sembra ancora essere il massimo; infatti, un peccatore, che era apparso alla sua vedova e le aveva raccontato la vita nell'inferno, concluse la conversazione con lei dicendo: «Anche se tutte le foglie sugli alberi si trasformassero in lingue, neanche cosí riuscirebbero ad esprimere i miei tormenti»[71]. La fantasia dell'autore medievale non genera immagini originali nemmeno quando cerca di aggiungere qualcosa al canone consueto, ma semplicemente moltiplica all'infinito la stessa immagine.

Nella *Visione di Paolo*, accanto agli orrori dell'inferno, sono ovviamente raffigurate anche le delizie del paradiso. L'autore «non voleva soltanto far tremare gli ascoltatori, ma anche alleviare le loro anime con la speranza nella beatitudine eterna»[72]. Per intercessione dell'apostolo Paolo, la domenica i peccatori sono liberati dai tormenti dell'oltretomba. Anche l'immagine della Terra promessa ha qui delle caratteristiche importanti. La paura della fame, inseparabile dall'uomo comune dell'antichità e del Medioevo, in questo apocrifo trovava la sua espressione e soluzione. Il regno degli eletti di Dio è prima di tutto il regno dell'abbondanza di ogni genere. Fiumi di latte, vino e olio[73] vi scorrono, mentre in alcune altre visioni i santi e i giusti si saziano del raggio di luce inviato dal Creatore. Come nelle raffigurazioni dei tormenti dell'oltretomba, anche nel descrivere la beatitudine ultraterrena l'autore della *Visione di Paolo* ne fornisce un'immagine concreta e materiale.

La *Visione di Paolo*, che esercitò una notevole influenza sulle successive visioni medievali, si differenzia al pari di queste dall'insieme delle precedenti per una maggiore severità e brutalità delle immagini. Basti ricordare che, ad esempio, nella visione di Anskario, annotata nel secolo IX, il suo agiografo Rimberto raffigurò l'oltretomba completamente privo di supplizi: gli abitanti dell'aldilà in sostanza erano soltanto avviliti e spaventati, ma non subivano torture fisiche[74].

Gli uomini del Medioevo erano interessati al problema dell'ubicazione dell'inferno. Papa Gregorio I trovava difficile rispondere con sicurezza al quesito, postogli dal suo interlocutore Pietro: alcuni ritengono che l'inferno si trovi da qualche parte ai confini della terra, altri invece sono dell'opinione che sia sotto terra. Partendo dall'etimologia della parola infernum («quia inferius jacet»), Gregorio stesso pensa che l'inferno sia collocato proprio sotto terra[75]. Era credenza diffusa che il mondo terreno e quello dell'oltretomba fossero in comunicazione diretta. Sempre Gregorio I raccontava che un certo Eumorfio prima di morire aveva mandato un servo ad annunciare al comandante Stefano: «... è già pronta la nave con cui dobbiamo salpare per la Sicilia». In quel momento Stefano morí[76]. «Salpare per la Sicilia» era sinonimo di partire per l'oltretomba, giacché i crateri dei vulcani siciliani conducevano, secondo le credenze di allora (ereditate dall'antichità), direttamente nell'inferno. Il re goto Teodorico, eretico ariano, nemico e persecutore della Chiesa ufficiale, fu trascinato nel cratere di un vulcano sulle isole Lipari dalle sue vittime, papa Giovanni e Simmaco[77]. Ancora molto tempo dopo i marinai continuavano a mostrare ai loro passeggeri questo vulcano, chiamandolo «Inferno di Teodorico». Un eremita, che si era ritirato su un'isoletta vicino alla Sicilia, vide coi suoi occhi un demonio ripugnante che su una barca traghettava l'anima legata e torturata del re Dagoberto I per precipitarla nel vulcano: questi però fu salvato dall'intervento dei santi alle cui chiese egli in vita aveva donato molti beni[78]. Come non credere a simili racconti, quando molti avevano sentito con le loro orecchie i lamenti e le grida delle anime dei reietti che soffrivano nel Vesuvio?! Per secoli si credette che l'Etna e il Vesuvio fossero gli ingressi dell'inferno e che le persone che morivano in quei pressi venissero trascinate a forza e precipitate dai diavoli nei crateri spalancati[79].

La convinzione che il purgatorio e l'inferno, cosí come la

Terra promessa si trovassero su isole lontane che, sebbene a fatica, si potevano raggiungere, era radicata anche nella coscienza degli abitanti del nord europeo. Di ciò testimoniano con particolare evidenza le leggende sul viaggio di san Brendano. Brendano visse tra la fine del secolo V e l'inizio del VI e compí una serie di traversate dalle regioni occidentali dell'Irlanda verso le coste della Scozia, della Britannia... forse anche in Bretagna, e alle isole Orcadi, Shetland e Faröer. Nei secoli successivi i racconti delle navigazioni di Brendano assunsero una forma bizzarra in cui le narrazioni di viaggi in terre lontane si fondevano con le visioni escatologiche. In questi racconti si mescolavano i sogni della Terra promessa e le paure generate dall'attesa della «fine dei tempi», lo spirito delle peregrinazioni e l'ascetismo, amore per il fantastico e reminiscenze della letteratura antica, folklore e religione, e proprio questa caratteristica assicurò alla leggenda delle navigazioni di san Brendano una vastissima popolarità, veramente europea. Fondamentalmente, questa narrazione rientra nella letteratura medievale delle visioni[80].

La «terra repromissionis sanctorum» nei racconti sulle peregrinazioni dei monaci irlandesi è l'esatto opposto della terra degli uomini. Il paese promesso abbonda di tutti i beni, vi crescono eternamente fiori e frutti e non esistono né la fame né la stanchezza[81]. Là le pecore sono grosse come buoi, gli acini d'uva come mele, e vi si trovano pesci di tali dimensioni che i monaci ne presero uno per un'isola. Su un'isola essi trovarono un monastero, i cui abitanti non invecchiavano, non soffrivano per le malattie o il freddo e non mancavano mai di acqua buona o di pane, che giungeva loro non si sa come né da dove. Su un'altra isola ancora i navigatori trovarono cibo, bevande e riposo, preparati per volontà del Signore; e la tavola rimase cosí miracolosamente imbandita per tre giorni. Il pensiero del cibo abbondante, delle bevande, del miracoloso saziare gli affamati non abbandona mai l'autore della narrazione su Brendano che ne è ossessionato[82].

Sulle isole tra le quali peregrinarono per sette anni, i monaci però s'imbatterono anche in non poche cose spaventose. Il paese della beatitudine e dell'abbondanza non è separato spazialmente dalla dimora del diavolo; la via verso il paradiso può facilmente condurre anche all'inferno. Qui si dànno da fare i diavoli, che cercano di indurre in tentazione i confratelli, e uno dei monaci viene arso dal fuoco infernale. Tra le «isole beate» i viaggiatori capitarono sull'isola ardente dei fabbri che ferravano le anime dei peccatori; poi s'imbatterono in uno scoglio su cui sedeva Giuda Iscariota in persona; la domenica, per misericordia del Signore, egli riposava dai supplizi infernali; allo scadere del termine fu accerchiato da una folla di demoni e trascinato nell'inferno. Dopo sette anni di peregrinazioni Brendano e i compagni rimasti vivi tornarono a casa con un carico di pietre preziose. Oggi gli scrittori, interessati al problema delle scoperte dell'America anteriori a quella di Colombo, attribuiscono l'onore delle prime scoperte, tra gli altri, anche a san Brendano; ignorando la specificità della letteratura medievale delle visioni, essi cercano di leggere il racconto delle sue peregrinazioni nell'aldilà come fosse un manuale di navigazione...

Il modo in cui nelle visioni viene trattato lo spazio dell'oltretomba è invece quanto mai originale. In precedenza si è già accennato alla «topografia» simbolica delle visioni, che distingue destra e sinistra, oriente e occidente, basandosi su criteri di valore. Per raggiungere l'inferno, occorre avanzare verso nord; sempre a nord sono rivolti gli sguardi dei peccatori che attendono il castigo. Ma abbiamo qui a che fare con lo spazio in senso proprio? Non si deve piuttosto supporre che nei racconti di visioni e di peregrinazioni nell'oltretomba la terminologia topografica sia riferita a fenomeni non spaziali e che ancora una volta si parli di paure e di speranze, espresse in tali immagini «geometrizzate»? Giacché il «nord» nelle visioni non è un paese del mondo, ma la concentrazione della disperazione spirituale, esattamente come l'«oriente» è l'incarnazione della speranza di salvezza. Lo spazio delle visioni è in primo luogo l'esteriorizzazione dello «spazio spirituale» dell'uomo medievale. Solo tenendo presente l'aspetto simbolico della «mappa» dell'oltretomba tracciata dal pensiero di quell'epoca, è possibile porre la questione della sua struttura spaziale in generale.

In primo luogo, a differenza della scomposizione rigorosamente ternaria che si trova in Dante, le visioni dell'epoca precedente, come l'arte sacra, adottano una divisione prevalentemente dicotomica. Che tuttavia non è espressa in modo del tutto chiaro: ai due poli della coscienza ci sono effettivamente il paradiso e la Geenna, ma tra essi viene posta una serie di passaggi che tendono verso l'uno o verso l'altra. Dante descrive il mondo ultraterreno con estrema precisione, e il lettore della *Commedia* con gli occhi della mente può facilmente abbracciare tutta la sua grandiosa creazione. Non è cosí per gli autori delle visioni precedenti. Nell'oltretomba i pellegrini visitano «luoghi» diversi. Quale correlazione esiste tra di loro? Qual è l'ordine in cui sono disposti? Tutto rimane completamente vago. Forse, l'unico tentativo di strutturare l'aldilà è l'introduzione dell'immagine del ponte sospeso sul torrente; le anime devono attraversare questo ponte, piú esattamente, questa passerella, che diventa sempre piú stretta da una visione all'altra; alcune anime ci riescono, se appartengono a dei giusti, altre invece precipitano nel torrente infuocato della purificazione sotto il peso dei loro peccati. I prati in cui le anime riposano sono contrapposti alla valle della sofferenza. Per il resto, invece, l'oltretomba delle visioni è un agglomerato di luoghi sparsi, assolutamente non collegati tra loro in modo organico; li unisce soltanto il cammino lungo il quale un angelo guida da un *locus* all'altro l'anima vagante del visionario.

Tale è non solo lo spazio dell'oltretomba nelle prime visioni, che lo descrivono in modo molto impreciso, ma anche l'organizzazione dell'inferno e del paradiso nella relativamente tarda *Visione di Tnugdal* (o Tungdal)[83]. Questo testo del secolo XII è considerato uno dei piú compiuti e realizzato con estrema perfezione. La descrizione della beatitudine ultraterrena degli eletti e delle pene subite dai peccatori vi è effettivamente resa con grande forza e portata a compimento con rara consequenzialità. All'aggravarsi dei tormenti nell'inferno corrisponde un aumento del grado di beatitudine degli eletti di Dio; è facile rilevare il preciso parallelismo delle due descrizioni. Gli studiosi ravvisano già qui un abbozzo del progetto per la struttura dell'oltretomba dantesco. Dopo aver peregrinato per l'inferno, Tnugdal non si ritrova subito in paradiso: tra l'uno e l'altro ci sono luoghi nei quali le anime «non molto malvagie» («non valde malorum») subiscono «pene modiche», e campi nei quali stanno le anime «non molto buone» («non valde bonorum»), quasi una sorta di purgatorio e di soglia del paradiso. La *Visione di Tnugdal*, che si distingue per la ritmicità delle scene e per l'uso di criteri proporzionali nel distribuire i toni, è estremamente lontana dalle visioni «spontanee» dell'epoca precedente. Ma ciò nonostante anche in essa è assente l'idea dell'organicità dello spazio nel mondo dell'oltretomba. Seguendo un angelo-guida, Tnugdal «capita» in diversi «luoghi», che non hanno tra loro nessun altro legame se non quello delle crescenti pene e ricompense. L'inferno, come pure il paradiso, non è altro che un insieme di luoghi isolati (montagna, valli, paludi, fosse, edifici ecc.), separati da vuoti che vengono superati con salti narrativi. La barca di Brendano e dei suoi compagni, rivestita di pelli di bue, navigava «per diversa loca»[84]. L'aldilà, in sostanza, non è uno spazio unico, *è discontinuo com'è discontinuo lo spazio del mondo mitologico*[85].

Questa «frammentarietà» dello spazio è particolarmente visibile nella *Visione di Paolo*. Gli spostamenti da un luogo all'altro dell'oltretomba in questo testo di solito sono espressi cosí: «e l'angelo mi trasportò (o "mi guidò") a...» Oppure singoli episodi staccati sono uniti dalle parole «et iterum» («et iterum vidi»), «posthaec» ecc. Altrettanto discontinua è anche la struttura spaziale della Terra promessa nella *Peregrinazione di san Brendano* (i monaci-navigatori vanno per mare da un'isola all'altra).

Le caratteristiche mitologiche e nel contempo «psicologiche» dello spazio dell'oltretomba si rivelano, a mio parere, anche nella sua originale *topografia irrazionale*. Da un lato, nelle visioni il luogo della beatitudine delle anime elette e quello di sofferenze delle anime dei peccatori sono contrapposti, dato che il paradiso è nei cieli o su «isole felici», mentre l'inferno è il regno sotterraneo. D'altro lato però, entrambi si possono trovare non lontano uno dall'altro, in paesi che distano qualche giorno di navigazione, mentre talvolta sono proprio vicini. Il visionario Bernoldo fu condotto in un «luogo oscuro», dove «da un luogo vicino» giungevano dolci aromi e dal quale era visibile il raggio di luce: gli abitanti dell'inferno vedono la luce del paradiso e odorano i profumi della «dimora di pace dei santi»[86]. Nel suo trattato divulgativo, l'*Elucidarium*, Onorio di Autun scrisse che in paradiso gli eletti vedranno i reietti e gioiranno dei loro tormenti, anche se tra quelli riconosceranno i propri genitori, coniugi o figli; del pari, prima del Giudizio universale, anche i peccatori vedranno la beatitudine degli eletti e saranno cosí aumentate le sofferenze degli uni e la beatitudine degli altri[87]. Nel complesso l'oltretomba delle visioni si presenta relativamente piccolo e angusto, tanto che lo si può visitare tutto in un giorno o poco piú.

Può sembrare strano parlare del *tempo* e del suo trascorrere nell'oltretomba, dove regna l'eternità. Ciò nonostante, nelle visioni, per quanto sembri paradossale, si parla di tempo piú che di eternità. Del calcolo del tempo nell'inferno parlano con particolare frequenza le visioni irlandesi. Per grazia divina ai peccatori è concesso riposare la domenica. L'autore della *Peregrinazione di Brendano*, come abbiamo visto, estende questa misericordia allo stesso Giuda: benché sia sottoposto a spaventose torture nei due inferni, quello ardente e quello freddo (di martedí, giovedí e sabato nell'«inferno inferiore», mentre di lunedí, mercoledí e venerdí in quello «superiore»)[88], tuttavia è concessa anche a lui una pausa: la domenica e nei giorni di festa egli riposa su un solitario scoglio marino, e questo perché anche lui da vivo ebbe occasione di compiere qualche buona azione. Secondo la *Visione di Adamnano*, anche i chierici che sono venuti meno al loro voto e gli impostori di qualsiasi genere, alternativamente, a intervalli di un'ora, ora s'innalzano ai cieli, ora precipitano nelle profondità dell'inferno[89]. Le anime che soffrono nell'inferno, si racconta nella *Visione di Baront*, ricevono dal paradiso la manna, che restituisce loro le forze: la ricevono tutti i giorni, «verso le sei»; come possiamo vedere, il tempo religioso vale anche nell'aldilà[90].

Il re irlandese Cormac MacCarty, che nell'aldilà Tnugdal vide seduto maestosamente sul trono e al quale un'innumerevole moltitudine di persone recava doni preziosi, d'altra parte però ogni giorno sprofondava per tre ore tra i tormenti dell'inferno. L'angelo che accompagnava Tnugdal gli spiegò che al re recavano doni i poveri e i pellegrini ai quali egli aveva fatto delle elemosine, mentre doveva subire delle pene temporanee per essersi macchiato d'infedeltà coniugale, di omicidio e di spergiuro; tutti gli altri peccati gli erano stati perdonati[91]. Nella visione del monaco Alberico di Montecassino, le pene per i peccatori laici durano tre anni, ma le punizioni per i sacerdoti che non hanno condotto sulla retta via questi uomini, durano sessanta o settanta anni, a seconda della loro dignità[92]. Nell'inferno, evidentemente, il tempo continua a scorrere come sulla terra.

Ma anche in paradiso gli uccelli annunciano con il loro canto le ore canoniche, e quando giunge l'ora della messa, le candele si accendono da sole. Qui si celebrano la domenica e le altre feste religiose. Prima di passare da un cielo inferiore ad uno di quelli superiori, nel paradiso di Adamnano un'anima deve aspettare da dodici a sedici anni. Tutto ciò sembrerà forse meno sorprendente quando dalla *Visione di Baront* veniamo a sapere che anche in paradiso c'è una chiesa nella quale i sacerdoti celebrano la messa[93].

Il tempo scorre anche nell'oltretomba di Dante[94], però il suo trascorrere è legato piuttosto a colui che vaga negli spazi ultraterreni, è «il tempo dell'osservatore» piú che il tempo «oggettivo» dell'esistenza dell'inferno e del purgatorio; misura «ancor lo tempo per calendi» non l'abitatore dell'aldilà, bensí il forestiero[95]. Nelle regioni ultraterrene delle visioni medievali questa differenza non c'è: entrambi i mondi sono soggetti al corso del tempo canonico[96].

Sarebbe però prematuro affermare che nelle visioni medievali l'idea del tempo terreno venga sempre trasferita direttamente nell'aldilà. In ogni caso la fantasia degli irlandesi non si accontentava di una simile trasposizione. Nel racconto di una peregrinazione nell'aldilà, Teigu e i suoi compagni ebbero l'impressione di aver visitato il paradiso terrestre in un solo giorno, ma i suoi abitanti dissero loro che vi erano rimasti un anno intero, senza però aver avuto il tempo di provare né fame né sete[97]. Anche san Barint, raccontando a Brendano del «paese promesso ai santi», cita le parole del messo divino che là gli era apparso e gli aveva detto: «È un anno che ti trovi su quest'isola e ancora non hai assaggiato né pane né bevande, e neanche una volta sei stato colto dal sonno, e qui non hai visto la notte». Invece l'incontro con questo messo aveva avuto luogo il quindicesimo giorno della permanenza di Barint sull'isola[98]. Allo stesso modo anche Bran, figlio di Febal, capitato con i suoi compagni nel paradiso terrestre (il «paese delle donne»), credette di avere trascorso lí un anno, mentre in realtà erano passati molti anni. Si può pensare che in simili casi s'intenda una valutazione soggettiva del tempo. Ma quando, presi dalla nostalgia per la patria, i pellegrini approdarono alle coste dell'Irlanda e uno di loro, malgrado gli avvertimenti di una abitante del «paese delle donne», posò il piede sulla riva, si trasformò all'istante in un mucchio di cenere, « come se il suo corpo fosse già sepolto da molte centinaia di anni »[99]. Nel paradiso terrestre e sulla terra il tempo scorreva in modo diverso, e mentre nel « paese delle donne » era trascorso un anno, in Irlanda erano passati secoli. Il tempo sembra avere qualità differenti: sulla terra porta alla distruzione di tutte le cose, nel mondo dei beati è imperituro. Nel venire a contatto con l'eternità, il tempo muta la sua natura. Ai pellegrini dell'oltretomba succede all'incirca la stessa cosa che, secondo la teoria della relatività, dovrebbe accadere ai viaggiatori di un'astronave partiti per remote contrade della Galassia: il loro tempo scorre diversamente che sulla terra. Nel *Pantheon* di Goffredo da Viterbo si narra la peregrinazione di alcuni monaci che attraverso l'oceano raggiunsero il paradiso terrestre. Là un giorno equivale ad un secolo sulla terra, e al loro ritorno essi non trovarono vivo nessuno dei loro contemporanei, erano intanto mutate le leggi, erano andati in rovina i templi e le città di un tempo. Altri monaci, che pure avevano avuto la fortuna di visitare il paradiso, chiesero il permesso di rimanervi per quindici giorni, ma appresero stupiti che vi erano rimasti già sette secoli! Alla domanda: « Come può essere possibile? », fu loro risposto che i frutti dell'Albero della vita e l'acqua della Fonte della giovinezza li avevano in parte iniziati alla vita eterna. Fu loro confidato anche che i loro nomi erano iscritti nel libro delle messe funebri e che perciò, allo scadere dei quaranta giorni dopo il ritorno sulla terra, si sarebbero trasformati in cenere e avrebbero trovato la pace eterna. E cosí avvenne[100].

Esattamente opposto è il rapporto tra tempo terreno e tempo dell'oltretomba nei casi in cui gli anni della vita terrena venivano rapportati nella coscienza a secoli e millenni nell'aldilà. Un monaco uscito arbitrariamente dal suo ordine, poiché non aveva ricevuto l'assoluzione dei peccati prima di morire, scelse da sé il castigo ultraterreno: una permanenza di duemila anni nel purgatorio. Qualche tempo dopo la morte egli apparve al vescovo e gli confidò che, grazie alle preghiere per la sua anima e alle elemosine distribuite dal vescovo, due anni gli erano stati valutati come duemila anni ed era ormai libero dai tormenti ultraterreni[101]. Comune a entrambe le varianti del rapporto tra il corso del tempo « qui » e « là » era evidentemente l'originale trattazione « folklorica » del tempo: è il tempo della fiaba, dell'epos, del mito; in questa interpretazione il tempo è lungi dal seguire un'unica direzione lineare.

Estrapolando il tempo terreno per trasferirlo nell'aldilà, l'uomo medievale affermava d'autorità la durata della sua vita, ponendola come unico metro di misura temporale. Il tempo nelle sfere ultraterrene risulta essere ancora una volta un'esteriorizzazione della vita spirituale degli uomini.

La religione cristiana promette il premio o il castigo «alla fine dei tempi»; il Giudizio universale, con il successivo ingresso delle anime dei giusti nella dimora della beatitudine eterna e la caduta delle anime dannate nella Geenna, avrà luogo nel futuro, al termine del tempo terreno. Questa è, come abbiamo visto, l'interpretazione dell'iconografia sacra. *Le visioni letterarie invece non parlano affatto della futura venuta di Cristo*. Il loro interesse per il Giudizio universale è molto limitato, palesemente sostituito dal pensiero delle ricompense e delle pene assegnate all'anima immediatamente dopo il suo distacco dal corpo. Il libro con l'elenco dei meriti e dei peccati non rimarrà chiuso dai sette sigilli fino «alla fine dei tempi»: viene aperto per ogni defunto e intorno alla sua anima si accende subito una disputa tra spiriti maligni e benigni. *I visionari vagano nell'oltretomba rimanendo nel tempo terreno, nel momento presente. La resa dei conti non attende l'uomo in un imprecisato futuro, bensí subito*. Un sacerdote di Clairvaux, caduto in estasi, vide se stesso al cospetto del tribunale divino. Alla destra di Cristo egli scorse un angelo con la tromba, che per ordine del Signore aveva già suonato una volta. Cristo aveva ordinato di suonarla anche una seconda volta, quando intervenne la Madonna: sapendo che dopo un altro squillo di tromba ci sarebbe stata la fine del mondo, ella lo salvò con la sua supplica[102]. Allo stesso modo, ad un ricco cittadino tedesco di nome Bokschirn fu concessa una visione: egli poté contemplare Cristo assiso sul trono tra una moltitudine di persone il giorno del Giudizio universale; quando Bokschirn gli si avvicinò, Cristo proclamò che egli meritava di morire e di precipitare all'inferno, giacché non aveva mai fatto elemosine ai poveri[103].

Coloro che sono ritornati dall'aldilà talvolta raccontano di aver provato i tormenti del purgatorio o dell'inferno: il diavolo aveva già messo su di loro le sue grinfie. San Fursa fuggí dall'inferno con delle ustioni sul corpo; un altro visionario vide il posto che gli era stato destinato all'inferno; alcuni peccatori, prima di esalare l'ultimo respiro, raccontano i tormenti causati loro dai diavoli. Il mondo dell'oltretomba è vicino tanto nello spazio quanto nel tempo. Nelle visioni la forza delle paure e delle speranze trasferisce l'aldilà dal futuro al presente. Piú esattamente: l'aldilà è nel futuro, ma questo futuro è realmente presente nel presente e le visioni costituiscono appunto la possibilità davvero unica di vivere questo «futuro presente».

Sappiamo già che qualcosa di analogo avveniva anche nel culto dei santi. Un santo, poiché appartiene contemporaneamente a entrambi i mondi, partecipa di due dimensioni temporali. In quanto uomo egli è prigioniero dell'imperfetto mondo terreno, ma la sua santità non è di questo mondo, è un riflesso dell'eternità, e in questo senso è come se egli già da vivo dimorasse anche nell'aldilà. Nella persona del santo, finché è vivo, l'eternità s'inserisce nel tempo terreno, egli ne è il portatore tra gli uomini, anzi un portatore piú percettibile e, grazie ai miracoli da lui compiuti, piú convincente di tutte le altre forze supreme.

Ciò che, secondo la teologia, rientra nell'ambito del tempo lineare, che scorre ininterrotto dal passato al futuro attraverso il presente – dalla creazione del mondo e dalla passione di Cristo alla fine del mondo e al trionfo della giustizia suprema – nelle visioni e nelle vite dei santi risulta come livellato in un'unica proiezione temporale e coesiste in una «contemporaneità» per noi strana. La paura del castigo futuro avvicinava ciò che doveva ancora accadere, lo trasformava in attualità. Come nell'iconografia sacra, anche qui ci imbattiamo in un fenomeno di «spazializzazione» del tempo, in una mentalità che plasma il tempo secondo lo spazio, ponendo uno accanto all'altro il passato, il presente e il futuro. Un simile modello di mondo in definitiva è come «piatto» nel tempo, è privo di profondità temporale: non si percepisce il peso dei secoli trascorsi dal momento della creazione, poiché la memoria, non gravata dalla conoscenza della storia sacra, va a ritroso solo di alcune generazioni, lasciando poi spazio alla tradizione favolistica, all'epos e alla fiaba. E manca l'idea di un futuro durevole, giacché l'attesa dell'imminente fine del mondo è sempre presente in modo latente in questa coscienza, concretizzandosi di quando in quando sotto forma di cataclismi socio-psicologici, mentre all'idea del Giudizio universale si sovrappone il pensiero della resa dei conti, che segue immediatamente la morte dell'individuo, e della punizione con cui le forze supreme colpiscono il reo subito dopo che ha peccato.

Nel racconto della visione di Bernoldo, Incmaro di Reims lo conduce lungo il cammino delle peregrinazioni nell'oltretomba alla dimora di pace dei santi, dove c'è una chiesa in cui si appresta a celebrare la messa... Incmaro in persona. Re Carlo, che soffre all'inferno, chiede a Incmaro di pregare per lui, promettendo di ubbidirgli sempre, se egli lo aiuterà. Le preghiere del clero alleviano le sofferenze dell'anima del re. In quale tempo ciò avviene? Nel presente? Incmaro è ancora vivo, celebra le messe nella cattedrale di Reims. Nel futuro? Eppure Bernoldo ha già visto l'arcivescovo in paradiso, ma poi ha raccontato la sua miracolosa visione proprio a questo stesso arcivescovo! La visione ha luogo in un tempo particolare, nel quale presente e futuro non hanno un rapporto di successione lineare, ma sono uniti in un *continuum mitologico*[104].

Analizzando il tempo e lo spazio come «categorie» della cultura medievale[105], si è potuto constatare che in ogni caso, se si prescinde dal pensiero scolastico dei teologi, né l'uno né l'altro erano delle astrazioni, anzi avevano concretezza. I luoghi santi erano circondati da una periferia laica. I periodi e i momenti sacri rompevano e scomponevano ritmicamente lo scorrere quotidiano del tempo. La valutazione del tempo e dello spazio sacri era in linea di principio diversa da quella dei tempi e dei luoghi profani. Tutto ciò che era sacro apparteneva all'eternità, perciò anche le frazioni di spazio e di tempo ad esso legate si distinguevano per durevolezza e indistruttibilità. Il tempo sacro non scorre e non svanisce, è fermo, essendo riflesso dell'eternità. L'eternità, a differenza del tempo normale, non conosce la successione cronologica, esiste «tutta in una volta», e i personaggi sacri non sono sottoposti al corso della storia. Sui frontoni delle cattedrali i personaggi del Vecchio e Nuovo Testamento, i quadri della creazione del mondo, del peccato originale, della cacciata dei progenitori dal paradiso terrestre, della passione di Cristo e del Giudizio universale sono situati tutti nello stesso spazio. Ma lo spazio sacro del tempio viene scomposto e ogni parte che lo compone corrisponde ad una determinata tappa della storia sacra.

Le opere della letteratura mediolatina invece, ivi comprese anche le narrazioni delle visite nell'aldilà, come abbiamo avuto modo di osservare, non consentono affatto di enucleare facilmente il tempo e lo spazio come categorie concettuali, tanto profondamente sono radicati in un'unica visione del mondo, integra e indivisibile. La successione dei tempi è come smembrata o del tutto ignorata. Nel momento della visione è possibile osservare e vivere non solo il presente e il futuro, ma anche il passato. Cesario di Heisterbach cita una serie di visioni in cui a degli ecclesiastici era stato concesso di contemplare svariati episodi della storia evangelica: la nascita di Cristo, la stella che la annunciava, il bambino Gesú nella mangiatoia, ancora Gesú a tre anni di età e, infine, legato, circondato dai giudei che lo minacciano di morte e poi crocifisso[106].

I teologi potevano sviluppare la dottrina dell'escatologia e ripetere che il Giudizio universale, che deve concludere la storia terrena, si sarebbe compiuto «alla fine dei tempi», ma per il comune credente era difficile immaginare la resa dei conti in un imprecisato, lontano futuro. Quando il suo pensiero si volgeva alla fine del mondo, egli spostava quel momento avvicinandolo al presente e piombava nella attesa panica di un immediato giudizio finale.

L'allontanarsi della coscienza popolare dall'escatologia ufficiale comportava paradossalmente un rafforzarsi del suo orientamento «personalistico» che, a prima vista, andrebbe ricercato nel cristianesimo d'élite e non in quello di massa. Infatti il cristianesimo dogmatico si atteneva alla dottrina secondo la quale le anime di coloro che un tempo vissero verranno giudicate tutte insieme «alla fine dei tempi». Nella letteratura delle visioni invece è costantemente presente il motivo del giudizio cui è sottoposta l'anima del singolo e che ha luogo immediatamente dopo la morte. Per l'anima di ciascun uomo vengono tenuti singoli libri in cui sono segnati i suoi peccati e i suoi meriti; questi registri sono tenuti rispettivamente da demoni e angeli, che appunto li esibiscono ad ogni uomo al momento della morte. Il destino dell'anima di un individuo si decide separatamente dal destino delle anime degli altri uomini, il processo cui è sottoposta si distingue dal giudizio generale tanto nel tempo, quanto nella sostanza. Come sradicato dalla storia della salvezza, l'uomo viene posto da solo di fronte al tribunale supremo. Ph. Ariès ha giustamente rilevato questa circostanza, che segna indubbiamente una tappa ben precisa nella formazione della personalità. La questione è stabilire quando si verificò questa tappa, se durante o alla fine del Medioevo. Come abbiamo già ricordato, Ariès fa risalire l'origine dell'idea di un giudizio individuale dell'anima solo alla fine del Medioevo, collegandola perciò al dissolversi dei modelli culturali propriamente medievali. Al contrario, le visioni medievali non lasciano dubbi sul fatto che quest'idea fosse già presente anche nei secoli VI-VIII. In altre parole, il «personalismo popolare», se cosí si può dire, era una caratteristica imprescindibile della percezione medievale del mondo e non fu affatto un sintomo della sua decadenza.

Seguendo il pensiero di Ariès, R. Chartier dà dell'iconografia del secolo XV un'interpretazione secondo la quale i quadri raffiguranti il giudizio collettivo esprimerebbero un'idea tradizionale, che risale alla *Rivelazione di Giovanni*, mentre le immagini di un giudizio individuale per ogni anima sarebbero il prodotto di una nuova idea individualistica[107]. Chartier inoltre non si domanda quali siano le fonti delle scene da lui descritte, che si trovano sulle incisioni della seconda metà del secolo XV e nelle quali angeli e demoni si fronteggiano al capezzale dei moribondi. Se egli avesse cercato queste fonti, sarebbe risultato chiaro che la scena del giudizio individuale non era affatto nuova per l'epoca da lui studiata: era già stata descritta da Beda il Venerabile! Di conseguenza, il fatto che sulla stessa incisione fossero raffigurate una vicina all'altra entrambe le varianti del giudizio dell'anima – una con la partecipazione di diavoli e angeli, che al letto di morte esibiscono le loro annotazioni rispettivamente dei peccati e dei meriti, e l'altra con la partecipazione di Cristo, dell'arcangelo che pesa l'anima, e di un angelo e di un demonio in attesa di sapere a chi di loro sarà destinata, – dunque questa vicinanza di entrambe le varianti del giudizio va interpretata come una paradossale coesistenza nella coscienza medievale dell'idea escatologica e di quella dell'espiazione che segue immediatamente la morte dell'individuo.

In effetti, la contraddittoria coesistenza dell'idea di un

Giudizio universale alla fine dei tempi e di quella di un'immediata resa dei conti individuale si può rinvenire anche nei Vangeli. Nel Vangelo secondo Luca si promettono castighi e premi subito dopo la morte. Ad esempio, Cristo dice al criminale crocifisso insieme a lui: «...in verità ti dico, oggi sarai con me nel paradiso»[108]. Il povero si ritrova nel grembo di Abramo, mentre il ricco va all'inferno subito dopo la morte[109]. Al contrario, in altri Vangeli si preannunciano la seconda venuta di Cristo e il Giudizio universale[110].

Le discrepanze tra la versione del Vangelo secondo Matteo e quella del Vangelo secondo Luca non si riducevano soltanto alla diversa concezione del momento in cui viene giudicata l'anima. La differenza tra queste versioni consisteva oltre a ciò anche nel fatto che nel Vangelo secondo Matteo viene dato rilievo al tribunale collettivo: Cristo giudica i popoli, mentre nel Vangelo secondo Luca si parla di destino individuale[111]. È tuttavia possibile che nell'epoca in cui nacquero i testi cristiani non si percepisse il divario tra le due versioni, giacché i primi cristiani vivevano nell'attesa dell'imminente fine del mondo. La *Rivelazione di Giovanni*[112] termina con un grido d'impazienza: «Colui che attesta queste cose, lo dichiara: sí, verrò presto! Cosí sia. Vieni, Signore Gesú!» La fine della storia si immagina prossima: benché nessuno, tranne il Creatore, sappia quando giungerà, Cristo promette che molti tra coloro che sono ancora vivi saranno testimoni della sua seconda venuta[113].

Diversa è la questione per quanto riguarda l'unione di queste idee nel cristianesimo medievale, quando il giudizio finale veniva rinviato ad un futuro del tutto imprecisato, ma non piú collegato in nessun modo alla biografia dell'individuo. Ciò nonostante, se ci si basa sulla letteratura dei pellegrinaggi nell'aldilà e su altri testi, la contraddizione tra le diverse concezioni del giudizio sui defunti evidentemente non era molto percepita neanche nel periodo qui in esame: le due idee finivano in un certo modo per combinarsi, in ogni caso, a livello di religiosità comune. Le cose andavano diversamente nella teologia, e nella prima metà del secolo XIV papa Giovanni XXII ritenne necessario dare appositi schiarimenti sul fatto che né i giusti conquisteranno la vita eterna, né i dannati precipiteranno all'inferno se non alla risurrezione dei morti, «alla fine dei tempi». Una tale conferma delle verità enunciate nella Scrittura si era resa probabilmente necessaria in relazione all'ampio diffondersi di quel punto di vista che aveva trovato espressione nella letteratura delle visioni e divergeva dalla dottrina sul Giudizio universale. Le epistole del papa del 1331 e del 1332 non si possono forse considerare una specie di risposta alla *Divina Commedia*, nella quale i morti sono già suddivisi nelle varie sezioni dell'oltretomba – inferno, purgatorio e paradiso?

L'aspetto originale della coscienza del comune credente che abbiamo ora rilevato, era legato ad un suo generale orientamento verso ciò che era vicino, concreto e chiaramente percettibile; egli materializzava con facilità quanto apparteneva alla sfera spirituale e soprannaturale, trasformava concetti e qualità astratte in corpi e esseri autonomi. Questo processo di materializzazione del soprannaturale investiva anche l'anima[114].

Nelle descrizioni delle visioni il discorso cade piú volte sulla condizione in cui si trova un'anima che, temporaneamente separatasi dal corpo per visitare l'aldilà, ritorna poi nel suo involucro corporeo. Dapprima naturalmente essa è afflitta, sia per la contemplazione dei tormenti dei peccatori, sia per la consapevolezza di dover abbandonare il paradiso e di dover rimanere ancora per un certo tempo nel mondo imperfetto e peccaminoso. Il ritorno alla vita è accompagnato da una svolta radicale nell'esistenza dell'uomo, che si mette sulla retta via, si fa frate, distribuisce i suoi beni ai poveri ed esorta i suoi simili ad astenersi dai peccati, descrivendo loro castighi postumi. Per altro, ad alcuni visionari pare sconveniente raccontare ai mortali quello che hanno visto nell'aldilà, e se malgrado ciò lo fanno, lo fanno pregando il Signore di non adirarsi con loro per questa mancanza di riservatezza, motivandola con il sincero desiderio di confidare al prossimo le visioni ultraterrene esclusivamente per salvare le loro anime, ma non per vanagloria.

Durante la permanenza nel mondo ultraterreno, l'anima acquisisce capacità soprannaturali di comprensione e di percezione. Il mondo intero le si spalanca davanti di colpo. Vagando per il paradiso, Tnugdal acquistò per un istante la miracolosa capacità di abbracciare con un solo sguardo tutta la circonferenza terrestre, e non solo la parte che in quel momento era davanti a lui, ma anche tutto ciò che si trovava alle sue spalle. Questa facoltà visiva è di un genere particolare, perché Tnugdal, dopo aver visto tutto in una volta, ottenne una conoscenza chiara e completa di ciò che aveva visto[115]. Una povera donna che si trovava nell'oltretomba lesse un'iscrizione profetica benché fosse analfabeta[116]. Ma anche il ritorno dell'anima nel corpo non avviene senza lasciar tracce. In certi casi colui che è risuscitato sente una diminuzione delle sue forze fisiche e spirituali, può perdere temporaneamente la vista, gli si indebolisce la memoria[117]. In altri casi, al contrario, la risurrezione è accompagnata dal manifestarsi di nuove capacità che prima la persona non possedeva e che testimoniano la veridicità del suo racconto della visita nell'aldilà. Ad esempio, un ragazzino di nome Armentarij, che non brillava per nessuna dote particolare, fu improvvisamente assunto in cielo, poi ritornò per tre giorni dai familiari e rivelò chi di loro sarebbe morto dopo poco. Nell'oltretomba egli aveva acquistato la facoltà di parlare qualsiasi lingua[118]. Anche altre persone risuscitate spesso predicevano il destino di coloro che erano ancora vivi.

Una simile capacità possiedono anche le anime di alcuni abitatori dell'aldilà di Dante. Nell'insieme però la trattazione dell'anima nella *Commedia* e nelle visioni del periodo precedente è profondamente diversa. Nonostante tutta l'evidenza con cui sono descritti i tormenti infernali, il centro di gravità in Dante è trasferito sulle sofferenze spirituali e sulle passioni terrene, che continuano a turbare e a tormentare l'uomo anche nell'aldilà. Per ciò che concerne le sofferenze fisiche, occorre ricordare che le patiscono delle ombre, prive dell'involucro terreno. Si tratta solo di «vanità, che par persona». Gli abitatori dell'inferno e del purgatorio di Dante non riflettono il raggio di luce che li attraversa liberamente, per cui essi riconoscevano subito il forestiero venuto dal paese dei vivi[119].

L'incarnazione delle anime dei morti, insegnavano i teologi, avrà luogo prima del Giudizio universale, ma gli autori delle visioni medievali, a differenza di Dante, sembrano dimenticarsene! Nella loro concezione, l'anima, oltre a qualità puramente immateriali, sembra possedere anche proprietà fisiche. Vorrei ricordare che quando l'anima dell'irlandese Fursa, ustionatasi nell'oltretomba per colpa dei diavoli che l'avevano spinta contro l'anima di un peccatore avvolto dalle fiamme, ritornò nel suo involucro corporeo, fino alla fine dei suoi giorni Fursa ne portò i segni sul mento e su una spalla. Rudolf di Schlettstadt, priore domenicano, avrebbe dovuto avere idee precise sulla differenza tra il corpo e l'anima. Invece nelle sue *Storie memorabili* egli rivela una confusione assai sintomatica. In alcuni casi racconta di peccatori le cui anime sono state portate via dai diavoli, dopo aver lasciato a casa i corpi [120], ma nella narrazione su un cavaliere andato a confessarsi, leggiamo come a questi era stato predetto che «i demoni devono prendere il tuo corpo e portarlo all'inferno» [121].

L'anima e il corpo che per un certo tempo si sono separati, possono vedersi. Ad esempio, l'anima di un monaco, riferisce san Bonifacio, contemplava con ripugnanza l'involucro da lei abbandonato. Nel momento in cui l'anima di Baront abbandonava il suo corpo, egli la vide: somigliava ad un uccellino appena uscito dal guscio. Poi l'anima ottenne un nuovo corpo, esteriormente simile al precedente [122]. Non solo però tali indicazioni di alcuni autori di visioni, ma anche il carattere stesso dei tormenti cui vengono sottoposti i peccatori all'inferno testimoniano il prevalere di *un'idea «materiale», «carnale», dell'anima*. Nell'aldilà soffrono i «corpi» delle anime – bruciati, straziati con le tenaglie, fusi nelle fornaci, divorati, cotti nei calderoni ecc. – che si differenziano dai corpi umani, in sostanza, soltanto per la loro indistruttibilità: dopo esser stata fusa, forgiata nella fucina infernale e divorata da un diavolo, l'anima rinasce a nuove, interminabili torture. Nella *Visione di Tnugdal* viene menzionato un mostro che vomita fiamme, che ha due gambe e due ali, un lungo collo, un becco e unghie di ferro; seduto su una palude gelata, ingoia le anime dei peccatori, le digerisce e le espelle sul ghiaccio sotto forma di sterco; qui esse rinascono per sopportare di nuovo gli stessi tormenti: un quadro che sembra dipinto da Bosch o da Bruegel! [123].

Come il corpo, cosí anche l'anima ha bisogno di nutrimento. Secondo la *Visione di Paolo*, in paradiso scorrono fiumi di latte e di miele, di olio e di vino. Baront vide che le anime ricevevano la manna celeste. In altre visioni si accenna ad un raggio che dai cieli sazia le anime degli eletti. Nel poema satirico sulle false visioni citato in precedenza è descritto un banchetto che Cristo avrebbe offerto ad un visitatore dell'oltretomba[124]. Anche all'inferno si dà da mangiare: ai peccatori vengono offerti boccali di liquido infuocato; tipico cibo infernale erano considerati rospi e serpenti cotti nello zolfo. Le proprietà sensitivo-materiali attribuite all'anima, cosí come i «fatti» del mondo ultraterreno, per il teologo non sono altro che «imagines rerum», per cui solo tramite fenomeni dell'aldilà possono essere accessibili all'imperfetto, limitato intelletto umano. Gregorio Magno e altri teologi non erano evidentemente propensi ad accettare tali immagini come realtà ultima[125]. Altra questione era il loro uditorio, assolutamente impreparato a discernere le sottili differenze tra ciò che è materiale e ciò che è spirituale; il loro uditorio era disposto a prendere alla lettera tutto quello che veniva descritto nelle visioni[126]. Se nelle opere degli autori latini la beatitudine ultraterrena ha un carattere principalmente spirituale, l'ecclesiastico che nel secolo IX tradusse in versi sassoni il racconto evangelico della passione di Cristo, rese questa beatitudine del paradiso con il concetto di *welo*, «possesso», «proprietà», «benessere»; all'eredità spirituale dei cristiani sono estesi i concetti di *fader ôdil*, «proprietà terriere ereditate», *fehu*, «bestiame», «beni mobili», «ricchezza», ecc.[127].

La purificazione dell'anima dai peccati è una delle questioni principali dell'escatologia. Ma mentre nei trattati teologici questi problemi erano analizzati su un piano astrattamente speculativo, nelle descrizioni delle visioni destinate ad un vasto pubblico, incline a recepirle concretamente con i sensi, era necessario citare esempi lampanti, raccontare «fatti autentici» che potessero essere testimoniati dai visionari stessi o da coloro che li avevano visti e avevano parlato con loro. I predicatori avevano chiara coscienza di questa particolarità del loro uditorio. «Gli uomini non si convincono tanto con le parole quanto con gli esempi vivi», scrisse Gregorio Magno[128].

L'uomo immaginava di essere ad un bivio, di fronte ad una scelta: una strada conduce alla beatitudine ultraterrena, l'altra all'inferno. Occorre liberarsi dal fardello dei peccati. Appunto per questo nelle visioni il posto principale è occupato non dalle immagini dell'inferno vere e proprie, bensí da quelle delle sofferenze che possono purificare l'anima del peccatore e avviarla alla beatitudine. Come abbiamo già detto, gli studiosi hanno rilevato che l'idea del purgatorio si cristallizzò definitivamente nella letteratura poco prima di Dante, mentre nell'iconografia non prima del secolo XV. Ciò è forse esatto, ma con una sostanziale riserva: la maggior parte delle torture subite dalle anime nell'oltretomba non sono soltanto il castigo per i peccati, ma anche un mezzo per salvarsi dal pericolo di tormenti eterni. In effetti, in queste prime visioni non viene indicato il purgatorio come tale, come sezione dell'oltretomba, ben distinta dall'inferno e dal paradiso, ma in un certo senso le funzioni del purgatorio sono assegnate sia all'inferno sia al mondo terreno.

Il purgatorio, secondo il pensiero degli autori delle visioni, è infatti il luogo in cui ci si pente e ci si purifica dai peccati. Ma l'uomo fa penitenza già in questo mondo, da vivo; da qui, forse, deriva l'accostamento tra il purgatorio e il mondo terreno. Inizialmente la penitenza inflitta ai peccatori, come abbiamo visto, si traduceva in primo luogo nelle sofferenze provate al corpo; per mezzo delle privazioni e delle pene fisiche doveva purificarsi anche l'anima. Talvolta la penitenza non era affatto distinguibile dalla tortura fisica. Quando si costringeva un peccatore penitente a trascorrere la notte in una tomba insieme ad un cadavere, egli probabilmente si sentiva già nell'aldilà. D'altro canto poi, dato che le anime sono sottoposte a tormenti tanto all'inferno quanto nel purgatorio, anche tra queste sezioni dell'oltretomba non sempre si tracciavano nette linee di demarcazione. Secondo Cesario di Heisterbach, alcuni peccatori che erano nell'aldilà scambiavano il purgatorio per l'inferno e viceversa. Nel contempo il purgatorio era vicino al paradiso terrestre[129]. Accanto all'inferno e al purgatorio, in certe visioni compaiono luoghi per i «non troppo cattivi» e per i «non troppo buoni», cosicché i pellegrini che vagano nell'aldilà si confondono, scambiando tali luoghi per l'inferno stesso.

Benché la parola *purgatorium* faccia la sua comparsa piuttosto tardi, non sono incline ad attribuire un significato di particolare rilievo alla prolungata assenza del termine[130]. Giacché i connotati del purgatorio si possono riscontrare in parte già nelle visioni del primo Medioevo. Una delle componenti dell'oltretomba sempre presente nelle descrizioni, vale a dire quella del torrente di fuoco che le anime devono attraversare su uno stretto ponticello (che di visione in visione diventa sempre piú stretto), svolgeva, a quanto pare, funzioni purificatrici.

All'epoca di Dante mutò la raffigurazione proposta. La penitenza acquisí in maggior misura il carattere di pentimento spirituale e non è forse per questo motivo che si cominciò a distinguere piú nettamente la purificazione dell'anima di un peccatore durante la vita dalla purificazione dei suoi peccati tra le fiamme del purgatorio? Nello stesso tempo la concezione dell'oltretomba «si liberò» in maggior misura dalle idee del tempo, poiché rimase piú strettamete correlata all'idea dell'eternità; e ciò non poteva che contribuire al chiarimento della contrapposizione tra il purgatorio, luogo di temporanea permanenza delle anime, e l'inferno, dove i tormenti dei dannati da Dio non avranno mai fine. La struttura dicotomica dell'aldilà iniziò a cedere il posto alla sua scomposizione ternaria, tanto netta e compiuta oramai in Dante[131].

La principale differenza tra la *Commedia* e le visioni del periodo precedente, non pare limitarsi a questo aspetto. L'oltretomba di Dante è *allegorico*. Per l'uomo medievale l'allegoria non equivaleva all'invenzione ed è difficile supporre che anche per Dante l'inferno, il purgatorio e il paradiso non fossero altro che metafore poetiche. Ciò nonostante, le grandiose raffigurazioni della realtà ultraterrena dipinte nella *Commedia* furono create proprio da Dante e il poeta si riconosceva quale loro creatore, creatore nel senso che nessun altro era stato capace di vederle *in quel modo* e di cantarle con tale maestria.

Il mondo ultraterreno delle visioni medievali era percepito diversamente. Dell'esistenza del purgatorio si può convincere chiunque scenda nel pozzo di san Patrizio. Allo stesso modo, chiunque si sia trovato vicino ad un vulcano, ha potuto dire il putiferio dei demoni che si preparano ad accogliere un peccatore. E tutti coloro che hanno avuto la fortuna di visitare l'aldilà, hanno visto i pozzi dell'inferno che vomitano fuoco, il tenebroso torrente che separa la dimora degli eletti dalla valle di lacrime dei peccatori, o le mura della Gerusalemme celeste. Non era necessario del resto andare cosí lontano: nella cattedrale il credente poteva contemplare spesso molti di questi quadri ed è presumibile che nella genesi dei sogni e degli incubi dei visionari le immagini delle chiese giocassero un ruolo pari a quello della parola di un sacerdote.

Nella visione di un monaco, esposta da Bonifacio, i suoi peccati e le sue virtú comparivano al processo in forma personificata e lo accusavano o lo difendevano. Non si tratta di allegorie, bensí di qualità umane che hanno un'esistenza autonoma. Lo stesso monaco vide nell'aldilà un uomo che egli aveva ferito quando era vivo e «la sua ferita aperta e sanguinante con la propria voce gridava vendetta e lo accusava di quel crimine». Quando nell'arte o nella letteratura medievale fanno la loro comparsa le allegorie, di solito le astrazioni assumono un aspetto concreto; ad esempio, i peccati e le virtú prendono le sembianze di fanciulle che abitano una torre, simbolo dell'uomo[132]. Nella visione di questo monaco però i suoi vizi e i suoi meriti non avevano nessuna incarnazione allegorica, tenevano semplicemente discorsi di accusa e di difesa. In modo altrettanto semplice e naturale i suoni dei salmi cantati senza devozione dai chierici, erano raccolti in un sacco da un demonio o divorati dai diavoli, trasformatisi in maiali[133]. La fantasia non era riconosciuta come tale, il mondo che essa creava veniva percepito dall'uomo medievale come realtà.

In conclusione vorrei ritornare al confronto tra le immagini dell'oltretomba nell'arte figurativa medievale e nella letteratura delle visioni. Alla successione temporale delle scene del dramma del Giudizio universale nell'interpretazione degli scultori e dei costruttori di cattedrali si contrappone il fatto che l'escatologia è quasi unanimemente ignorata nelle descrizioni mediolatine delle peregrinazioni nell'oltretomba: il processo al peccatore e il raggiungimento della beatitudine da parte del giusto sono trasferiti nel presente, e piú esattamente futuro e presente sono mescolati in unico piano mitologico. Ma questa differenza veniva percepita in modo altrettanto netto dagli uomini di quell'epoca? La risposta è probabilmente negativa, altrimenti la deviazione degli autori di visioni dai canoni teologici sarebbe stata stroncata in quanto inammissibile, se non addirittura eretica: invece, ciò non turbava la Chiesa, come non la preoccupava particolarmente neanche l'«incarnazione» delle anime nella letteratura dei pellegrinaggi nell'aldilà.

Lo spostamento del processo all'anima del credente dalla fine del mondo al momento che segue immediatamente la sua morte accentuava l'aspetto personale della salvezza: per ogni mortale è tenuto un registro particolare dei meriti e dei peccati e a carico di ciascuno verrà istruito un processo particolare. Nella coscienza di questi uomini la morte individuale del credente e il pensiero della sua salvezza personale si sovrappongono alla fine della storia del genere umano. La biografia, in un certo senso, trionfa sulla storia.

D'altro canto, difficilmente ci si può sbagliare riguardo al modo in cui l'uomo del popolo recepiva le scene della vita di Cristo, le visioni apocalittiche e il Giudizio universale, raffigurati sui portali delle cattedrali. Indipendentemente dal sistema rigoroso con cui tali scene venivano disposte nel tempio, in questa «Bibbia di pietra» in cui i fedeli erano sottomessi al corso della storia sacra, essi «leggevano» il testo piú in modo sincronico che secondo un ordine diacronico. Per sua natura l'arte figurativa predispone a fondere diverse scene in un quadro simultaneo e i credenti, che erano stati edotti sulle visite nell'aldilà e sulle peregrinazioni nel paradiso e nell'inferno, erano senza dubbio inclini a trasferire le proprie concezioni mitologiche anche a ciò che contemplavano entrando nel tempio, dove, tra l'altro, anche la messa li predisponeva esattamente alla stessa percezione della storia sacra.

In tal modo la coscienza popolare, poco ricettiva nei confronti della concezione escatologica del tempo, faceva rientrare nella contemporaneità, nel tempo della vita di ogni uomo, tutto il contenuto della storia della salvezza: l'attimo presente e l'eternità finivano per confluire l'uno nell'altra, senza difficoltà avveniva il passaggio dal mondo dei vivi al regno dei morti e viceversa, e all'anima erano grottescamente assegnate qualità materiali.

L'immagine di una compiuta biografia individuale nella sua concezione cristiana – come destino dell'anima – non emerge per la prima volta alla fine del Medioevo. La personalità umana giunge a compimento e riceve la valutazione estrema al momento della morte, e l'idea di un giudizio personale, che ha luogo al capezzale del morente, era ben nota già nel secolo VIII, se non prima. Le scene del Giudizio universale, che nella letteratura delle visioni non svolgono alcun ruolo, non erano state certo dimenticate e l'iconografia sacra le ricuperava con continua insistenza. Il fatto che entrambi i giudizi – quello particolare, che riguarda una data persona e ha luogo al momento della morte, e quello generale, che dovrà coinvolgere il genere umano «alla fine dei tempi» – coesistano paradossalmente nella concezione medievale del mondo, rivela l'originaria dualità presente nella dottrina cristiana della morte e del castigo o del premio ultraterreno; dualità che tuttavia si manifestò in forma estremamente acuta proprio nell'età medievale, quando all'impaziente ed esultante attesa di un immediato avvento del regno di Dio per tutti i credenti in Cristo, propria del cristianesimo delle origini, subentrò la paura del severo castigo cui è inevitabilmente destinata la maggioranza dei mortali[134]. L'idea della personalità umana, che è individualmente responsabile della propria sorte e sceglie liberamente la strada verso la salvezza o la rovina, non si forma con il passaggio al Rinascimento (tale è evidentemente il punto di vista di Ariès e dei suoi seguaci); è invece propria del Medioevo, per quanto particolare fosse a quell'epoca la concezione della personalità.

Abbiamo osservato una fluttuazione nella coscienza e nell'immaginazione medievale tra l'idea di un immediato giudizio personale e quella di un giudizio collettivo «alla fine dei tempi»; essa è forse collegata a una caratteristica particolare dell'autocoscienza dell'individuo in quell'epoca: l'uomo si sentiva partecipe contemporaneamente di due piani temporali, il piano della transitoria vita individuale e quello degli eventi decisivi per i destini dell'umanità: la creazione del mondo, la passione di Cristo, la sua seconda venuta e la fine del mondo. La vita effimera di ogni uomo si intreccia al dramma storico universale e da esso riceve un nuovo, supremo e imperituro significato. «Questa duplicità della percezione del tempo è una qualità imprescindibile della coscienza dell'uomo del Medioevo. Egli non vive mai solo nel tempo terreno, non può prescindere dalla coscienza della storia sacrale, e tale coscienza influisce radicalmente su di lui come persona, poiché la salvezza della sua anima dipende dal suo inserimento nella storia sacrale»[135].

Le scene escatologiche raffigurate sui portali delle cattedrali dei secoli XII e XIII e le scene narrate dalle persone che hanno vagato nelle contrade ultraterrene non appartengono a tappe diverse dell'evoluzione dell'atteggiamento medievale verso la morte: esse esprimono la situazione spirituale della personalità umana nello spazio della cultura medievale diviso tra due mondi.

[1] In questo senso sono di notevole interesse gli studi, apparsi prevalentemente negli ultimi anni, incentrati sul problema della morte e del modo in cui veniva percepita e vissuta nelle diverse epoche storiche. Cfr. A. Tenenti, *La vie et la mort à travers l'art du xve siècle*, Paris 1952; G. e M. Vovelle, *Vision de la mort et de l'au-delà en Provence d'après les autels des âmes du purgatoire. xve-xxe siècles*, 1970; M. Vovelle, *Mourir autrefois. Attitudes collectives devant la mort aux xviie et xviiie siècles*, Paris 1974; Ph. Ariès, *Western attitudes toward death: from the Middle Ages to the present*, Baltimore e London 1976 [trad. it. *Storia della morte in occidente*, Milano 1978]; Id., *L'homme devant la mort*, Paris 1977; P. Chaunu, *La mort à Paris. xvie, xviie et xviiie siècles*, Paris 1978; H. Neveux, *Les lendemains de la mort dans les croyances occidentales (vers 1250 - vers 1300)*, in «Annales ESC», 34 (1979), n. 2; e infine un numero speciale della rivista «Annales», 31 (1976), n. 1.

[2] Tra queste interpretazioni occupava un posto di rilievo l'*Elucidarium* di Onorio di Autun, del quale si parlerà nel prossimo capitolo; svolgevano un ruolo essenziale anche le opere di Vincenzo di Beauvais, la letteratura delle vite e altre opere.

[3] Cfr. E. Mâle, *L'art religieux du xiiie siècle en France*, Paris 1958, p. 389.

[4] Cfr. L. Kretzenbacher, *Die Seelenwaage. Zur religiösen Idee vom Jenseitgericht auf der Schicksalswaage in Hochreligion, Bildkunst und Volksglaube*, Klagenfurt 1958.

[5] Cfr. F. Neugass, *Teufel, Tiere und Dämonen im mittelalterlichen Chorgestühl*, in «Kunst und Künstler», 25 (1927), n. 11.

[6] *L'art religieux du xiie siècle en France*, Paris 1924², p. 417. Sulla predestinazione cfr. oltre, cap. v.

[7] Cfr. C. G. Nessel'straus, *Iskusstvo Zapadnoj Evropy v srednie veka* [L'arte dell'Europa occidentale nel Medioevo], Leningrad-Moskva 1964, p. 184; V. P. Darkevič, *Putjami srednevekovych masterov* [Seguendo i maestri medievali], Moskva 1972, pp. 135 sgg.

[8] Cfr. Mâle, *L'art religieux* cit., p. 438.

[9] *Vision de la mort* cit.

[10] Cfr. Ch. Labitte, *La divine comédie avant Dante*, in «Revue des Deux Mondes», Serie IV, vol. 31 (1842); A. F. Ozanam, *Le purgatoire de Dante*, in *Oeuvres complètes de A. F. Ozanam*, vol. 9, Paris 1873; A. D'Ancona, *I precursori di Dante*, 1, 1874; A. Rüegg, *Jenseitsorstellung vor Dante und die übrigen literarischen Voraussetzungen der «Divina commedia». Ein quellenkritischer Kommentar*, 2 voll., Köln 1945.

[11] *Europäische Literatur* cit.

[12] Quanto venga ignorato l'aspetto della letteratura medievale che io ho scelto di studiare, risulta persino dalla lettura di un lavoro fondamentale come il libro di I. N. Goleniščev-Kutuzov (*Tvorčestvo Dante i mirovaja cul'tura* [L'opera di Dante e la cultura mondiale], Moskva 1971), che mostra i legami di Dante sia con il mondo greco-romano, sia con la Bibbia, sia con i pensatori del Medioevo, sia con la cultura araba. Non c'è alcun accenno solo alla sconfinata letteratura delle «peregrinazioni nell'oltretomba»! L'autore se ne sbarazza in una nota dedicata alla critica delle opinioni di A. N. Veselovskij (*Dante i simvoličeskaja poezija katoličestva* [Dante e la poesia simbolica del cattolicesimo], in «Vestnik Evropy», vol. 4 (1866), n. 1), che avrebbe «sopravvalutato il principio popolare e la leggenda nella letteratura medievale» (Goleniščev-Kutuzov, *Tvorčestvo Dante* cit., p. 478 nota). Non si doveva, tuttavia, prima illustrare e studiare questo principio popolare e solo in seguito giudicare se fosse stato sopravvalutato o meno? Nel commentario di I. N. Goleniščev-Kutuzov a Dante, tutte le opere medievali sulle peregrinazioni nell'oltretomba vengono altezzosamente

definite «deboli» (*Dante Alig'eri*, 1968, p. 467). Ma è lecito porre un quesito: come veniva recepita la *Divina Commedia* ai tempi di Dante? All'inizio del secolo XIV il Medioevo non si era ancora affatto concluso e tutti conoscevano o ricordavano i numerosi racconti sulle visite compiute nell'aldilà dalle anime di persone che erano morte e poi risorte: opere di un genere letterario molto amato e ampiamente diffuso, che al tempo di Dante contava molti secoli di vita. Il pensiero che tormentava gli uomini di quell'epoca era ancora e sempre lo stesso: che cosa attende l'uomo dopo la morte? Le miracolose visite nel mondo ultraterreno erano raccontate nell'ambone e la sera intorno al focolare domestico, e per l'uomo medievale non c'era argomento piú scottante e che piú di quello catturasse la sua immaginazione. Il poema di Dante, pur con tutta la sua originalità e unicità, si trova al punto di arrivo del lungo cammino percorso da questo tipo di letteratura. Il raffronto tra la *Commedia* e le narrazioni medievali sulle peregrinazioni nell'aldilà mette ancora piú in evidenza ciò che vi era di nuovo sia nella concezione del mondo che nel metodo artistico del grande fiorentino. Nello stesso tempo, questa analisi aiuterebbe a mettere in luce le radici popolari della cultura prerinascimentale. È chiaro che un approccio del genere non presuppone affatto un «ritorno» di Dante alla concezione medievale del mondo: Dante «uscí» dal Medioevo, ma ne costituí anche un prodotto!

[13] Il santo martire Eutichio, apparso ad uno dei suoi devoti, esclamò per tre volte: «È imminente la fine della carne». Questa profezia fu confermata poco tempo dopo, secondo l'opinione del papa Gregorio I, sia da presagi celesti, sia dalla devastazione dell'Italia ad opera dei longobardi, dallo spopolamento delle città e dai saccheggi di chiese e monasteri, dall'abbandono dei campi e dei possedimenti, e cosí avvenne che nei luoghi prima abitati dagli uomini facessero la loro comparsa bestie feroci. Come stiano le cose negli altri paesi, il papa non lo sa, ma in Italia, egli ne è convinto, il mondo non aspetta piú la sua fine, la sta vivendo! *S. Gregorii Dialog.*, 3, 38, in *PL*, vol. 77, col. 316, e cfr. 4, 41, col. 397. In questo caso sembra si possa parlare con una relativa sicurezza di «senso dell'invecchiamento del mondo», benché in molte altre enunciazioni di autori medievali si debba piuttosto supporre il ripetersi di una topica che risale alle lettere degli apostoli e alle opere di Agostino. Cfr. Curtius, *Europäische Literatur* cit., p. 38.

[14] *S. Gregorii Dialog.*, 1, 12, coll. 212-13.

[15] Cfr. I. N. Goleniščev-Kutuzov, *Srednevekovaja latinskaja literatura Italii* [La letteratura latina medievale dell'Italia], Moskva 1972, pp. 141 sgg.

[16] *S. Gregorii Dialog.*, 4, 31, coll. 369, 372.

[17] *Ibid.*, 4, 41-44, coll. 400, 401.

[18] *Visio cujusdam pauperculae mulieris* in W. Wattenbach, *Deutschlands Geschichtsquellen im Mittelalter*, vol. I, Berlin 1893, p. 277. Questa stessa visione stabilisce il castigo da infliggere a Ludovico il Pio per l'uccisione di un parente: il nome dell'imperatore è scomparso dalla parete che circonda il paradiso terrestre, nel quale vengono ammesse solo le anime di coloro i cui nomi sono iscritti su di essa a lettere d'oro: «Illius interfectio istius oblitteratio fuit» (*ibid.*, p. 278).

[19] *S. Gregorii Dialog.*, 4, 35, coll. 380-81.

[20] *Ibid.*, 4, 36, col. 381.

[21] *Ibid.*, 4, 36, col. 384. Questo racconto è tratto quasi parola per parola dalla satira di Luciano *L'amante della menzogna, ovvero il Miscredente*. Nell'Ade di Luciano però il tribunale è composto da divinità pagane e creature mitologiche ed è presieduto da Plutone che, alla vista di Cleodemo, erroneamente consegnato all'inferno, esclamò: «La sua filatura non è ancora finita, perciò che se ne vada», e pretese che venisse condotto in giudizio il suo vicino, il fabbro Demil (Lukian, *Izbr. ateist. proizv.* [Opere atee scelte], Moskva 1955, pp. 204-5). È assai significativo che la reinterpretazione del racconto da parte di papa Gregorio fosse

accompagnata da un'attenuazione dell'iniziale significato parodistico-satirico; anche se nella sua pia narrazione si è conservato il lato comico, questo non ha un suo significato autonomo ed essenziale.

[22] *S. Gregorii Dialog.*, 4, 36, coll. 384-85.

[23] *PL*, vol. 125, coll. 1115-19 e cfr. *Visio cujusdam pauperculae mulieris*, p. 277.

[24] *S. Gregorii Dialog.*, 4, 55, coll. 416, 417, 420, 421. Il papa considera indispensabile aggiungere che è piú sicuro salvarsi durante la vita che aspettarsi da altri la salvezza dopo la morte, *ibid.*, 4, 58, col. 425.

[25] *Ibid.*, 4, 38, coll. 389-90.

[26] R. Aigrain, *L'hagiographie, ses sources, ses méthodes, son histoire*, Poitiers 1953, p. 232.

[27] *Historia Francorum* IV, 33.

[28] *Gregorii Turonensis Vitae patrum*, 17, 5, in *PL*, vol. 71, coll. 1082 sg.

[29] *Apocalisse*, I, 15.

[30] *Historia Francorum* VII, 1.

[31] Nelle descrizioni del paradiso nella poesia germanica, in particolare nello *Heliand*, il regno dei cieli è spesso raffigurato con l'ausilio di termini tratti dalla vita familiare, economica e rurale. «Quando parla dei beni ultraterreni, allo sguardo si presenta l'agiatezza di un padrone di casa» (E. Peters, *Quellen und Charakter der Paradiesesvostellungen in der deutschen Dichtung vom 9. bis 12 Jahrhundert*, Breslau 1915, p. 22).

[32] *Historia Francorum* III, 19.

[33] Cfr. Rüegg, *Jenseitsvorstellung* cit., vol. 1, p. 294.

[34] *Historia ecclesiastica gentis Anglorum*, 5, 12.

[35] Cfr. Th. Silverstein, *Visio sancti Pauli*, London 1935.

[36] *Historia ecclesiastica gentis Anglorum*, 5, 13.

[37] Cfr. oltre, cap. v.

[38] Nella visione di un sacerdote inglese esposta da Prudenzio, figurano dei bambini che in chiesa leggono libri sulle cui pagine si vedono lettere tracciate in nero e in color rosso-sangue. Con quelle rosse sono annotati i peccati. I bambini invece sono le anime dei santi che con le preghiere impetrano il perdono per i peccati umani. Nella visione dell'italiano Alberico (inizio del secolo XII), durante una disputa per il possesso di un'anima, il demone tira fuori il libro su cui sono annotati tutti i suoi peccati, ma l'angelo rovescia sulle pagine un flacone con le lacrime versate dai giusti e cancella i caratteri, cfr. C. Fritsche, *Die lateinischen Visionen des Mittelalters bis zur Mitte des 12. Jahrhunderts*, in «Romanische Forschungen», voll. 2 e 3 (1887), pp. 339, 356.

[39] Cfr. Ariès, *Western attitudes toward death* cit., e Id. *L'homme devant la mort* cit.

[40] Cfr. Tenenti, *La vie et la mort* cit., pp. 55, 59, 99 sgg.

[41] *La mort à Paris* cit.

[42] *S. Bonifatii et Lullii epistolae*, a cura di M. Tangl in *MGH*, *Epistolae selectae*, I, n. 10, pp. 7-15.

[43] Cfr. Neveux, *Les lendemains de la mort* cit.

[44] Cfr. Fritsche, *Die lateinische Visionen* cit., 2, pp. 269 sgg.; 3, pp. 338 sgg.

[45] Cfr. W. Levison, *Die Politik in den Jenseitsvisionen des frühen Mittelalters*, in *Festgabe Fr. von Bezold*, Bonn e Leipzig 1921, pp. 87 sgg.

[46] Il lavoro di J. Le Goff (*La naissance du Purgatoire* XIIe-XIIIe *siècles*, in *La mort au Moyen Âge. Colloque de l'Association des historiens médiévistes français réunis à Strasbourg en juin 1975*, Strasbourg 1977) mi è stato accessibile solo al momento di consegnare il libro alle stampe.

[47] H. R. Patch, *The Other World according to description in medieval literature*, Cambridge (Mass.) 1950.

[48] In particolare, come abbiamo rilevato in precedenza, in varie descrizioni ora emerge, ora scompare l'immagine confusa del purgatorio. Le medesime sfere dell'oltretomba sono di volta in volta per le anime o luoghi di eterna punizione o di requie, o soglie dei luoghi in cui le anime si ritroveranno dopo una purificazione piú o meno prolungata o dopo il giorno del giudizio. L'idea definitiva del purgatorio, come abbiamo già affermato, si formò piuttosto tardi; nell'iconografia si affermò soltanto con il secolo XV.

[49] Sulla topica delle visioni cfr. Patch, *The Other World* cit. Sotto molti aspetti questa topica è affine ai motivi del mondo ultraterreno presenti nelle fiabe, cfr. H. Suits, *Jenseitsmotive im deutschen Volksmärchen*, Leipzig 1911.

[50] Cfr. sopra, capitolo II.

[51] Non solo, c'erano persone che non credevano affatto nella risurrezione dell'anima. Gregorio di Tours parla di un sacerdote che nutriva questo genere di dubbi (*Historia Francorum* X, 13). Sono testimoniate anche false visioni. Nel *Canto sulle false visioni*, di carattere satirico, viene messo in burla un bugiardo che raccontava di aver visitato l'aldilà dove, a suo dire, Cristo in persona gli aveva offerto da mangiare, mentre Giovanni Battista fungeva da coppiere e l'apostolo Pietro da cuoco (M. Edélstand du Meril, *Poésies populaires latines antérieures au douzième siècle*, Paris 1843, pp. 298 sgg.). Nel racconto della visita di san Patrizio in purgatorio, il cui ingresso sarebbe in una grotta su un'isola del nord, si accenna al fatto che questo racconto era accolto con diffidenza dal popolo: «... se è accaduto veramente cosí, chiunque potrebbe visitarlo e poi ritornare» (Th. Wright, *St. Patrick's Purgatory; an essay on the Legends of Purgatory, Hell and Paradise, current during the Middle Ages*, London 1844, p. 65). A proposito del purgatorio di san Patrizio Cesario di Heisterbach scrisse: «Se qualcuno dubita dell'esistenza del purgatorio, che si rechi in Scozia ed entri nel purgatorio di san Patrizio: non avrà piú dubbi sui castighi che lo attendono in purgatorio» (*Dialogus miraculorum*, 12, 38). Lo storico del secolo XIV Froissart domandò ad un cavaliere inglese se fossero fondati i racconti sui miracoli che avvenivano nella grotta di san Patrizio, e quegli rispose affermativamente (Patch, *The Other World* cit., p. 114).

[52] *S. Gregorii Dialog.*, 4, 48, col. 409. Cfr. *Dialogus miraculorum*, 8, 4. Accanto alla classificazione dei sogni, in Cesario di Heisterbach troviamo anche una classificazione delle visioni. Le due parti della scala che conduce dai cieli alla terra, egli scrive, creano due tipi di visioni: corporali e spirituali; accanto alla *visio corporalis* e alla *visio spiritualis*, egli si sofferma sulla *visio intellectualis sive mentalis* (*Dialogus miraculorum*, 8, 1). Sui sogni come genere letterario e componente della cultura medievale cfr. Le Goff, *Pour un autre Moyen Âge* cit., pp. 299-306.

[53] Cfr. le idee di Ju. M. Lotman sull'«estetica dell'identità» (*Lekcii po struktural'noj poetike* [Lezioni di poetica strutturale], 1, in «Učen. zap. Tartuskogo gos. un-ta», 160, 1964, pp. 173 sgg.).

[54] *PL*, vol. 125, col. 118. Sulla visione di Bernoldo cfr. sopra. Per traduzione della *Visione di Vettino* cfr. in *Pamjatniki srednevekovoj latinskoj literatury IV-IX vekov* [Opere della letteratura latina medievale dei secoli IV-IX], Moskva 1970, pp. 333-43.

[55] Sumption, *Pilgrimage* cit., p. 52.

[56] Proprio cosí affronta il problema R. J. Glendinning (*Träume und Vorbedeutung in der Islendinga Saga Sturla Thordarsons*, Bern e Frankfurt 1974), che ha analizzato le notizie di sogni o visioni date nell'islandese *Saga di Sturla*: egli cerca di distinguere le visioni «autentiche» da quelle «non autentiche», ispirate dalla tradizione o inventate dall'autore della saga.

[57] *Jenseitsvorstellung* cit., vol. 1, p. 197.

[58] Le Roy Ladurie, *Montaillou* cit.

[59] Cfr. Neveux, *Les lendemains de la mort* cit.

[60] *Historia Francorum* VII, 1. Allo stesso modo anche Beda, dopo aver deciso di raccontare ai lettori della *Storia religiosa* le visioni dell'oltretomba avute da Fursa, li rimanda all'opera in cui sono state descritte dettagliatamente, mentre per quanto lo riguarda ritiene piú opportuno limitarsi a riferire un solo episodio, cfr. *Historia ecclesiastica gentis Anglorum*, 3, 19.

[61] Una delle prime opere di questo genere è la *Visione di Baront* (secolo VIII). Nel sonno Baront fu trasportato da due spaventosi demoni nell'inferno, dove venne flagellato, ma fu salvato dall'arcangelo Raffaele. Nell'aldilà gli vennero esibiti tutti i suoi peccati principali e fu stabilito come doveva espiarli. La penitenza, che nella vita normale viene assegnata dal sacerdote, nell'oltretomba viene stabilita dall'apostolo Pietro (*Visio Baronti*, in *MGH*, *Scriptores*, V, pp. 379 sg.). A proposito di questa visione W. Levison (*Die Politik in den Jenseitsvisionen* cit., p. 86) osserva: «Si tratta effettivamente dell'ardente immaginazione di un monaco, e non di una consapevole invenzione, e grazie alla sua immediatezza questa piccola opera che attira scarsa attenzione, getta luce sul mondo delle idee religiose di quel tempo assai piú di molte altre».

[62] La *Visione di Paolo* ebbe un'ampia diffusione (in traduzione) tanto nel Vicino Oriente, quanto anche presso gli slavi e in Occidente. Il periodo di maggior popolarità di questa «Apocalisse» apocrifa ha inizio nel secolo VIII; la maggior parte delle redazioni latine che si sono conservate risale ai secoli X-XII (Silverstein, *Visio sancti Pauli* cit., pp. 3 sgg., 12).

[63] *Ibid.*, p. 5.

[64] Cfr., tuttavia, l'interminabile elenco di torture in una visione irlandese dell'inferno: *Life of Brenainn of Finnlug. Lives of Saints from the Book of Lismore*, a cura di W. Stockes (Anecdota Oxoniensia), Oxford 1890, pp. 254 sg.

[65] Agostino condannava recisamente «l'assurda Apocalisse di Paolo, giustamente respinta dalla Chiesa e piena di non si sa quali favole»: C. Tischendorf, *Apocalypses apocryphae*, Lipsiae 1866, p. XIV.

[66] Cfr. Fritsche, *Die lateinische Visionen* cit., 3, pp. 343 sgg., 347. La traduzione in russo è in *Pamjatniki srednevekovoj latinskoj literatury X-XII vekov*, Moskva 1972, pp. 111-15.

[67] Silverstein, *Visio sancti Pauli* cit., p. 196.

[68] Ma anche queste parole dell'Eneide, evidentemente, non sono altro che una reminiscenza del «Catalogo delle navi» nel secondo canto dell'*Iliade*: «Se dieci lingue avessi e dieci bocche...»

[69] Silverstein, *Visio sancti Pauli* cit., pp. 155, 202, 213.

[70] *Visio Tnugdali*, a cura di A. Wagner, Erlangen 1882, p. 35.

[71] *Dialogus miraculorum*, 12, 19.

[72] L. Šepelevič, *Apokrifičeskoe «Videnie sv. Pavla»* [L'apocrifa «Visione di san Paolo»], 2, Char'kov 1892, p. 7.

[73] Cfr. Silverstein, *Visio sancti Pauli* cit., pp. 137 sgg.

[74] *Vita Anskarii auctore Rimberto*, a cura di G. Waitz, in *MGH*, *Scriptores rerum Germanicarum*, Hannoverae 1884, p. 22.

[75] *S. Gregorii Dialog.*, 4, 41-42, coll. 400-1.

[76] *Ibid.*, 4, 35, col. 380.

[77] *Ibid.*, 4, 30-31, col. 369.

[78] *Gesta Dagoberti*, 1, 44, in *MGH*, *Scriptores*, II, p. 421.

[79] Cesario di Heisterbach riporta i racconti di testimoni oculari che, trovandosi vicino ai vulcani, avevano sentito i discorsi dei diavoli che si preparavano ad accogliere i peccatori (*Dialogus miraculorum*, 7, 7-9, 12, 13).

[80] Cfr. *Navigatio sancti Brendani abbatis*, a cura di C. Selmer, Notre Dame (Indiana) 1959, pp. XXVIII sgg.; la datazione del manoscritto è incerta (forse il secolo X). Questo testo è talvolta chiamato *Eneide cristianizzata*, dove Enea è sostituito da san Brendano, e gli ideali pagani da quelli cristiani.

[81] Quando l'equipaggio di Brendano era già al completo, al santo si rivolsero altri tre monaci, supplicandolo di prendere anche loro a bordo « affinché non dovessero morire di fame » (*Navigatio sancti Brendani*, 5, p. 11).

[82] È noto che la fantasia medievale talvolta ambientava le sue utopie in Oriente. Si può ipotizzare che anche le descrizioni dei paradisiaci paesi ultraterreni siano in qualche modo legate a speranze utopiche. Tuttavia, anche se nelle contrade trascendenti venivano trasferite le aspirazioni ad ogni genere di abbondanza, in esse non veniva però trasferito il sogno dell'uguaglianza universale. La gerarchia terrena resta valida anche al di là della vita, l'ordine sociale non suscita dubbi, i ranghi e gli status terreni sono eternati.

[83] Per una parziale traduzione della *Visione di Tnugdal* (ad opera di B. I. Jarcho) cfr. in *Zarubežnaja literatura srednich vekov. Latinskaja, kel'tskaja, skandinavskaja, provansal'skaja, francuskaja literatury* [Letterature straniere del Medioevo. Latina, celtica, scandinava, provenzale, francese], a cura di B. I. Purišev, 2, Moskva 1974, pp. 48-55.

[84] Cfr. *Sulpicii Severi De Vita beati Martini*, 7, in *PL*, vol. 20, col. 165, a proposito della peregrinazione del morto nell'aldilà: « deputatumque obscuris locis et vulgaribus turbis ».

[85] Cfr. J. M. Lotman e B. A. Uspenskij, *Mif - imja - kul'tura* [Mito - nome - cultura], in « Trudy po znakovym sistemam », 3 (1973), p. 288.

[86] *PL*, vol. 125, col. 1117.

[87] *Elucidarium*, 3, 19-21. Piú in dettaglio cfr. oltre, cap. V.

[88] Rüegg, *Jenseitsvorstellung* cit., vol. 1, p. 329.

[89] C. S. Boswell, *An Irish precursor of Dante. A study on the vision of Heaven and Hell ascribed to the Eight-Century Irish Saint Adamnan*, London 1908, pp. 39, 42.

[90] Nell'inferno i demoni torturarono Baront « fino all'ora terza », quando lo mise in salvo l'arcangelo Raffaele, che contese ai demoni la sua anima « fino all'ora del vespro ». *Visio Baronti*, 17, in *MGH*, *Scriptores*, V, pp. 379 sg., 391.

[91] *Visio Tnugdali*, pp. 42 sgg.

[92] Rüegg, *Jenseitsvorstellung* cit., vol. 1, p. 412.

[93] *MGH*, *Scriptores*, V, pp. 368-94. In un'altra visione si dice che la chiesa dell'aldilà è cosí spaziosa che potrebbe contenere contemporaneamente tutto il genere umano insieme. Cfr. Wright, *St. Patricks Purgatory* cit., p. 42.

[94] *Inferno*, 15, 38; 21, 112-14; 30, 83; *Purgatorio*, 15, 1-6.

[95] *Purgatorio*, 16, 26-27. Sulla complessa unione di tempo ed eternità in Dante si veda: M. L. Andreev, *Večnost' v «Božestvennoj komedii»* [L'eternità nella *Divina Commedia*], in « Vestnik MGU. Filologija », n. 1, pp. 17 sgg.

[96] La comparsa di Dante all'inferno è un avvenimento che scuote i suoi abitatori, « e che nell'immutabilità della loro sorte eterna introduce un attimo di drammatica storicità » (Auerbach, *Mimesis* cit., p. 200 [trad. it., p. 200]). Dante si pone al centro della narrazione sull'aldilà. Invece, il peregrinare dei visionari medievali nei mondi ultraterreni non si riflette affatto sulla popolazione che li abita e i nostri pellegrini sono sempre solo osservatori imparziali, testimoni passivi.

[97] Patch, *The Other World* cit., pp. 38, 43, 47, 58 sgg., 94, 150.

[98] *Navigatio sancti Brendani*, p. 67.

[99] *The Voyage of Bran son of Febal to the Land of the Living*, a cura di K. Meyer, vol. 2, London 1897, pp. 2-35; J. D. Seymour, *Irish visions of the Other World*, London 1930, pp. 62 sgg.; *Irlandskie sagi* [Saghe irlandesi], a cura di A. A. Smirnov, Moskva-Leningrad 1933, pp. 245-46. *The Voyage of Bran son of Febal* risale al secolo VIII. Non mi soffermo piú dettagliatamente sulle leggende irlandesi riguardanti i viaggi nell'aldilà, pur di estremo interesse giacché non appartengono alla letteratura latina delle visioni e richiedono uno studio a parte. Cfr. *Speculum historiae* di Vincenzo da Beauvais (citato in Wright, *St. Patrick's Purgatory* cit., p. 31): un ragazzino che visitava il purgatorio vide che gli adulti venivano cotti nei calderoni finché non si trasformavano in neonati; poi diventavano di nuovo adulti, e di nuovo venivano cotti fino allo stato infantile, e questa procedura si rinnovava di continuo. In tal modo per quegli uomini il tempo diventava in un certo senso bidirezionale.

[100] Cfr. Patch, *The Other World* cit., pp. 159 sgg., 166. I tre giorni che un cavaliere, menzionato da Walter Map, credette di aver trascorso nell'oltretomba risultarono essere in realtà due secoli. Il protagonista di un romanzo cavalleresco al ritorno in patria dopo una peregrinazione nell'aldilà viene a sapere che sono passati piú di tre secoli; ad un altro personaggio del romanzo duecento anni trascorsi nell'aldilà sembrarono venti (*ibid.*, pp. 232, 245, 261, 263).

[101] *Dialogus miraculorum*, 2, 2.

[102] *Ibid.*, 8, 5. Il Figlio cedette non tanto per pietà verso il genere umano, invischiatosi nel peccato, prosegue Cesario di Heisterbach, quanto per benevolenza verso i cistercensi, concedendo loro altro tempo per prepararsi al passaggio nell'aldilà (*Dialogus miraculorum*, 12, 58).

[103] *Historiae memorabiles*, n. 22, p. 74. In precedenza abbiamo citato un altro racconto di Rudolf di Schlettstadt, quello sul nobile-brigante Svigero, che una notte incontrò per strada una schiera di cavalieri uccisi tra i quali vide se stesso: essendo condannato a morire dopo poco, egli si vede già morto e punito! (*ibid.*, n. 34, p. 95).

[104] Sui «paradigmi» del tempo mitico cfr. E. Meletinskij, *Poetika mifa* [La poetica del mito], Moskva 1976, pp. 171 sgg.; cfr. Michajlov, *Francuzskij rycarskij roman* cit., pp. 161 sgg.

[105] Gurevič, *Categorie della cultura medievale* cit.

[106] *Dialogus miraculorum*, 8, 5 sgg.

[107] R. Chartier, *Les arts de mourir, 1450-1600*, in «Annales ESC», 31 (1976), n. 1, p. 55.

[108] *Vangelo secondo Luca*, 23, 43 e cfr. 9, 27.

[109] *Ibid.*, 16, 22 sgg.

[110] *Vangelo secondo Matteo*, 24, 3 sgg.; 25, 31-46; 26, 29; 13, 39 sgg., 49-50; 19, 28 e *passim*.

[111] Cfr. Chaunu, *La mort à Paris* cit., pp. 76 sgg., 93.

[112] 22, 20.

[113] *Vangelo secondo Matteo*, 16, 28.

[114] Nei racconti sugli incontri tra i vivi e i morti, conservatisi nelle saghe islandesi, che riflettono fondamentalmente una concezione ancora pagana della morte, il defunto che si leva dalla tomba è proprio un corpo fisico, e solo la distruzione di quest'ultimo, ad esempio per mezzo del fuoco o dello smembramento (il mezzo piú sicuro è mozzare la testa al «morto vivente» e posarla sulle cosce), porta alla sua morte «completa». Le saghe non conoscono spiriti incorporei, cosí come non mostrano di conoscere neanche l'anima cristiana.

[115] *Visio Tnugdali*, pp. 52-53.

[116] *Visio cujusdam pauperculae mulieris*, p. 278.

[117] *MGH*, *Epistolae selectae*, I, n. 10.

[118] *S. Gregorii Dialog.*, 4, 26, coll. 361-62.

[119] *Inferno*, 6, 36; 12, 96; *Purgatorio*, 2, 79-81; 3, 88-96; 5, 4-6, 25-27; 21, 133-36.

[120] *Historiae memorabiles*, n. 18, 48, pp. 69, 111.

[121] *Ibid.*, n. 54. Come racconta Tommaso di Chatimpré, un tale, ubriacatosi in un'osteria, avanzò il dubbio che l'anima continui a vivere anche dopo la morte del corpo. Per scherzo vendette la sua anima ad uno dei presenti e alla fine della baldoria il diavolo (perché chi altro poteva mai essere colui che aveva comprato l'anima?) se la portò via insieme al corpo, «giacché chi ha comprato un cavallo, riceve anche le redini!» (G. G. Coulton, *Life in the Middle Ages*, vol. 1, Cambridge 1930, p. 131). Con queste stesse parole il diavolo prese dalla tomba i corpi dei peccatori delle cui anime si era già impadronito, cfr. *Erzählungen des Mittelalters*, a cura di I. Klapper, Breslau 1914, nn. 158, 163.

[122] *Visio Baronti*, 5, in *MGH*, *Scriptores*, V, p. 381. Nel racconto di Paolo Diacono l'anima del re franco Guntram abbandona il suo corpo durante il sonno sotto forma di lucertola e nelle viscere di una montagna trova un tesoro, nascosto lí «ancora nei tempi antichi» (*Pamjatniki srednevekovoj latinskoj literatury* IV-IX *vekov* cit., pp. 256-57). Accanto alle sembianze corporee dell'anima dobbiamo rilevare in questa narrazione il motivo, tradizionale per le visioni, del ponte, gettato sul torrente, che conduce nell'aldilà (qui è la spada sulla quale la lucertola attraversa di corsa il ruscello).

[123] Del resto, non c'è nulla di cui meravigliarsi, giacché Hieronymus Bosch nel raffigurare le scene dell'inferno non si è ispirato alla *Divina Commedia*, quasi del tutto sconosciuta nella parte settentrionale dell'Europa, bensí proprio alla *Visione di Tnugdal*, cosí come alle *diabléries* di piazza.

[124] Edélstand du Meril, *Poésies populaires latines* cit., pp. 298 sgg.

[125] Con uguale cautela i teologi trattavano i racconti sul Paradiso terrestre. Agostino, pur constatando l'esistenza a questo riguardo di tre punti di vista: che il Paradiso terrestre sia una realtà effettiva, che vada inteso spiritualmente e metaforicamente, che vada inteso a volte come un fatto fisico, e a volte invece spiritualmente, personalmente propendeva per quest'ultima interpretazione di compromesso. Tale era anche l'opinione di altri teologi (Patch, *The Other World* cit., pp. 143 sgg.).

[126] Cfr. A. Ponomarev, *Sobesedovanija sv. Grigorija Velikogo o zagrobnoj žizni v ich cerkovnom i istoriko-literaturnom značenii* [Le conversazioni di san Gregorio Magno sulla vita ultraterrena nel loro significato ecclesiastico e storico-letterario], Sankt-Peterburg 1886, pp. 102, 127 sgg., 139 e *passim*.

[127] Peters, *Quellen und Charakter* cit., p. 22.

[128] *S. Gregorii Dialog.*, 4, 1, col. 317.

[129] *Dialogus miraculorum*, 12, 23, 24.

[130] In fin dei conti, l'espressione di Beda «locus in quo examinandae et castigandae sunt animae» (*Historia ecclesiastica gentis Anglorum*, 5, 2) rende l'essenza del purgatorio esattamente quanto il termine *purgatorium*.

[131] Tuttavia l'esistenza di un legame diretto tra l'affermarsi dell'idea del purgatorio e dei mutamenti nella struttura sociale della fine del Medioevo, legame che viene instaurato da alcuni studiosi francesi (Chaunu, *La mort à Paris* cit., pp. 95 sgg.), mi pare dubbia.

[132] L'anima dell'uomo è invariabilmente l'oggetto passivo di questo conflitto. Ma cosí veniva interpretata la «psicomachia» nel primo Medioevo. Nel secolo XII, Alano di Lilla nel poema *Anticlaudianus* muta sostanzialmente questo tema: contro i peccati combatte l'uomo stesso, che chiama in aiuto le virtú (cfr. *PL*,

vol. 210, coll. 481 sgg.). Questa nuova trattazione rivela quanto mai chiaramente la specificità delle precedenti concezioni sull'uomo e il suo mondo spirituale, cosí come pure del grado di assorbimento da parte della società o della sua relativamente debole autonomia. Il carattere allegorico della lotta tra i peccati e le virtú in un certo senso portava i meriti e i difetti morali della personalità fuori dai confini del suo mondo interiore e conferiva loro un'esistenza indipendente o, in ogni caso, sdoppiava la personalità nei due avversari in lotta, l'anima e il corpo. L'esposizione della disputa tra l'anima e il corpo si veda nel poema sulla visione di Fulberto (Edélstand du Meril, *Poésies populaires latines* cit.; cfr. Th. Baiouchkof, *Le Débat de l'âme et du corps*, in «Romania», 20, 1891).

[133] *Dialogus miraculorum*, 4, 9, 35.

[134] Nel Medioevo esisteva la convinzione che la maggior parte delle anime sarebbe stata dannata e che solo poche si salveranno. Cfr. oltre, cap. v.

[135] Gurevič, *Categorie della cultura medievale* cit., p. 143.

Capitolo quinto

L'*Elucidarium*: teologia divulgativa e religiosità popolare nel Medioevo

I generi della letteratura mediolatina analizzati fino ad ora ponevano l'uomo del Medioevo di fronte a differenti aspetti della sua vita spirituale. La leggenda agiografica descriveva in forma diretta ed accessibile le imprese devote di un eletto di Dio, dando al tempo stesso un vivo esempio di comportamento pio. Nei penitenziali era rappresentato con altrettanta concretezza il lato opposto, quelle azioni peccaminose, dalle quali il confessore doveva distogliere i fedeli e per le quali la Chiesa puniva i peccatori. I racconti delle peregrinazioni nel mondo dell'oltretomba mostravano i premi per le virtú e le pene per i peccati, che attendevano l'uomo subito dopo il compimento del suo cammino terreno. Ma non tutte le componenti del cattolicesimo che era necessario instillare nei fedeli potevano rientrare in opere siffatte. Era necessario spiegare i fondamenti della religione in una forma piú sistematica e organica. Tuttavia le opere dei teologi, sul genere delle *summae* teologiche, non erano chiaramente pane per i denti non solo dei «semplici», ma neanche di una considerevole parte del basso clero e dei monaci. Tra la teologia «elevata» e la comune versione volgarizzata del cristianesimo esisteva una distanza enorme, e il successo di un sermone dipendeva in larga misura dalla capacità del clero di superare almeno in parte questo divario. Ad assolvere tale compito furono destinati i trattati, che contenevano un'esposizione semplificata dei principî fondamentali della teologia. Al novero di queste opere appartiene appunto l'*Elucidarium* di Onorio di Autun, che fu composto tra la fine del secolo XI e l'inizio del XII, e godette di eccezionale popolarità in tutta l'Europa latina per alcuni secoli[1].

Onorio si propose come scopo la divulgazione e l'insegnamento dei fondamenti della teologia ai sacerdoti, che erano in diretto contatto con il gregge dei fedeli. Con tale intento scrisse le sue opere piú famose, *De imagine mundi*, *Clavis physicae* e l'*Elucidarium*[2].

Il progetto su cui si articola l'esposizione del materiale teologico in quest'ultimo trattato si distingue per la sua armonia. Nel primo libro dell'*Elucidarium*, intitolato *De divinis rebus*, sotto forma di domande e risposte viene esposta la storia sacra: si narra di Dio e dell'atto della creazione, degli angeli e dei demoni, della creazione del primo uomo, del suo peccato originale e del castigo, dell'incarnazione e della vita terrena di Cristo, del suo sacrificio espiatorio, del corpo mistico di Cristo e dell'eucaristia; il libro si conclude con una disquisizione sui cattivi sacerdoti. Il secondo libro (*De rebus ecclesiasticis*) è dedicato alla vita dell'uomo, dalla nascita alla morte; contiene l'esposizione della dottrina riguardante il male e il peccato, la provvidenza e la predestinazione, il battesimo, il matrimonio; l'autore passa poi a un excursus sulle diverse « categorie » di uomini e sulle loro prospettive di salvarsi l'anima; seguono poi un'analisi dei rapporti tra Dio e l'uomo e una disquisizione sugli angeli custodi e i demoni, sulla morte e la sepoltura. Il terzo libro (*De futura vita*) tratta la dottrina riguardante il paradiso, il purgatorio e l'inferno, il destino che attende dopo la morte gli eletti di Dio e quelli da lui ripudiati, la fine del mondo; l'opera termina con la descrizione della beatitudine eterna degli eletti. In tal modo, nell'opera sono esaminati in successione problemi di teologia, di antropologia cristiana e di escatologia.

Il pathos dell'*Elucidarium* è racchiuso nell'idea che il genere umano è soggetto al peccato e che la maggior parte degli uomini è destinata alla dannazione eterna. Onorio condivide la dottrina di Agostino sulla predestinazione, semplificandola però oltremodo e portandola a conclusioni quasi fatalistiche. Egli non presta particolare attenzione all'idea del vescovo di Ippona sulla ricerca della verità da parte dell'anima dell'uomo e sulla necessità della grazia divina, che sola può salvare, e sposta l'accento sull'imperscrutabilità delle ragioni della grazia che Dio concede agli eletti e della condanna inflitta ai reprobi. Il conflitto interiore della personalità introspettiva, fonte di intense sofferenze per il credente, cioè quel conflitto che costituisce la vera essenza delle meditazioni di

Agostino, viene ignorato dall'*Elucidarium*. La predestinazione, spiega il maestro, è la volontà divina, espressa ancor prima della creazione del mondo, una volontà secondo la quale coloro che sono predestinati a entrare nel regno di Dio non possono perdersi e saranno salvati[3]. Questa formula era ortodossa dal punto di vista dell'agostinismo: la predestinazione alla salvezza, non la predestinazione alla dannazione[4] (tesi condannata dalla Chiesa nel secolo IX). Tuttavia, come vedremo in seguito, anche l'ineluttabilità della dannazione dei « cattivi », ripudiati da Dio, viene intesa da Onorio come una predestinazione originaria.

Nell'*Elucidarium*, tuttavia, colpisce non solo la passione del suo autore per la dottrina della predestinazione, per di piú intesa in maniera superficiale e interpretata in maniera erronea, ma anche il modo in cui viene applicata questa dottrina. Il fatto è che, secondo Onorio, la predestinazione non ha in realtà un carattere individuale e dipende invece dal *ceto*: eletti sono i rappresentanti di determinate classi sociali. Il problema della salvezza dell'anima, posto da Agostino su un piano puramente spirituale, viene esteso nell'*Elucidarium* anche al piano sociale.

Quali sono, secondo Onorio, le prospettive delle varie categorie di uomini in relazione alla salvezza dell'anima? Dopo una disquisizione sui sacerdoti e i monaci, tra i quali egli distingue i probi, chiamati « luce del mondo », « sale della terra » e « finestre nella casa del Signore, attraverso cui la luce della conoscenza si diffonde su chi si trova nelle tenebre dell'ignoranza », e i reprobi, « i piú sventurati tra tutti gli uomini, poiché sono privati sia di questo mondo, sia del Signore », Onorio passa ad analizzare le « condizioni » dei laici. I cavalieri, i guerrieri sono condannati: essi attirano su di sé l'ira divina, poiché vivono di saccheggi, da cui appunto provengono tutte le loro ricchezze. « Hanno speranza di salvarsi i mercanti? » domanda il discepolo. «Poca, – risponde il maestro, – giacché con l'inganno, la slealtà ed altri mezzi disonesti essi si procurano quasi tutto quello che possiedono; compiono pellegrinaggi ai luoghi santi affinché Dio accresca le loro ricchezze e preservi ciò che hanno accumulato, e li attende l'inferno ». « E qual è la sorte dei vari artigiani? » « Quasi tutti saranno dannati, – risponde senza esitazioni il maestro. – Perché tutto ciò che fabbricano si fonda sull'inganno; di loro è detto: "Non vi è tenebra, non densa oscurità, | dove possano nascondersi i malfattori" »[5]. « Hanno speranza i giocolieri? » « Nessuna, sono servi di Satana. Lo stesso vale per quelli che si pentono pubblicamente: provocano la collera di Dio, vantandosi dei loro misfatti, e saranno tutti dannati. Per ciò che concerne i folli, essi sono simili ai bambini e si salveranno »[6]. « E gli agricoltori? » « Per lo piú si salveranno, giacché vivono in semplicità e nutrono il popolo di Dio con il sudore della fronte, come è detto: "Vivrai del lavoro delle tue mani, | sarai felice e godrai d'ogni bene" »[7]. Il discepolo interroga sul destino dei bambini. I bambini prima dei tre anni, che ancora non sanno parlare, si salveranno, se battezzati, poiché è detto: « di questi è il regno dei cieli »[8]; tra quelli invece che hanno cinque anni e piú, una parte sarà dannata, ma una parte si salverà[9].

Insomma, un triste quadro, non c'è che dire! L'idea che la schiacciante maggioranza degli uomini non abbia speranza di salvezza e sia condannata alle pene dell'inferno è diffusa nella letteratura mediolatina. Un vescovo incontrò un eremita defunto, che gli rivelò di essere uno dei trentamila uomini morti quel giorno; di questi soltanto lui e san Bernardo erano stati ammessi in paradiso, tre erano andati in purgatorio, mentre tutti gli altri sarebbero andati all'inferno[10]. In un altro *exemplum* un predicatore venuto dall'aldilà raccontò che l'ampia via che conduce all'inferno era piena di fedeli affidati alle cure di cattivi parroci, che non si preoccupano del loro gregge; pochi si salveranno[11].

« A quanto pare, pochi si salveranno », conclude afflitto il discepolo nell'*Elucidarium*, dopo aver ascoltato il maestro, e si sente rispondere: « ... "stretta è la porta e angusta la via che conduce alla vita, e pochi son quelli che la trovano!"[12]. Allo stesso modo in cui la colomba sceglie i chicchi di grano mondi, cosí anche Cristo sceglie i suoi eletti, che si celano in tutte queste categorie, persino tra i ladri. Egli sa per chi ha versato il suo sangue »[13]. Lo sa, evidentemente, anche Onorio, che senza esitazioni disquisisce sulla predestinazione delle anime degli appartenenti a qualsiasi « ceto ».

I condannati da Dio sono incapaci di ricevere i sacramenti, poiché quando inghiottiscono l'ostia o bevono il vino dell'eucaristia, non avviene la transustanziazione in Cristo: come in Giuda, che aveva assaggiato il pane, entrò il diavolo, cosí qualsiasi malvagio nel momento del sacramento mangia e beve la condanna del Signore, e non la grazia[14].

«È possibile, in base a degli indizi, distinguere i buoni dai cattivi?» domanda il discepolo. «È possibile, – risponde il maestro con la consueta sicurezza: – poiché hanno la coscienza pulita e credono nel futuro, gli eletti di Dio hanno un aspetto gioioso, gli occhi splendenti, il passo leggero e parlano con dolcezza. I cattivi invece, essendo oppressi dalla coscienza sporca e provando una vera amarezza, hanno un aspetto tetro, le loro parole e azioni sono insicure, il loro riso e la loro tristezza sono incerti, il loro passo è pesante, il veleno che celano nell'animo si manifesta nei loro discorsi, sgradevoli e impuri»[15]. Questa affermazione però è contraddetta da un pensiero enunciato in un altro passo del trattato: «Oggi buoni e cattivi sono mischiati e molti cattivi sembrano buoni e molti buoni vengono scambiati per cattivi»; solo al momento del Giudizio universale gli angeli separeranno i giusti dai peccatori, come i chicchi di grano dal loglio[16].

Dal momento che Onorio attribuisce un significato cosí importante alla predestinazione nei destini degli uomini e nel governo del mondo, nel suo sistema anche il diavolo svolge un ruolo altrettanto rilevante. Dio lo fece «operoso fabbro in questo mondo», costretto a servire i disegni del Signore. I tormenti e le sventure sono la fucina di questo artigiano, le tentazioni sono il mantice, le torture e le persecuzioni sono i suoi martelli e le sue tenaglie, la menzogna e l'inganno sono le seghe e gli scalpelli; per mezzo di questi strumenti egli cesella i vasi celesti, cioè gli eletti, e punisce i reietti[17]. Anche il potere terreno e le ricchezze servono allo stesso scopo. Sia gli eletti che i reietti possono avere ricchezze, salute e potere. Ma il possesso di questi beni nei cattivi e nei giusti ha un significato opposto. L'abbondanza di beni terreni viene concessa ai reietti «per il bene degli eletti», affinché questi disprezzino tali effimeri valori. Le ricchezze dànno ai reprobi la possibilità di compiere il male nei confronti degli eletti e perciò di metterli sulla retta via. Questi ultimi invece usano il potere e gli averi per compiere buone azioni, ma anche contro i cattivi; inoltre, possedendo ricchezze e altri beni terreni, essi impareranno meglio ad apprezzare i beni celesti, giacché se i primi sono cosí piacevoli, tanto piú preziosi devono essere gli altri. In realtà i cattivi sovente sguazzano tra piaceri d'ogni genere, senza che manchi loro nulla, mentre i buoni subiscono persecuzioni e privazioni, ma agli occhi del Signore proprio loro appaiono beati e ricchi, mentre i cattivi appaiono poveri e miserabili[18]. Tale è l'ingenua dialettica o, per meglio dire, la casistica del nostro teologo.

La «predisposizione» del popolo alla salvezza non agisce certo automaticamente. Ognuno deve salvaguardare la propria anima, confessarsi, pentirsi dei peccati, compiere buone azioni, essere un fedele figlio della Chiesa. La «critica sociale» contenuta nell'*Elucidarium* è di carattere esclusivamente morale-edificante: il regno dei cieli appartiene ai poveri e ai semplici, ma le autorità terrene, talvolta al servizio del diavolo, sono tuttavia incrollabili, e a loro si deve ubbidienza. In risposta ad una domanda del discepolo circa le origini delle autorità e degli status terreni, segue la spiegazione: Solo da Dio viene qualsiasi potere e dignità, tanto dei cattivi, quanto degli eletti. Poiché è detto: «Non c'è autorità se non da Dio»[19].

Un tentativo di originale «analisi sociale» dei futuri eventi del Giudizio universale viene intrapreso dall'autore dell'*Elucidarium* anche nell'esporre le circostanze della venuta dell'Anticristo. Generato da una peccatrice nella grande Babilonia, in tre anni e mezzo l'Anticristo governerà tutto il mondo e assoggetterà il genere umano in quattro modi. Primo: corromperà i nobili con le ricchezze, che egli possiederà in abbondanza, perché davanti a lui si spalancheranno tutti i tesori nascosti. Secondo: soggiogherà il popolo con la paura, dando prova di grandissima crudeltà verso gli adoratori del Signore. Terzo: attirerà il clero con la saggezza e una straordinaria eloquenza, giacché egli avrà conoscenza di tutte le arti e di tutte le opere. Quarto: ingannerà con presagi e profezie i monaci che hanno disprezzato la vita terrena, ordinando al fuoco di scendere dai cieli e di divorare davanti a lui i suoi avversari, facendo resuscitare i morti e costringendoli a testimoniare in suo favore[20].

L'analisi del problema della salvezza nel suo aspetto sociale è il tratto caratteristico dell'*Elucidarium*, che lo distingue dalle altre opere teologiche di quel tempo, comprese anche le opere piú tarde dello stesso Onorio. In un altro trattato, lo *Speculum Ecclesiae*, egli si mostra meno pessimista nel valutare la capacità di salvarsi che hanno le anime dei rappresentanti dei vari gruppi sociali. I guerrieri figurano qui come «braccio destro» della Chiesa. I mercanti, benché l'autore li metta in guardia contro gli abusi, meritano i suoi elogi, poiché sono al servizio di tutti i popoli e corrono rischi di ogni genere durante i loro viaggi; tutti gli uomini sono loro debitori e devono pregare per loro. Ai contadini invece – suoi «compagni e amici» –, l'autore ordina di ubbidire ai sacerdoti, di non violare i confini dei propri campi, di non falciare il fieno e non tagliare la legna fuori dei confini stabiliti, e di pagare scrupolosamente la decima[21]. Gli studiosi dell'opera di Onorio di Autun parlano a ragione della mancanza di originalità e di autonomia del suo pensiero teologico, ma a questa valutazione occorrerebbe apportare delle modifiche, se si prende in considerazione l'interpretazione «sociale» che egli dà dei problemi della salvezza.

Può sembrare non del tutto giustificato attribuire un grande significato alle dichiarazioni in cui Onorio sostiene che proprio il popolo, gli agricoltori, è piú facilmente predestinato alla salvezza: in definitiva nell'*Elucidarium* a ciò sono dedicate solo poche frasi. Non dobbiamo tuttavia perder di vista la specificità dell'opera. Da un manuale di teologia, destinato a spiegare le verità fondamentali della dottrina cristiana, è difficile aspettarsi una grande originalità. Il suo autore doveva limitarsi ad esporre i dogmi, e non doveva abbandonarsi a riflessioni personali. I «luoghi comuni», i cliché concettuali dominano nella letteratura mediolatina, i cui creatori non tendevano sempre all'originalità. Per di piú, come si è già rilevato in precedenza, il mezzo preferito per comunicare il proprio pensiero era quello di rivestirlo con una citazione, di far riferimento ad un'autorità, e dal contesto generale dipendeva il significato concreto acquisito da questo o quel «luogo comune» che l'autore utilizzava. Tanto piú l'orientamento verso ciò che era già noto era un tratto caratteristico della letteratura teologica, la cui tendenza a dogmatizzare emerge cosí nettamente nell'*Elucidarium*. Perciò, se nell'ambito di una simile esposizione delle fondamentali verità teologiche si incontrano isolate enunciazioni e valutazioni che hanno una certa originalità, ad esse non si può non prestare una particolare attenzione, nonostante tutta la loro brevità.

Tali posizioni originali nell'*Elucidarium* sono molto poche. Ma sarebbe avventato non rilevarle: sullo sfondo generale di un'esposizione tradizionale, queste enunciazioni non possono non balzare agli occhi. È presumibile che per l'uomo medievale, abituato a ruotare senza fine attorno a una serie uniforme di luoghi comuni, anche quelle che parrebbero piccole sfumature di pensiero e di formulazione, che si discostano dallo stereotipo, dovessero essere degli indizi importanti: a questo riguardo, la sua acutezza era probabilmente di molto superiore a quella dell'uomo dell'età moderna, quando si formò una concezione assolutamente diversa della paternità dell'autore e si affermò la supremazia degli orientamenti che tendono all'irripetibile autoespressione individuale.

Come si può vedere, nell'*Elucidarium* le simpatie di Onorio sono dalla parte del popolo, e l'influenza dell'Anticristo sul popolo non è legata né alla corruzione per mezzo di ricchezze terrene, né alla seduzione per mezzo di falsa sapienza o di miracoli. Il fatto che i nobili possano tradire la causa di Cristo perché vengono loro offerti dei tesori, e il clero e i monaci perché si sono lasciati ingannare dalla ciarlataneria del nemico del Signore[22], testimonia di per sé contro la sincerità della loro fede e suona come un'accusa. Soltanto il popolo semplice è «portatore di Dio»! Piú volte nell'*Elucidarium* emerge un atteggiamento critico verso sacerdoti e monaci empi.

Monaci, sacerdoti, nobili, popolani: questa è la «tipologia sociale» di Onorio di Autun, che nei suoi tratti fondamentali «si iscrive» in una serie di analoghi «schemi sociali», lasciati dagli autori ecclesiastici dei secoli X-XII[23]. Questo schema non è in contrasto con la nota classificazione tripartita: *oratores*, *bellatores*, *laboratores*, che ebbe diffusione nella letteratura cattolica di quel periodo[24]. Di regola questa classificazione della società non veniva impostata con lo scopo consapevole di abbozzare un quadro delle classi, dei ceti, degli *ordines*, degli «stati»: piuttosto essa scaturiva spontaneamente dalla penna di questo o quell'autore, quando egli sentenziava sulla disgrazia del mondo, sulla corruzione del clero e della nobiltà ed esortava alla pietà e all'indulgenza verso i poveri e gli oppressi. Nella riflessione dell'*Elucidarium* sulle possibilità che hanno di salvarsi le anime dei rappresentanti delle varie categorie e degli strati sociali, questo schema affonda in un elenco piuttosto disordinato, in cui si susseguono, gli uni dopo gli altri, sacerdoti e monaci, cavalieri, mercanti, artigiani, giocolieri, persone che si sono pentite pubblicamente, folli, contadini, bambini... In questo elenco sono mescolati criteri come la posizione sociale e l'età, il genere di occupazione e la salute spirituale, le qualità morali e il ruolo produttivo. Se tutte queste categorie in un modo o nell'altro formano un'unica serie, a quanto pare è soltanto perché l'autore del trattato non si poneva affatto come scopo l'analisi sociale; egli era agitato da un interrogativo del tutto diverso: quale genere di vita e quale stato d'animo favoriscono al massimo la salvezza dell'anima? E la risposta è inequivocabile: oltre ai chierici e ai monaci probi, si salveranno soltanto i poveri di spirito, cioè i bambini piccoli, i folli e la maggior parte degli agricoltori. Questo paragonare i contadini ai poveri di mente e ai bambini getta luce anche sulla valutazione che Onorio dà dei lavoratori dei campi. La qualità che li aiuta a salvarsi, evidentemente, non è tanto il lavoro o lo stretto rapporto con la terra, quanto la semplicità d'animo, il candore. Perché, a differenza dei mercanti e degli artigiani, la cui attività, dal suo punto di vista, è strettamente legata all'inganno e ad un ingiusto arricchimento e li trascina all'inferno, i contadini sono onesti. L'effettiva gerarchia terrena nel trattato di Onorio risulta completamente capovolta!

Però la riflessione sulla diversa possibilità che i rappresentanti dei vari gruppi sociali hanno di entrare nel regno dei cieli, in questo trattato non presuppone una scelta di vita. Come abbiamo visto, Onorio di Autun parte dalla tesi della predestinazione dell'anima, predestinazione che si estende anche al modo di vivere e di comportarsi dell'uomo sulla terra. Il pensiero del teologo medievale non ammette il passaggio da una condizione sociale ad un'altra, perciò la valutazione sfavorevole di questo o quel genere di attività non porta a concludere che sia indispensabile rinunciare alla professione militare, commerciale o artigiana. Sulla scala dei gradi e dei valori ciascuno deve occupare il posto che gli è stato preparato e svolgere la funzione cui è destinato. Il mondo resta come Dio l'ha creato.

L'idea della Chiesa come comunità mistica dei cristiani è svolta in un altro passo dell'*Elucidarium*. Il discepolo domanda: perché la Chiesa è chiamata corpo di Cristo? La risposta dice: come il corpo ubbidisce alla testa, cosí anche la Chiesa è sottomessa a Cristo grazie al mistero della transustanziazione del corpo di Cristo. La testa è posta al di sopra di tutte le membra del corpo, il Signore governa tutti gli eletti. Piú avanti però risulta che del corpo sacrale della Chiesa partecipano in un certo senso, negativo, come suoi «rifiuti», anche gli avversari di Cristo, quelli che egli ha ripudiato. Nello svolgere l'analogia tra il corpo e la società umana, analizzata nella dimensione sincronica sacra, che abbraccia contemporaneamente tutte le epoche della storia, dai tempi vetero-testamentari fino alla fine del mondo, il maestro sentenzia: i profeti e gli apostoli sono gli occhi, gli ubbidienti membri della Chiesa sono gli orecchi e le narici, gli eretici sono le secrezioni del naso, i dottori sono le ossa, gli esegeti della Sacra Scrittura sono i denti, i difensori della Chiesa sono le braccia, gli agricoltori, che nutrono la Chiesa, sono le gambe, gli impuri e i peccatori sono lo sterco, divorato dai demoni, simili a maiali[25].

Questa unione di personaggi biblici e di varie categorie di persone in un unico organismo, governato da una sola legge, potrebbe essere facilmente presa per una descrizione delle raffigurazioni scultoree che adornano le cattedrali: le file di profeti, re, apostoli, santi, i peccatori che brulicano ai piedi del Cristo giudice e i diavoli, che trascinano i dannati nella Geenna. Guerrieri e agricoltori sono una componente tanto imprescindibile e importante del «corpo di Cristo» («braccia» e «gambe»!) quanto lo sono gli ecclesiastici, i teologi. Nella menzionata risposta del maestro vengono ben determinate le funzioni dei laici: i guerrieri sono «i difensori della Chiesa», i contadini sono quelli che la nutrono.

Nell'*Elucidarium* la sorte delle anime ripudiate è descritta in tutti i particolari. Non appena i cattivi muoiono, demoni di aspetto spaventoso, che fanno smorfie terrificanti, giungono con un boato assordante per prendere l'anima e, sottoponendola a insopportabili torture, la strappano dal corpo e la trascinano senza pietà all'inferno: esattamente la stessa scena che troviamo sulle pagine delle visioni dell'aldilà! Esistono, per la precisione, due inferni, continua il nostro autore: superiore e inferiore. L'inferno superiore è il mondo terreno, pieno di tormenti, di ansie, di freddo, di fame, di sete e delle piú diverse sofferenze corporali e spirituali. Nell'inferno inferiore, situato sotto terra, ci sono nove tipi di tormenti per le anime dei cattivi: un fuoco inestinguibile che neanche il mare potrebbe spegnere brucia, ma non fa luce; regna un freddo insopportabile, nel quale anche una montagna in fiamme si trasformerebbe in ghiaccio; di questo fuoco e di questo freddo vien detto: «pianto e stridore di denti», perché il fumo del fuoco fa lacrimare gli occhi, mentre il gelo fa stridere i denti. Piú avanti l'inferno brulica di vermi, di spaventosi serpenti e draghi che sibilano in modo terrificante e vivono nel fuoco come un pesce nell'acqua. Il quarto tormento è un insopportabile fetore. Il quinto sono le fruste, che i demoni maneggiano come i fabbri maneggiano i martelli. Il sesto è un'oscurità tangibile, della quale viene detto: «... terra di caligine e di disordine, | dove la luce è come le tenebre»[26]. Il settimo tormento è la vergogna, provocata dai peccati che sono divenuti palesi a tutti e che è impossibile nascondere. Poi vi è l'aspetto terrificante dei demoni e dei draghi che balenano tra le fiamme, e le urla spaventose delle vittime e dei loro aguzzini. Infine, le catene infuocate, che vengono serrate intorno alle membra dei peccatori[27].

Una descrizione cosí concentrata dei tormenti infernali non s'incontrava nella letteratura teologica precedente e tutt'al piú Onorio poteva prendere in prestito singole descrizioni da Ambrogio, Agostino, Gregorio Magno, Beda il Venerabile, da altri autori che operavano nel genere delle visioni; egli però fu il primo a sistematizzarle, unendole in un quadro completo dell'inferno[28]. Se confrontiamo questa descrizione dell'inferno con quelle che si incontrano nelle narrazioni delle visite nell'aldilà, possiamo facilmente osservare tanto l'affinità (l'insieme dei tormenti infernali è all'incirca uguale sia in questa che in quelle, e sarebbe davvero difficile inventare qualcosa di piú oltre a ciò che questi autori hanno descritto!), quanto le differenze: al centro dell'attenzione dei visionari che raccontano le loro peregrinazioni nell'inferno ci sono scene concrete e lampanti, mentre nell'*Elucidarium* è naturale la tendenza ad un piú generalizzato esame della natura delle punizioni che attendono i peccatori.

«Perché essi patiscono tali sofferenze?» domanda il discepolo. «I peccatori gettati all'inferno, – risponde il maestro, – hanno meritato questi nove tipi di tormenti perché hanno trascurato il rapporto con i nove ordini angelici. Poiché da vivi si sono dedicati alla lussuria, essi arderanno tra le fiamme infernali. Dopo essersi induriti qui al freddo del male, meritatamente gemeranno per il freddo dell'inferno. Dato che invidia e odio li divoravano, li aspettano vermi e serpenti. Era dolce qui per loro il fetore del lusso, là hanno meritato la tortura del fetore. Essi subiranno un'ininterrotta fustigazione perché nella vita terrena hanno rifiutato le meritate punizioni. Andava loro a genio l'oscurità dei vizi, e rifiutavano la luce di Cristo, che all'inferno siano allora circondati da spaventose tenebre, giacché è detto: "... né piú luce vedranno in sempiterno"[29]. Per aver qui trascurato la confessione dei peccati, dei quali non si vergognavano, là tutto sarà messo a nudo e palesato ad eterno biasimo. Da vivi non si son degnati di ascoltare e vedere il bene, perciò dopo la morte contempleranno e ascolteranno solo cose orrende e spaventose. E come qui hanno rovinato se stessi nei piú svariati vizi, cosí anche là le catene incateneranno le loro membra»[30].

All'inferno i peccatori si ritroveranno a testa in giú, schiena contro schiena, e il loro corpo sarà tutto allungato. Un commentatore dell'*Elucidarium* non ha trovato nei teologi delle cui opere si serví Onorio un'analoga descrizione della posizione del peccatore nell'inferno e avanza l'ipotesi che questa immagine sia stata suggerita all'autore dell'*Elucidarium* dalle raffigurazioni scultoree o pittoriche delle anime cattive precipitate all'inferno[31]. J. Le Goff[32], condividendo tale ipotesi, rileva in particolare la somiglianza tra le scene descritte da Onorio e alcuni motivi della composizione sul timpano del portale della chiesa di Vezelay[33]. Si potrebbero citare anche altri paralleli tra le descrizioni assai chiare e quanto mai concrete del Giudizio universale che troviamo nell'*Elucidarium* e le sculture di chiese e cattedrali francesi, che risalgono approssimativamente a quella stessa epoca (inizio e prima metà del secolo XII). I quadri terrificanti dei peccatori dilaniati e sbranati dal diavolo sul portale della cattedrale di Autun, nella chiesa di Beaulieu o in quella di san Pietro a Chauvigny[34] sembrano illustrazioni al testo di Onorio. Abbiamo già rilevato in precedenza l'affinità tra la sua interpretazione dell'immagine del mistico « corpo di Cristo » e le statue e i bassorilievi che nei templi raffigurano personaggi biblici e non.

È difficile dire quanto sia legittimo cercare il riflesso dell'iconografia nel sistema di immagini del trattato di Onorio o l'influenza della teologia volgare sugli scultori e sugli artisti medievali[35]. Sia gli uni che gli altri attingevano dall'Apocalisse e dalla letteratura medievale delle visioni le idee e le immagini del Giudizio universale. Di grande interesse è la comunanza ideologica tra l'*Elucidarium* e le opere dei maestri dei secoli XI-XII, determinata prima di tutto, com'è presumibile, dal fatto che sia la «Bibbia di pietra», sia il catechismo, sia le descrizioni delle visioni dell'oltretomba erano indirizzate allo stesso uditorio di massa, che proprio tramite loro assimilava le verità del cristianesimo.

Nel dipingere l'impressionante quadro dei castighi ultraterreni, l'autore dell'*Elucidarium* non si attiene alla tradizionale dottrina dei sette peccati mortali e fornisce un elenco piú ampio di peccatori condannati ai tormenti infernali: superbi, invidiosi, ingannatori, infedeli, golosi, ubriaconi, lussuriosi, assassini, crudeli, ladri, rapinatori, briganti, impuri, avidi, adulteri, fornicatori, bugiardi, spergiuri, bestemmiatori, malfattori, diffamatori, iracondi: nessuno di loro uscirà dall'inferno[36]. Questo elenco, al pari delle immagini dell'inferno e dei tormenti inflitti ai peccatori, se riportato nel sermone di un sacerdote, non poteva non spaventare il parrocchiano, non instillare in lui il terrore delle pene che attendono inevitabilmente chiunque disubbidisca alla Chiesa e non osservi i comandamenti cristiani. Esattamente le stesse emozioni dovevano essere ispirate anche dalla contemplazione delle relative scene sui portali delle cattedrali e delle chiese.

Nel terzo libro del suo trattato, descrivendo la struttura dell'inferno ed entrando in tutti i dettagli dei tormenti là inflitti ai peccatori, Onorio non dimentica di sottolineare che in paradiso gli eletti osserveranno queste torture e queste sofferenze: «per far sí che tanto piú essi gioiscano di averle evitate». Anche ai dannati prima del Giudizio universale è concesso di vedere la gloria dei beati, «affinché ancor piú profondamente si affliggano per aver disdegnato la salvezza». Dopo il giudizio divino invece la prospettiva muterà, e i beati vedranno per sempre i tormenti dei dannati, mentre questi perderanno la possibilità di vedere le gioie paradisiache degli eletti[37]. Il discepolo fa una domanda naturale: «I virtuosi non si affliggeranno vedendo i peccatori nella

Geenna?» «No, – risponde categoricamente il maestro. – Anche se un padre vedrà tra i tormenti addirittura suo figlio o un figlio suo padre, o una madre sua figlia o una figlia sua madre, o un marito sua moglie o una moglie suo marito, non solo non si affliggeranno, ma per loro sarà uno spettacolo tanto piacevole quanto è per noi vedere i pesci che giocano nell'acqua, giacché è detto: "Il giusto godrà nel vedere la vendetta"»[38]. «Non pregheranno per loro?» domanda il discepolo, ma si sente rispondere: «Pregare per i dannati significa andare contro Dio, ma i suoi eletti sono tutt'uno con il Signore, e tutti i suoi verdetti sono loro graditi»[39].

Il mondo dell'*Elucidarium* è buio e triste. Non vi regnano la misericordia e l'amore, bensí una giustizia vendicativa e un fato incomprensibile all'uomo. E neanche dal credente ci si aspetta compassione per i traviati e i reietti. Gli eletti di Dio, soddisfatti di se stessi, esulteranno nel vedere i tormenti infernali dei dannati, anche se tra questi si trovano delle persone care. Nel dialogo di Onorio non c'è Dio quale personificazione del bene e del perdono universale; egli figura qui solo come un giudice spietato. La religione di Onorio sembra talvolta piú legata al Vecchio che al Nuovo Testamento, e a Cristo stesso vengono trasferiti gli attributi del terribile Dio biblico. Per motivare l'idea di una spietata divinità che punisce, Onorio ricorre alla casistica. Cristo venne al mondo non per salvare tutti, si afferma nell'*Elucidarium*. Benché sia scritto che Cristo «è morto per gli empi»[40] e sopportò la morte «per tutti»[41], ciò va inteso nel senso che il Figlio di Dio morí solo per gli eletti che allora erano ancora empi; «per tutti» significa che morí per gli eletti di tutti i popoli e di tutte le lingue, non solo di quel tempo, ma anche di tutte le epoche future; secondo le parole del Salvatore, egli dà la sua vita per le sue pecorelle[42], non dice «per tutti». La misericordia di Cristo si estende ai giusti, mentre i reprobi invece sono soggetti al suo spietato giudizio[43].

Quindi, «nessuno può salvarsi tranne gli eletti», anzi, qualunque cosa abbiano fatto, essi non possono perdersi, «perché tutto si volge per loro in un bene, persino i loro stessi peccati». Ma in tal caso sorge una domanda: «Se nessuno può salvarsi tranne i predestinati, a che scopo sono stati creati tutti gli altri e in che consiste la colpa per cui si perderanno?» «I reietti – risponde il maestro – sono stati creati per il bene degli eletti, affinché questi ultimi tramite loro si perfezionino nelle virtú e si emendino dai vizi, affinché appaiano in confronto a loro piú gloriosi e, contemplando i loro tormenti, si rallegrino piú intensamente della propria salvezza»[44]. Se il Signore permette che alcuni bambini muoiano ancor prima di essere battezzati, qui, dice Onorio, si cela un grande mistero, però è tuttavia chiaro che ciò si compie per il bene degli eletti, che devono ancor piú intensamente gioire della propria salvezza malgrado i loro peccati e rendersi conto di essere piú graditi al Signore di questi innocenti dannati[45].

In tal modo, nonostante la tesi, che Onorio ripete seguendo i teologi ortodossi, della predestinazione dei giusti e dell'«autocondanna» dei reprobi, che si sono volontariamente lasciati coinvolgere nel peccato, tutto l'andamento dei suoi ragionamenti fornisce un quadro diverso: il mondo degli uomini è originariamente diviso in buoni e cattivi, questi ultimi sono tanto irrevocabilmente predestinati dal Creatore alla perdizione eterna, quanto i suoi eletti alla beatitudine eterna. Per di piú, i cattivi, secondo la «dialettica» di Onorio, sono stati creati «per il bene dei buoni», e non per se stessi.

Questa dottrina della predestinazione emerge nell'ambito della narrazione della storia del mondo, concepita tuttavia non come una catena di eventi che riempiono la vita degli uomini e dei popoli, bensí come il processo del passaggio attraverso le tappe della creazione, dell'innocenza, del peccato originale, della vita nel peccato, del giudizio, della condanna e dell'espiazione. In altre parole, la storia viene vista sotto il segno della lotta sacramentale tra il bene e il male, una lotta il cui esito è già predeterminato. L'uomo è incluso nella storia. Egli non partecipa attivamente al suo corso e tanto meno ne influenza i risultati, dalle forze supreme egli è trascinato verso l'inevitabile fine. Il *liberum arbitrium*, che un teologo non poteva non menzionare, nei ragionamenti di Onorio in questo trattato non svolge in sostanza nessun ruolo essenziale[46], giacché l'inclinazione o, al contrario, la repulsione dell'uomo per il peccato, stando all'*Elucidarium*, sono predestinate da sempre. Ciò nondimeno la conversazione tra il maestro e il discepolo è permeata dalla coscienza della *storicità del mondo*. Il tempo scorre dall'atto della creazione, attraverso la sequenza dei momenti della storia sacra, verso la fine e il ritorno all'eternità, cosí come la vita dell'uomo scorre immancabilmente dalla nascita alla morte.

Onorio sottolinea invariabilmente l'irripetibilità e l'unicità degli eventi della storia sacra, soffermandosi in particolare sul problema della loro durata e della loro correlazione temporale. Il discepolo domanda: «Quanto durò l'atto della creazione? Quando furono creati gli angeli? Per quanto tempo Satana rimase nei cieli prima della sua caduta?» La risposta a quest'ultima domanda dice: «Poco meno di un'ora». «Per quanto tempo Adamo ed Eva rimasero nel paradiso terrestre?» Risposta: «Sette ore». «Perché non di piú?» Risposta: «Perché appena la donna fu creata, subito peccò; creato nella terza ora, l'uomo diede i nomi agli animali; alla sesta ora fu creata la donna e, subito dopo aver assaggiato il frutto proibito, rese mortale l'uomo, che l'aveva mangiato per amor suo, e poi, alla nona ora, il Signore li cacciò dal paradiso». Perché Cristo nacque a mezzanotte? Per quale ragione non nacque prima del diluvio o subito dopo il diluvio? Perché non apparve agli uomini ai tempi della Legge o perché non rimandò la sua venuta alla fine del mondo? Come va intesa la frase secondo cui egli apparve «alla pienezza del tempo»?[47].

Ricorrendo al simbolismo dei numeri, tanto amato dalla esegetica medievale, Onorio fornisce l'interpretazione di domande come, ad esempio, perché Cristo è rimasto nel ventre della Madonna per nove mesi, perché non diede segni di santità fino all'età di trent'anni, quante ore durò la sua morte dopo la crocifissione e perché rimase nella tomba per due notti e un giorno, a che ora scese all'inferno, perché non resuscitò subito dopo la morte, ecc.[48]. Tutte le coordinate temporali, che attirano la massima attenzione dell'autore, hanno un significato sacramentale, ai cui misteri il maestro inizia il discepolo curioso e pieno di venerazione. Il tempo della storia sacra, denso di eventi tanto grandi e dal significato sempiterno come quelli appena elencati, acquisisce un'importanza particolare.

L'idea della presenza dell'uomo nella storia, insistentemente sviluppata nell'*Elucidarium*, è essenziale dal punto di vista dell'influenza di quest'opera sulla coscienza delle masse. Il suo significato si rivela appieno se ricordiamo ancora una volta le particolarità della struttura della concezione del mondo dell'uomo medievale, nel quale veniva instillato lo storicismo cristiano. Il sistema stesso di una vita conservatrice, prevalentemente agraria, tutte le tradizioni ideologiche, che risalivano al mito e ai rituali ed erano legate alla pratica magica, avevano orientato questa coscienza non verso l'evoluzione e il cambiamento, bensí verso la riproduzione di cliché sempre uguali e verso un'esperienza del mondo vissuta secondo le categorie dell'eterno ritorno. L'idea della storicità e dell'unicità dell'essere, nella misura in cui erano in grado di assimilarla le persone che leggevano o ascoltavano il trattato di Onorio di Autun, offriva loro una *nuova prospettiva*, una visione della vita fondamentalmente diversa.

Si può tuttavia supporre che la forma in cui questa idea viene svolta nell'*Elucidarium*, ne facilitasse in una certa misura l'assimilazione da parte di persone nella cui coscienza non era stata definitivamente eliminata la concezione arcaica, precristiana del mondo. Come si è già sottolineato, la storia del genere umano in generale e la vita del singolo individuo in particolare, secondo Onorio, sono predestinate. Rispondendo ad una domanda del discepolo sull'onniscienza di Dio, il maestro dice che tutto il passato, il presente e il futuro stanno davanti agli occhi del Signore e che ancor prima di aver creato il mondo, egli aveva già previsto tutto: sia i nomi degli angeli e degli uomini, sia i loro temperamenti, i loro desideri, le loro parole, le loro azioni e i loro pensieri. La sua predestinazione comprendeva tutto, cosí come nella mente del costruttore una casa esiste ancor prima di essere costruita. Non accade nulla che sia al di fuori della predeterminazione divina, non c'è casualità in un mondo di rigorosa determinazione[49]. Un piú sottile pensiero teologico separava i due concetti di *praescientia* e *praedestinatio*; Onorio invece li confonde in modo evidente.

Era facile interpretare la predestinazione come destino, la categoria del destino era vicina alla comprensione del popolo fin dai tempi dei barbari. Similmente a come, secondo le credenze pagane, l'uomo ha un suo destino personificato (nelle sembianze di una creatura o di uno spirito, *fylgja*, *hamingja*, che lo accompagna durante la vita e che muore insieme a lui o passa ad un suo parente), cosí anche ogni cristiano, come pure ogni popolo e ogni città, ha il suo angelo custode che guida i suoi pensieri e le sue azioni[50]. Contemporaneamente però l'anima umana è assediata dai demoni, che la inducono a compiere svariati peccati, di cui poi riferiscono con gioia al loro principe. Ogni peccato è rappresentato da demoni particolari, che a loro volta hanno alle proprie dipendenze un numero infinito di altri demoni; tutto questo esercito infernale gerarchicamente organizzato spinge le anime sulla via del peccato. Tra gli angeli custodi e i demoni tentatori si svolge una lotta costante. Il corpo dell'uomo è come un tempio: questo tempio viene conquistato o dallo Spirito Santo o dallo spirito maligno[51].

L'angelologia e la demonologia gerarchizzate nell'*Elucidarium* corrispondevano nel miglior modo possibile sia alla realtà sociale dei secoli XI e XII, sia alla dogmatica scolastica dell'autore, che sistematizza al massimo le immagini meno organizzate che abbiamo precedentemente incontrato nella letteratura delle visioni.

La sostanza dell'uomo, fatto a immagine e somiglianza di Dio, prosegue Onorio di Autun, è spirituale e corporea. In relazione a questo ragionamento egli introduce il tema del microcosmo, o «mondo minore» («microcosmus, id est minor mundus»). La sostanza materiale dell'uomo si compone di quattro elementi. La sua carne di terra, il sangue d'acqua, il respiro d'aria, il calore di fuoco. La testa dell'uomo è rotonda come la sfera celeste, gli occhi corrispondono ai due astri celesti, e le sette aperture nella testa alle sette armonie celesti. Il petto, agitato dal respiro e dalla tosse, è simile all'aria, scossa dai venti e dal tuono. Il ventre accoglie tutti i liquidi, come il mare accoglie tutte le correnti. Le gambe, come la terra, sostengono il peso del corpo. Lo sguardo dell'uomo è di fuoco celeste, l'udito è di aria superiore, l'olfatto invece è della sua parte inferiore, il gusto è d'acqua, il tatto è di terra. Le sue ossa partecipano della durezza delle pietre, le unghie della forza degli alberi, i capelli della bellezza delle erbe, i sensi degli animali[52]. Il concetto di «microcosmo» applicato all'uomo e alla struttura del suo corpo non è nuovo e non è un'invenzione di Onorio di Autun. Senza riandare alla tradizione antico-orientale e greca, possiamo richiamarci a Isidoro di Siviglia, grazie al quale questo concetto ebbe accesso nella letteratura medievale ed ebbe una diffusione particolarmente ampia a cominciare appunto dal secolo XII. Ma, come rileva Y. Lefèvre[53], Onorio dà prova di una certa originalità, mostrando una cosí dettagliata e articolata corrispondenza tra il corpo umano, le sue parti e i suoi sensi, e gli elementi del mondo – il macrocosmo.

A ciò si può aggiungere che, poiché il corpo umano è stato paragonato da Onorio al corpo della Chiesa, allo stesso modo, il mondo fisico (l'universo), il microcosmo (l'uomo) e il corpo sacrale (la Chiesa) sono strutturati seguendo in un certo senso uno schema comune e si compongono degli stessi elementi, dimostrando in modo palese l'unità di tutta la creazione divina.

Lo schema di Onorio ha l'evidente pregio di essere omogeneo e facilmente analizzabile. È indubbio che, in particolare quando ricerca le corrispondenze numeriche, alle quali egli, come quasi tutti i teologi medievali, attribuiva un significato simbolico, l'autore del dialogo si sia valso in parte di pensieri dei suoi predecessori, di Macrobio, Ambrogio, Agostino, Rabano Mauro[54]. Egli sviluppa l'idea del micro e del macrocosmo sul piano della dottrina teologica riguardante la predestinazione di tutto il mondo animale a servire l'uomo e a sottometterglisi. Per il bene dell'uomo il Signore ha creato non solo gli animali, prevedendo che dopo il peccato originale egli ne avrebbe avuto bisogno, ma anche le mosche e le zanzare, affinché con le loro punture curassero la sua arroganza, e le formiche e i ragni, perché gli dessero un esempio di laboriosità. Il nome stesso dato all'uomo è legato ai quattro punti cardinali: il nome Adam è composto appunto dalle iniziali dei loro nomi greci (*anatole*, *disis*, *arctos*, *mesembria*)[55]. In questo modo si ritiene dimostrato che l'uomo è indissolubilmente legato all'universo, a tutti i suoi elementi e a tutte le sue creature.

Non sarebbe inutile raffrontare il trattato di Onorio di Autun con una delle opere del suo maestro Anselmo di Canterbury, *Cur Deus homo* che s'interroga appunto sulle ragioni che hanno indotto Dio a farsi uomo. Tale raffronto aiuterebbe a chiarire alcuni tratti caratteristici dell'*Elucidarium*. Entrambe le opere sono scritte in forma di dialogo tra maestro e discepolo. Ma già a questo riguardo è visibile una differenza sostanziale. Nel dialogo di Onorio il discepolo non è un interlocutore del maestro, gli viene assegnato un ruolo passivo. Solo il maestro espone il proprio pensiero, le domande del discepolo servono piuttosto a designare i temi che vengono svolti nel discorso del maestro, oppure sono repliche nelle quali egli esprime ammirazione per i suoi giudizi. Nel dialogo del *Cur Deus homo* invece, Anselmo e Bosone si presentano come due interlocutori, se pur non paritari, in ogni caso, attivi; Bosone non è un fittizio fornitore di repliche, bensí un personaggio autentico, un monaco colto, con i suoi pensieri e le sue conoscenze[56]. Spetta a Bosone, inoltre, esprimere le opinioni e le obiezioni degli «infedeli», per far sí che Anselmo le confuti. All'attiva posizione dialettica di Anselmo si contrappone quella monologica di Onorio, che esclude il confronto tra punti di vista diversi. Di conseguenza il compito di Anselmo nel dialogo è quello di convincere il discepolo, mentre nell'*Elucidarium* il compito del maestro è quello di dare insegnamenti categorici. Nell'*Elucidarium* il discepolo può solo stupirsi delle verità che gli vengono rivelate, Bosone invece esprime il suo compiacimento per la forza di persuasione dei ragionamenti logici di Anselmo.

Il principio di Anselmo si basa sul celebre motto «fides quaerens intellectum». Il suo obiettivo è trasformare la fede in conoscenza e conciliare l'una con l'altra. Anselmo persegue lo scopo di «credere per capire» («neque enim quaero intelligere ut credam, sed credo ut intelligam»). Questo principio, svolto nel suo *Proslogion*, viene conseguentemente sviluppato anche nel *Cur Deus homo*, tentativo di interpretare razionalmente il mito di Cristo, di motivare la necessità logica dell'umanizzazione di Dio e del suo sacrificio espiatorio. Dispiegando una catena di sillogismi allo scopo di dimostrare «veritatis soliditas rationabilis», Anselmo realizza in un certo senso degli esperimenti intellettuali, proponendo una serie di ragionamenti, che muovono dalla premessa che l'incarnazione di Dio non abbia avuto luogo, o domandando a Bosone se avrebbe ucciso Cristo per salvare il genere umano[57].

Onorio è estraneo a simili interrogativi e a simili ipotesi arrischiate. Egli insegna in modo conseguente le verità della fede cristiana, senza preoccuparsi molto che le sue affermazioni siano logiche e convincenti. Invece della coppia di concetti chiave di Anselmo, *fides* e *intellectus*, in Onorio troviamo soltanto il primo: la fede, che è assoluta e irrazionale e non ha bisogno di comprensione e di motivazione intellettuale. Onorio è estremamente dogmatico. Il materiale concettuale nell'*Elucidarium* e nel *Cur Deus homo* viene presentato a livelli differenti. I due trattati incarnano modi di pensare diversi[58].

Se, come abbiamo già avuto modo di convincerci, nella raffigurazione di Onorio Dio è un giudice terribile, un vendicatore che non conosce pietà, che ha predestinato alla perdizione eterna e ai tormenti dell'oltretomba la maggior parte del genere umano per motivi inaccessibili alla comprensione umana, per Anselmo invece Dio è l'incarnazione della ragionevolezza, della giustizia e della misericordia; egli ha donato la salvezza a una moltitudine infinita di uomini, superiore al numero degli angeli caduti, e persino a molti di coloro che erano colpevoli della morte di Cristo[59]. L'idea del *Cur Deus homo*, secondo la quale il sacrificio volontario di Cristo ha un'importanza maggiore della colpa di cui l'umanità si è macchiata di fronte a Dio, e nello stesso tempo espia e annulla i peccati degli uomini, viene da Anselmo contrapposta all'interpretazione di questo sacrificio come liberazione dell'uomo dal dominio del diavolo. L'idea di Anselmo era a quel tempo accessibile solo a pochi teologi dotti. Nel sistema dei ragionamenti di Anselmo il diavolo è in un certo senso messo in secondo piano. Il quadro del mondo di Onorio è invece profondamente *dualistico*: il paradiso contrapposto all'inferno, Dio al diavolo, gli eletti ai dannati. L'attenzione non si fissa sull'armonia del mondo, come in Anselmo, bensí sull'antagonismo di due campi avversi.

Mi pare che un raffronto anche rapido tra le opere di Onorio e del suo maestro consenta di valutare un po' meglio il potenziale intellettuale dell'*Elucidarium*, che è relativamente modesto. Nel trattato da noi esaminato non c'è quel pensiero colto che distingue le opere di Anselmo. Nello stesso tempo però è estremamente comprensibile, è scritto in modo scorrevole e vivace, abbonda, come adesso vedremo, di immagini e paragoni semplici e accessibili. Il *Cur Deus homo* e l'*Elucidarium* dovevano trovare due uditorî diversi: il primo un uditorio erudito, di persone colte, iniziate alle sottigliezze della dialettica, che meditavano, che non si accontentavano della sola fede, ma erano interessate alla rivelazione dei fondamenti razionali della verità; il secondo un uditorio di lettori o ascoltatori meno bisognosi di analisi e non avvezzi a ragionare in modo autonomo, che si accontentavano di dogmi e di insegnamenti semplici e inequivocabili.

L'accessibilità del contenuto dell'*Elucidarium* sotto molti punti di vista si spiega indubbiamente con la sua forma, con il tipo di linguaggio, con la relativa semplicità, e in certi passi anche con la semplificazione dell'esposizione, con la tendenza a spiegare concetti speculativi traducendoli in un sistema di immagini visuali. L'autore si rivolge di continuo alla percezione sensitiva dei lettori o degli ascoltatori. Nella sua descrizione del paradiso vengono mobilitati tutti i colori piú smaglianti e i suoni piú armoniosi. I corpi degli eletti di Dio sono diafani, come vetro splendente, la loro nudità è celata da tinte piú vivaci di quelle dei fiori[60]. Il contrasto tra gli eletti del Signore e i peccatori è simile ad un contrasto pittorico: l'artista usa il nero per far maggiormente risaltare il rosso o il bianco. Il pittore si serve di tutti i colori, ma non li mescola, cosí anche Dio ama ogni sua creazione, ma assegna le diverse creature ai luoghi adatti: alcune al palazzo celeste, altre alla prigione infernale[61].

Come abbiamo già potuto osservare, l'autore dell'*Elucidarium* fa ampio uso di paragoni quanto mai chiari, mediante i quali rende accessibili alla comprensione dei cristiani incompetenti i problemi teologici. Ecco qualche altro paragone. Il problema dell'immaterialità del male viene spiegato con l'ausilio di un paragone: la cecità è assenza della vista e l'oscurità è assenza di luce, ma né la cecità né il buio sono materiali; cosí anche il male non è altro che mancanza di bene. Il pane, fatto con farina avvelenata, è mortalmente pericoloso, esattamente allo stesso modo anche tutti i discendenti di Adamo, in conseguenza del fatto che egli peccò, sono mortali. Il rapporto tra il Figlio di Dio e Dio Padre può essere compreso paragonandolo al rapporto tra la luce e il sole. «Perché Dio non può lasciare impunito un peccato?» domanda il discepolo. In risposta il maestro cita la seguente parabola: «Un giorno uno schiavo derubò il suo signore e fuggí per andare da un crudele tiranno; allora il figlio del signore fu inviato dietro al fuggitivo, sconfisse il tiranno e riconsegnò alla mercè del signore lo schiavo, insieme a ciò che aveva rubato». Se un servo, al quale il padrone ha affidato un incarico, cade in una fossa malgrado i consigli ricevuti, è colpevole, poiché non ha dato ascolto al padrone e non ha portato a termine il lavoro, allo stesso modo è colpevole il peccatore, corrotto dallo spirito maligno. Un peccato da cui non ci si distacca, è come una ferita dalla quale non è stata estratta l'arma che l'ha causata. Il Signore, come un re potente, ha eretto uno splendido palazzo, cioè il regno dei cieli, ma anche una prigione, cioè questo mondo, e in esso ha scavato un abisso funesto, cioè l'inferno. Come un sigillo lascia la sua impronta nella cera, cosí l'immagine di Dio si è impressa negli angeli. «Come quando qualcuno si mostra alla finestra e subito se ne allontana, cosí anche l'uomo, dopo essere nato, fa una breve comparsa nel mondo e dopo poco muore». I pastori che conducono un'esistenza empia, benché impartiscano insegnamenti al gregge, sono come delle candele accese: fanno luce, ma si consumano; quei sacerdoti invece che sono empi e non predicano, sono il fumo, che soffoca il fuoco e ferisce gli occhi[62]. E cosí via all'infinito.

In modo particolare abbonda di similitudini la parte dedicata alla futura fine del mondo. L'autore paragona l'accoglienza che l'angelo custode fa all'anima di un eletto di Dio all'accoglienza che un fidanzato fa alla sua fidanzata, mentre il corpo dell'eletto è paragonato ad una prigione in cui languiva l'anima. Alla resurrezione dei morti prima del Giudizio universale i corpi non riprenderanno obbligatoriamente le loro sembianze di un tempo: un vasaio, che ha rotto un vaso e con la stessa argilla ne sta fabbricando uno nuovo, può cambiarne il manico o il fondo; cosí anche Dio con la stessa materia può plasmare un altro corpo, privo delle imperfezioni di un tempo. Il Signore giungerà al Giudizio universale come un imperatore che fa il suo ingresso in città. Al processo gli empi saranno trascinati in basso dai loro peccati cosí come il piombo trascina verso terra, e i giusti saranno separati dai peccatori, come i chicchi di grano dal loglio. Come gli amici gioiscono per colui che è scampato ad un naufragio o come gioisce un medico che ha guarito un malato senza speranza, cosí anche gli angeli e i santi esultano nel vedere coloro che al Giudizio universale vengono assolti. Come il re che, vedendo per la strada un malato addormentato su un cumulo di rifiuti, ordinò di sollevarlo, di lavarlo e vestirlo, gli diede il suo nome, lo adottò e lo fece suo erede al regno, il Signore ci trae dal fango del peccato, ci nobilita con la fede, ci lava con il battesimo, ci dà il suo nome e ci fa suoi eredi. Cristo è il sole della giustizia, la Chiesa invece è la luna. La quadriga del Signore sono i quattro Vangeli; i cavalli ad essa attaccati sono gli apostoli, che con la loro predicazione portano Cristo in tutto il mondo; da questo carro sono caduti gli eretici e gli scismatici[63]. Ma può bastare!

È facile osservare che la maggior parte di questi paragoni è tanto poco originale quanto quasi tutto il contenuto dell'*Elucidarium*. Vorrei tuttavia ribadire come l'originalità non possa essere il criterio principale per valutare la qualità di un'opera della letteratura mediolatina, tanto piú se di teologia, vincolata dalla tradizione e dall'autorità della Scrittura. Per raggiungere gli scopi perseguiti da un predicatore, era addirittura preferibile utilizzare immagini e paragoni consueti.

Accanto alle similitudini, che erano tratte dalle piú disparate sfere della vita umana e rendevano l'esposizione dei concetti teologici piú accessibile ai monaci non esperti di teologia, ai sacerdoti e – per il loro tramite – al gregge, va rilevato il ripetuto « gioco » verbale delle contrapposizioni tra coppie di concetti. La divisione del mondo in poli opposti (cielo e terra, paradiso e inferno, Dio e diavolo, bene e male, giusti e peccatori), abituale e intimamente caratteristica della concezione cristiana del mondo, che viene qui svolta conseguentemente attraverso tutto il dialogo, senza dubbio favoriva al massimo a lettori e ascoltatori la comprensione e l'assimilazione delle verità cui andavano accostati. Talvolta Onorio conia delle formule verbali costruite sul confronto ritmico tra categorie di significato opposto: è presumibile che tali formule, volte ad abbellire il testo, avessero anche un significato mnemonico[64].

È difficile parlare del contenuto ideologico di un manuale di teologia di grande diffusione, che abbracciava necessariamente un'ampia gamma di problemi, che anzi pretendeva di abbracciare tutta la concezione cristiana del mondo. Ancor piú difficile è individuare in esso dei tratti specifici: la sua mancanza di fisionomia doveva essere considerata un pregio, giacché il catechismo veniva scritto per esporre il dogma della Chiesa, e non un qualsiasi punto di vista individuale. Si possono tutt'al piú indicare le tonalità proprie dell'*Elucidarium*, i temi in esso particolarmente sviluppati.

Quali sono questi temi? Prima di tutto l'idea di un inevitabile castigo o premio per i peccati e i meriti. Si può supporre che, proprio sfruttando il sentimento della paura, che era facile suscitare nell'uomo medievale, la Chiesa riuscisse in modo piú che mai efficace ad instillare nel credente l'idea della necessità di un pio modo di pensare e di un comportamento ad esso corrispondente. Considerevoli sforzi del predicatore erano diretti a terrorizzare gli ascoltatori con le immagini dei crudeli castighi e tormenti che attendono i peccatori non pentiti[65]. Al Cristo dell'*Elucidarium* non sono propri il perdono e la misericordia: questo lato della dottrina cristiana, cosí importante nei mistici e nella propaganda della povertà evangelica nell'epoca successiva, nel trattato di Onorio è sostituito dall'idea di un giudizio severo e spietato. Abbiamo già citato le sue affermazioni circa il fatto che al Giudizio universale il Signore avrà il ruolo di giudice, il diavolo svolgerà le funzioni di accusatore e l'uomo sarà l'accusato; ma per non subire una condanna, nella vita terrena il sacerdote, «vicario del Signore», deve svolgere in confessione il ruolo di giudice, mentre chi si confessa deve essere ad un tempo accusatore e accusato; la penitenza poi è la sentenza[66]. Davvero «una religione giudiziaria» (N. Berdjaev)...

I paralleli che abbiamo rilevato tra il quadro della fine del mondo descritto nell'*Elucidarium* e le raffigurazioni del Giudizio universale nell'iconografia sacra sono soprattutto sintomi della mentalità escatologica che ebbe ampia diffusione alla fine del secolo XI e nel XII.

Per la coscienza popolare dell'epoca delle crociate era quanto mai indicativo interpretare la liturgia cristiana ricorrendo alle categorie della guerra e del combattimento. La messa, agli occhi di Onorio e dei suoi contemporanei, è una dura battaglia contro il secolare e perfido nemico diavolo, e il curato officiante, i cui paramenti non sono altro che una corazza sacra, conduce il popolo verso la «patria eterna». Non deriva forse da ciò la comune coincidenza della sintassi simbolica, dell'*imagerie* e del bizzarro miscuglio di disperazione e speranza di salvezza, che sono caratteristici in egual misura sia dell'arte che della teologia dell'epoca? La fine del mondo, di cui Onorio di Autun parla con eloquenza, ai suoi contemporanei sembrava non solo ineluttabile, ma anche imminente. Proprio per questo essi sono cosí insistentemente perseguitati dall'idea del castigo al Giudizio universale e assillati dalla preoccupazione di riuscire a salvarsi. La tetraggine delle visioni apocalittiche degli scultori e degli artisti romanici, come pure dell'autore dell'*Elucidarium*, testimonia che le speranze di grazia e perdono erano poche. Perché questo giudizio ha avuto luogo, propriamente, ancor prima dell'inizio dei tempi e solo si compirà alla fine del mondo. Le anime degli uomini sono predestinate da sempre. Ecco un'altra svolta del tema del giudizio nel pensiero medievale! Se il Vangelo e la *Rivelazione di Giovanni* profetizzavano l'espiazione in un futuro imprecisato, « alla fine dei tempi », e nelle visioni dell'aldilà il giudizio era previsto nel presente, subito dopo la morte dell'individuo o addirittura al momento stesso della morte, la dottrina della predestinazione predicata nell'*Elucidarium* si basava invece su una sentenza stabilita da tempo immemorabile.

L'idea che Agostino aveva della predestinazione, idea che presupponeva una situazione di diretto e intimo rapporto tra l'individuo e la divinità, accentuava la necessità di ricevere dall'alto la grazia, non motivata dagli sforzi morali dell'uomo (« gratia gratis data »), che di per sé erano considerati del tutto insufficienti per raggiungere la salvezza. Nel Medioevo questa dottrina, nonostante l'enorme autorità di Agostino, non era riconosciuta dalla Chiesa cattolica, che evitava però la rottura con l'agostinismo. La predestinazione dell'anima, in via di principio, poteva mettere in dubbio l'esistenza della Chiesa come istituzione che mediante i sacramenti concede la salvezza come ricompensa per i meriti e per la sottomissione del credente.

Agostino non traeva una simile conclusione, la sua visione della Chiesa come « numerus electorum », « corpus Christi », al contrario, sottolineava l'importanza della Chiesa in quanto « civitas Dei ». Inoltre la gratia agisce, secondo Agostino, non solo come « praeveniens », cioè come preelezione alla salvezza, da parte di Dio, di questo o quell'uomo, ma anche come « cooperans », presupponendo un'interazione tra la grazia del Signore e la tensione delle energie spirituali del credente stesso, il suo desiderio di salvarsi. Onorio di Autun rende rozza e semplicistica l'interpretazione di Agostino. Il fatto che il nostro divulgatore seguisse le idee di Agostino non era quindi del tutto ortodosso dal punto di vista della Chiesa. Anche la scolastica di epoca piú tarda non condivideva queste opinioni di Agostino. L'idea della predestinazione sarà ripresa soltanto all'epoca della Riforma, nelle dottrine di Lutero e in particolare di Calvino.

Nell'*Elucidarium* però la dottrina della predestinazione è priva di qualsiasi tendenza antiecclesiastica. Onorio svolge la tesi secondo cui la Chiesa è il mistico « corpo di Cristo », di cui sono membri gli uomini di tutte le categorie e gli stati sociali; egli sottolinea l'importanza dei riti religiosi e la necessità che i credenti ubbidiscano e si sottomettano al clero. Informato dell'onniscienza dei beati, al cui sguardo si rivelano il passato, il presente e il futuro, tutte le azioni buone e cattive, il discepolo domanda perplesso: « Davvero i santi sanno tutto ciò che ho fatto? » Il maestro risponde affermativamente. « Ma che scopo hanno allora la confessione dei peccati e la penitenza, se tutto è già noto comunque? » Il maestro consola il discepolo preoccupato: « Di che hai paura, che cosa ti spaventa? La confessione e il pentimento lavano via il peccato, e di esso non ci si deve affliggere piú di quanto ci si affligge per ciò che si è fatto nella culla o per delle ferite guarite[67]. Davide, Maria Maddalena, Pietro e Paolo, che hanno peccato dinanzi al Signore, sono tutti nei cieli, e gli angeli gioiscono della loro salvezza. La penitenza ecclesiastica apre dunque la via per il regno dei cieli »[68].

Onorio non è evidentemente propenso a fissare la sua attenzione sul fatto che tra l'idea della predestinazione e quella del potere assoluto della Chiesa esiste una contraddizione difficilmente conciliabile, palesatasi già nel secolo IX nelle dispute sulla « duplice predestinazione » provocate da Gotescalco[69], e in ogni caso poi è chiaro che questo aspetto del problema non era accessibile alla comprensione del comune sacerdote, e tanto meno del laico, nelle cui mani poteva capitare il suo catechismo. Ma un momento tanto essenziale non poteva sfuggire all'attenzione degli scolastici del secolo XII e dei secoli seguenti, piú ponderati e vigili riguardo alle piú piccole sfumature del pensiero teologico: questa circostanza non spiega forse quel completo silenzio con cui essi ricompensarono l'*Elucidarium*?[70].

Invece, la coscienza dell'uomo comune della società medievale era piú indifferente alla dottrina del libero arbitrio, del perfezionamento interiore e della devozione che non all'idea di un mondo determinato da sempre, nel quale buoni e cattivi sono ben separati gli uni dagli altri e la santità e la dannazione sono già predestinate, dove la sfera dei doveri di ogni uomo è ben delineata, e ciascuno adempie ad essi non come individuo autonomo, ma come membro di una collettività, di un ceto, di una classe sociale. Non i problemi etici o spiritualisti, bensí l'attaccamento alle forme esteriori, la tendenza a percepire sensibilmente le astrazioni e a interpretare alla lettera i simboli: questi sono alcuni tratti caratteristici della religiosità comune, che si ritrovano interamente nella «summa teologica» di Onorio di Autun.

Può sembrare che l'*Elucidarium* proponga al credente una trattazione della possibilità di salvarsi un po' diversa da quella che è stata evidenziata in precedenza nell'analizzare gli altri generi della letteratura mediolatina: mentre in essi la salvezza era raggiungibile a condizione di condurre un'esistenza pia e di pentirsi in tempo e le immagini dei tormenti infernali dovevano distogliere dal peccato, Onorio invece sottolinea la predestinazione di certi uomini e «ceti» alla perdizione, e di altri alla salvezza. Il significato del Giudizio universale perciò è in un certo senso diminuito, dal momento che il destino dell'anima è da sempre prestabilito. Ma non è esatta neanche una contrapposizione del genere. Perché anche nell'*Elucidarium* si parla dell'effettiva necessità di pentirsi e di ubbidire alla Chiesa, mentre nei racconti delle visioni o negli *exempla* è chiaramente riscontrabile il motivo della perdizione per la maggior parte degli uomini. Si potrebbe parlare piuttosto di accenti un po' diversi in generi differenti. L'*Elucidarium* è indicativo perché vi è potenziata al massimo l'escatologia tetra.

L'elaborazione di Onorio diede una svolta originale alla dottrina della predestinazione: la gerarchia sociale è capovolta, si salveranno in primo luogo i semplici, coloro che ubbidiscono a Dio e sono privi di malizia, e coloro che vivono del lavoro delle proprie braccia e nutrono la Chiesa. In precedenza si è detto che Onorio trasferisce il problema della salvezza dal piano spirituale a quello sociale; allo stesso modo si può dire anche il contrario: egli esprime la valutazione sociale dei contadini, della plebe, in termini teologici, sublimando le categorie terrene, collegandole ai valori supremi del cristianesimo: l'essere eletti da Dio e la salvezza dell'anima. A quanto mi risulta, una simile valutazione del posto che il popolo occupa nella struttura generale del mondo è unica nella letteratura di quel tempo[71] (come si è già rilevato, è propria soltanto di questa prima opera di Onorio, che in seguito si allontanò da tale punto di vista).

Come spiegare il grande apprezzamento del popolo nell'*Elucidarium*? Non è facile rispondere a questa domanda. Non si sa nulla di completamente attendibile né dell'ambiente in cui Onorio viveva e scriveva, né della sua origine sociale. Se, come ritengono alcuni studiosi, egli fu effettivamente educato in Germania, allora le sue idee sulla collocazione e il significato dei contadini nel sistema dell'universo socio-religioso sono in certa misura paragonabili all'idealizzazione della popolazione rurale nella letteratura tedesca dello stesso periodo. In certe opere tedesche come *Unibos*, *Ruodlieb*, *Von Rechte*, si riflette l'elevato grado di autocoscienza dei contadini, non ancora schiacciati dalla privazione dei loro diritti (a differenza della letteratura francese di questo periodo, che tratta il contadino con alterigia e con grande disprezzo, se non con odio).

La coscienza medievale immagina il mondo diviso tra due poli opposti. Là dove ci sono gli eletti di Dio, devono esserci, quali imprescindibili elementi antitetici, i reietti e i dannati. I cattivi esistono «per il bene dei buoni», la santità è impossibile e incomprensibile senza il peccato. È un insieme di profondissima disperazione e di grandissima speranza: i quadri dei tormenti cui è destinata la maggior parte del genere umano alla fine del mondo, sono controbilanciati dalla promessa del perdono concesso ai membri ubbidienti della Chiesa. Il pensiero medievale si muove tutto nell'ambito di detta opposizione: essa si manifesta appieno anche nel trattato di Onorio di Autun. L'*Elucidarium* si distingue per la grande sistematicità e coerenza di esposizione, e il suo principio costruttivo è proprio la contrapposizione tra peccato e santità.

Alla disperazione, legata alla paura della condanna, si contrappone una grande speranza nella beatitudine del paradiso, raffigurata da Onorio con l'estrema concretezza e l'espressività figurativa che gli sono abituali. Accanto alla futura resurrezione delle anime, nell'*Elucidarium* viene rivolta la massima attenzione alla resurrezione del corpo. Tutti i resuscitati, quale sia stata la loro età quando lasciarono il mondo terreno, risorgeranno a trent'anni. Muterà il loro aspetto esteriore e scompariranno le imperfezioni e le deformità fisiche del passato[72]. Tutto il mondo si rinnoverà: quello di un tempo scomparirà, ma al suo posto sorgerà un mondo senza avversità e calamità; in eterno la terra darà frutti e profumerà di fiori, il sole risplenderà su di essa con straordinaria energia. Gli uomini saranno belli come il biblico Assalonne, forti come Sansone, e addirittura anche piú forti, in salute supereranno Mosè. Il discepolo ascolta estasiato le profezie del maestro circa il paradiso terrestre[73]. Questo modellare la futura beatitudine a immagine e somiglianza della terra doveva trovare risonanza presso i lettori dell'*Elucidarium*, che non potevano non esprimere in forme escatologiche le loro speranze di una vita migliore[74].

Lo studio dell'*Elucidarium* fa parzialmente luce sullo stato dell'educazione religiosa del popolo nel Medioevo. Lo sviluppo del pensiero nei secoli XII-XIV evidentemente non influenzò in modo visibile questa educazione. Il complesso di idee, formatesi tra la fine del secolo XI e l'inizio del XII, per di piú semplificate e dogmatizzate, che si rifletté nel dialogo di Onorio di Autun, risultò sufficiente per istruire i laici durante i successivi tre secoli. Secondo l'opinione di Y. Lefèvre[75], ciò non si spiega con la semplice arretratezza delle forme della coscienza di massa rispetto alla speculazione scolastica, bensí con la sua «immobilità»[76]. In ogni caso si deve constatare un notevole divario tra i due livelli della religiosità medievale. Il «pane dei teologi» è qualitativamente diverso dal pane secco del «cristianesimo popolare».

[1] Cfr. sopra, cap. I.

[2] Il sottotitolo *Dialogus de summa totius Christianae theologiae* a quanto pare non appartiene all'autore.

[3] *Elucidarium*, 2, 28.

[4] Onorio spiega che i dannati «propter se ipsos pereunt, cum malum sua sponte eligunt, diligunt et vellent sine fine vivere, ut possent sine fine peccare»: *Elucidarium*, 2, 29.

[5] *Libro di Giobbe*, 34, 22.

[6] *Elucidarium*, 2, 52-60.

[7] Salmo 127, 2. *Elucidarium*, 2, 61: «D. – Quid de agricolis? M. – Ex magna parte salvantur, quia simpliciter vivunt et populum Dei suo sudore pascunt, ut dicitur: "Labores manuum qui manducant beati sunt"».

[8] *Vangelo secondo Matteo*, 19, 14.

[9] *Elucidarium*, 2, 62.

[10] Tubach, *Index exemplorum* cit., n. 3591.

[11] *Erzählungen des Mittelalters* cit., n. 22.

[12] *Vangelo secondo Matteo*, 7, 14.

[13] *Elucidarium*, 2, 63.

[14] *Ibid.*, 1, 195, 196. Tale trattazione dei sacramenti divergeva dalla tradizione ortodossa e fu condannata già da Agostino, cfr. *PL*, vol. 38, col. 453.

[15] *Elucidarium*, 2, 66.

[16] *Ibid.*, 3, 59.

[17] *Ibid.*, 2, 9.

[18] *Ibid.*, 2, 11-12, 15-16.

[19] *Lettera ai Romani*, 13, 1. *Elucidarium*, 2, 17.

[20] *Ibid.*, 3, 33.

[21] *PL*, vol. 172, coll. 865 sg. (*Sermo generalis*).

[22] Perché la risurrezione dei morti operata dall'Anticristo sarà un inganno: il diavolo entrerà nei loro corpi e li farà camminare e parlare, come se fossero vivi: *Elucidarium*, 3, 34.

[23] Cfr. R. Fossier, *Histoire sociale de l'Occident médiéval*, Paris 1970, p. 144.

[24] J. Le Goff, *Pour un autre Moyen Âge* cit., pp. 80-90; G. Duby, *Les Trois ordres ou l'imaginarie du féodalisme*, Paris 1978, su Onorio di Autun, pp. 300-10 [trad. it. *Lo specchio del feudalesimo*, Bari 1980]; cfr. A. Ja. Gurevič, *Norvežskoe obščestvo v rannee Srednevekov'e. Problemy social'nogo stroja i kul'tury* [La società norvegese nel primo Medioevo. Problemi del sistema sociale e della cultura], Moskva 1977, pp. 274-303.

[25] *Elucidarium*, 1, 179.

[26] *Libro di Giobbe*, 10, 22.

[27] *Elucidarium*, 3, 12, 14.

[28] Cfr. l'elenco dei supplizi infernali citato da Vincenzo di Beauvais: «Nix, nox, vox, lachrymae, sulpur, sitis, aestus, | Malleus et stridor, spes perdita, vincula, vermes» (*Speculum historiae*, CXIX). Un manuale per esorcisti composto alla metà del secolo XV, contiene anche le domande che si rivolgevano alle anime venute dal purgatorio o dall'inferno. Ecco alcune domande per chi giungeva dal purgatorio: «Da quanto tempo ti trovi nel purgatorio?», «Quali tormenti si sono rivelati per te i piú salutari?», «Per quale ragione sei apparso?» Le domande per un peccatore dannato, che sta all'inferno: «Perché sei condannato ai tormenti eterni?», «Perché sei venuto? Vuoi spaventare i vivi? Vai cercando il biasimo di quei pellegrini che siamo noi sulla terra? Non preferiresti non esistere affatto piuttosto che sopportare le torture della Geenna? Quali tormenti infernali sono i piú spaventosi? La privazione della possibilità di contemplare il Signore non è forse il tormento piú doloroso?» (Delumeau, *La peur en Occident* cit., p. 79).

[29] Salmo 48, 20.

[30] *Elucidarium*, 3, 15.

[31] Lefèvre, *L'Elucidarium* cit., 170.

[32] *La civilisation de l'Occident médiéval*, Paris 1965, p. 602 [trad. it. *La civiltà dell'Occidente medievale*, Torino 1981].

[33] Sul legame tra l'opera di Onorio di Autun e la cultura artistica del suo tempo si veda: Mâle, *L'art religieux du* XII*e siècle en France* cit., p. 409; Id., *L'art religieux du* XIII*e siècle en France* cit., pp. 400, 426; J. A. Endres, *Das St. Jakobsportal im Regensburg und Honorius*, Kempten 1903. Per quanto riguarda la summenzionata posizione dei peccatori che patiscono all'inferno, si può indicare il seguente

parallelo: secondo un poema islandese l'antico eroe Starkad all'inferno sta ritto sulla testa e tutto avvolto dalle fiamme infernali. Si veda: Gurevič, *«Edda» i saga* cit., pp. 148 e 186.

[34] Cfr. R. Hamann, *Geschichte der Kunst*, Berlin 1955, vol. 2, pp. 144-48, figg. 130-36; Le Goff, *La civilisation de l'Occident médiéval* cit., figg. 74, 76, 77, 142; Darkevič, *Putjami srednevekovych masterov* cit., pp. 135 sgg.

[35] I pensieri di Onorio di Autun sul significato della pittura e della scultura sono raccolti in Endres (*Das Jakobsportal* cit., pp. 13 sgg.). Sul simbolismo dell'iconografia sacra in relazione alla sua opera cfr. J. Sauer, *Symbolik des Kirchengebäudes und seiner Ausstattung in der Auffassung des Mittelalters mit Berücksichtigung von Honorius Augustodunensis, Sicardus und Durandus*, Freiburg 1902.

[36] *Elucidarium*, 3, 18.

[37] *Ibid.*, 3, 19.

[38] Salmo 57, 11.

[39] *Elucidarium*, 3, 20, 21. Tommaso di Chatimpré ripeté all'incirca lo stesso nella seconda metà del secolo XIII: i santi provano gioia nel vedere i tormenti dei peccatori, anche se tra quelli vi sono dei loro parenti, e di ciò non si può dubitare, come fanno certi sciocchi, giacché i santi, che provano sempre sentimenti elevati, non sono sensibili al dolore e agli affanni, e al perfetto cristiano si richiede una armonia assoluta con la giustizia divina (Coulton, *Life in the Middle Ages* cit., p. 109).

[40] *Lettera ai Romani*, 5, 6.

[41] *Lettera agli ebrei*, 2, 9.

[42] *Vangelo secondo Giovanni*, 10, 15, 26.

[43] *Elucidarium*, 2, 64, 65.

[44] *Ibid.*, 2, 29.

[45] *Ibid.*, 2, 42.

[46] La questione del libero arbitrio è trattata diversamente nelle opere piú tarde di Onorio (*De libero arbitrio*, in *PL*, vol. 172, coll. 1223 sg.).

[47] *Elucidarium*, 1, 36, 90, 91, 121-24, 128, 129.

[48] *Ibid.*, 1, 127, 137, 156, 157, 159, 161-66.

[49] *Ibid.*, 1, 13, 15 e cfr. 2, 22-25.

[50] *Ibid.*, 2, 88.

[51] *Ibid.*, 2, 92, 93. È curioso che uno dei traduttori medievali dell'*Elucidarium* in francese abbia inserito una disquisizione sulle streghe che volano, sui profeti, sugli stregoni e sugli altri servi del diavolo, che non c'era nell'originale, cfr. Lefèvre, *L'Elucidarium* cit., pp. 209 sgg.

[52] *Elucidarium*, 1, 59.

[53] *L'Elucidarium* cit., p. 115.

[54] Sul tema del microcosmo Onorio ritorna nel *Sacramentarium* e nel *De imagine mundi*, 1, 82, in *PL*, vol. 172, coll. 140, 773. Cfr. Endres, *Honorius Augustodunensis* cit., p. 108.

[55] *Elucidarium*, 1, 64, 65, 67.

[56] Bosone era abate del monastero inglese di Bec (negli anni 1124-36), si è conservata una sua biografia (*PL*, vol. 150, coll. 723-32). Il *Cur Deus homo* viene citato in base all'edizione di Anselm von Canterbury, *Cur Deus homo. Warum Gott Mensch geworden*, München 1970.

[57] *Ibid.*, 1, 10; 2, 14, 25.

[58] Del resto, il carattere dialogico di questi trattati, come pure della letteratura mediolatina in generale, dev'essere ancora studiato. Sul dialogo in Anselmo di

Canterbury e in Onorio di Autun cfr. M. Grabmann, *Die Geschichte der scholastischen Methode*, voll. 2, Freiburg im Breisgau 1909, I, pp. 317 sgg. Sul dialogo come principio del pensiero e della strutturazione di un genere letterario cfr. V. S. Bibler, *Myšlenie kak tvorčestvo (Vvedenie v logiky myslennogo dialoga)* [Il pensiero come creazione (Introduzione alla logica del dialogo mentale)], Moskva 1975; L. M. Batkin, *Ital'janskie gumanisty: stil' žizni i stil' myšlenija* [Gli umanisti italiani: lo stile di vita e lo stile di pensiero], Moskva 1978, cap. 3.

59 *Cur Deus homo*, 2, 15, 19, 20.

60 *Elucidarium*, 3, 81, 106. L'amore di Onorio di Autun per la luce, per le tonalità cromatiche e per le bellezze della natura non è meno evidente anche leggendo altre sue opere. Cfr. Sanford, *Honorius* cit., pp. 406, 412.

61 *Elucidarium*, 1, 46; 2, 6.

62 *Ibid.*, 1, 5, 23, 54, 102, 113; 2, 2, 40, 41, 52, 72.

63 *Ibid.*, 3, 1, 7, 46, 51, 53, 59, 114, 118, 121.

64 Ad esempio: *formositas - deformitas, libertas - captivitas, deliciae - miseriae*. Cfr. *Elucidarium*, 3, 119: «Sicut igitur hi amici Dei nimium felices perennitur in Domino gloriabuntur, ita e contrario inimici ejus nimium miseri et infelices jugiter cruciabantur et, sicut isti maximo decore illustrantur, ita illi maximo horrore deturpantur. Sicut isti maximo summa agilitate sunt alleviati, ita illi summa pigritia praegravati», e cosí via sullo stesso genere. Sulla «vena poetica» di Onorio cfr. Endres, *Honorius Augustodunensis* cit., pp. 18, 127 sgg. Sulla prosa ritmica dell'*Elucidarium* cfr. Lefèvre, *L'Elucidarium* cit., pp. 209, 213. Sugli «omeoteleuti», le assonanze delle desinenze, che collegavano parole grammaticalmente analoghe nelle opere di prosa antiche e medievali, cfr. Averincev, *Poetika rannevizantijskoj literatury* cit., pp. 223 sgg.

65 Il romanzo di Joyce, *A portrait of the Artist as a Young Man*, può dare una certa idea di quanto fosse forte, anche in un'epoca a noi vicina, l'azione esercitata sul cattolico dalla descrizione dei castighi che attendono i peccatori: il protagonista Steven Dedalus ascolta un sermone, basato sull'*Elucidarium* di Onorio di Autun o, in ogni caso, su una fonte estremamente vicina ad esso. Questo sermone ha come conseguenza una profondissima crisi di coscienza. Diversa è l'epoca, diversa la struttura della personalità rispetto al Medioevo; è mutato e si è psicologicamente approfondito il sermone stesso, nel quale non si accentuano solo le torture fisiche, che minacciano il peccatore nell'aldilà, ma anche il suo stato morale e il rapporto individuale con Cristo; e nonostante questo la reazione provocata da questi quadri e da queste immagini, sotto molti aspetti, è evidentemente la stessa.

66 *Elucidarium*, 2, 71.

67 *Ibid.*, 3, 107-14.

68 Negli *exempla* edificanti piú di una volta si narra di uomini i cui peccati furono completamente dimenticati dal sacerdote dopo la confessione, come se non fossero neanche esistiti.

69 Gotescalco predicava che esiste una duplice predestinazione – non soltanto alla salvezza, ma anche alla perdizione («praedestinatio gemina ad vitam et ad mortem»), dal che conseguiva, come lo accusavano i suoi avversari, l'impotenza dei sacramenti e l'insensatezza dell'ubbidienza alla Chiesa e ai suoi ordinamenti.

70 Cfr. sopra, cap. 1.

71 Cfr., tuttavia, l'alto apprezzamento dato al lavoro degli agricoltori e alle loro possibilità di salvezza nei *Sermones vulgares* di Giacomo di Vitry (morto intorno al 1240): *Sermo LX ad agricolas et vinitores et alios operarios*. Il testo è in J.-Th. Welter, *L'exemplum dans la littérature religieuse et didactique du moyen âge*, Paris-Toulouse 1927, pp. 457-67. Cfr. anche *Vita Dagoberti* che risale al secolo XI (Duby, *Les Trois ordres* cit., pp. 211 sgg.).

[72] Cfr. sopra, cap. IV, sulla raffigurazione dei risuscitati nella scultura sacra.
[73] *Elucidarium*, 3, 11-16.
[74] Bicilli, *Elementy srednovekovoj kul'tury* cit., p. 110.
[75] *L'Elucidarium*, p. 336.
[76] Delaruelle, *La piété populaire* cit.

Capitolo sesto
«Alto» e «basso»: il grottesco medievale

Un'analisi approfondita del materiale della letteratura mediolatina ci ha rivelato aspetti della percezione medievale del mondo poco noti e, a mio parere, sotto molti punti di vista inattesi; inattesi se li si confronta con la descrizione della cultura e della religiosità ecclesiastiche ufficiali tradizionalmente fornita dalla storiografia. La cultura cui ci siamo accostati è insolita, inconsueta. Familiarizzarsi con essa non è facile. Il suo carattere insolito risiede nella stranezza dell'associazione, dell'unità di poli opposti: sublime e infimo, cielo e terra, spiritualità e rozza materialità, tetraggine e comicità, vita e morte. La santità può presentarsi come fusione di sublime devozione e di magia primitiva, di estrema abnegazione e di coscienza della propria predestinazione, di disinteresse e avidità, di misericordia e crudeltà. Il teologo conferma la gerarchia stabilita da Dio, per poi condannare subito dopo alla perdizione eterna coloro che stanno alla sommità ed esaltare coloro che ne sostengono la base. Si celebra l'erudizione e si guarda con disprezzo agli *idiotae* ignoranti; e nello stesso tempo la mancanza di discernimento, la povertà di spirito, o addirittura la pazzia, sono considerate le vie piú sicure per raggiungere la salvezza dell'anima. La vita e la morte, poli estremi in qualsiasi sistema di concezione del mondo, risultano convertibili, e il confine che le separa penetrabile; i morti ritornano tra i vivi e gli uomini muoiono solo temporaneamente. Il giudizio sui defunti, che deve aver luogo «alla fine dei tempi», si compie nel contempo sull'anima di ogni uomo al momento della sua morte; e in questo modo la coscienza collettiva, ostile all'individualità, poiché sottometteva il pensiero e la volontà dell'individuo alle norme della società e perciò non era affatto incline a enucleare l'uomo dalla natura, creava il terreno per una sorta di «personalismo»: la biografia dell'uomo si conclude al momento della sua morte, ma non è interrotta nel tempo, come ciò risultava dall'escatologia ufficiale, che rimandava la valutazione dell'uomo al momento del Giudizio universale in un ignoto futuro. Nel mondo ultraterreno, dove regna l'eternità, scorre il tempo terreno...

È inutile citare piú diffusamente tutte le stranezze e i paradossi di cui sono letteralmente piene le opere mediolatine (piú avanti ci imbatteremo ancora in una serie di «incongruenze»). Ma è necessario sottolineare che non si tratta di fenomeni collaterali, interferenze e «rumori»: essi stanno alla base della cultura che ha prodotto simili opere. L'abbondanza del materiale raccolto nel libro si spiega proprio con il desiderio dell'autore di dimostrare che il paradosso, la stranezza e l'antinomia sono indizi imprescindibili e organici della coscienza medievale. Nasce l'esigenza di un apparato di concetti che aiuti a coglierli e a spiegarli in qualche modo. La paradossalità è nettamente accresciuta dal fatto che non abbiamo a che fare con una lontana, primitiva cultura etnografica: la cultura medievale non ci è affatto estranea, ad essa ci legano molti e multiformi fili. Ma che cosa significa «spiegare» in questo caso? Evidentemente è necessario trovare un apparato concettuale appropriato alle fonti, che riunisca le contraddizioni in esso rinvenute senza smussarle né troncarle.

Nella ricerca di tale apparato concettuale è naturale rivolgersi ai lavori di M. Michail Bachtin, al cui nome è legata una svolta decisiva nello studio della cultura popolare del Medioevo. La sua analisi della cultura comico-popolare carnevalesca ha messo in evidenza un filone della visione e della percezione medievale del mondo che fino ad allora era stato, in sostanza, quasi del tutto trascurato. Anche quegli studiosi che molto prima di Bachtin hanno descritto il carnevale, la farsa, il mistero e la commedia popolare, la parodia e le altre manifestazioni della cultura comica dell'epoca feudale, non si sono infatti avvicinati alla comprensione del significato di questi fenomeni, della loro fondamentale importanza per quanto riguarda la concezione del mondo di cui erano espressione. Tale sottovalutazione, secondo lo stesso Bachtin, è determinata dal fatto che gli studiosi, senza rendersene conto, hanno trasferito nel passato idee caratteristiche del proprio tempo. In particolare, la natura del riso e del grottesco è radicalmente cambiata nel corso dei secoli che separano il Medioevo dalla nostra epoca e oggi è ormai difficile comprendere, senza travisarle, forme comiche da tempo scomparse, e in particolare il posto che occupavano nella coscienza degli uomini di un'età tanto lontana da noi.

Vale forse la pena d'aggiungere che una chiarificazione dell'essenza e dell'originalità della cultura medievale era ostacolata dal fatto che tradizionalmente il pensiero scientifico ha mirato unicamente a rinvenire in essa un principio sublimato; gli storici si sono fidati della parola del Medioevo, a nome del quale si affermava che la carne merita soltanto di essere disprezzata e vinta, che la vera patria dell'uomo non è sulla terra, ma in cielo. Nel basare su materiale del Rinascimento (il romanzo di Rabelais) la « filosofia del corpo » (del « basso corporeo »), Bachtin ha aperto un nuovo scorcio nell'analisi della cultura. Egli ha applicato la sua teoria anche alla cultura medievale.

Bachtin è riuscito a decifrare « un linguaggio quasi dimenticato e sotto molti aspetti per noi ormai oscuro » – il linguaggio delle forme comiche, carnevalesche e dei simboli del Medioevo – e a mostrare il suo carattere nazionale e universale, l'ambivalenza che gli è propria, la sua natura che allo stesso tempo afferma e nega. Questa cultura comica carnevalesca, secondo Bachtin, era espressione di un particolare atteggiamento verso la vita (diverso da quello proprio dell'età moderna), dell'« aspetto comico del mondo », tanto imprescindibile dall'essenza stessa della concezione medievale del mondo quanto il suo aspetto serio, « ufficiale ». Bachtin ha studiato un tipo particolare di *imagerie* comica, di concezione estetica dell'essere – il « realismo grottesco » – con la sua concezione del corpo « non finito », « incompiuto », « non isolato », « aperto al mondo », che dà frutti, muore e di nuovo rinasce, una concezione radicalmente diversa dal canone corporeo dell'arte e della letteratura dell'antichità classica e dell'età moderna. Il « realismo grottesco » esprimeva un tipo antichissimo di *imagerie*, proprio della mitologia e dell'arte arcaica e riscontrabile poi per molti secoli; respinto nelle regioni infime, non canoniche dell'arte nell'epoca classica dell'antichità, esso continuò a vivere anche molto piú tardi. Nella cultura comica popolare del Medioevo il «realismo grottesco» conosce una nuova fioritura, irrompendo nelle sfere elevate dell'arte all'epoca del Rinascimento; successivamente, nel periodo del dominio del classicismo, perde d'importanza e si degrada[1].

Dopo i lavori di Bachtin è difficile studiare la cultura medievale rimanendo sulle posizioni di un tempo. Occorre tuttavia riconoscere che Bachtin ha focalizzato la nostra attenzione sul problema della cultura popolare medievale piú che risolverlo, perché resta non del tutto chiaro il posto che la cultura popolare occupava nel contesto generale della cultura di quell'epoca, la sua influenza sulla cultura ufficiale, come pure l'influenza di quest'ultima su di essa. Benché lo stesso Bachtin non abbia certo equiparato i concetti di «cultura comica popolare» e di «cultura popolare», neanche la loro correlazione è stata chiarita, come non è stato chiarito che cos'altro faceva parte della cultura popolare del Medioevo oltre all'aspetto comico-carnevalesco. Non sappiamo se lo studioso lo abbia intenzionalmente voluto, ma spesso si ha l'impressione che secondo lui il carattere dominante della cultura popolare medievale sia stato il riso. E qui sorgono i primi dubbi sulla possibile applicazione di tale trattazione del grottesco, proposta da Bachtin, al nostro materiale, il cui legame con il riso e il carnevale è tutt'altro che evidente.

Un altro dubbio è suscitato dalla seguente circostanza. A differenza della concezione di Bachtin, il cui enorme significato per lo studio della cultura medievale è indubbio, le sue osservazioni concrete, che si basano sulle fonti, si riferiscono per lo piú alla fine del Medioevo, al periodo dell'ascesa delle città, focolai della formazione di una nuova visione del mondo. L'elemento carnevalesco da lui descritto, in base a tutti i suoi indizi, è cittadino. Il suo centro è la piazza cittadina. In quale misura queste caratteristiche possono essere estese anche ai contadini, alla campagna, in particolare poi in una fase anteriore del Medioevo?

Inoltre Bachtin, nel sottolineare che egli non analizza la cultura medievale nel suo insieme, ma proprio quella popolare, comica, ritiene possibile parlare di «una netta frattura» tra essa e la vita culturale ufficiale. Egli scrive: «Si può dire (con certe riserve, naturalmente) che l'uomo del Medioevo viveva quasi *due vite*: una *ufficiale*, monoliticamente seria e cupa, subordinata ad un rigoroso ordine gerarchico, piena di paura, di dogmatismo, di devozione e di venerazione, e un'altra *carnevalesca, di piazza*, libera, piena di riso ambivalente, di sacrilegi, di profanazioni, di degradazioni e oscenità, di contatto familiare con tutti e con tutto. Ed entrambe queste vite erano legalizzate, ma divise da rigorosi confini temporali.

Se non si tiene conto dell'alternarsi e del reciproco escludersi di questi due sistemi di vita e di pensiero (quello ufficiale e quello carnevalesco) non si può comprendere correttamente l'originalità della coscienza culturale dell'uomo medievale... »[2].

Non si può non osservare anche che il sistema ufficiale della cultura medievale nei lavori di Bachtin viene trattato in modo estremamente unilaterale (« monoliticamente seria », « cupa », « piena di paura », dogmatizzata, colma di devozione e venerazione). Sottolineando « la glaciale, pietrificata serietà » della cultura medievale ufficiale, egli propriamente non si occupa del Medioevo. Il suo lavoro è incentrato sul confine tra il Medioevo e l'età moderna, il Rinascimento, come è meglio visibile dal punto di osservazione da lui scelto, qual è il romanzo di Rabelais.

Certo, l'antagonismo tra la cultura alta e la cultura bassa nella concezione di Bachtin non è privo di dialettica, giacché il carnevale, sottoponendo a capovolgimento comico i valori ufficiali, « seri », nello stesso tempo li riconosceva; la coscienza, che « giocava » con essi, li includeva nel suo universum. Le due culture sono perciò intimamente legate. Ciò nonostante, se la cultura popolare, nell'ipostasi che egli analizza, era impavidamente allegra, capovolgeva tutte le idee e i rapporti consolidati e abbatteva tutto con il riso, se negava l'idea della morte e della fine della vita storica, basandosi sull'idea di un eterno rinnovarsi e di un eterno ricrearsi dell'essere, della sua apertura e incompiutezza, la cultura e l'ideologia ufficiali della Chiesa, stando a Bachtin, consideravano il mondo compiuto e del tutto formato, pietrificato in questa sua buona organizzazione raggiunta una volta per sempre, lo guardavano senza ridere e in generale, secondo il giudizio dello studioso, mostravano un tipo di coscienza « che è spaventata e spaventa », infinitamente lontana dal principio scherzoso e comico. All'irrequieto, agitato elemento della cultura comica popolare si contrapponeva la statica, solenne cultura religiosa, tutta tesa verso i cieli. L'opposizione tra le due culture si presenta allo studioso sotto forma di opposizione tra movimento e immobilità, tra vita e morte.

Inoltre, dopo aver fornito una vivida immagine della cultura comica popolare del Medioevo, Bachtin non si è proposto l'obiettivo di caratterizzare anche il suo opposto. Ciò naturalmente non rientrava e non poteva rientrare nei compiti della sua ricerca, ma si ha l'impressione che la cultura ufficiale dell'epoca, a suo parere, sia sufficientemente chiara e non costituisca un problema. Invece, prendere in considerazione anche la cultura ufficiale, analizzare sia la cultura popolare sia quella ufficiale nell'ambito dello stesso sistema ci avrebbe forse portato a riconsiderare un po' il suddetto contrasto tra le due culture. In effetti, quale delle due si distingueva per il dinamismo: quella carnevalesca popolare o quella seria ecclesiastica? Lo stesso Bachtin fa risalire la concezione comica del mondo alla remota antichità e ritiene possibile ricostruire la cultura popolare medievale in base all'aspetto che assume nel romanzo di Rabelais: questo elemento non fu forse una sorta di costante astorica, che nei suoi «parametri» fondamentali perdurò per molte epoche, fino al Rinascimento? Al contrario, nonostante il dominio del dogma, la cultura «seria» mutava, e possiamo a buon diritto parlare di storia della filosofia e della letteratura, dell'arte e della scienza medievali, cosí come di storia del dogma e della Chiesa. Si deve supporre che il quadro della cultura del Medioevo fosse piú complesso di quanto non risulti dalla teoria di Bachtin.

Ma l'interrogativo principale generato dall'analisi della sua concezione è questo: se l'uomo del Medioevo viveva davvero in due culture tanto diverse, anzi antitetiche per i loro fondamenti e per il loro carattere, come si abbinavano nella sua coscienza? Il fatto che Bachtin non abbia descritto in modo equilibrato entrambi gli aspetti del quadro della cultura medievale, può creare un equivoco circa la loro reciproca relazione. Invece, l'opposizione tra la cultura popolare, trattata come prevalentemente comica, carnevalesca, una cultura determinata dall'«estetica» del corpo grottesco, incompiuto e aperto al mondo, e la cultura ufficiale, ecclesiastica, che viene vista come una cultura univocamente seria e noiosa, colma di sussiego, di tristezza e di tetraggine, che ripudia ciò che è terreno ed è tutta tesa al trascendente: questa opposizione non deve essere intesa in modo semplicistico. *Non è soltanto un'opposizione*. Quando ha sviluppato la concezione del carnevale, Bachtin certo non intendeva affermare che il carnevale e gli altri tipi di cultura comica raggruppati intorno ad esso si limitassero a contrapporsi alla cultura ufficiale: il carnevale presuppone *un capovolgimento di quella stessa cultura*. Una ragazza ubriaca che recita la parte della Madonna, un buffone al posto del vescovo, un criminale sul trono del re, un asino nel tempio, le bestemmie, la liturgia degli ebbri: tutte queste inversioni del culto «serio» e del rituale non solo non ignorano o ripudiano la cultura e la religiosità dominanti ma, al contrario, *derivano da esse, in esse trovano le proprie leggi* e in fin dei conti a modo loro *le sanzionano*.

Il carnevale è una sorta di *correlato* della cultura seria, che *è presente in esso*, penetra il suo tessuto e durante il suo svolgimento viene «cancellata» solo temporaneamente e, quel che piú conta, non nella sua vera sostanza; «cancellare» non presuppone qui né ripudiare né ignorare, bensí superare temporaneamente, assimilando dentro di sé «con segno opposto». Perché la semantica del carnevale non è né esterna né estranea al rituale ufficiale, proprio in esso attinge in misura assai notevole i propri elementi.

Come si esprime Bachtin a proposito dell'interazione? La lotta tra cultura ufficiale e cultura non ufficiale è da Bachtin descritta come *un'ambivalenza*, una duplicità, nella quale gli opposti sono legati dialetticamente, scambiandosi reciprocamente il posto e conservando la propria polarità. Nella concezione di Bachtin, se non erro, l'ambivalenza assomiglia un po' ad un altro concetto chiave, il *dialogo*. Ma credo che sia possibile comprendere correttamente questo dialogo tra due principî culturali nell'ambito della cultura medievale solo se non ci si limita a postulare la loro divergenza e antiteticità, ma si parte dall'ipotesi di una *loro intima interazione*. Il carattere dialogico della cultura medievale non va immaginato come una «disputa tra sordi», bensí come presenza di una cultura nel pensiero, nel mondo dell'altra, e viceversa; il carnevale nega la cultura della gerarchia ufficiale *avendola dentro di sé* ma, dal canto suo, quest'ultima non contiene in sé anche il principio comico?

Nel materiale che ho esaminato non si trovano indicazioni

sul carnevale. Si può piuttosto parlare di «carnevale prima del carnevale», cioè della presenza di una serie di elementi culturali dai quali in una fase piú avanzata si formerà il carnevale (danze[3], giochi, travestimenti buffoneschi, inversioni d'ogni genere). Il carnevale non si è ancora cristallizzato nel tempo e nello spazio, i suoi elementi sono diffusamente sparsi ovunque, e perciò il carnevale come tale non esiste. Tuttavia i concetti di ambivalenza e di «dialogicità» immanente sono quanto mai essenziali per comprendere la cultura dell'epoca in esame. Non meno importante è anche la concezione del grottesco, anche se, sulla base delle osservazioni fatte in precedenza e anticipando ciò che seguirà, vorrei sottolineare che, se la cultura medievale produce un'insistente impressione di stranezza e di grottesco, stranezza e grottesco non equivalgono affatto al comico-ridicolo, non si riducono ad esso. Bachtin ha scoperto il grottesco medievale ma, a mio parere, lo ha interpretato troppo univocamente, solo come grottesco comico, privandolo di quella stessa ambivalenza di cui egli ha scritto con tanta efficacia.

Ritengo che il compito della mia indagine, come risulta dall'analisi precedente, e nello stesso tempo, in un certo senso, la sua conclusione debba essere ora appunto l'esame del problema dell'ambivalenza del principio dotto e di quello popolare nella cultura medievale, cosí come essi ci si presentano nelle opere della letteratura latina edificante.

Fino a questo punto in ogni capitolo l'indagine si è concentrata su un determinato genere letterario. Dall'agiografia siamo passati ai libri penitenziali, poi alle narrazioni delle visioni dell'aldilà e, infine, all'*Elucidarium*, scelto come tipico esempio di teologia divulgativa. Oggetto fondamentale dell'analisi successiva sono gli *exempla* edificanti di cui ci si avvaleva nei sermoni. Tuttavia il problema dell'ambivalenza o, se si vuole, il carattere grottesco della visione medievale del mondo, che dalle fonti emergeva insistentemente anche in precedenza, impone la necessità di varcare i limiti di un solo genere. Il carattere riepilogativo di questa parte del lavoro porta a considerare materiale relativamente piú eterogeneo, ritornando continuamente ai generi di cui si è già parlato in precedenza. Gli *exempla* saranno, propriamente, solo il punto d'appoggio dell'analisi.

La sintesi di estrema serietà e tragicità da un lato, e di tendenza alla massima degradazione dall'altro, derivava già dalla stessa dottrina cristiana, costruita sull'idea dell'incarnazione di Dio, nella cui personalità il divino e l'umano si sono uniti nelle loro manifestazioni estreme. Dio, che nasce in una stalla e dopo ripugnanti, umilianti torture muore insieme a dei briganti, condannato ad un'infamante morte da schiavo, dopo aver provato un'atroce angoscia e la sensazione di esser stato «abbandonato da Dio»; il suo corpo crocifisso, sanguinante e deturpato, come simbolo di sublime bellezza; il culto dell'umiltà spirituale e della sofferenza fisica, della povertà, della rinuncia alle gioie terrene, di cui è permeata la religione cristiana; il rivelarsi della forza spirituale nell'infermità fisica: questa fondamentale «mortificazione» che nobilita, nel cristianesimo si associa al paradosso non meno stupefacente della non coincidenza, dell'incompatibilità tra fede e ragione. «Il Figlio di Dio fu crocifisso; non ci vergogniamo perché ci si dovrebbe vergognare. E il Figlio di Dio morí; ciò è del tutto attendibile, perché è assurdo. E dopo la sepoltura egli risuscitò: ciò è indubbio, perché è impossibile»[4].

La lotta, insita nel cristianesimo, tra corpo e spirito, tra mondo terreno e celeste, trovava la sua espressione anche nell'estetica del Medioevo, in particolare nel grottesco, ampiamente adottato tanto nella letteratura quanto nell'arte figurativa. La percezione e l'assimilazione del grottesco da parte dei popoli europei moderni furono notevolmente facilitate dal fatto che, ancor prima della cristianizzazione, in quei popoli si erano manifestate piuttosto distintamente tendenze analoghe. Ricordiamo ad esempio lo «stile bestiario» dell'arte germanica, il cui tratto saliente era una consapevole violazione delle proporzioni reali, l'iperbolizzazione dello spaventoso e dell'orribile, il gusto per la raffigurazione di mostri. Probabilmente non è poi cosí difficile riconoscere una serie semantica che dai corpi attorcigliati e avvinghiati degli animali in lotta, dalle fauci spalancate e dagli artigli degli animali fantastici, dalle figure e dai volti umani minacciosi del periodo pagano si congiunga alle chimere, ai diavoli e alle orrende scene del Giudizio universale dell'epoca romanica e di quella gotica[5]. Le influenze orientali arricchivano vieppiú l'arte del grottesco occidentale.

Oggi diventa sempre piú chiaro che non abbiamo di fronte delle curiose rarità, bensí *una caratteristica fondamentale dell'arte e un aspetto imprescindibile del modo in cui l'uomo medievale viveva la realtà e percepiva se stesso*[6]. Il principio comico va esaminato in questo generale contesto della polarità grottesca.

La mescolanza di serio e comico, l'instabilità dei confini che li separano furono segnalate da E. R. Curtius come uno dei tratti caratteristici sia della tarda letteratura antica che di quella medievale. Elementi umoristici si incontrano, talvolta abbastanza inattesi, persino nelle scene delle vite dei santi piú lontane dal comico; il pubblico di quel tempo doveva aspettarsi che gli autori introducessero nelle loro descrizioni momenti faceti e comici[7]. Citando numerosi esempi convincenti del procedimento «ridende dicere verum» che si ritrovano nella letteratura mediolatina, Curtius ha sottolineato la mediocre conoscenza che si ha di questo problema e l'importanza di ulteriori ricerche[8]. In sostanza Curtius si limita a constatare la mescolanza («ioca seriis miscere»), senza inoltrarsi nell'analisi di questo fenomeno. Evidentemente egli non è alieno dal pensare che tale norma stilistica della letteratura medievale si spieghi in modo sufficientemente chiaro con l'osservanza della tradizione ellenistica e tardoromana, in contrasto con i canoni classici dell'estetica antica, che faceva una rigorosa distinzione tra stile alto e basso.

In Bachtin, diversamente che in Curtius, non si parla piú di mescolanza di alto e basso, bensí di violazione di tutti i confini e di tutti gli opposti: corpo individuale e mondo, negativo e positivo, serio e comico. La massima convergenza tra «alto» e «basso», il loro capovolgimento e reciproco scambio, un'allegra iperbolizzazione della realtà stanno alla base dell'immagine del «corpo grottesco». Bachtin rileva le fonti folkloriche del grottesco medievale. Egli le rintraccia nelle piú diverse forme della cultura di quell'epoca, nell'arte figurativa, nella letteratura, nel mistero, nel carnevale. Dal punto di vista di Bachtin, «il grottesco medievale e rinascimentale, pervaso dalla percezione carnevalesca del mondo, libera il mondo da ciò che esso può avere di terribile e spaventoso e lo rende totalmente inoffensivo, gioioso e luminoso»[9]. Nella nostra letteratura scientifica sono state esposte interessanti opinioni circa l'ambivalenza e la paradossalità del grottesco medievale. « Avvicinando ciò che è lontano, associando elementi che si escludono reciprocamente, violando immagini consuete, il grottesco nell'arte è affine al paradosso nella logica »[10].

Come si è già accennato, Bachtin è incline a localizzare questi indizi fondamentali del principio comico prevalentemente nella cultura popolare, sotto questo aspetto contrapponendola nettamente alla cultura ufficiale, della Chiesa, per la quale l'allegria, a suo parere, è controindicata. Quest'ultima asserzione sembrerebbe avere le sue fondate ragioni. « Cristo non rideva mai » (Giovanni Crisostomo). Gli apostoli e i padri della Chiesa condannavano il frivolo vaniloquio e le burle prive di devozione. A tale posizione la Chiesa si atteneva anche nel Medioevo, insistendo sulla necessità di un comportamento dignitoso[11].

Ciò nonostante, già all'inizio del secolo XI Notkero Labeone, fornendo sulle orme di Aristotele e Boezio una definizione dell'uomo, indicava le sue tre qualità di creatura razionale, mortale, capace di ridere (« homo est animal rationale, mortale, risus capax »). Notkero considerava l'uomo non solo capace di ridere, ma anche risibile (« Quid est homo? Risibile. Quid est risibile? Homo »)[12]. Solo nel secolo XII una « moderata allegria » cessò di essere proibita[13] e soltanto da quel periodo si diffondono nella letteratura mediolatina la parodia e la satira, che prima si incontravano solo sporadicamente. Occorre tuttavia prendere in considerazione il divario tra i principî generali, sulla cui osservanza le autorità della Chiesa non cessavano d'insistere, e la prassi, lungi dal corrispondere incondizionatamente sempre e in tutto a questi principî[14].

Il fatto che i seguaci di Aristotele includessero nello stesso novero indizi umani come la razionalità, la mortalità e la capacità di ridere, merita, secondo l'opinione di H. Adolf[15], grande attenzione. Alla luce della logica della succitata definizione dell'essenza umana, il riso non è forse la naturale conseguenza dell'unione di qualità tanto contrastanti quali la ragione e la predisposizione alla morte? Perché soltanto il riso le può conciliare. Il riso di fronte allo spaventoso, come reazione all'orrore, ai lati oscuri e ignoti dell'esistenza, di cui, a quanto pare, trattano le « teorie del riso » medievali, non è poi cosí lontano dalle concrete situazioni comiche nella letteratura latina dei secoli VI-XIII. Il riso sembra qui la manifestazione di un particolare meccanismo psichico solo mediante il quale l'uomo era appunto capace di guardare in faccia la morte e i suoi portatori, le forze del male, i rappresentanti dell'inferno. Senza annullare la paura, senza vincerla e senza liberare da essa, il riso allentava l'insopportabile tensione generata dalla coscienza della morte e del castigo ultraterreno che inevitabilmente la segue.

Vorrei ricordare, a questo proposito, la teoria di O. M. Frejdenberg, estremamente feconda e basata su un vastissimo materiale, circa il legame reciproco tra l'aspetto parodistico e quello sacrale nella cultura arcaica, in quella antica e in quella medievale. Il comico e il tragico, il profano e il sacro, il burlesco e il sublime, come spiega la studiosa, sono *due aspetti di un'unica percezione del mondo* che si completano a vicenda. Questo fenomeno, secondo Frejdenberg, è cosí antico «che la sua antichità risale all'età premedievale»[16].

Tuttavia, vorrei ribadire come il problema non si esaurisca affatto nell'abbassamento comico di ciò che è elevato, nel loro rovesciamento carnevalesco o nella fusione di serio e ridicolo. Anche il reciproco completarsi di sacro e profano, acutamente rilevato da Frejdenberg, non è ancora una risposta esauriente al problema del paradosso della cultura medievale. Il grottesco medievale era radicato nel *dualismo* di una percezione del mondo che poneva uno di fronte all'altro il mondo terreno e quello celeste, faceva incontrare questi poli diametralmente opposti, avvicinava al massimo elementi inavvicinabili, univa ciò che è impossibile immaginare unito e che, ad onta di tutto, allo sguardo dell'uomo si presentava di continuo fuso per un istante in una sintesi incredibile, ma reale in senso supremo. Il mondo terreno di per sé non stupisce affatto; la sfera dell'aldilà destava rispettosa venerazione, se si parlava delle essenze supreme, di orrore e odio non appena comparivano sulla scena le forze del male, ma l'ultraterreno veniva recepito come una parte integrante dell'universo tanto quanto lo era la sfera terrena, e non sconcertava gli uomini di quei secoli; ciò che colpiva in senso miracoloso era proprio il loro incontro: ognuno dei mondi diventava strano dall'esterno *se confrontato con l'altro mondo, alla luce di questo*. Il carattere paradossalmente grottesco del Medioevo si cela in questo confrontarsi dei due mondi.

L'ambivalenza della coscienza medievale non è visibile forse in nessun'altra opera con tanta chiarezza quanto nei monumenti di letteratura mediolatina da noi scelti. Le creazioni dei chierici, che in misura diversa hanno assimilato gli elementi della cultura dotta, sono rivolte a un vasto uditorio popolare, nei cui pensieri e nelle cui idee cercano un supporto. Proprio qui, *nel punto di massima convergenza tra due tradizioni, si rivela l'essenza del grottesco medievale.*

Ritorniamo alle fonti.

Nell'indagare le opere della letteratura edificante create dal clero, ci imbattiamo di continuo in una sorta di *paradosso*. In questi monumenti si nota una certa contraddizione tra il tema generale e la sua realizzazione concreta. L'autore ecclesiastico si preoccupa della salvezza dei suoi ascoltatori: egli annota varie storie, mediante le quali mira a portare nel miglior modo possibile il gregge sulla retta via. Tutta la narrazione è subordinata a questo pio scopo. La dimostrazione della potenza della santa comunione e del battesimo; la necessità di sfuggire alle tentazioni e di opporsi alle seduzioni del peccato; lo smascheramento delle insidie del diavolo e la glorificazione dei santi; lo stupore di fronte alla misericordia del Signore; gli appelli all'afflizione e al pentimento; l'illustrazione del carattere superiore proprio alla semplicità e all'umiltà di spirito rispetto alla superbia; infine, la rivelazione di ciò che cela l'aldilà con le sue pene e i suoi premi: ecco in sostanza i temi dei brevi racconti edificanti, gli *exempla*, di cui erano ricche le opere degli scrittori ecclesiastici durante tutto il Medioevo. Ma questi elevati e devoti compiti sono svolti su una terra peccatrice, contro gli intrighi del demonio e in mezzo agli uomini, che di solito perseguono interessi rozzamente materiali, egoistici e meschini. In definitiva, nella novella edificante il sacro e il profano, l'« alto » e il « basso » si toccano. Opere di questo genere provocano nel lettore di oggi una reazione inadeguata, probabilmente sotto molti aspetti del tutto diversa da quella che provocavano e dovevano provocare nell'uditorio medievale.

Per il lettore moderno la « stranezza » di questi racconti sta nel fatto che per lo piú sono capaci di destare in lui riso o stupore, ma certo non di disporlo ad una lettura seria. Quando a far ridere o a divertire sono le novelle del Rinascimento, nelle quali si deridono l'ignoranza e la viziosità del clero o le superstizioni dei laici, non si incontra nulla di inaspettato; esse miravano proprio al raggiungimento di tale risultato. Entrata in una nuova epoca, la cultura si congedava ridendo dal passato. Ma il racconto latino del Medioevo nacque in una situazione completamente diversa, esso non si proponeva di deridere e smascherare niente, i suoi scopi non erano distruttivi, ma costruttivi. Questa «stranezza» non può non attirare l'attenzione dello storico della cultura: in essa si manifesta appieno la differenza tra la cultura studiata e la cultura di chi studia. È possibile ricostruire la situazione culturale in cui si formò e trovò cosí lunga vita la novella medievale?

La prima reazione dello studioso moderno coincide con quella del lettore: egli è incline a considerare comici o parodistici molti degli *exempla*. Ma qui si presentano notevoli difficoltà[17]. In età diverse, fenomeni differenti sono fonte di riso e d'ironia; ciò che in una cultura sembra degno di essere deriso, può venir recepito del tutto seriamente in un'altra. Di ciò occorre tener conto anche nell'analizzare il nostro materiale. In esso è difficile trovare esempi puramente comici o annotati esclusivamente per divertire ascoltatori e lettori[18]. Di regola, se non sempre, gli episodi che ci fanno sorridere sono citati con altri, piú elevati scopi didattici. Ma rimane perciò sempre aperta una questione: era recepito come ridicolo ciò che oggi non può non suscitare il riso? Ad esempio, le dispute tra gli abitanti di Tours e di Poitiers per il corpo di san Martino, iniziate quasi ancor prima della sua morte[19], possono dare al lettore moderno un'impressione di comicità, accresciuta dal fatto che chi le racconta, Gregorio di Tours, riferisce questo avvenimento in modo quanto mai serio e devoto. Coloro che partecipano alla lite sentono l'invincibile necessità di un miracolo, la gioia di possedere gli inestimabili resti taumaturgici del santo, un grande turbamento per la loro perdita, la presenza invisibile, ma percettibile delle forze supreme. È evidente qui lo strano confronto tra due mondi, su cui mi sono già soffermato, un confronto che questi uomini desiderano e temono. È evidente quindi il grottesco, che però, anche se è comico, lo è soltanto per l'attuale lettore della *Storia* di Gregorio di Tours, ma certo non lo era per lui e per i suoi concittadini.

Anche se allora certe situazioni venivano recepite in senso comico e parodistico, è comunque indubbio che avevano anche un altro significato, considerevolmente piú serio, che forse era quello fondamentale.

Iniziamo dalla trattazione delle forze del male, che occupavano un posto tanto grande nella coscienza dell'uomo medievale. Nella letteratura moderna sono stati esposti svariati punti di vista riguardo alla percezione che gli uomini dell'epoca in esame avevano dei demoni. Alcuni studiosi non hanno dubbi sul fatto che il diavolo fosse l'incarnazione della paura e che la demonomania, coltivata dalla Chiesa, dominasse incontrastata le masse terrorizzate dei credenti. Queste conclusioni si basano tanto sulle opere scritte[20] della letteratura quanto sui dati dell'iconografia[21]. Tuttavia un attento esame del materiale porta a conclusioni meno univoche. Nel campo dell'arte figurativa va segnalato il lavoro di M. Gutowski[22], che ha approfonditamente studiato il problema della comicità nel gotico polacco. Egli ha illustrato il ruolo considerevole che gli elementi della caricatura e della parodia svolgevano anche nell'arte sacra: le prime ad essere derise erano le forze del male. Lo studioso confronta le sue osservazioni con l'ampio materiale dell'Europa occidentale, che conferma queste conclusioni[23].

Bachtin collega il diavolo al grottesco popolare. Nelle *diableries* dei misteri medievali, nelle visioni dell'oltretomba, nei *fabliaux*, egli scrive, il diavolo è «il gioioso portavoce ambivalente dei punti di vista non ufficiali, della santità alla rovescia, il rappresentante del "basso" materiale e corporeo ecc. In lui non c'è niente di terrificante e di estraneo»[24]. Questa affermazione non è completamente giusta: come vedremo in seguito, nel diavolo si intrecciano il comico e lo spaventoso. Ciò nonostante va detto che se Cristo non rideva mai, il diavolo non piange mai; se pure versa delle lacrime, è solo un inganno[25].

Nelle nostre fonti si presta naturalmente un'enorme attenzione alle forze del male, ed è assai allettante verificare in base a questo materiale le tesi enunciate da Bachtin. In particolare, sono ricchi di informazioni sugli intrighi del diavolo i *Dialoghi sui miracoli* di Cesario di Heisterbach. Ed è comprensibile: quando egli scrive il diavolo «era diventato di moda» già da tempo, benché fosse presente anche nella letteratura cristiana precedente. Nel pensiero medievale il diavolo acquista dei tratti che prima erano assenti; diventa un signore potente che mira a sottomettere tutte le anime deboli e indecise e a costringerle a rendergli omaggio. «Fac mihi hominium», «prestami giuramento di fedeltà», cosí il diavolo insidia gli uomini, promettendo loro in cambio aiuto e beni di ogni genere. In particolare, egli rivolse tale offerta al campanaro di una delle chiese della diocesi di Kiel, minacciandolo in caso contrario di lasciarlo per sempre in cima alla torre su cui l'aveva scagliato[26]. Benché gli autori medievali affermino che il principe delle tenebre non è potente come Dio, nelle loro opere, in armonia con il «celato manicheismo» insito nella coscienza contemporanea[27], il diavolo, come tutti i suoi innumerevoli servitori, cresce e diventa una spaventosa minaccia, una forza gigantesca, che insidia l'uomo ad ogni passo. Il diavolo è l'incarnazione della superbia, del tradimento, dell'infedeltà, peccati che avevano un particolare significato nel sistema della concezione feudale del mondo.

Secondo la dottrina della Chiesa, l'uomo si trova ad un bivio: una via porta alla beatitudine ultraterrena e alla salvezza dell'anima, ma comporta la rinuncia alle tentazioni del mondo terreno; l'altra è la via del peccato, che trascina immancabilmente alla perdizione le anime deboli. L'uomo, dotato di libero arbitrio, fa una scelta tra queste due possibilità. La teologia cristiana contestava e condannava il punto di vista secondo cui la scelta tra il peccato e la rettitudine non dipende dalla volontà individuale e le viene imposta dall'esterno. Tali idee però dovevano essere largamente diffuse tra il popolo, educato piú all'idea di un destino che governa il mondo e gli uomini, che non alla dottrina del liberum arbitrium, astratta ed estranea alla sua comprensione. In precedenza, esaminando i penitenziali, ci siamo già imbattuti in una incomprensione di tal genere. Lo stesso motivo emerge piú volte anche nel sermone religioso. Già Cesario di Arles aveva dovuto confutare la dottrina dei «matematici» (cioè dei profeti che predicevano il destino in base alle stelle) e dei manichei, che toglievano all'uomo la responsabilità dei peccati per addossarla alla disposizione degli astri nel cielo: non sarebbe l'uomo a peccare, sarebbero le stelle che lo costringono. In effetti, spiegava Cesario, il diavolo induce gli uomini a peccare, però può tentarli, spingerli, ma non costringerli; essi sono liberi di cedere alle persuasioni del diavolo o di respingerle[28]. Era messa in rilievo la responsabilità morale di ogni singolo credente. L'idea della predestinazione rimase malgrado ciò popolare anche molti secoli dopo. Nella teologia divulgativa, che attraverso il basso clero e i monaci veniva diffusa tra il popolo, questa idea, come abbiamo visto, fu consolidata dall'*Elucidarium* di Onorio di Autun. Cesario di Heisterbach racconta del « funesto errore » del conte Ludovico, che perseverava nei suoi peccati e si giustificava dicendo che, se egli era predestinato, nessun peccato l'avrebbe privato del regno dei cieli[29].

Tuttavia la « comune » coscienza religiosa del Medioevo non si accontentava di una constatazione della dicotomia tra peccato e rettitudine in generale. L'individuo non è semplicemente posto di fronte alla necessità di una scelta; egli è oggetto di incessanti attacchi da parte del nemico. Come una fortezza situata al centro di un paese nemico, egli si trova in uno stato di continuo assedio. Le forze del male ricercano instancabilmente ogni minima possibilità per penetrare in questo baluardo. Ad ogni mortale sono affiancati due angeli: uno buono per proteggerlo e uno cattivo per metterlo alla prova[30].

Se si confronta l'armoniosa gerarchia dell'esercito celeste tracciata da Pseudo-Dionigi l'Aeropagita, nella quale gli angeli occupano un preciso posto loro assegnato – con l'idea dell'angelo che accompagna sempre l'uomo per difenderlo dagli attacchi dell'antipode, il demonio, che lo perseguita con altrettanta insistenza – il contrasto non può non saltare agli occhi. Il sistema teologico centralizzava le forze celesti, la fantasia popolare le particolarizzava. Ad un semplice era stata concessa la capacità di vedere questi accompagnatori nel momento in cui la gente entrava e usciva dalla chiesa: gli uomini che conducevano un'esistenza proba avanzavano con il volto luminoso, allegro, e l'angelo li accompagnava gioioso; i peccatori invece avevano il volto scuro e tetro, i demoni li trascinavano tirandoli per il naso, mentre l'angelo procedeva tristemente tenendosi a distanza[31].

La demonologia è un settore importante della teologia medievale. L'immagine del diavolo e dei suoi servi attira il pensiero, desta interesse, genera sempre nuovi racconti dei suoi intrighi. Le forze del male non abitano soltanto all'inferno, ma circondano costantemente l'uomo. Demoni e diavolo sono in un certo senso i virus del Medioevo, ne è infetto tutto il peccaminoso mondo terreno. A occhio nudo, al di fuori di specifiche situazioni, il maligno non è di solito visibile. Non a tutti è data la capacità di vederlo e riconoscerlo, quale che sia l'aspetto in cui si presenta: alcuni uomini perciò non credevano nell'esistenza dei demoni, fino a quando non dovevano convincersi del contrario.

Una monaca di clausura vide dei demoni seduti sulle spalle e sulla schiena dei monaci: questi demoni avevano l'aspetto di scimmie e gatti e ripetevano burlescamente i gesti dei monaci[32]. Cesario di Heisterbach aggiunge significativamente che non vuole rivelare il nome della monaca, che egli conosce di persona, per non nuocerle: è chiaro che questi monaci non erano senza peccato se i diavoli li cavalcavano a quel modo!

Il tema preferito dell'arte medievale è il letto di morte. Intorno ad esso, accanto ai parenti e al sacerdote, vediamo Dio Padre, Cristo e la Madonna, ma si dànno da fare anche dei diavoli ripugnanti. Questa immagine è a due piani. I mortali sono visibili a tutti, come si dice, «a occhio nudo»; le forze celesti, cosí come i demoni, sono visibili soltanto all'artista, che esprime un punto di vista particolare e il cui sguardo penetra il mistero dell'incontro tra i due mondi[33]. A rigor di termini, qui ci sono addirittura tre piani, giacché le divinità e i santi da un lato, e il maligno dall'altro, sembrano non accorgersi gli uni dell'altro, concentrati sull'anima del peccatore che giace sul letto di morte. Una camera da letto che sembrerebbe vuota è in realtà piena zeppa: vi sono riuniti, l'uno stretto all'altro, il paradiso, l'inferno e il mondo terreno! Occorre soltanto saper vedere la loro grottesca, terrificante contiguità.

Anche gli *exempla* offrono analoghi quadri di «doppia visuale». Una matrona, che era entrata agghindata «come un pavone» in chiesa, non si accorse che sulla lunghissima bordura del suo lussuoso abito troneggiava un'infinità di diavoletti; neri come etiopi, ridevano e battevano le mani dalla gioia, saltando come pesci nella rete, giacché l'abbigliamento sconveniente di questa dama non era altro che la rete del diavolo[34]. Gli uomini che peccano di vanità non vedono i demoni che li circondano a sciami come le mosche, ma questo triste quadro è ben visibile allo sguardo dei giusti. Essi ravvisavano benissimo anche l'altro piano, il piú profondo di questi quadri, per nulla comico. Nella demonologia buffa del Medioevo è sempre necessario presumere anche il lato spaventoso.

Benché accanto ad ognuno ci sia un demone, ciò non toglie che l'uomo possa essere assediato anche da un'intera orda di diavoli. «Hai presente un granaio? – domanda al suo interlocutore un sacerdote peccatore che sta morendo. – Il suo tetto non è coperto da tanti fili di paglia quanti sono i demoni radunati intorno a me». Nell'ascoltare queste parole, il discepolo nei *Dialoghi* di Cesario di Heisterbach dice al suo maestro: «Ma in tal caso i diavoli sono certo piú numerosi dei peccatori». Il monaco risponde: «Quanti siano nel presente non si può dire; è però chiaro che alla fine del mondo, quando il numero dei dannati sarà completo, il numero dei peccatori sarà di molto superiore a quello dei diavoli». Perché a suo tempo da Dio si staccò, insieme a Lucifero, la decima parte degli angeli, trasformatisi in demoni; ma un numero di eletti di Dio nove volte maggiore prenderà il loro posto. E chi può dubitare che i peccatori siano incomparabilmente piú numerosi degli eletti?[35]. Secondo Rudolf di Schlettstadt un indemoniato raccontava che a Zurigo si erano radunati seimilaseicentosei demoni che, con la complicità della Madonna, avrebbero assalito i cittadini, punendoli per la loro superbia[36].

Il dato rilevante, però, non sta tanto nell'abbondanza quantitativa del maligno, quanto piuttosto nel suo essere eccezionalmente attivo, astuto e subdolo. I diavoli non si fermano di fronte a nessun ostacolo pur di impadronirsi delle anime. Quando ad un demone, che possedeva un uomo, fu chiesto se egli, rinunciando ai suoi misfatti, non desiderasse ritornare in cielo, senza esitazioni rispose che dovendo scegliere tra sedurre una sola anima e andare con lei all'inferno o salire in cielo, avrebbe scelto la prima possibilità. «Non c'è di che meravigliarsi – soggiunse egli –, tale è la mia perfidia, e persevero in essa al punto, che non sono in grado di desiderare qualcosa di buono»[37]. Come vediamo, questo demone è cosciente della sua perfidia e della sua incapacità di mettersi sulla via del bene. Ancor piú sorprendente è tuttavia un altro demone che era pronto a subire qualsiasi tormento pur di ritornare infine a Dio. Tuttavia ciò, secondo l'opinione di Cesario di Heisterbach, è solo una testimonianza del bene che i demoni persero cadendo, ma non della possibilità di un loro ritorno a questo bene[38]. Un demone andò a confessarsi: anche lui voleva ricevere l'assoluzione dei peccati! Il sacerdote pose una condizione: i suoi peccati potevano essere espiati se egli avesse chiesto perdono a Dio tre volte al giorno. Per il demone era troppo, egli non può umiliarsi di fronte all'Onnipotente[39]. Il diavolo infatti è l'incarnazione della superbia, che l'ha privato per sempre della possibilità di riconciliarsi con il Creatore. I demoni vivono un tragico sdoppiamento: il bene li attira, ma non sono piú in grado di raggiungerlo.

Nella raffigurazione di Gregorio Magno il maligno è estremamente spaventoso: neri spiriti ripugnanti, orrendi draghi che avvolgono l'uomo con le loro code e ne ingoiano la testa oppure infilano il muso nella bocca del peccatore e succhiano il suo spirito, ecc. Cosí appaiono i demoni anche nei racconti di altri autori, come pure nelle raffigurazioni degli scultori e degli incisori.

È impossibile con gli occhi vedere il diavolo nelle sue vere sembianze, in quanto spirito. Come la suprema beatitudine per le anime elette consiste nella contemplazione di Dio, cosí anche il supremo tormento per i dannati consiste nella contemplazione del diavolo[40]. Lui e i suoi servi appaiono ai vivi sotto qualsiasi forma; essi si mostrano con l'aspetto di splendidi uomini e donne, di sacerdoti, scimmie, maiali, gatti, cani, rettili: la loro capacità di metamorfosi è illimitata. Però un demone che ha assunto aspetto umano non può essere visto di schiena, giacché i demoni non hanno schiena e si allontanano sempre indietreggiando[41]... Il loro interno è vuoto.

Come l'inferno è l'antipode del paradiso, cosí gli angeli caduti sono l'esatto opposto degli angeli buoni, sono angeli « alla rovescia ». L'antagonismo tra le forze del bene e quelle del male di per sé presuppone la possibilità di un'interpretazione « carnevalesca » di queste ultime. E benché non ci siano sventure che i demoni non cerchino di causare agli uomini, ciò nonostante non sempre gli autori religiosi rappresentavano i diavoli a fosche tinte. Il demonio medievale non è privo di duplicità e, come vedremo in seguito, persino di una certa attrattiva.

Nei *Dialoghi* di Gregorio Magno alcuni racconti sui diavoli non sono privi di tono faceto e di comicità. A una suora venne una gran voglia di insalata; ne mangiò una foglia, dimenticando di fare il segno della croce sul cibo, e subito il diavolo si impossessò di lei. Fu chiamato l'abate Equizio che si mise a pregare per la sua guarigione. Appena l'abate giunse nell'orto in cui l'indemoniata era in preda alle convulsioni, il demonietto spaventato, «quasi a volersi giustificare», cominciò a lamentarsi: «Che cosa ho fatto di male? Che cosa ho poi fatto? Me ne stavo su una foglia d'insalata, lei è arrivata e mi ha mangiato». L'abate gli ordinò sdegnato di abbandonare la sventurata e il demone si dileguò all'istante[42]. Ed ecco un altro esempio del potere che un ecclesiastico esercita sul diavolo. Ritornato a casa stanco, il prete Stefan ordinò con noncuranza al suo servo: «Vieni, diavolo, toglimi le scarpe». E le stringhe delle sue scarpe presero subito a slacciarsi velocemente da sole, ma al prete fu chiaro che a togliergli le scarpe era lo spirito maligno da lui menzionato in tono dispregiativo. Allora Stefan gridò: «Vattene, disgraziato, vattene! Non ho chiamato te, ma il mio servo». A queste parole il demone se ne andò[43]. Nell'osservare «l'estrema ingenuità» di questi racconti, E. Auerbach rinviene giustamente in essi «l'autentica atmosfera delle fiabe sui *domovoj* e gli gnomi, dove si fondono fantastico e grottesco»[44].

Anche in Cesario di Heisterbach troviamo analoghi raccontini sulla comparsa del maligno, imprudentemente invocato da persone che non sanno tenere a freno la lingua. Un padre adirato non fece in tempo a gridare al figlio: «Va' al diavolo!», che quello fu rapito dal diavolo. Qualcosa di simile accadde ad una bambina: mentre beveva del latte, il padre stizzito menzionò il diavolo e quest'ultimo si insediò immediatamente dentro di lei[45]. Un servo, cui era venuto a noia star di guardia ogni notte nella vigna di un monastero, chiamò per scherzo il diavolo a sostituirlo. Questi si presentò senza indugio, impegnandosi a fare da guardiano a patto di ricevere in cambio un cesto d'uva. Ma quando il fannullone si accinse a saldare il debito con il demone, la vigna risultò spoglia: non vi era rimasto neanche un acino d'uva[46].

Nei racconti ora citati è come se il maligno «prendesse»

l'uomo alla lettera: questi ha bestemmiato, ha nominato il demonio, e lui è subito lí. Magia della parola, tanto caratteristica delle culture arcaiche? Forse. In ogni caso il diavolo non aspetta altro che lo chiamino o che pronuncino il suo nome anche solo per caso. Le parole dette nel momento dell'ira possono avere conseguenze fatali. Un contadino voleva «conoscere» sua moglie in un momento in cui certi impedimenti non le consentivano il rapporto sessuale. Allora egli la minacciò di usare la violenza. La donna risentita disse: «Soddisfa la tua libidine, in nome del diavolo». Ella concepí e partorí un mostro spaventoso[47]. Giacomo di Vitry racconta di un marito che, non riuscendo a sopportare la moglie, volle andare in pellegrinaggio. Allora lei domandò a chi l'avrebbe affidata. «Al diavolo ti affido», rispose adirato il marito. Quando in sua assenza gli amanti andavano a trovare questa donna, il diavolo, effettivamente comparso, li scacciava sostenendo che il coniuge l'aveva affidata a lui. Allorché questi tornò finalmente a casa, il demonio si affrettò a restituirgli la moglie dicendo: preferirei badare ad una decina di cavalli selvaggi piuttosto che ad una donna cosí cattiva[48].

Il diavolo, pur sempre pronto a fare danni e imbrogli, nello stesso tempo ha paura dei santi e davanti a loro fugge. Lo spirito maligno che san Fortunato ha scacciato da un indemoniato, vaga di sera per le vie della città, lamentandosi: «Oh che sant'uomo, il vescovo Fortunato! Ma che cosa ha fatto? Ha scacciato un pellegrino dal suo asilo. Io cerco un posto dove poter poggiare il capo, e non trovo asilo nella sua città»[49]. La paura che gli spiriti maligni nutrono verso i santi influenti si mescola al rispetto. In un racconto di Gregorio di Tours un demone, insediatosi nella figlia dell'imperatore Leone, si rifiutava di lasciarla in pace, esclamando: «Non uscirò di qui se non verrà l'arcidiacono di Lione. Per nessun motivo lascerò questo corpo se non mi scaccerà lui in persona»[50]. Secondo Iacopo da Varazze, una donna che non riusciva in nessun modo a sgravarsi, mandò la sorella a chiedere aiuto alla «nostra signora Diana». Ma il diavolo (giacché le divinità pagane, secondo la dottrina della Chiesa, non sono altro che diavoli) rispose: «Perché mi chiami per fare ciò che non è in mio potere? Va' dall'apostolo Andrea, lui aiuterà tua sorella»[51]. I demoni stessi riconoscono dunque la potenza delle forze celesti.

I nostri autori obbligano i demoni a glorificare i santi. Cosí gli spiriti maligni, che in alcune persone si erano insediati perché queste per negligenza non avevano fatto il segno della croce sul recipiente da cui bevevano, e in altre perché avevano commesso peccati di gola, o spergiuro, furto, omicidio o altri peccati, informati dell'approssimarsi di santa Rusticula, badessa di Arles, le andarono incontro, si prosternarono davanti a lei e con la croce e i chiodi con cui era stato crocefisso il Signore la scongiurarono di non costringerli ad abbandonare «le loro dimore»[52]. Il pio autore della *Vita di Rusticula* non fa alcun commento su dichiarazioni cosí strane in bocca a dei demoni; evidentemente, il fatto che i demoni menzionassero oggetti sacri che in mano ai santi diventavano per loro gli strumenti piú terribili, andava interpretato come una manifestazione di sottomissione del maligno a quella beata vergine.

Nel formarsi dell'immagine del diavolo nella letteratura medievale si possono riscontrare motivi che provengono da idee e credenze popolari. Non assomiglia forse al diavolo delle *diableries* l'«egiziano» nero, nudo e coperto di piaghe ripugnanti, che contendeva al vescovo Narciso l'anima della prostituta Afra? Il demone cerca di convincere il vescovo, che ha battezzato Afra, a rinunciare a lei, giacché la peccatrice è certamente «dimora» sua. Alla fine di una lunga disputa verbale il demone deve sottomettersi al vescovo irremovibile e lo prega di essere misericordioso con lui e di cedergli almeno un'anima, ma, udendo cantare un salmo, si allontana in fretta. Dopo altre discussioni l'astuto vescovo promette al demone l'anima del primo passante che egli avrebbe ucciso e lo manda in un luogo deserto dove non ci sono né uomini né animali, abitato solo da un drago. Scoperto l'inganno, il demone grida: «O vescovo bugiardo! Mi hai legato con un giuramento, affinché io uccidessi un mio amico, giacché, se io non lo ucciderò, sarò costretto ad andare all'inferno». Con la morte del drago si conclude questa scenetta tratta dalla *Conversione di sant'Afra*[53]. Il demone, legato da una promessa cui non si decide a venir meno per paura di andare all'inferno, è una figura paradossale e comica. Ma anche qui non si esaurisce tutto nella comicità: il tema principale è quello di svergognare il maligno in lotta con un ecclesiastico per conquistare un'anima.

I lettori di tali racconti, probabilmente, erano soprattutto stupiti dai *demoni buoni*. Uno spirito maligno buono è un'associazione un po' strana. Ma per quanto appaia paradossale, si incontravano anche questi. Un cavaliere aveva uno scudiero, un bel giovane che lo serviva fedelmente da lungo tempo. Gli era di aiuto in tutto, l'aveva salvato da un inseguimento nemico e gli aveva reso molti altri servigi. Il cavaliere non sospettava nulla, ma la verità saltò fuori a causa della sollecitudine dello scudiero. La moglie del cavaliere si ammalò gravemente. Nulla poteva guarirla e il giovane disse che si poteva salvarla con il latte di leonessa. Ma dove procurarselo? Il servitore se ne assunse l'incarico e dopo un'ora portò effettivamente la bevanda curativa. Alle domande del padrone egli confessò di essersi procurato il latte tra le montagne dell'Arabia, dove aveva munto una leonessa. «Chi sei tu?» domandò sconvolto il cavaliere. Allora egli dovette rivelargli di essere un demone. Ma perché allora serviva tanto fedelmente un uomo? «È un gran conforto per me stare con i figli degli uomini», fu la stupefacente confessione del demone. Il padrone, spaventato, rinunciò ai suoi servigi, benché il demone gli assicurasse che, se l'avesse tenuto al suo servizio, non gli sarebbe mai accaduto niente di male. Il demone non aveva evidentemente intenzione di portare alla perdizione l'anima del cavaliere. Rifiutò la ricompensa, chiedendo solo cinque soldi, che poi restituí al cavaliere... affinché questi comprasse una campana per una povera chiesa abbandonata, in modo che i credenti fossero chiamati alla messa domenicale. Dopo aver espresso un desiderio tanto insolito per il maligno, il diavolo buono se ne andò[54].

Cesario di Heisterbach cita anche altri esempi di «diabolicae bonitatis». Un demone trasportò su di sé il cavaliere Everchard in vari paesi, tra cui anche i luoghi santi, e lo riportò a casa sano e salvo[55]. Un altro demone per bocca di un indemoniato avvertí dei poveri di non toccare il cibo che un ricco aveva offerto loro, perché i piatti erano stati preparati con la carne di vitelli che discendevano in quinto grado da una mucca rubata[56]: scrupolosità davvero unica, non solo per il maligno! I diavoli possono rendere agli uomini anche altri servigi. Un demone, insediatosi in un uomo, fu capace di svelare tutti i peccati che le persone presenti non avevano confessato[57].

Questi demoni servizievoli e devoti, il cui comportamento cancella o relativizza la contrapposizione antagonistica tra il bene e il male, arrivarono alla letteratura mediolatina provenienti dalla fantasia popolare. Alla loro genesi, a quanto pare, concorsero i racconti folklorici sui buoni *domovoj* e sugli altri spiriti delle fiabe[58]. Ma in tali narrazioni salta agli occhi una caratteristica comune, che mette in particolare risalto la loro grottesca paradossalità. I demoni fanno appello a forze e simboli che da sempre sono inconciliabilmente ostili a loro. Infatti, gli spiriti maligni insediatisi negli indemoniati supplicano con la santa croce una beata; il diavolo-scudiero restituisce al cavaliere il suo salario affinché questi compri una campana per la chiesa e possa essere celebrata la messa; un diavolo mette in guardia dall'assaggiare la carne che porta il marchio di un delitto; altri demoni desiderano l'assoluzione dei peccati. Nasce il sospetto che la salvezza sia loro interdetta soltanto dalla dottrina della Chiesa, ma non dalla fantasia popolare che li ha generati.

Le possibilità di metamorfosi, le libertà e i giochi insiti nell'immagine del maligno sono tali che quest'immagine nell'arte inizia a vivere di vita propria, ormai in parte indipendente dall'invenzione che l'ha generata e inizialmente l'ha dotata soltanto della capacità di fare il male. Il demonio medievale è ancora ben lontano da Mefistofele, ma è impossibile negare la sua ambivalenza.

Ho appena detto che nelle storie in cui ci sono gli spiriti buoni la contrapposizione tra il bene e il male diventa relativa. Ma forse non è neanche cosí. Il bene è piú forte del male e trionfa su di esso, attirando a sé persino coloro che ne sono i portatori, in realtà, solo per un attimo. Perché un demone non può cessare di essere un demone e nessuna buona azione è in grado di riportarlo a Dio. Temporaneamente turbato, l'equilibrio tra forze della luce e delle tenebre viene inevitabilmente ristabilito, e il nostro Cesario si affretta a sottolineare che l'odio reciproco è il naturale rapporto esistente tra il diavolo e l'uomo. Il Signore li ha resi nemici e guai a chi fa un patto con il maligno[59]. Però il diavolo propone a molti di stipulare tale patto e cerca di persuadere gli uomini a prestargli giuramento di fedeltà[60]. Per quanto i demoni siano terribili e pericolosi, gli uomini sono in grado di non cedere. Perché il diavolo è come un leone legato ad una catena: non può sbranare chi non entra nel suo raggio d'azione. Il diavolo non è capace di costringere l'uomo a peccare se questi non cede di sua volontà[61]. Il maligno teme il segno della croce e le invocazioni di aiuto rivolte alle forze celesti, in particolare alla Madonna (« quella donna »: i demoni non osano o non vogliono nominarla). Poco mancò che suor Eufemia cedesse ad un demone che la trascinava per il braccio destro, perché nella sua semplicità credeva che non si potesse fare il segno della croce con la sinistra. Un'altra suora sopraffece il demone che la insidiava dandogli un energico schiaffo, cosa che lo offese sinceramente: « Perché lotti con tanta forza? Ieri ho dato assai piú fastidio ad una tua sorella, ma lei non mi ha picchiato »[62].

I demoni cercano di insediarsi nei corpi dei peccatori e di portare alla perdizione le loro anime. Di conseguenza i santi si preoccupano di scacciare il maligno dagli indemoniati. Quasi tutti gli eroi dell'agiografia fanno esorcismi. Quando il potente santo si avvicina, gli spiriti maligni, per bocca delle loro vittime, cominciano ad urlare, lamentando le torture che devono sopportare per colpa di quel giusto[63]. Per scacciare lo spirito da un indemoniato, il santo talvolta lo fa vomitare sangue, per espellere cosí dal suo corpo anche il demone, oppure la purificazione avviene per altre vie, ancor piú umilianti per il diavolo[64]. Per il possesso di un'anima talvolta si scatena una battaglia tra il principe delle tenebre e un angelo, che poi risulta vincitore[65]. Cesario di Heisterbach descrive un combattimento tra santi e demoni[66]. Parlando del pio re Guntram, la fede nelle cui facoltà taumaturgiche era molto diffusa tra il popolo, Gregorio di Tours dice di non aver dubbi sulla legittimità di questa fede, poiché lui stesso ha sentito piú volte gli spiriti maligni che, insediatisi negli indemoniati, invocavano il nome del re e confessavano i loro misfatti[67]. I demoni si insediano anche negli ecclesiastici. Ad un diacono capitò di incontrare il principe delle tenebre in persona. Trovandosi in una posa sconveniente e quanto mai imbarazzante per fare una conoscenza, egli vide la nera figura di un toro indomito, immensamente alto e smisuratamente grosso, con gli occhi scintillanti; era, certo, il diavolo in persona, che stava già per precipitarsi a divorare il sacerdote, quando questi lo sopraffece facendo il segno della croce[68].

Potremmo moltiplicare il numero degli esempi, ma quelli

citati sono già sufficienti. Il modo in cui gli autori medievali, a cominciare da Gregorio I e Gregorio di Tours per finire con Cesario di Heisterbach e Iacopo da Varazze, descrivono il maligno è sempre lo stesso. Nemico di Dio e dell'uomo, il diavolo fa ogni sforzo per allontanare l'anima dalla retta via e portarla sulla via che conduce alla Geenna. Perciò gli intrighi dei demoni, per quanto fossero talora divertenti, non potevano in sostanza essere recepiti dal lettore o dall'ascoltatore di allora senza una sfumatura minacciosa. In questi racconti il comico si fonde con lo spaventoso. Non è forse perché il comico s'inserisce nella narrazione degli sforzi di Satana per impadronirsi di un'anima, che questi sforzi, nei casi in cui sono coronati da successo (e questi casi sono molto frequenti, giacché i peccatori che saranno dannati sono molto piú numerosi dei giusti), portano alle piú spaventose conseguenze, ad un indicibile terrore, che non può essere paragonato a nient'altro? «Il diavolo non è brutto come lo si dipinge»: no, a quei tempi era brutto proprio come lo descrivevano nei racconti delle visioni o come lo raffiguravano nell'iconografia sacra. Deridere, beffare, degradare l'immagine del portatore del male assoluto e ineluttabile fino a raggiungere la comicità rendeva sopportabile la tragicità di una situazione che minacciava la perdizione eterna. In questo contesto psicologico il riso diventava un mezzo per superare una paura di cui oggi noi possiamo difficilmente anche solo immaginare l'intensità[69].

Il modo in cui gli autori medievali descrivono il maligno è ambivalente e duplice. Difficilmente il riso può sconfiggere la paura del diavolo e renderlo «inoffensivo», come affermava Bachtin, o se non altro meno spaventoso. Ma la coscienza medievale, senza abbandonare neanche per un momento la convinzione che le forze del male siano assolute e invincibili, trova in esse anche un altro aspetto: le vede anche sotto forma di poveri, ridicoli buffoni, non privi di una certa bonarietà, svergognati dai santi, dagli angeli, dagli abitatori delle regioni celesti. *Lo spaventoso non suscitava solo repulsione, esercitava anche una forte attrazione.* Il comico si estende al mondo del male e genera un grottesco specifico, nel quale l'insolito si compie nella sfera del quotidiano. I monaci pregano o dormono in chiesa, e tra loro si dànno da fare i diavoli; una dama si è agghindata per pavoneggiarsi un po', e sul suo strascico ci sono dei diavoletti; una novizia non ha fatto il segno della croce sulla foglia d'insalata che ha mangiato, e dentro di lei si insedia il maligno; un prete ha nominato il diavolo, e quello è subito lí! Tutto ciò era comico per l'uomo medievale, che credeva nella realtà del maligno? Egli rideva[70]. *Ma qual è la natura del suo riso?* Questo riso è una sorta di riconoscimento del fatto che dietro ai piú comuni e ordinari fatti della vita quotidiana si cela sempre un qualcosa di soprannaturale; il riso qui è il riconoscimento dell'eterno antagonismo tra forze del bene e forze del male, tra sacro e profano, antagonismo che stava alla base della concezione medievale del mondo. «Realismo grottesco» (Bachtin)? «Realismo volgare» (Frejdenberg)? Ma è un genere di «realismo» che potremmo pienamente chiamare anche «*misticismo* volgare e grottesco». *Giacché questo ambivalente atteggiamento serio-comico verso il maligno è sostanzialmente una manifestazione della religiosità popolare*.

L. P. Karsavin, cui si deve uno dei piú penetranti studi sulla religiosità occidentale nei secoli XII e XIII, ha sottolineato il carattere non univoco dell'atteggiamento medievale verso il maligno. L'immaginazione, egli ha scritto, lavorava contemporaneamente in due direzioni. «Da un lato, con colori possibilmente vividi e concreti è raffigurato lo spaventoso e il ripugnante, e dall'altro lato, in modo altrettanto vivido e iperbolico, il comico-vissuto»[71]. Dalla penna degli autori mediolatini quest'ultimo emerge in modo estremamente naturalistico. I racconti sui demoni rappresentavano una lettura piacevole e divertente, ma in essi è presente anche un altro aspetto: la comicità non escludeva un atteggiamento religioso verso il demonio e non lo rendeva neutro dal punto di vista religioso[72].

Il demone riuniva in sé il male assoluto e la buffoneria. Non è un caso che tanto nella letteratura quanto nell'arte figurativa di solito non figurasse il principe delle tenebre in persona, di cui era difficile dare una rappresentazione comica, bensí figurassero dei comuni demoni senza importanza. Essi avevano ereditato qualcosa degli spiriti e degli elfi pagani, e l'atteggiamento che il popolo aveva verso di loro era duplice, oscillando tra la paura o l'odio e un bonario sorriso. Per di piú, come mostra il nostro materiale, la fantasia popolare ammetteva una se pur temporanea violazione della rigorosa linea di demarcazione che separava il regno del bene e il regno del male, e a certi demoni attribuiva l'aspirazione al bene, un inappagabile, ma reale desiderio di salvarsi: il demone stesso diventava ambivalente! Il grottesco comprendeva in sé entrambi gli aspetti della realtà: senza annullare lo spaventoso, scopriva in esso il lato opposto, bizzarro-comico. Allo stesso modo, neanche il carnevale sopprimeva orrore e spavento. Non gettano forse luce sulla sua essenza certi fenomeni piú tardi, dei secoli XV e XVI, che però evidentemente erano già latenti in esso e non erano in contrasto con la sua natura? Alludo alle danze e ai girotondi della morte: agghindati e allegri, re, papi, prelati della Chiesa, cavalieri, dame, cittadini e contadini, tenendosi per mano, danzano con la morte, smorfiosa e sogghignante.

È opportuno a questo punto ricordare che nel Medioevo la percezione popolare era profondamente caratterizzata dalla tendenza a tradurre lo spirituale in termini concretamente sensibili e materiali. Ma questa è proprio la qualità dell'arte. La cultura popolare doveva creare allora le condizioni favorevoli ad un avvicinamento tra la maniera religiosa e quella artistica di assimilare la realtà. I simboli si trasferivano nelle immagini artistiche, senza cessare di essere simboli. Ecco un'altra fonte di ambivalenza nella letteratura mediolatina.

Il volgare grottesco popolare, materializzando lo spirituale e cancellando i confini tra astratto e concreto, non soltanto abbassa la sfera dell'ultraterreno a livello terreno, ma anche stempera in un certo senso il naturale nel soprannaturale. Senza mostrarsi sorpreso, Cesario di Heisterbach racconta ciò che successe in una chiesa nella quale i preti cantavano troppo forte e senza devozione, «alla maniera laica»: uno di loro notò che un demone, stando in un punto elevato, raccoglieva in un grosso sacco... le voci dei cantori. E cosí essi cantarono «un sacco intero»[73]. Un monaco, che aveva l'abitudine di appisolarsi nel coro del monastero, era circondato da demoni sotto forma di maiali, che con un grugnito raccattavano le parole dei salmi, prive di devozione, cadute di bocca al dormiglione[74]. Le preghiere, i salmi vengono immaginati come corpi materiali[75]. E questi ultimi poi sono capaci di acquisire proprietà spirituali. Un ricco abitante di Kiel, avendo sentito dire da un sacerdote che gli apostoli avrebbero giudicato l'universo, ci pensò su e decise di comprare delle pietre per l'avvenire, affinché il giorno del Giudizio, quando sarebbero state pesate le sue azioni buone e cattive, gli apostoli potessero mettere queste pietre sul piatto della bilancia insieme alle buone azioni e farlo cosí pesare piú dell'altro. Egli comprò un'intera nave carica di pietre, che fece scaricare vicino alla chiesa degli Apostoli a Kiel. Poco dopo iniziarono ad ampliare la chiesa e le pietre finirono nelle sue fondamenta[76]. Il modo di pensare di questo abitante di Kiel è quanto mai sintomatico. Offrire le pietre per restaurare una chiesa è già di per sé una buona azione di cui si terrà conto nell'aldilà. Ma il nostro cittadino si immagina visivamente queste pietre sul piatto della bilancia insieme alle altre sue azioni pie. In questo sistema di coscienza la buona azione ha un peso fisico! Perciò non ci meraviglieremo piú leggendo che su una nave c'era tra gli altri un uomo i cui peccati erano talmente pesanti che il mare non riusciva a sostenerli[77]; o che l'ardente devozione sollevava in aria un sacerdote durante la preghiera, facendolo librare per la chiesa, senza toccare il pavimento con i piedi[78]; o che i demoni non riuscirono a trascinare all'inferno l'anima dell'agonizzante Carlo Magno, poiché le pietre, messe da san Giacomo su un piatto della bilancia, pesarono piú dei peccati dell'imperatore (nella visione del vescovo Turpino, per pietre s'intendono le chiese erette da Carlo in onore di questo santo)[79]. Non c'è nulla di sorprendente, secondo questa logica, neanche nel fatto che a degli uomini che stavano imbalsamando un defunto, capitasse di non trovare il cuore nel suo petto. Giacché nella Scrittura è detto: « là dov'è il tuo tesoro, sarà anche il tuo cuore »[80]; infatti, cercarono nel baule in cui il morto teneva i soldi e lí trovarono il suo cuore![81].

Di conseguenza anche gli atti sacramentali vengono recepiti come rimedi curativi. In particolare il battesimo può agire non soltanto sull'anima, ma anche sul corpo. Cosí fu per un bambino nato con una terribile malformazione, che scomparve dopo che l'ebbero immerso per tre volte nel fonte battesimale, invocando la Santa Trinità[82]. L'ostia è utilizzata come rimedio magico[83]. Tale la consideravano non solo i parrocchiani ignoranti, che confondono un sacramento religioso con i filtri d'amore del popolo, ma anche certi sacerdoti. Uno di questi tentò di usare l'ostia per sedurre una donna che gli piaceva: volendo farla innamorare di sé con i baci, prima le mise in bocca il corpo di Cristo, per la qual cosa subí una crudele e incredibile punizione, come per un *maleficium*. Una ragazza, vedendo che i bruchi le distruggevano tutto ciò che aveva seminato nell'orto, su consiglio di una vagabonda sminuzzò un'ostia e la sparse sui suoi ortaggi; per questo fu posseduta dal demonio. Allo stesso modo una donna dei dintorni di Bonn, temendo che il maltempo danneggiasse ciò che aveva seminato, pose sul suolo dei pezzettini di pane benedetto. Con suo grande orrore però i cereali che dovevano spuntare si trasformarono in sangue coagulato. «Giacché al Signore dispiace che i suoi sacramenti vengano usati per necessità terrene»[84], osserva Cesario di Heisterbach. Ma queste parole non sono forse contraddette dai racconti, da lui stesso citati, del miracoloso aiuto recato dalla santa comunione in faccende del tutto terrene, ad esempio in un duello?[85].

Cesario di Heisterbach osserva che «la natura della divinità è tale che non la si può né vedere con gli occhi, né sentire con le orecchie, né toccare con le mani»[86]. Ma il nostro autore non è in grado di rimanere sulle posizioni della religione erudita. Le rivelazioni della fede devono essere presentate in forma evidente e percettibile, e nei suoi dialoghi rinveniamo di continuo e nel modo piú inatteso una visione religioso-artistica che unisce il simbolo sacro all'immagine visiva dell'arte. Agli ecclesiastici che dubitavano della presenza di Cristo nell'ostia, egli appariva con sembianze fisiche, da solo o insieme alla Madonna[87]. Allo stesso modo in cui il Signore punisce i peccatori, colpendo l'organo con cui hanno peccato[88], egli può anche premiare i giusti. Lo zelo di un copista di libri sacri meritò un miracolo: la sua mano non fu ridotta in polvere neppure vent'anni dopo la sua morte. Un abitante di Kiel che era solito recitare continuamente le preghiere – sia andando e tornando dalla chiesa, sia passeggiando in cortile – dopo la morte apparve ad un suo parente e questi vide che sulle sue tibie era scritto il verso: «Ave Maria gratia plena...»[89].

Quando abbiamo analizzato le visioni dell'aldilà, abbiamo già avuto modo di convincerci che in esse l'anima è rappresentata in forma materiale tanto quanto il corpo. Per altro, si può fondatamente affermare anche il contrario: nel modo, allora comune, di vedere l'anima e il corpo non si partiva dal presupposto che fossero contrapposti. Troviamo qualcosa di simile anche nei racconti edificanti di Cesario di Heisterbach. In un villaggio viveva un sacerdote peccatore che aveva fatto amicizia con un cavaliere, che divideva con lui tutti i suoi empi divertimenti. Ed ecco che una notte a questo cavaliere apparve il diavolo, sotto le mentite spoglie del suo amico sacerdote, che lo costrinse ad andare svestito e scalzo in un campo. Stanco e con i piedi feriti, alla fine il cavaliere s'infuriò e ferí alla testa la sua guida. Giunto a stento a casa, egli raccontò l'accaduto ai parenti e ai servitori, ma quelli non gli credettero. Quella stessa notte, il sacerdote, uscendo in cortile per una necessità, si ferí a sangue la testa urtando contro l'architrave della porta. Incontrandolo in chiesa, il cavaliere ebbe la certezza di non aver sognato la sua avventura. Il sacerdote, di conseguenza, si trovava in due luoghi contemporaneamente; è ovvio che il diavolo gli aveva rubato l'anima. Che atteggiamento ha Cesario di Heisterbach verso l'accaduto? Non è affatto meravigliato. L'interesse del racconto per lui risiede nel fatto che il demonio è sempre lieto di seminare discordia tra gli amici[90].

Il grottesco riduce il grande in piccolo, profana il sacro e in questo senso può avvicinarsi al sacrilegio. È curiosa la storia degli scolari che battezzarono un cane; per imitare i sacerdoti, essi battezzarono nel fiume un cane, invocando la Santa Trinità, e la povera bestia, non sopportando il sacramento, diventò idrofoba. Cesario di Heisterbach aggiunge che il Signore risparmiò quei bambini, sapendo che essi non avevano oltraggiato il sacramento in mala fede, bensí per la stupidità propria della loro età. Ma quando sono stati degli adulti ad agire cosí – due frequentatori di una taverna che si erano cosparsi a vicenda il capo di cenere, burlandosi di un rito religioso – Dio li ha severamente puniti[91]. Rudolf di Schlettstadt parla piú volte dell'ostia usata come rimedio magico e delle sofferenze patite perciò da Cristo, presente nel pane eucaristico. Gli ebrei, piantando un coltello o un ago nell'ostia della comunione, provocavano, a quanto egli afferma, un pianto di bambino, che non si sa da dove provenisse, o una fuoruscita di sangue, per la qual cosa venivano perseguitati. Gli infedeli giungevano a chiamare l'ostia consacrata «il piccolo Dio dei cristiani»[92].

Rudolf di Schlettstadt riferisce anche altri casi di sacrilegio. Uno sciame di calabroni assalí la vigna di un contadino che, adirato, si augurò che tutti quegli insetti «fossero nel cuore di nostro Signore Gesú Cristo e gli divorassero le viscere, come hanno devastato la mia vigna». Subito dopo i calabroni assalirono il sacrilego e gli procurarono tali punture che il giorno dopo morí[93].

Altri casi di sacrilegio sembrano incredibili. Alberico da Romano, avendo perso il suo falco durante la caccia, «si calò i pantaloni e mostrò al Signore il sedere in segno di vituperio e d'insulto. Quando poi tornò a casa, andò a fare i suoi bisogni sull'altare, proprio nel punto in cui veniva benedetto il corpo di Cristo». L. P. Karsavin[94] cita questo fatto come testimonianza della «sete di fede», del timore di ricredersi e di cedere ai dubbi, e non come segno di miscredenza e negazione[95]. È possibile. Tale interpretazione non sembra contraddire il fatto che il sacrilegio e la bestemmia possano essere intesi come il lato carnevalizzato della religiosità, similmente alla canzonatura della divinità e alla parodia del rituale religioso nei culti antichi e medievali[96].

Proprio in Cesario di Heisterbach troviamo il caso di massimo avvicinamento tra l'estremamente sublime e sacro da un lato e l'infimo e vergognoso dall'altro. Un riccone, unitosi agli albigesi, «per odio verso Cristo» si svuotò l'intestino vicino all'altare nella cattedrale di Tolosa e per pulirsi usò la tovaglia dell'altare. Una simile condotta turbò anche i nemici della vera fede. Altri albigesi misero sull'altare una peccatrice e si abbandonarono alla lussuria di fronte al crocefisso[97]. Nella città di Béziers, assediata dai crociati, i traditori dell'ortodossia orinarono sul Vangelo, dopo di che gettarono giú dalle mura il libro profanato sulle teste degli ortodossi e, tempestandoli di frecce, gridarono: «Eccola, disgraziati, la vostra legge!» Cristo, continua il nostro autore, non tardò a vendicarsi e la fortezza fu conquistata. Ma non appaiono meno paradossali neanche le azioni dei cattolici che fecero irruzione nella città. Proprio a Béziers accadde il famoso episodio del massacro di innocenti e colpevoli insieme. Quando i crociati domandarono all'abate come distinguere i giusti dai reprobi, quello, temendo che anche solo un eretico potesse spacciarsi per cattolico, ordinò: «Uccideteli tutti. Il Signore conosce quelli che sono suoi». E cosí fu sterminato un numero infinito di cittadini[98]. «Novit enim Dominus qui sunt eius» è una frase dell'apostolo Paolo nella lettera che piú avanti dice: «E il Signore mi libererà da ogni male»[99]. L'inserimento di tale citazione in questo contesto è, per cosí dire, un po' inaspettato, ma lo stesso Cesario, turbato dagli atti sacrileghi degli eretici, riferisce del massacro generale degli abitanti di Béziers per ordine dell'abate cattolico senza fare alcun commento, evidentemente senza rendersi conto che il male e il bene si erano scambiati di posto...

La funzione di portatore del principio comico, degradante, che nella letteratura è svolta di solito dal buffone, nel sermone religioso, nel dialogo pio o nelle vite dei santi, dove certo non c'è posto per il buffone, viene invece assunta dal *semplice*. Tuttavia il semplice della letteratura mediolatina non equivale affatto al buffone. Con l'immagine del semplice si celebra infatti la virtú cristiana piú importante: la povertà di spirito. «Beati i poveri in spirito, perché di essi è il regno dei cieli»[100]. I semplici sono «il sale della terra». Questo è determinante. L'affermazione della povertà di spirito però apre la via anche ad una rivisitazione comica dell'immagine del semplice.

Nelle opere che ci interessano, alla «santa semplicità» gradita a Dio, che è superiore alla saggezza erudita, è riservato il posto d'onore. Il sesto capitolo dei *Dialoghi sui miracoli* di Cesario di Heisterbach è appunto intitolato *De simplicitate*. Sono qui citati sbalorditivi esempi dell'ingenuità dei monaci. Alcuni di questi racconti hanno una vena umoristica. Una monaca sempliciotta, cresciuta tra le mura del monastero, era a stento capace di distinguere i laici dagli animali. Un bel giorno ella vide una capra, che si era arrampicata su un muro e domandò ad una sorella chi fosse. Quella, conoscendo la sua semplicità e inesperienza, per scherzo le rispose che era una vecchia laica; perché, con l'età, alle vecchie laiche crescono le corna e la barba[101]. Il sacerdote Ensfrid era cosí buono e semplice d'animo che, cedendo alle insistenze di un mendicante, gli regalò i pantaloni, levandoseli subito di dosso, mentre si stava recando a riverire un santo. Un canonico notò che Ensfrid non aveva i pantaloni, ma non sapendone il motivo, ne sorrise. Cesario invece, al corrente dei moventi di Ensfrid, lo esalta: «...regalare i pantaloni è piú che regalare la camicia»[102].

Il Signore ama i semplici e li incoraggia. Un monaco andava cosí di fretta alla preghiera notturna che per il sonno non vide dove era la porta e cadde da una finestra, ma non si ferí: gli angeli lo afferrarono al volo e lo depositarono con cura per terra. Vedendo il dolore di una suora di clausura che aveva perso il suo crocifisso, l'abate le consigliò: «Fruga negli angoli della tua cella e domanda: Signore, dove sei? Rispondi! e subito lo troverai in qualche fessura del muro». L'abate scherzava, ma la santa donna, che non faceva distinzioni tra Dio e il crocifisso, prese il suo consiglio alla lettera e trovò ciò che aveva perso proprio là dove l'abate le aveva consigliato di cercarlo. Un'altra monaca si era dimenticata dove aveva nascosto il suo amato crocifisso di legno e si mise a pregare piangendo. Il Figlio di Dio ebbe pietà di lei ed ella sentí dire: «Non piangere, figlia mia, sono nel sacchetto che hai nascosto sotto il tuo giaciglio». Il Signore tollera che i suoi amati semplici si prendano addirittura delle confidenze e siano un po' rozzi con lui. Uno di essi, tormentato dalle tentazioni, pregando gridò: «Signore, se non mi liberi dalle tentazioni, mi lamenterò di te con tua Madre». E Cristo lo liberò subito dalle tentazioni[103]. Una donna cui avevano messo in carcere il figlio, portò via Gesú Bambino da un'effigie della Madonna e lo riportò in chiesa solo dopo che la Madonna ebbe liberato suo figlio dalla prigione[104].

Un caso limite di ingenuità e di credulità subito premiate da Dio è l'episodio dell'amante di un sacerdote. Dopo aver ascoltato un sermone sui peccati e le loro tremende punizioni infernali, questa donna domandò sgomenta al suo confessore: «Padre, che destino attende le concubine degli ecclesiastici?» Quegli per scherzo rispose: «Nulla le può salvare, a meno che non entrino in una stufa accesa». Ella prese queste parole alla lettera e, approfittando di un momento in cui erano usciti tutti di casa, s'infilò nella stufa ardente dove cuocevano il pane. Nel momento in cui veniva arsa dal fuoco, le persone che si trovavano nei pressi della casa videro una colomba bianca volare fuori del comignolo. Malgrado ciò, poiché si era suicidata, i suoi resti furono sepolti in un campo, e non nel cimitero. Il Signore invece ragionò diversamente. Ella non si era tolta la vita con cattive intenzioni, ma per ubbidienza, e perciò di notte sulla sua tomba si accendevano da sole delle candele[105].

Il prossimo racconto, sulla semplicità dei monaci, mi sembra interessante in modo particolare, se si pensa che un umanista l'avrebbe indubbiamente interpretato in tutt'altro modo, come testimonianza dell'avidità e della golosità cui volentieri si abbandonavano gli ecclesiastici. Un ricco che viveva vicino ad un monastero attentava di continuo alle proprietà di questo, godendo di totale immunità. Alla fine, dopo che egli si era appropriato di una gran quantità di bestiame, i monaci si decisero a mandare da lui una persona che chiedesse la restituzione del maltolto. Si offrí di andare un monaco che promise di fare del suo meglio per riportare almeno una parte del bestiame rubato. Quando si presentò a casa del ricco, questi lo invitò a pranzo. Poiché a tavola il monaco si dedicava con grande impegno alle pietanze di carne, dopo pranzo il padrone di casa gli domandò se ai monaci fosse permesso mangiare carne. In nessun modo, rispose il monaco. «Ma in tal caso perché oggi l'avete mangiata?» domandò l'altro. Il monaco rispose: «Quando il mio abate mi ha mandato qui, mi ha ordinato di non rinunciare neanche al piú piccolo pezzo di bestiame che fossi stato in grado di riportare. E poiché la carne offertami era indubbiamente quella del monastero, temendo di riuscire a riprendere solo quanto afferravo con i denti, ho mangiato per ubbidienza, per non dover ritornare completamente a mani vuote». Il Signore non condanna il semplice, aggiunge Cesario, e il ricco, commosso dalla semplicità del monaco e temendo il castigo divino per una colpa commessa contro una tale santità, restituí al monastero tutto il maltolto e promise di non attentare piú alle sue proprietà. Ecco un esempio, conclude Cesario, di come un'azione di per sé cattiva abbia finito per trasformarsi in una buona azione grazie alle buone intenzioni di un semplice[106]. Al nostro autore non sfugge l'umorismo di questa storia, che egli definisce «tanto allegra quanto miracolosa», ma il lato comico e divertente dei suoi racconti non è mai autonomo, è invariabilmente subordinato agli scopi edificanti. Le azioni piú assurde e persino peccaminose possono trasformarsi in azioni sante e gradite al Signore, se compiute da uomini semplici e puri di cuore[107].

Alle riflessioni sulla semplicità, gradita a Dio, è legato anche il tema «della conoscenza e dell'ignoranza», ampiamente trattato dai nostri autori. In quale misura le conoscenze e le capacità sono insite nell'individuo e in quale misura gli vengono dall'alto? Per illustrare la tesi secondo la quale Dio è padrone delle conoscenze, da lui miracolosamente elargite e poi non meno miracolosamente tolte, Cesario di Heisterbach cita l'esempio di un diacono analfabeta che in sogno si ritrovò nel tempio celeste, dove gli fu ordinato di leggere il Vangelo al cospetto del Signore. Alla fine della lettura, egli udí una voce: «Da questo momento tu possiedi la conoscenza e la dignità per predicare la parola di Dio»[108]. Un altro sacerdote, colto e istruito, invece, in seguito a una emorragia perse tutte le sue conoscenze, «come se fossero defluite fuori di lui insieme al sangue»; da quel momento egli non riconobbe piú le lettere latine e non fu piú in grado di capire o pronunciare neanche una parola di latino. La causa di ciò tuttavia, sottolinea Cesario, non era la follia, giacché quest'uomo aveva conservato intatte tutte le altre sue capacità. La causa stava nella volontà divina, e per volontà divina, dopo un anno, egli ricuperò la sua istruzione[109]. La cultura latina, come si vede, è piú direttamente collegata al Creatore e piú importante delle altre conoscenze.

Del resto, neanche il maligno era estraneo al latino. Il demonio si rivolge al sacerdote Ensfrid con dei versi latini di sua composizione[110]. Ricordiamo il racconto, citato da L. P. Karsavin[111], del demone che si era insediato in un rozzo contadino, la cui lingua, con gran dispiacere del demone, non era adatta a pronunciare le parole latine; lo stesso demone sapeva il latino peggio del monaco che si era rifiutato di riconoscere in lui il demonio se non si fosse messo a parlare in latino. Anche un altro demone entrò in un contadino analfabeta, ma ciò non gli impedí di parlare per bocca sua in latino, e, come riferisce Rudolf di Schlettstadt, in modo tale da meritare elogi[112]. Un altro demone si esprimeva tanto in tedesco quanto in latino[113]. Quando una fanciulla, incalzata da un demone, pretese che egli recitasse il *Pater noster*, quello recitò la preghiera, ma con delle omissioni e dei barbarismi che non erano dovuti alla sua ignoranza. Lo spirito maligno disse ridendo: «Cosí voi laici siete soliti recitare le vostre preghiere». Il travisamento del testo sacro lo rendeva sacrilego, la preghiera perdeva la sua forza e non poteva giungere al Signore. Il demone conosceva anche la professione di fede, ma aveva travisato anche quella dicendo «Credo Deum Patrem omnipotentem», e non «Credo in Deum», giacché, spiega Cesario di Heisterbach, il diavolo crede nell'esistenza di Dio e nella verità delle parole divine, ma non crede in lui nel senso che non lo ama[114].

Anche il diavolo poteva donare all'uomo la conoscenza. Ad uno scolaro parigino che non aveva grandi capacità, Satana offrí la cultura a patto che questi gli prestasse giuramento di fedeltà. Per diventare onniscenti bastava tener stretta in mano una pietra data dal diavolo, e in effetti il giovane, che prima era da tutti deriso e considerato un *idiota*, cominciò a primeggiare nelle dispute dotte. Quando poi però, avendo paura del castigo, egli gettò via la pietra, con essa perse anche tutto il suo sapere[115].

L'ignoranza, a quanto pare, non era sempre considerata una seria mancanza, neanche negli ecclesiastici. Gregorio di Tours racconta un episodio tratto dalla sua esperienza personale. Poiché egli era malato, in vece sua celebrò la messa un sacerdote, canzonato dagli ascoltatori «per la rozzezza dei suoi discorsi». La notte seguente però Gregorio ebbe una visione. Gli apparve un uomo che gli disse che per glorificare il Signore è piú adatta «la pura semplicità» che non l'«arguzia filosofica»[116]. Cesario di Heisterbach non perde occasione per sottolineare che gli iniziatori dell'eresia albigese erano dei *litterati*, che traviavano appunto i semplici, gli *illitterati*[117].

L'ignoranza di certi sacerdoti era davvero sorprendente, e quali che fossero le intenzioni di Cesario di Heisterbach nel parlarne, le storie che egli cita ci rivelano un curioso aspetto della cultura medievale. Limitiamoci a pochi esempi. Il canonico di Kiel, Berinbold, era talmente «semplice» che non sapeva contare; riusciva solo a distinguere gli oggetti che formavano un paio da quelli che erano invece spaiati. Contava i prosciutti appesi nella sua cucina nel seguente modo: «ecco un prosciutto e il suo compagno; ecco un altro prosciutto e il suo compagno» e cosí via. I servi approfittavano della sua ignoranza, rubandogli i prosciutti, ed egli era in grado di scoprire il furto solo se gli rubavano un solo prosciutto. Sentito questo racconto, il discepolo, che conversa con il maestro nei *Dialoghi*, avanza il sospetto che Berinbold fosse uno scemo piú che un semplice, ma il maestro respinge questa idea. Il Signore ha benedetto la sua semplicità[118]. Un sacerdote, tanto ignorante da non poter dire messa, eccettuata la preghiera rivolta alla Madonna, fu esonerato dal suo incarico. In preda al dolore egli implorò la Madonna ed ella lo aiutò a mantenere la parrocchia[119].

Tutti questi esempi non significano che non si desse importanza all'istruzione. Come altri autori, Cesario di Heisterbach non perde occasione per segnalare, tra i pregi degli ecclesiastici, l'erudizione e la conoscenza del latino. Quella tra persone colte e persone incolte, ignoranti, era, come sappiamo, una delle contrapposizioni fondamentali durante tutto il periodo da noi preso in esame. L'incapacità di esprimersi in latino, tranne rare eccezioni, analoghe a quelle citate, era vista come una mancanza e veniva sovente derisa[120]. In una società in cui per lungo tempo il sapere era stato sacrale per eccellenza e il libro costituiva una rarità e un bene prezioso, i depositari del sapere formavano inevitabilmente un'élite, separata dai profani[121]. Tanto maggior significato assumevano gli esempi in cui si giustificava l'ignoranza dei semplici, cari a Dio.

Gli autori latini del Medioevo ritenevano che l'esempio vivo e concreto fosse il mezzo piú efficace per educare il gregge. Le leggende agiografiche, le prediche e i sermoni sono pieni di tali esempi, tratti dalla vita dei giusti. Tuttavia, i santi della letteratura mediolatina si comportano sovente in maniera piuttosto originale. Per loro il perdono cristiano è tutt'altro che obbligatorio. In precedenza abbiamo già riscontrato la permalosità, l'irascibilità e lo spirito vendicativo di certi santi[122]. Ma nelle nostre opere si incontrano numerosi episodi in cui i santi, in un momento d'ira, ricorrono alle vie di fatto per far intendere ragione ai credenti che deviano dalla retta via o trattano in modo poco rispettoso i loro protettori celesti. Ad un nobile, colpevole di aver incendiato un tempio, apparve in sogno sant'Austrigisilo, vescovo di Bourges che, dopo avergli chiesto incollerito perché dava fuoco «alla sua casa», gli appioppò uno schiaffo di cui gli rimase il livido. Al suo risveglio, l'uomo raccontò ai servi l'accaduto e poi, dopo aver terrorizzato gli astanti, morí[123].

Ricorse alle maniere forti anche san Nicola di Lione. Quando alla sua morte risultò che non aveva lasciato nessuno dei suoi beni al monastero in cui era stato sepolto, un sacerdote, assai demoralizzato da ciò, accusò il santo di stupidità. Di notte Nicola apparve a questo sacerdote accompagnato da due vescovi. Rivolto ad essi disse: «Ecco colui che non sa che io ho lasciato qui qualcosa di piú prezioso, e precisamente il mio corpo». Detto questo, picchiò e per poco non soffocò lo sventurato sacerdote[124]. San Crispino e san Crispiniano, apparsi di notte al vescovo che aveva lasciato andare in rovina l'abbazia costruita sopra i loro sepolcri, gli strapparono il braccio e la gamba destri; il vescovo morí, ma prima della sepoltura si levò tre volte dalla bara dicendo che per lui non c'era salvezza[125]. Un canonico di Bonn non chinava mai il capo davanti all'altare nella chiesa consacrata a san Pietro e a san Giovanni Battista. Ed ecco che una notte gli apparve in sogno il Battista, rimproverandolo aspramente per la sua irriverenza e il suo orgoglio. Non contento dei rimproveri, il santo diede al canonico un tale calcio nel ventre che questi si svegliò fuori di sé dal terrore e dal dolore; si ammalò e dopo poco morí. Il nome di questo canonico, aggiunge Cesario di Heisterbach, era Giovanni ed evidentemente era questo il motivo per cui il santo si sentiva particolarmente offeso[126]. Allo stesso modo, i quattro protettori di un monastero a Soissons, offesi dagli empi attentati del duca di Lorena, gli apparvero in sogno e lo picchiarono con violenza; il peccatore si svegliò tutto coperto di lividi[127]. I protettori celesti di chiese e monasteri non esitano ad abbandonare le loro dimore in paradiso per infliggere spaventosi castighi alle persone che hanno attentato alle loro proprietà.

In maniera non meno aggressiva si comportano in certi casi persino la Madonna e Gesú Cristo. Un canonico, che prima di morire aveva avuto una visione della Vergine Maria, la raccontò agli astanti. Per questo ricevette un bel ceffone, invisibile ai presenti. Il motivo dell'ira della Madonna, suppone Cesario di Heisterbach, stava nel fatto che il morente aveva rivelato la sua visione per vanità. La Madonna appioppò uno schiaffo anche ad una monaca che aveva ceduto alle seducenti proposte peccaminose di un chierico. Per punire una matrona, che aveva osato definire «vecchia roba inutile» un'antica effigie della Vergine con il Bambino, la Madonna la condannò per sempre alla povertà; defraudata dal proprio figlio di tutti i suoi averi, questa donna diventò una mendicante[128].

Anche Cristo non permette che si offenda la Vergine Maria. Quando due giocatori cominciarono a bestemmiare e uno dei due insultò Dio e sua madre, echeggiò una voce: «Ancora avrei sopportato un insulto personale, ma non tollererò che venga infamata mia Madre». E al peccatore venne inferta una ferita che gli provocò la morte[129]. In una chiesa di Narbonne c'era una effigie di Cristo crocefisso. Questi apparve al sacerdote Basilio chiedendogli di coprire la sua nudità: «Voi siete tutti vestiti e guardate me che sono nudo». Benché la visione si ripetesse, il sacerdote non ne capiva il significato; alla terza volta allora Cristo lo picchiò con violenza e lo minacciò di morte se non avesse coperto il crocifisso con della stoffa[130]. Un fatto non meno «terribile e miracoloso» accadde ad un monaco che era solito dormire durante la messa. Una notte in cui era necessario star svegli e cantare i salmi con gli altri fratelli, egli fu svegliato da Cristo che, sceso dall'altare, gli inferse un tale colpo alla mascella che dopo due giorni il monaco morí...[131].

Il Signore Dio Giudice che al Giudizio universale ripaga ciascuno a seconda dei suoi peccati o dei suoi meriti, è una figura maestosa e rispondente alla concezione di una giustizia suprema che regna nel mondo. Ma una divinità che distribuisce ceffoni e spinge a calci sulla retta via, produce una strana impressione. Qui, oltre a tutto il resto, salta agli occhi il contrasto tra l'immobilità contemplativa, la calma solenne, che si addice agli abitanti delle supreme sfere, dove regna l'eternità (nelle cattedrali essi sono raffigurati appunto cosí, maestosi, avari di gesti o immersi in una «sacra conversazione»), e l'affaccendato dinamismo di questi stessi personaggi nei racconti delle loro dubbie imprese. Come conciliare schiaffi, baruffe e omicidî con l'insegnamento del perdono universale, dell'umiltà e dell'amore per il prossimo? Giovanni Battista, che l'iconografia religiosa raffigurava umilmente inginocchiato accanto al trono del Salvatore o mentre sollevava la croce, dagli ascoltatori della succitata storia doveva essere immaginato nell'atto di litigare e tirare calci... Non è facile passare dalla contemplazione del Cristo crocifisso, il cui corpo martoriato e sanguinante pende impotente dalla croce, alla visione della sua figura con i pugni alzati sulla testa di un peccatore...

Tutto questo non è sacrilegio? Niente affatto; sono «fatti

terribili e miracolosi». A mio parare tali scene sono in sostanza fenomeni assimilabili alla tendenza, riscontrata nelle leggende sulle visioni, a descrivere l'oltretomba ad immagine e somiglianza del mondo terreno, a popolarlo di anime del tutto simili ai corpi dei vivi e a sottometterlo al corso del tempo terreno. Perché anche il santo o il Cristo che si azzuffano e si vendicano di un'offesa nei racconti citati *si sottomettono alla logica del mondo terreno*, agiscono come agirebbero nelle stesse circostanze gli uomini, tra i quali questi racconti circolavano e avevano successo. Si tratta di *un'inconsapevole degradazione del grande e sacro al piccolo e terreno*.

Per instillare in un disubbidiente idee di devozione e di probità, gli abitatori del cielo appioppano schiaffi, provocano mutilazioni e in generale agiscono sul fisico: sono forse necessarie testimonianze piú convincenti sul carattere della coscienza religiosa del gregge? Non tanto influire direttamente sul carattere spirituale e sulla mentalità dell'uomo, quanto tentare di ristrutturare il suo mondo interiore agendo esternamente con i mezzi piú primitivi, come le percosse e le minacce di castighi (in questo mondo o nell'altro): tale metodo doveva sembrare al clero il piú efficace. Ma il ricorso ad «argomenti» fisicamente percepibili, che si suppone corrispondesse in pieno alle concezioni degli uomini di quell'età, inclini a sostituire lo spirituale con il corporeo e l'astratto con il concreto, rivela anche gli orientamenti del clero. Questi orientamenti, come già sappiamo, emergono con assoluta chiarezza anche nei penitenziali, con i loro tariffari di peccati e penitenze, che ancora una volta consistevano prevalentemente in privazioni e punizioni fisiche. Il fatto che questi eccessi, pur spaventando e turbando i credenti, nello stesso tempo non dovessero suscitare in loro un senso di contraddizione con l'idea del Dio cristiano e della santità, fa pensare che gli autori di tali narrazioni non fossero ispirati soltanto dai modelli evangelici, ma anche da quelli veterotestamentari. Infatti, la divinità scontenta o incollerita interviene apertamente nelle faccende del suo popolo e lo riduce all'ubbidienza con i pugni o anche rovesciando sciagure sulle loro teste. L'inondazione della Frisia, che uccise piú di centomila uomini, fu provocata, pare, dal fatto che un frisone si era reso colpevole di sacrilegio: aveva buttato per terra l'ostia consacrata. Apparendo ad un abate, la Madonna disse che per questa offesa, recata a suo Figlio, il paese sarebbe stato allagato[132]. Come si può far dipendere un'imponènte calamità naturale, che si abbatté su un intero popolo, dalla colpa di un solo uomo? Nella versione divulgativa del cristianesimo medievale, in generale si può notare un certo ritorno dai principî neotestamentari a quelli veterotestamentari: la religione di Cristo, piú spiritualizzata, era meno accessibile alle masse. Un altro paradosso: la religiosità medievale è al confine tra la religione di Geova e la religione di Cristo...

Il fatto che nei portatori del principio sacrale la spiritualità si associasse ad uno stato di «contaminazione», di «terrestrità», che rasentava la profanazione e la farsa, è una caratteristica costante della coscienza medievale[133]. E ciò conferma la nostra ipotesi di non trovarci di fronte a delle casuali «deviazioni» dall'ortodossia e ad una semplice volgarizzazione di idee elevate, dettata dallo stato intellettuale della popolazione che, tendenzialmente immobile nella sua ignoranza, si atteneva tenacemente alle tradizioni pagane ed era incline a reinterpretare in senso naturalistico la dottrina cristiana. Si tratta, piuttosto, di *una caratteristica organica della coscienza religiosa, che recepisce il sacro-elevato non disgiuntamente dal «basso» e rozzamente materiale.* La Madonna che tira pugni, un giusto che tira calci, Cristo che distribuisce pugni sui denti o picchia a morte un disubbidiente, agli occhi dei credenti non perdono nulla della propria santità. Queste imprese degli abitatori delle sfere celesti ispirano terrore e non fanno che accrescere la venerazione. La paradossale unione di suprema bontà e di massima crudeltà, di estrema lontananza e di estrema vicinanza ci pone di nuovo, ormai per l'ennesima volta, di fronte al problema del grottesco medievale.

La letteratura mediolatina abbonda di racconti analoghi a quelli citati in precedenza. Una parte di essi è divertente, non priva di umorismo e persino di giocosità. In questo anticipano in parte la novella del Rinascimento. Ma la novella rinascimentale è completamente laica, sia nel tono sia nel contenuto, mentre le narrazioni degli scrittori della Chiesa hanno invariabilmente un carattere del tutto diverso. Il contenuto religioso, trattato quanto mai seriamente, si trasforma in esse in un contenuto artistico, per servire in questo modo, ancora una volta, a scopi didattici; i due contenuti si presentano in una contraddittoria, se non impossibile e paradossale unità: paradossale perché l'arte, che presuppone invenzione e fantasia, relativizza la verità, mentre la predicazione religiosa esige assoluta affidabilità e non consente invenzioni. Non è forse in questa saldatura tra principio artistico e principio religioso che si cela la natura grottesca della cultura medievale?

Il contenuto principale degli *exempla* mediolatini è il *miracolo*. Le novelle sul tipo di quelle esaminate in precedenza vengono appunto raggruppate sotto il nome di *miracula*. Il *miraculum* è un fenomeno straordinario, violazione del consueto ordine delle cose, e perciò è mirabile, merita stupore e suscita un avido interesse, ma di solito non dà adito a dubbi. Nel miracolo si uniscono per un momento entrambi i mondi: esso ha luogo qui, sulla terra, ma è provocato da forze ultraterrene. «Chiamiamo miracolo ciò che contravviene al consueto, naturale ordine delle cose, e proprio per questo ce ne meravigliamo. Ma nel miracolo non c'è nulla che sia in contrasto con le cause supreme», scrive Cesario di Heisterbach[134]. Il miracolo è una sorta di irruzione nella vita normale da parte di altre essenze, che si celano fuori dei suoi confini. Grazie al miracolo l'eternità si manifesta nel tempo della vita umana. E proprio perché supera il distacco tra i due mondi e palesa il loro legame, il miracolo possiede grandissima veridicità e forza persuasiva. In un certo senso il miracolo «illustra» il mondo divino nella sua integrità, lo mostra «tutto in una volta» in quelle «sezioni» che nella vita normale sono contrapposte.

Nella teoria teologica la Città terrena e la Città celeste sono separate al massimo; nella letteratura divulgativa sui miracoli esse sono al contrario estremamente ravvicinate, sono costantemente in contatto tra loro e comunicano in tutti i modi. È possibile visitare l'aldilà, è possibile anche ritornare poi qui, sulla terra, e la morte può risultare solo un sonno. Perché la strada che conduce all'aldilà talvolta è percorribile in entrambe le direzioni. Mentre il monaco Mengoz stava morendo, l'abate gli ordinò: «Non osare di morire, Mengoz, senza avermi aspettato». Ma a quello si era già fermato il respiro. L'abate ripeté il suo ordine e Mengoz ritornò in vita, come se si svegliasse da un sonno profondo. Secondo le sue parole, era già arrivato in paradiso. Solo dopo che ebbe raccontato ciò che aveva visto nel regno dell'oltretomba, l'abate lo lasciò andare in pace e Mengoz morí[135]. Nella coscienza degli uomini medievali i due mondi sono cosí vicini che alcuni anche nell'aldilà trovano il modo di continuare a saldare i conti lasciati in sospeso sulla terra. Fu cosí che due arroganti contadini, le cui famiglie erano tenacemente in lotta tra loro, morirono tutti e due contemporaneamente e per volontà divina si ritrovarono nella stessa tomba, ma anche lí non cessarono di azzuffarsi, di tirarsi calci e di graffiarsi, finché non li misero in due tombe separate[136].

Il santo appartiene a entrambi i mondi contemporaneamente, in quanto, già da vivo, è «cittadino» delle sfere celesti. Cristo può scendere all'improvviso dall'altare oppure rivelarsi nella santa comunione con le sue sembianze fisiche; come sua Madre o gli apostoli, egli può in qualsiasi momento visitare i vivi, portare loro il suo conforto e la promessa della beatitudine ultraterrena oppure rimproverarli, fare loro la paternale, o anche picchiarli o privarli della vita. Gli abitanti dell'inferno – demoni, diavoli, lo stesso Satana – operano attivamente in mezzo agli uomini, li aspettano al varco ad ogni passo, talvolta s'infilano letteralmente tra i piedi e sono sempre pronti a portarsi all'inferno un'anima distratta[137]. Senza particolari difficoltà, approfittando del minimo errore, i demoni possono penetrare in un uomo e lí farla da padroni quanto vogliono, dare in eccessi oppure, stando nell'indemoniato, conversare tranquillamente con gli altri, fare profezie, discutere con i sacerdoti, smascherare peccatori che non si sono pentiti.

Poiché i due mondi, nonostante tutta la loro polarità, sono cosí intrecciati, anche le leggi che regolano le loro vite sono difficilmente scindibili. Dalle forze ultraterrene dipende non solo lo stato morale dell'uomo, ma anche quello fisico; si riteneva non solo che le azioni immorali fossero compiute dall'uomo su istigazione del diavolo, ma che anche le malattie fossero per lo piú inviate dal demonio, ragione per cui il miglior guaritore è il santo, e le medicine piú efficaci non sono i rimedi proposti dal medico, bensí gli oggetti sacri e i sacramenti[138]. Allo stesso modo anche i fenomeni naturali si possono facilmente spiegare con l'intervento di quelle stesse forze contrapposte: il raccolto e il bel tempo vengono da Dio, le calamità d'ogni genere e le avversità sono provocate dalla collera del Signore o dagli intrighi del diavolo[139]. Sulla terra accadono molte cose prodigiose. Con le cause naturali non si può spiegare tutto. Abbiamo già menzionato la calamità naturale che in Frisia uccise piú di centomila persone, che pagarono con la propria vita il sacrilegio di cui era colpevole un solo peccatore. In una certa località scoppiò un'ostilità tra due stirpi di cavalieri. I rappresentanti di una famiglia non esitarono a macchiare il tempio di Dio con il sangue dei loro avversari. Ebbene, il sacrilegio fu punito dal Signore: poco dopo, vendicando i morti, i loro congiunti massacrarono quasi tutti gli assassini[140]. Tale è la logica con cui è spiegato qualsiasi avvenimento.

Come possiamo vedere, la concezione «sintetica» del mondo, che univa il terreno all'ultraterreno, permeava non soltanto la fiaba, l'epos o il mito, ma anche gli edificanti racconti degli ecclesiastici sui miracoli e sulle imprese dei santi, sugli spiriti maligni e benigni e sulle visioni dell'oltretomba.

La contrapposizione tra mondo terreno e mondo celeste e l'antagonismo tra forze del bene e forze del male non vengono annullati da questa concezione, ma un mondo non può essere pensato senza l'altro, il pensiero è capace di immaginarli soltanto *insieme*, in uno stato di intensa ed eterna interazione e lotta. Inoltre l'avvicinarsi e l'intrecciarsi di «alto» e «basso» generano le situazioni grottesche. La fantasia dell'uomo medievale cancella ogni confine tra possibile e impossibile, bello e brutto, serio e comico: piú esattamente, questi confini, costantemente violati, continuano ad essere di nuovo ripristinati, per poi venire subito dopo ancora negati o messi in dubbio. *In questo incessante movimento dalla contrapposizione alla fusione e dalla fusione alla contrapposizione si trova il campo di forze in cui opera la mentalità grottesca.*

I giusti, la cui letizia in paradiso viene di molto accresciuta dalla contemplazione dei peccatori che soffrono all'inferno, benché tra questi ci siano anche dei loro parenti; i fedeli servi del Signore che con la spada mandano all'altro mondo eretici e cattolici indiscriminatamente, fidando nel fatto che l'Onnipotente saprà dividere il grano dalla zizzania; le perle, in cui si trasformano le secrezioni di un lebbroso leccato da un pio sacerdote[141]; il demone che, incalzato dalla paura di andare nella Geenna, non si decide a rompere la promessa fatta ad un vescovo, il quale, dal canto suo, non ha esitato ad ingannarlo; i fanatici adoratori di un santo che attentano alla sua vita pur di procurarsi le preziose reliquie; il demone che è sinceramente affezionato al cavaliere di cui è un fedele servitore e desidera donare una campana alla chiesa; gli animali selvatici e gli uccelli che a furia di preghiere «si fanno perdonare» dai santi le proprie colpe o eseguono i loro ordini; i boia impietriti nell'atto minaccioso di alzare la spada per decapitare un santo; il ladro che è penetrato nel sepolcro di un santo e non riesce a svincolarsi dal suo abbraccio, che promette sia il castigo sia il perdono; il monaco che è morto dimenticandosi di restituire un soldo di cui era debitore e ritorna in vita soltanto per saldare il debito; il levriero ingiustamente ucciso dal suo padrone e venerato dai contadini come un santo martire, guaritore dei bambini[142]. Ho citato solo alcuni degli episodi sparsi in abbondanza in tutta la letteratura latina didascalica del Medioevo e mi pongo un quesito: non è forse questo il grottesco, ambivalente e paradossale, che combina nel modo piú bizzarro cose e fenomeni direttamente contrapposti, il materiale e lo spirituale, l'alto e il basso, l'immobile e il dinamico, che capovolge tutte le consuete e consolidate concezioni sul tragico e il buffo? Che le capovolge e poi le rimette tutte al loro posto. Questo grottesco può suscitare allegria, ma non annulla la paura: le unisce piuttosto in un sentimento contraddittorio, le cui indissolubili componenti erano presumibilmente sia il sacro terrore che l'allegra risata.

Ma il grottesco medievale non si riduce soltanto ad una specifica proporzione di riso e paura. In esso l'essenziale, lo ripeto, sta nell'avvicinamento e nel confronto tra mondo terreno e mondo ultraterreno, quando ognuno di questi mondi risulta «straniato» alla luce dell'altro, a lui antitetico. Il grottesco medievale non si contrappone al sacro e non distoglie da esso; al contrario forse è *una delle forme di accostamento al sacro. Lo profana e lo sanziona allo stesso tempo*. Come dice un distico citato da Karsavin: «Ego et ventrem meum purgabo et Deum laudabo»[143]. In queste parole scherzose non è forse racchiusa la vera essenza del grottesco medievale?

Nella letteratura e nell'arte dell'età moderna il grottesco è un procedimento creativo cosciente, una caricatura, una satira che distrugge o deforma intenzionalmente la struttura consueta di un fenomeno e crea un mondo fantastico particolare. Questo grottesco rappresenta una deviazione dal punto di vista «normale» e persegue lo scopo di evidenziare in maniera piú acuta e profonda i contrasti della vita. Il creatore del grottesco, cosí come il lettore e lo spettatore, è perfettamente consapevole della sua convenzionalità.

Il grottesco del Medioevo *non è un procedimento artistico*, né il frutto delle sottili intenzioni dell'autore. È piuttosto la norma della visione del mondo. Prescindo qui dalla satira e dalla parodia che, com'è noto, esistevano anche a quell'epoca, e vorrei concentrare l'attenzione solo su quegli aspetti della *mentalità grottesca* che si riscontrano nelle opere della letteratura edificante, destinata ai piú ampi strati della società, negli «esempi», nelle vite e nelle visioni, nei sermoni, nelle prediche e nei trattati di teologia divulgativa, dov'è difficilmente possibile un'intenzione satirica e dove non si potevano affatto perseguire scopi parodistici. Il discorso deve vertere proprio sulla mentalità grottesca organicamente propria degli uomini di quell'epoca. È una qualità essenziale della concezione medievale del mondo, una caratteristica dell'atteggiamento dell'uomo verso la realtà, tanto imprescindibile quanto la tensione verso il sacro. Perciò il grottesco medievale è fondamentalmente sempre ambivalente e rappresenta un tentativo di abbracciare il mondo in entrambe le sue ipostasi: sacra e mondana, sublimata e bassa, seria e buffa. Bachtin ha messo in risalto l'enorme significato del grottesco nella cultura non religiosa del Medioevo, nel carnevale e nella farsa, ma l'ha ridotto al principio ridicolo, comico. Al contrario, il mio materiale dà motivo di ritenere che il grottesco fosse *lo stile di pensiero* dell'uomo medievale in genere, abbracciando tutto lo spessore della cultura, a cominciare dal livello basso, folklorico, fino al livello della religione ufficiale. Pur non proponendomi di far convergere completamente e tanto meno di fondere insieme questi aspetti, che conservano tutte le loro particolarità, sono comunque persuaso che avessero molto in comune.

Le differenze nell'affrontare il grottesco medievale sono determinate in notevole misura dai diversi filoni del materiale utilizzato da Bachtin e da chi scrive. Bachtin considera prevalentemente la cultura dell'«autunno» del Medioevo; l'opera tramite la cui analisi egli evidenzia il comico in quell'epoca è prima di tutto il romanzo di Rabelais, che permette di retrocedere e considerare fenomeni anteriori. L'elemento carnevalesco, caratterizzato da Rabelais con tanta efficacia, va localizzato nella città tardomedievale. Le opere da me utilizzate risalgono alla letteratura latina del primo Medioevo e di quello classico. Nacquero soprattutto nei monasteri e nelle sedi vescovili ed erano indirizzate al clero e al gregge dei fedeli, composto per lo piú da abitanti della campagna. Queste differenze possono, in una certa misura, essere attribuite a stadi diversi. Il mio materiale non descrive il carnevale e non dà motivo di supporne l'esistenza. Come si è detto in precedenza, le fonti mediolatine contengono accenni ad un «carnevale *prima* del carnevale», ad elementi del futuro carnevale. L'elemento dell'inversione, che sta alla base del carnevale, per il momento è ancora diffuso dappertutto nella cultura, mentre ad uno stadio piú tardo di evoluzione si «condenserà» in determinati punti di tempo e di spazio e darà luogo al carnevale nelle ben note forme classiche.

Le differenze d'interpretazione del principio grottesco nella cultura medievale, legate indubbiamente alle condizioni della sua genesi e della sua esistenza, consistono in sostanza in quanto segue. Il grottesco popolare, secondo Bachtin, degrada il serio e in un certo senso lo supera con il riso; l'elemento comico si contrappone al sacro-ufficiale. Ma un simile atteggiamento verso il serio e il sacro difficilmente si può considerare «originario»; era piuttosto il risultato della decomposizione di un particolare stadio della religiosità. Un simile atteggiamento non poteva imporsi a fatica nella cultura del periodo di rigoglio della religiosità medievale, che si era impossessata di entrambe le sfere della cultura, ufficiale e non ufficiale, non cosí autonome come alla fine del Medioevo; tale atteggiamento verso il serio-sacro andrebbe appunto collocato al tramonto di quest'età. Nel periodo precedente, a cui ci siamo rivolti, l'evoluzione del grottesco presupponeva un contesto non comico, bensí serio. La specifica correlazione tra «alto» e «basso», tra mondo celeste e mondo terreno, come pure tra mondo terreno e inferno, la loro imprevedibile combinazione (nella trattazione della «santa semplicità» e del miracolo «ordinario», «naturale»): ecco la fonte da cui scaturisce il grottesco medievale. Per quanto concerne il suo aspetto comico, in questo sistema il sacro non viene messo in dubbio con il riso; al contrario, esso è *consolidato* dal principio comico, che è il suo doppio e compagno, la sua eco sempre risonante[144].

Resta necessariamente fuori dai confini della nostra analisi l'ulteriore trasformazione del genere didattico della letteratura mediolatina. Nel periodo del tardo Medioevo si consolidarono ancor di piú la vicinanza e persino la mescolanza tra sacro e profano, ma da ciò non conseguiva piú la spiritualizzazione della vita, bensí la profanazione, il rinnovamento delle forme tradizionali, del contenuto religioso, un « costante, ininterrotto abbassamento dell'infinito nel finito » e la sostituzione della fede con le superstizioni[145].

[1] Bachtin, *L'opera di François Rabelais* cit.

[2] Id., *Problemy poetiki Dostoevskogo* [Problemi della poetica di Dostoevskij], Moskva 1963, p. 173 (trad. it. *Dostoevskij*, Torino 1968). L'autore parla della « netta frattura » tra due vite, quella ufficiale e quella carnevalesca. Cfr. formule simili (Bachtin, *L'opera di François Rabelais* cit., p. 8): « ... le forme di riti e spettacoli... organizzate sul principio del *riso*, presentavano una differenza estremamente netta, di principio si potrebbe dire, rispetto alle forme di culto e alle cerimonie ufficiali serie della chiesa e dello stato feudale. Esse rivelavano un aspetto completamente diverso del mondo, dell'uomo e dei rapporti umani, marcatamente non ufficiale, esterno alla chiesa e allo stato; sembravano aver edificato accanto al mondo ufficiale *un secondo mondo e una seconda vita*, di cui erano partecipi, in misura piú o meno grande, tutti gli uomini del Medioevo, e in cui essi *vivevano* in corrispondenza con alcune date particolari. Tutto ciò aveva creato un particolare *dualismo del mondo*, e non sarebbe possibile comprendere né la coscienza culturale del Medioevo, né la cultura del Rinascimento senza tenere in considerazione questo dualismo ».

[3] Negli *exempla* medievali si parla ripetutamente dei castighi celesti che toccavano agli empi danzatori: un intero gruppo di questi peccatori fu condannato a danzare ininterrottamente per un anno; una fanciulla, appassionata di danza, fu portata via dal diavolo; il diavolo poi risulta essere l'esecutore della musica al cui ritmo danzano gli uomini senza sospettare nulla; un fulmine colpisce i danzatori e la chiesa da essi profanata (Tubach, *Index exemplorum* cit., nn. 1063, 1415, 1419, 1420, 1424). Non ho avuto modo di consultare il lavoro di E. E. Metzner, *Zur frühesten Geschichte der europäischen Balladendichtung. Der Tanz in Kölbigk. Legendarische Nachrichten, gesellschaftlicher Hintergrund, historische Voraussetzungen*, Wiesbaden 1972.

[4] Tertulliano, traduzione di S. S. Averincev in *Filosofskaja enciklopedija*, vol. 5, p. 226.

[5] In Scandinavia, con la cristianizzazione, le teste dei draghi si trasferirono liberamente a cavallo del tetto della chiesa.

[6] Del resto, già Victor Hugo segnalava con sagacia e precisione il ruolo svolto dal grottesco nell'arte europea dopo la fine dell'antichità. Molto feconda, in particolare, è la sua osservazione sul significato omnicomprensivo del grottesco, che penetra in tutte le sfere della vita medievale, fino agli usi e al diritto (Prefazione al *Cromwell*, in *Opere*, 15 voll., vol. 14, Moskva 1956, pp. 82 sgg., 90).

[7] A conclusioni opposte (circa il «tono invariabilmente serio, che non conosce ironia» dello stile agiografico) giunge uno studioso delle leggende agiografiche bizantine (Poljakova, *Vizantijskie legendy* cit., p. 255).

[8] Cfr. Curtius, *Europäische Literatur* cit., pp. 419-34.

[9] Bachtin, *L'opera di François Rabelais* cit., p. 55.

[10] L. E. Pinskij, *Realizm epochi Vozroždenija* [Il realismo dell'epoca del Rinascimento], Moskva 1961, p. 120.

[11] Giovanni Crisostomo: «O il riso è male? No, il riso non è male, ma l'eccesso e l'inopportunità sono un male... Il riso è stato messo nella nostra anima affinché l'anima si riposi, e non affinché trabocchi» (citato in Averincev, *Poetika rannevizantijskoj literatury* cit., p. 274).

[12] Citato in H. Adolf, *On Medieval Laughter*, in «Speculum», vol. 22, n. 2, p. 251.

[13] Cfr. Curtius, *Europäische Literatur* cit., p. 422.

[14] Esiste un racconto su san Gregorio che, cosa inaudita, scoppiò a ridere mentre celebrava la messa. Al diacono che gli domandava il motivo di una risata cosí inopportuna, il santo rispose di aver visto uno spaventoso diavolo che si era messo a sedere sulla balaustra con un foglio di pergamena e annotava tutte le chiacchiere che si scambiavano le persone presenti al servizio religioso. Ma le chiacchiere erano talmente tante che non gli era bastata la pelle; per svolgerla, il diavolo l'aveva afferrata con i denti e aveva tirato con tale forza che la pergamena si era strappata e il demone era caduto per terra. Allora il santo era scoppiato a ridere (*Erzählungen des Mittelalters* cit., n. 33).

[15] *On Medieval Laughter* cit., pp. 205 sgg.

[16] O. M. Frejdenberg, *Poetika sjužeta i žanra* [La poetica del soggetto e del genere], Leningrad 1936; Id., *Proischoždenie parodii* [L'origine della parodia], in «Trudy po znakovym sistemam», 6 (1973). Cfr.: V. Mercier, *The Irish comic tradition*, Oxford 1962; Gurevič, *«Edda» i saga* cit., pp. 71 sgg., 143 sgg.

[17] Un esempio delle difficoltà legate alla distinzione tra comico, satirico e parodistico nella letteratura mediolatina possono essere gli enigmatici trattati filologici di un non meno enigmatico autore che si celava sotto il nome di Virgilio Marone Grammatico. Alcuni studiosi vedono nelle sue opere sulla lingua latina il riflesso di una specifica situazione linguistica nei regni barbari (A. A. Fortunatov, *K voprosu o sud'bach latinskoj obrazovannosti v varvarskich korolevstvach (po traktatam Virgilija Marona Grammatika)* [Sul problema dei destini della cultura latina nei regni barbari (in base ai trattati di Virgilio Marone Grammatico)], in «Srednie veka», 2, 1946). Altri annoverano questo autore tra gli adepti della cabala, i cui metodi di interpretazione mistica egli estese alla grammatica latina (Curtius, *Europäische Literatur* cit., pp. 316, 437). Tuttavia M. M. Bachtin (*L'opera di François Rabelais* cit., p. 18) e P. Lehmann (*Die Parodie im Mittelalter*, Stuttgart 1963, pp. 9 sgg.) interpretano queste opere come una parodia.

[18] Non utilizzo le opere che avevano uno specifico orientamento satirico e parodistico, perché in esse non vi sono enigmi. Cfr. S. L. Gilman, *The Parodic Sermon in European Perspective. Aspects of Liturgical Parody from the Middle Ages to the Twentieth century*, Wiesbaden 1974; Lehmann, *Die Parodie im Mittelalter* cit.

[19] Cfr. sopra, cap. II.

[20] M. M. Šejnman, *Vera v d'javola v istorii religii* [La fede nel diavolo nella storia della religione], Moskva 1977.

[21] R. Villeneuve, *Le Diable dans l'Art. Essai d'iconographie comparée à propos des rapports entre l'Art et le Satanisme*, Paris 1957.

[22] *Komizm w polskiej sztuce gotyckiej*, Warszawa 1973.

[23] L'interpretazione del maligno nell'arte non può essere oggetto di un'analisi particolare in questo libro, ma un'osservazione sembra indispensabile. Il difetto

essenziale dei lavori dedicati al tema del diavolo nell'iconografia medievale è la mescolanza di età diverse. Nell'arte del Medioevo le immagini del demonio hanno attraversato una complessa evoluzione, e far rientrare nello stesso ambito raffigurazioni create nell'alto Medioevo e nei secoli XIV-XVI sarebbe assolutamente illegittimo. I diavoli raffigurati sui margini dei libri illustrati e sui portali e i capitelli dei templi romanici e gotici, da un lato, e i diavoli nella pittura di Bruegel, Bosch o dei maestri del Rinascimento, dall'altro, sono trattati in maniera profondamente diversa. L'arte propriamente medievale era assai piú reticente e laconica nel trattare le forze del male rispetto all'epoca successiva, nella quale si osserva allo stesso tempo lo scatenarsi della demonologia e la decadenza della sua integrità e serietà. I maestri medievali miravano ad esteriorizzare l'immagine del diavolo «quale egli era in realtà», e in questo senso erano convinti di non inventare nulla: essi lo raffiguravano cosí come appariva alla loro coscienza, giacché per loro e per i loro contemporanei egli era una realtà oggettiva. Invece, gli artisti dell'epoca del Rinascimento della Riforma si affinavano nell'invenzione, accumulando sempre nuovi dettagli e creando composizioni originali. Comune a entrambe le età restava il tema, ma il modo di vedere il mondo ultraterreno e le sue forze e, di conseguenza, il linguaggio artistico, di cui ci si serviva nelle due età, erano molto diversi. La geniale fantasia deformata di Bruegel e di Bosch genera quadri angosciosi dell'orrore infernale, che però sono interamente dipinti dalla visione soggettiva di questi maestri, anche nei casi in cui siano basati su testi medievali di visioni dell'aldilà, come ad esempio la *Visione di Tnugdal*.

Questa precisazione è importante, visto che continua ad essere quanto mai persistente la tendenza a giudicare il Medioevo in base alla trattazione dei soggetti cristiani nell'ultimo periodo. Immaginarsi le forze dell'inferno come se le figuravano gli uomini medievali, basandosi sui lavori di Botticelli, Michelangelo o Dürer è tanto sbagliato quanto trarre conclusioni retrospettive sul Medioevo dopo aver studiato la massiccia caccia alle streghe che si svolse in Europa nei secoli XV-XVII. Cfr. Delumeau, *La peur en Occident* cit., pp. 232 sgg. Si vedano anche L. M. C. Randall, *Exempla as a source of Gothic Marginal Illumination*, in «The Art Bulletin», vol. 39 (1957), n. 2; I. Janicka, *The comic elements in the English Mistery Plays against the cultural background (particularly art)*, Poznań 1962, pp. 23, 36 sgg.).

[24] Bachtin, *L'opera di François Rabelais* cit., p. 48.

[25] Cfr. H. G. Weinand, *Tränen. Untersuchungen über das Weinen in der deutschen Sprache und Literatur des Mittelalters*, Bonn 1958, p. 77.

[26] *Dialogus miraculorum*, 5, 56.

[27] Cfr. Le Goff, *La civilisation de l'Occident médiéval* cit., p. 205 [trad. it. p. 176].

[28] *S. Caesarius Arelatensis, Sermones*, 253, in *PL*, vol. 39, col. 2213.

[29] *Dialogus miraculorum*, 1, 27.

[30] *Ibid.*, 5, 1.

[31] *Erzählungen des Mittelalters* cit., n. 92.

[32] *Dialogus miraculorum*, 5, 50 e cfr. 4, 32, 33, 35: un monaco vide che sulla schiena di un suo vicino, addormentatosi durante la preghiera, strisciava un serpente, che ovviamente era il diavolo; sulla testa di un altro monaco dormiglione troneggiava un gatto; un monaco, che era solito appisolarsi nel coro, era circondato da maiali che grugnivano.

[33] Tenenti, *La vie et la mort* cit.

[34] *Dialogus miraculorum*, 5, 7.

[35] *Ibid.*, 5, 8.

[36] *Historiae memorabiles*, n. 37, p. 98. I trattati di demonologia del secolo XVI determinavano il numero totale dei diavoli in sette milioni e quattrocentomila;

questo esercito infernale era capeggiato da piú di settanta principi, che a loro volta erano sottoposti allo stesso Lucifero (Delumeau, *La peur en Occident* cit., p. 251).

[37] *Dialogus miraculorum*, 5, 9.

[38] *Ibid.*, 5, 10. Secondo Sulpicio Severo, san Martino di Tours dichiarò al demone a cui contendeva le anime dei peccatori, che il Signore avrebbe potuto perdonare anche lui, un demone, se egli avesse acconsentito a pentirsi. Ma era proprio questo che il demone non poteva fare! (*Sulpicii Severi De Vita beati Martini*, in *PL*, vol. 20, coll. 159-76).

[39] *Dialogus miraculorum*, 3, 26.

[40] *Ibid.*, 5, 28.

[41] *Ibid.*, 3, 6.

[42] *S. Gregorii Dialog.*, in *PL*, vol. 77, coll. 168-69.

[43] *Ibid.*, 3, 20, coll. 269, 272.

[44] *Literatursprache und Publikum* cit., pp. 73 sgg.

[45] *Dialogus miraculorum*, 5, 12, 26.

[46] *Ibid.*, 5, 43.

[47] *Historiae memorabiles*, n. 35, p. 96. Analogamente, dopo che una donna aveva partorito alcune femmine, il marito nell'ira le augurò di partorire in seguito una capra o un cane invece di una figlia, e cosí accadde! (*ibid.*, n. 51, p. 114 e cfr. n. 36, p. 97).

[48] Frenken, *Die Exempla des Jacob von Vitry* cit., n. 64.

[49] *S. Gregorii Dialog.*, 1, 10, col. 201 e 3, 21, col. 272. Uno spirito maligno si era insediato in un contadino e lo costringeva a pigolare e a belare. Una monaca, a cui quest'uomo si era rivolto portandole un regalo, ordinò al diavolo di abbandonarlo immediatamente, ma il demone rispose: «Se lascio lui, in chi mi insedierò?» Per caso lí nei pressi pascolava un maialino e la monaca consentí al diavolo di insediarsi dentro di lui, cosa che quello fece, e dopo aver ucciso il maialino, sparí.

[50] *Gregorii Turonensis De gloria beatorum confessorum*, 63, in *PL*, vol. 71, col. 873. Allo stesso modo anche uno spirito maligno, che si era impadronito della figlia di un duca italiano, dichiarò ai sacerdoti: «I vostri ordini non mi faranno uscire di qui a nessun costo. Ma c'è un uomo di nome Gallo, che mi ha già scacciato dalla città, dove ho a lungo dimorato, e là ha distrutto tutti i miei templi. Se non verrà lui in persona, di qua non me ne andrò». San Gallo, dopo averlo scacciato dalla fanciulla, spedí all'inferno quel demone, che aveva l'aspetto di un orrendo corvo nero (*Vita Galli confessoris*, 16-21, in *MGH*, *Scriptorum*, V, pp. 265-67).

[51] *Legenda aurea*, 2, 3.

[52] *Vita Rusticulae sive Marciae abbatissae Arelatensis*, 13, *MGH*, *Scriptorum*, IV, pp. 345-46.

[53] *Conversio Afrae*, 6-7, in *MGH*, *Scriptorum*, III, pp. 58-60.

[54] *Dialogus miraculorum*, 5, 36.

[55] *Ibid.*, 5, 37.

[56] *Ibid.*, 5, 38.

[57] *Ibid.*, 3, 2. Un sacerdote di campagna sedusse la moglie di un cavaliere. Quando glielo riferirono, il cavaliere, marito saggio e diffidente, volle verificare l'accusa. Poiché sapeva che in un villaggio vicino viveva un indemoniato e che il demone che lo possedeva rivelava i peccati segreti dei presenti, il cavaliere con una scusa invitò il sacerdote a recarsi là insieme a lui. Temendo di essere smascherato, il sacerdote si affrettò a confessarsi con il servo del cavaliere nella stalla e lo pregò di infliggergli una penitenza. Alle domande del cavaliere riguardanti il chierico,

il demone rispose che egli non aveva peccati sulla coscienza: la confessione aveva cancellato il peccato (*Dialogus miraculorum*, 3, 3).

[58] Non c'era alcuna perfidia neanche nel demone che con sembianze umane serviva fedelmente un ricco signore. Come ricompensa questi gli diede sua figlia in moglie, ma il demone la abbandonò, giacché quella lo rimproverava giorno e notte. Congedandosi dal suocero, egli gli confessò che la sua patria era l'inferno, ma che nel regno delle tenebre non aveva mai incontrato una tale discordia e non aveva mai sopportato tanto male quanto gliene aveva fatto sua moglie in un solo anno! (Frenken, *Die Exempla des Jacobs von Vitry* cit., n. 60).

[59] *Dialogus miraculorum*, 5, 54.

[60] *Ibid.*, 2, 12; 12, 5, 23.

[61] *Ibid.*, 5, 52.

[62] *Ibid.*, 5, 44, 45.

[63] *Gregorii Turonensis Libri miraculorum*, 2, 30; *De Miraculis s. Martini*, 4, 21, in *PL*, vol. 71, coll. 818, 999.

[64] Un demone, che si era impadronito di un uomo e lo tormentava atrocemente, non ubbidiva agli ordini di san Colombano; questi allora, dopo aver riflettuto un momento, infilò una mano nella bocca dell'indemoniato, lo afferrò per la lingua e in nome del Signore ordinò al demone di uscire immediatamente. Il maligno fu rigettato insieme al vomito, emettendo un orrendo fetore (*Vita Columbani*, 1, 25, in *MGH*, *Scriptorum*, IV, p. 99). San Martino, scacciando un demone da un indemoniato, non gli permise di uscire dalla bocca e lo obbligò a scendere nello stomaco (*Sulpicii Severi De Vita beati Martini*, 17, in *PL*, vol. 20, col. 170).

[65] *De Miraculis s. Martini*, 4, 37, in *PL*, vol. 71, col. 1005; *Historia Francorum* VI, 29.

[66] *Dialogus miraculorum*, 10, 29 e cfr. 11, 16.

[67] *Historia Francorum* IX, 21.

[68] *Gregorii Turonensis Vitae patrum*, 8, 4, in *PL*, vol. 71, col. 1044; 8, 1, col. 1081. Allorché un monastero fu attaccato da una schiera di «etiopi», i monaci ricorsero a mezzi drastici, alla confessione e alla comunione, e i demoni gridarono: «Domani, domani... Abbiate pazienza, pazientate un poco... Poveri noi!» Essi non avevano la forza di sopportare i rituali religiosi (*Vita Columbani*, 2, 29, in *MGH*, *Scriptorum*, IV, p. 140).

[69] Ma anche il tema del castigo ultraterreno negli *exempla* è reso talvolta non senza ironia. Se per alcuni è la paura dei tormenti infernali a tenerli lontani dal peccato, uno scolaro abituato alle comodità fu messo sulla retta via da un predicatore che lo aveva informato che all'inferno i letti sono molto duri (Tubach, *Index exemplorum* cit., n. 544).

[70] In questi racconti Cesario di Heisterbach usa le espressioni: «... ad sua ludibria illos [monachos] trahebat...»; «[conversus] illuderetur a diabolo»; «daemonos illic dormitantes irrideant...»; «diabolum iocului vocavit...»

[71] Karsavin, *Osnovy srednevekovoj religioznosti* cit., p. 72.

[72] *Ibid.*, p. 75.

[73] *Dialogus miraculorum*, 4, 9.

[74] *Ibid.*, 4, 35.

[75] Cosí si immaginava i canti liturgici anche uno stupido contadino. Approssimandosi la festività del santo protettore del suo villaggio, egli si recò nella piú vicina città con l'intenzione di comprare una gran quantità di cantilene. Trovò un imbroglione, che gli vendette un sacco pieno di canti selezionati. In realtà invece vi aveva fatto entrare delle vespe, che punsero tutte le persone radunate davanti alla chiesa (Frenken, *Die Exempla des Jacobs von Vitry* cit., n. 78).

[76] *Dialogus miraculorum*, 8, 63.

[77] *Ibid.*, 3, 21.

[78] *Ibid.*, 9, 30.

[79] Tubach, *Index exemplorum* cit., n. 946.

[80] *Vangelo secondo Matteo*, 6, 21.

[81] *Erzählungen des Mittelalters*, n. 159.

[82] *Dialogus miraculorum*, 10, 42.

[83] *Ibid.*, 9, 11 sgg.: la potenza della santa comunione si estende agli animali, agli insetti e persino agli oggetti inanimati.

[84] *Ibid.*, 9, 6, 9, 25.

[85] *Ibid.*, 9, 48: in un duello tra due cavalieri non vinse quello che era piú forte fisicamente, bensí quello che prima del combattimento aveva assaggiato il corpo di Cristo.

[86] *Dialogus miraculorum*, 2, 5.

[87] *Ibid.*, 9, 3 e *passim*.

[88] Durante una bufera, in un quartiere di Treviri, un fulmine bruciò i genitali al campanaro della chiesa, perché era un adultero (*ibid.*, 10, 29). Un attaccabrighe, «che nelle liti vendeva la sua lingua», morí con la bocca spalancata, che non si riuscí in nessun modo a chiudere (*ibid.*, 6, 28).

[89] *Dialogus miraculorum*, 12, 47, 50.

[90] *Ibid.*, 5, 40. Cfr. Karsavin, *Osnovy srednevekovoj religioznosti* cit., p. 132.

[91] *Ibid.*, 10, 45, 53.

[92] *Historiae memorabiles*, nn. 1-6, 8-10, 13, 25 e *passim*. Cosí pure cominciava a colare sangue dal crocifisso, quando lo si colpiva con una pietra o si rompeva la mano del Salvatore in una delle sue effigi (*ibid.*, n. 12, p. 59).

[93] *Ibid.*, n. 29, p. 88.

[94] *Osnovy srednevekovoj religioznosti* cit., p. 42.

[95] Cfr. il racconto su una donna che, «tiratasi su la gonna, mostrò il sedere al santo», per la qual cosa fu punita con orrende piaghe (Sumption, *Pilgrimage* cit., p. 41).

[96] Frejdenberg, *Proischoždenie parodii* cit.

[97] *Dialogus miraculorum*, 5, 21.

[98] *Ibid.*, 5, 21.

[99] *Seconda lettera a Timoteo*, 2, 19; 4, 18. Questa informazione di Cesario, ripetutamente utilizzata nella letteratura, non è probabilmente attendibile, ma è interessante per spiegare la mentalità del suo autore.

[100] *Vangelo secondo Matteo*, 5, 3.

[101] *Dialogus miraculorum*, 6, 37.

[102] *Ibid.*, 6, 5. Sul tema dei «pantaloni perduti» nella letteratura mediolatina si veda: Curtius, *Europäische Literatur* cit., pp. 433 sgg.

[103] *Dialogus miraculorum*, 6, 9, 30-32.

[104] Tubach, *Index exemplorum*, n. 1024.

[105] *Dialogus miraculorum*, 6, 35.

[106] *Ibid.*, 6, 2.

[107] Nel Medioevo l'espressione «come mungere latte da un toro» poteva non essere compresa, come dimostra il seguente esempio. San Fechin, quando era ancora un ragazzino, pascolava una mandria. Era periodo di digiuno ed egli era affamato. Non distinguendo il sesso degli animali, tentò di mungere un toro premen-

dogli i genitali. Vedendo che non usciva latte, Fechin prese a incolpare se stesso: «Il Signore mi ha voltato le spalle, giacché le donne riescono a mungere questa mucca, e io non ci riesco». «Ed ecco il miracolo, il fatto straordinario: il toro diede latte in abbondanza, come una mucca. Ciò era possibile soltanto per Colui che aveva estratto miele da un sasso e olio da una roccia!» (Ch. Plummer, *Vitae Sanctorum Hiberniae*, Oxford 1910, 2, 79).

[108] *Dialogus miraculorum*, 10, 3. Anche la Madonna può insegnare il latino. Cosí ad esempio insegnò il latino ad uno slavo analfabeta, che non sapeva neanche il tedesco (*Erzählungen des Mittelalters* cit., n. 54).

[109] *Dialogus miraculorum*, 10, 4. Un maestro di teologia parigino, che si vantava di riuscire ad interpretare le lettere di san Paolo meglio dello stesso Paolo, per punizione fu privato di tutte le sue conoscenze, al punto da non essere piú in grado di decifrare singole lettere dell'alfabeto (Alano di Lilla). *Erzählungen des Mittelalters* cit., n. 153.

[110] *Dialogus miraculorum*, 6, 5.

[111] *Osnovy srednevekovoj religioznosti* cit., p. 66.

[112] *Historiae memorabiles*, n. 28, p. 87.

[113] *Dialogus miraculorum*, 3, 2. Un demone, che si era insediato in una donna analfabeta, davanti ai chierici mostrò di conoscere i testi latini (*ibid.*, 5, 13).

[114] *Ibid.*, 3, 6.

[115] *Ibid.*, 1, 32.

[116] *S. Gregorii Turonensis De Miraculis s. Martini*, 2, 1, in *PL*, vol. 71, col. 941. Come abbiamo visto in precedenza (cap. 1), la contrapposizione tra la ricercatezza dei colti e la schiettezza dei semplici, con un'evidente preferenza per questi ultimi, si ritrova spesso nelle opere dello stesso Gregorio di Tours e degli altri autori religiosi: era un «luogo comune» diffuso.

[117] *Dialogus miraculorum*, 5, 21, 22.

[118] *Ibid.*, 6, 7.

[119] *Ibid.*, 7, 4 e cfr. 7, 5. Cesario racconta la disputa tra due sacerdoti avvenuta nella curia papale. Uno dei due correva il pericolo di perdere la sua parrocchia a causa della propria ignoranza, che evidentemente era un ostacolo nella celebrazione della messa. L'altro era un uomo colto ed eloquente, che mirava a prendersi quella chiesa, benché avesse già una serie di prebende; in presenza del papa cercò di spuntarla profondendosi in splendidi discorsi, ma fu interrotto dal suo avversario, il sempliciotto. Questi dichiarò di non sapere il latino, ma il papa gli permise di parlare come poteva. Egli parlò della sua povertà e vinse la causa. Dopo aver condannato l'avidità del chierico colto, il papa lasciò la parrocchia al sacerdote analfabeta, che, dal suo punto di vista, aveva un indubbio vantaggio, la semplicità d'animo e di parola (*ibid.*, 6, 29).

[120] Si veda il racconto sulla miracolosa guarigione, operata da un santo, di un bretone muto. Nella festività di questo santo il bretone cominciò a vomitare sangue proprio in chiesa. Sulle prime i monaci lo volevano scacciare, perché non insozzasse il luogo sacro, ma a quel punto il muto si mise a pronunciare suoni inarticolati, e poi all'improvviso cominciò a parlare «nella sua rozza lingua britannica». «Sono un liberto, sono un liberto» («Libertinus sum, libertinus sum»). Egli voleva invece dire: «Sono liberato!» («Liberatus sum»). Cosí erano cadute le catene dalla sua lingua (*Vita Austrigisili ep. Biturigi*, 13, in *MGH*, *Scriptorum*, IV, p. 207).

[121] Uno degli studiosi della cultura latina nell'Europa medievale giunge alla conclusione che quell'epoca fosse notevolmente meno «latina» di quanto non si sia soliti ritenere basandosi sulle sue testimonianze scritte (Richter, *Kommunikationsprobleme* cit., p. 80).

[122] Cfr. sopra, cap. II.

[123] *Vita Austrigisili ep. Biturigi*, 10, in *MGH*, *Scriptorum*, IV, p. 206.

[124] *S. Grigorii ep. Turonensis Vita patrum*, 8, 5, in *PL*, vol. 71, col. 1044. Cfr. *Historia Francorum* IV, 16.

[125] Tubach, *Index exemplorum* cit., n. 337.

[126] *Dialogus miraculorum*, 8, 52.

[127] Geary, *L'humiliation des saints* cit., p. 39.

[128] *Dialogus miraculorum*, 7, 33, 44, 55.

[129] *Ibid.*, 7, 43.

[130] *S. Gregorii Turonensis Libri miraculorum*, 1, 23, in *PL*, vol. 71, coll. 724-25.

[131] *Dialogus miraculorum*, 4, 38.

[132] *Ibid.*, 7, 3; 9, 55. Ad Antochia, ad un eremita apparve un uomo in abiti splendenti, accompagnato da altri due. Ad un cenno della sua mano fu distrutta mezza città e morirono tutti, uomini, donne, animali. I suoi compagni lo trattennero dal distruggere completamente la città (*Erzählungen des Mittelalters* cit., n. 103).

[133] Sulla persistenza dell'idea dello spirito vendicativo dei santi, scontenti dei credenti, nei secoli XV e XVI cfr. Delumeau, *La peur en Occident* cit., p. 61. A Berry c'era una sorgente, dedicata a «san Male», presso la quale si chiedeva la rovina o la morte di un nemico; non lontano da essa era situata la cappella di «san Bene» (*ibid.*, p. 62).

[134] *Dialogus miraculorum*, 10, 1: «... Miraculum dicimus quicquid fit contra solitum cursum naturae, unde miramur. Secundum causas superiores miraculum nihil est».

[135] *Ibid.*, 11, 11.

[136] *Ibid.*, 11, 56.

[137] Un poveretto, che stava avanzando lungo un ponte su un carro, udí una voce: «Affogalo, affogalo, non indugiare!», e un'altra: «Anche senza le tue esortazioni avrei fatto ciò che ordini, se non me lo impedissero gli oggetti sacri; giacché, come tu sai, egli è protetto dalla benedizione di un sacerdote». Lí intorno però non si vedeva nessuno. Fattosi il segno della croce, il povero continuò per la sua strada e la *pars adversa* non ebbe il sopravvento (*Gregorii Turonensis De Gloria beatorum confessorum*, 31, coll. 851-52).

[138] Un uomo si era ammalato ai reni e un santo lo guarí; il malato, secondo le parole di Gregorio di Tours, «si liberò dall'attacco del diavolo». *Gregorii Turonensis De Miraculis s. Martini*, 3, 14, in *PL*, vol. 71, col. 974. Poiché la malattia era considerata frutto del peccato o dell'interferenza del maligno, i concilii ecclesiastici proibivano ai medici di visitare i malati finché non fosse arrivato il sacerdote, e minacciavano di scomunicare i cristiani che ricorrevano ai servigi di medici-giudei. Questi divieti, tuttavia, non venivano osservati.

[139] Su istigazione del diavolo si levò il vento, che gettò polvere e pula negli occhi di un bambino, ma la madre, per inesperienza, non lo protesse con il segno della croce, e il bambino rimase cieco. *Gregorii Turonensis De Miraculis s. Martini*, 3, 16, col. 975.

[140] *Dialogus miraculorum*, 8, 26.

[141] *Ibid.*, 8, 32. Cesario di Heisterbach riferisce un'altra storia altrettanto repellente per il gusto contemporaneo, ma non meno pia, la storia del vescovo di Salisburgo. Il vescovo offrí il corpo di Cristo ad un lebbroso, ma quello vomitò, ostia compresa. Temendo la profanazione del sacramento, il vescovo mise sotto la bocca del lebbroso il palmo della mano e inghiottí ciò che quello aveva rigettato. Piú tardi il pio vescovo capí che quel lebbroso altri non era che Cristo in persona, che è solito mettere alla prova i suoi eletti! (*ibid.*, 8, 33).

[142] Schmitt, *Le saint lévrier* cit.

[143] Karsavin, *Osnovy srednevekovoj religioznosti* cit., p. 39.

[144] Vorrei fare un'osservazione a proposito dell'articolo di J. M. Lotman e B. A. Uspenskij sulla natura del riso nell'antica Rus'. Gli autori si pronunciano giustamente, e assai opportunamente, contro la meccanica estensione delle idee di Bachtin sulla cultura carnevalesco-comica dell'Occidente ad «ambiti, nei quali la loro stessa applicazione dovrebbe essere oggetto di un'analisi particolare» (Lotman e Uspenskij, *Novye aspekty izučenija kul'tury Drevnej Rusi* cit., p. 152, n. 2), e sottolineano la mancanza di ambivalenza nel «mondo comico» antico russo, affermando: «A differenza dell'ambivalente riso popolare carnevalesco, secondo Bachtin, la diabolica risata sacrilega non scuote il mondo delle concezioni medievali. Costituisce una parte di quest'ultimo. Se l'uomo "bachtiniano" che ride era *al di fuori* dei valori medievali, non si salvava e non si perdeva, ma viveva, lo sghignazzante sacrilego invece era dentro il mondo medievale...» (*ibid.*, p. 154). Questo è il loro giudizio, assolutamente esatto per quanto riguarda l'uomo sacrilego di quell'epoca; come abbiamo visto, si può dire lo stesso anche a proposito dei «sacrileghi» occidentali. Possiamo accantonare il problema difficilmente risolvibile di stabilire dove – nell'Europa occidentale o orientale – fosse piú diffuso l'atteggiamento sacrilego, che capovolgeva la struttura medievale del mondo e in tal modo la sanzionava, e dove esso svolgesse il ruolo piú importante, ma non possiamo non rilevare che anche in Occidente l'inversione «diabolica», cioè stregonesca o eretica, era altrettanto lontana dalla cultura comica quanto nella Rus'.

Lotman e Uspenskij considerano sostanzialmente «areligioso» e «astatale» il riso «bachtiniano» di ambito cattolico. Sulla base di una tale interpretazione della concezione di Bachtin (interpretazione per la quale, occorre ammetterlo, egli ha fornito determinati spunti), essi sono ovviamente inclini a contrapporre o almeno a distinguere nettamente il riso medievale occidentale e il riso che c'è nelle viscere della cultura antico russa. Tuttavia, se non ci si affretta ad accettare incondizionatamente il postulato dell'opposizione tra cultura ufficiale e cultura carnevalesca, allora forse si può riscontrare qualche affinità in piú tra il riso popolare in Occidente e nella Rus'. Perché, come spero di aver dimostrato in questo capitolo, l'uomo medievale occidentale che ride, tanto quanto il «sacrilego», non esce dal sistema dominante di valori. Come si presenta nelle opere da noi esaminate, il riso medievale, chiaramente non limitato all'ambiente dei chierici e dei monaci, ma con radici piú profonde nella diffusa concezione del mondo tanto da esprimere importanti aspetti dell'elemento popolare, questo riso difficilmente può essere definito «areligioso». L'uomo medievale viveva, salvandosi e perdendosi, esprimendo la sua contraddittoria, ambivalente concezione del mondo, in particolare proprio anche nel riso.

[145] J. Huizinga, *Herbst des Mittelalters*, Stuttgart 1969[10], pp. 214 sgg. [trad. it. *L'autunno del Medio Evo*, Firenze 1966].

Postfazione

...Quando per Tristram Shandy giunse il momento di venire al mondo, alle sue disavventure, iniziate almeno nove mesi prima, se ne aggiunsero di nuove. Chiamato per assistere al parto, il dottor Slop non riusciva a sciogliere i nodi della sua borsa con gli indispensabili strumenti: li aveva ingarbugliati cosí il suo servo Obadia. Tentando invano di tagliare i legacci il dottore si ferí profondamente un dito e proruppe in bestemmie all'indirizzo di Obadia. A quel punto il signor Shandy, nel quale neanche l'agitazione causata dall'imminente nascita di un erede aveva soffocato l'abitudine a filosofeggiare, si ricordò di avere un elenco di maledizioni nella sua collezione di rarità letterarie. Egli sottopose questo documento all'attenzione del «papista» Slop che, non sospettando nulla, contro voglia lo lesse ad alta voce con l'accompagnamento dello zio Tobia che fischiettava *Lillabullero* e del crescente calpestio proveniente dalla camera della signora Shandy sopra le loro teste. Il capitolo XI del terzo volume de *La vita e le opinioni di Tristram Shandy, gentiluomo* contiene appunto il testo originale di una formula di scomunica ecclesiastica, compilata dal vescovo di Rochester Ernulfo all'inizio del secolo XII. Il fatto che nella formula Slop inserisca il nome di Obadia, la situazione nella quale questa formula viene pronunciata e il motivo per cui il signor Shandy se l'è ricordata sono quanto mai comici, e in conseguenza di ciò anche la scomunica stessa suona «shandiana».

Sterne non fu il primo ad utilizzare le maledizioni della Chiesa a scopi satirici. Nei poemi e nelle elegie di John Donne si incontrano piú volte analoghe maledizioni rituali, che chiaramente colpiscono la pratica cattolica: minacciano chi avrebbe potuto offendere la sua amata. Ma anche nel Medioevo si poteva parodiare una formula di scomunica, esattamente come si parodiavano la messa, il Vangelo e gli altri testi sacri. Questa tradizione è antica, benché il suo significato mutasse. La maggioranza degli inglesi nei secoli XVII e XVIII non apparteneva alla Chiesa cattolica, e per lo stesso signor Shandy (come pure per il pastore anglicano Sterne) la formula di Ernulfo evidentemente non era altro che una curiosità. Invece le beffe medievali ai danni di un rito della Chiesa si diffondevano *all'interno* dello stesso sistema di concezione del mondo che aveva generato questo rito, perciò nonostante tutta la loro «carnevalizzazione» esse avevano un carattere assolutamente diverso. L'uomo medievale, anche bestemmiando e profanando l'altare (e abbiamo visto che accadeva anche questo), «glorificava il Signore», non gli era concesso di uscire dai confini della concezione religiosa del mondo e tutt'al piú egli poteva allontanarsi dall'ortodossia oppure invertirla, cadere nell'eresia. L'uso non ortodosso di un anatema della Chiesa difficilmente lo privava della sua serietà. L'atteggiamento verso la parola, in particolare verso il linguaggio rituale, formalizzato, nel Medioevo era sostanzialmente diverso che nell'età moderna. «Parole, parole, parole...»: il senso dato a questa replica di Amleto era completamente estraneo agli uomini dell'epoca precedente.

La parola è infatti efficace tanto quanto un fatto. Sono «grandezze» dello stesso ordine per il sistema del «realismo» medievale, dotto o popolare. La preghiera agisce quasi automaticamente, già per il fatto di essere pronunciata. Attaccando il rituale della Chiesa, gli eretici valdesi sostenevano che anche un cane poteva accedere ai sacramenti, purché fosse capace di pronunciare le debite parole. Non per niente il diavolo andava per le chiese raccogliendo in un sacco le parole dei salmi non pronunciate. Le formule verbali avevano un significato vincolante. Un giuramento si considerava inviolabile se era stato pronunciato in modo corretto, ma perdeva forza nei casi in cui chi lo pronunciava si sbagliava o si confondeva. Non meno devotamente si credeva alla dannosità delle maledizioni. Indirizzata ad un uomo, una parola, a seconda dei casi, era considerata capace di giovargli o di danneggiarlo. Nell'Islanda medievale fu approvata una legge che puniva severamente chi componeva versi su altre persone a loro insaputa: ciò poteva essere un attentato al loro benessere e alla loro salute. La magia della parola, ben nota agli etnologi, era ampiamente diffusa anche nell'Europa medievale.

Vestigia di barbarie? Sí, certo. Ma richiamarsi alle «vestigia» non ha mai spiegato niente. È importante il contesto all'interno del quale si conservano queste «vestigia», sono importanti le cause per cui si conservano, è importante infine la funzione che questi frammenti della vecchia cultura svolgono nel sistema della nuova cultura.

Ma dedichiamoci infine alla formula di scomunica utilizzata da Sterne. Questa formula (che fa parte del cosiddetto «testo di Rochester») recita: «Per l'autorità di Dio onnipotente, del Padre, del Figliolo e dello Spirito Santo, e di tutti i santi, e dell'Immacolata Vergine Maria madre di Dio, e di tutte le forze celesti, angeli, arcangeli, troni, dominazioni, potestà, cherubini e serafini, e dei patriarchi, dei profeti e di tutti i santi apostoli ed evangelisti, e dei santi innocenti che sono stati giudicati degni di cantare il nuovo cantico al cospetto dell'Agnello, dei santi martiri e dei santi confessori, e delle sante vergini, e di tutti i santi e gli eletti di Dio, scomunichiamo e colpiamo con anatema questo malfattore peccatore, e lo bandiamo dalla soglia della santa Chiesa di Dio onnipotente, perché subisca eterni tormenti con Datan e Abiram[1], e con tutti coloro che dicono al Signore Dio: "Allontanati da noi, non vogliamo conoscere le tue vie". E come il fuoco è spento dall'acqua, cosí sia spenta la sua luce, nei secoli dei secoli, a meno che non si penta e non espii la sua colpa. Amen.

Lo maledica Dio Padre, che creò l'uomo. Lo maledica il Figlio di Dio che soffrí per noi. Lo maledica lo Spirito Santo che ci fu dato con il battesimo. Lo maledica la santa croce cui Cristo ascese per la nostra salvezza, trionfando sul suo nemico. Lo maledica la santa e immortale Vergine Maria madre di Dio. Lo maledica san Michele, difensore delle sante anime. Lo maledicano tutti gli angeli e gli arcangeli, principati e potestà e tutte le milizie celesti. Lo maledica la gloriosa schiera dei patriarchi e dei profeti. Lo maledica san Giovanni Battista il Precursore! Lo maledicano san Pietro e san Paolo, e sant'Andrea, e tutti gli apostoli di Cristo, e gli altri suoi discepoli, come pure i quattro evangelisti, che con la loro predicazione convertirono il mondo. Lo maledica la mirifica legione dei martiti e dei confessori, graditi a Dio per le loro buone azioni. Lo maledicano i cori delle sante vergini, che per la gloria di Cristo hanno disprezzato la vanità terrena. Lo maledicano tutti i santi, che dalla creazione del mondo alla fine dei secoli si sono guadagnati la benevolenza di Dio. Lo maledicano i cieli e la terra e tutto ciò che in essi vi è di santo».

Dopo aver iniziato quindi con un esauriente elenco delle forze celesti, dal creatore fino ai santi, in piena conformità con la dottrina di Dionigi l'Aeropagita sulla gerarchia sacra, l'autore del «testo di Rochester», che sembra essersi dimenticato dell'anima dello scomunicato, scaglia poi una valanga di maledizioni sul suo corpo: «Sia egli maledetto ovunque si trovi, in casa o nei campi, sulla strada maestra o sul sentiero, nel bosco, nell'acqua o in chiesa. Sia maledetto in vita o in morte, mangiando e bevendo, nella fame, nella sete, nel digiuno, addormentandosi, dormendo, vegliando, camminando, stando in piedi, sedendo, giacendo, lavorando, riposando, orinando, defecando, sanguinando. Sia maledetto in tutte le facoltà del suo corpo. Sia maledetto internamente e esternamente. Sia maledetto nei capelli della sua testa. Sia maledetto nel suo cervello. Sia maledetto nel cocuzzolo, nelle tempie, nella fronte, nelle orecchie, nelle ciglia, negli occhi, nelle guance, nelle mascelle, nelle narici, nei denti, incisivi e molari, nelle labbra, nella gola, nelle spalle, nei polsi, nelle braccia e nelle mani, nelle dita, nella bocca, nel petto, nel cuore e in tutte le viscere fino allo stomaco, nei suoi reni e nell'inguine, nelle cosce, nei genitali, nei polpacci, nei piedi e nelle unghie dei piedi. Sia maledetto in tutte le sue articolazioni e giunture delle sue membra dalla cima della testa alla pianta dei piedi. Non ci sia in lui niente di sano.

Lo maledica Cristo il Figlio di Dio vivente, in tutta la gloria della sua maestà, e insorgano contro di lui i cieli con tutte le forze che in esso si muovono, lo maledicano e lo dannino, a meno che si penta e espii la sua colpa. Amen. Cosí sia, cosí sia. Amen»[2].

Per il carattere dettagliato e la fede nell'efficacia magica della parola, questa formula ecclesiastica, che sul corpo dello scomunicato non lascia «neanche uno spazio vivo», può competere del tutto con i selvaggi malefici della stregoneria. Essa tuttavia non fu composta all'alba del Medioevo tra popolazione semibarbariche, bensí nel periodo del «rinascimento del secolo XII», e il suo autore è un vescovo inglese, contemporaneo del «padre della scolastica» Anselmo di Canterbury. La «dotta» fondatezza e la coerenza degli elenchi, a quanto pare, sono pienamente nello spirito della scolastica di quel tempo.

Una formula piú antica, composta nel secolo XI, accanto alle maledizioni che si estendono a tutti gli organi e a tutte le parti del corpo dello scomunicato, contiene il seguente testo: «Sia egli maledetto dal sole, e dalla luna, e dalle stelle del cielo, e dagli uccelli, e dai pesci del mare, e dai quadrupedi, e dalle erbe, e dagli alberi, e da tutte le creature di Cristo. Che il suo cadavere sia lasciato in pasto ai cani e agli uccelli rapaci, e che non sia sepolto. Che il Signore gli mandi fame e sete, ira e tormenti, e attacchi di angeli cattivi, finché non precipiterà nelle profondità dell'inferno, dove ci sono tenebre eterne, fuoco inestinguibile, fumo eterno, tristezza senza fine e dove di giorno in giorno aumentano i mali d'ogni genere». Poi vengono le maledizioni dei patriarchi e dei profeti biblici elencati per nome. Ma la formula non si ferma qui, e cosí continua: «Siano orfani i suoi figli, e vedova sua moglie. Che i suoi figli siano dei tremanti accattoni, scacciati dalle loro dimore»[3].

La scomunica doveva dunque far insorgere contro il peccatore tutto l'universo, dal sole e dai pianeti fino a tutte le creature terrene. L'unione dell'uomo con la natura, al cui funzionamento egli, secondo la visione popolare del mondo, partecipava direttamente, qui si rompe, cosí come si rompono i legami sociali e i legami con le forze supreme. Sui compilatori di queste formule, a quanto sembra, non alitava lo spirito del Vangelo, bensí piuttosto lo spirito della divinità veterotestamentaria, che punisce severamente chi è indocile, anche nelle generazioni a venire...

Le formule di scomunica non venivano affatto scritte per divertimento. Costituivano il mezzo piú forte con cui la Chiesa poteva agire sui peccatori irriducibili, un mezzo, di regola, efficace. Era uno dei castighi piú tremendi che potessero colpire l'uomo. Chi era scomunicato dalla Chiesa veniva dichiarato fuori della società, giacché questa era vista come la comunità dei credenti: si troncavano tutti i legami con il rinnegato, e la sua anima era condannata alle pene dell'inferno e alla perdizione eterna. I prelati che componevano tali formule si preoccupavano che le maledizioni in esse contenute producessero un'adeguata impressione sul gregge. Il vescovo dava pubblica lettura del testo della maledizione in chiesa, circondato da dodici sacerdoti che tenevano in mano delle candele accese; al termine della lettura essi gettavano le candele per terra e le calpestavano: ciò simboleggiava che lo scomunicato aveva perso la luce della salvezza. La paura dell'inferno, secondo Marc Bloch, era un potente «fatto sociale» della vita medievale[4]. Perciò, dopo aver incontrato nel testo citato l'insieme delle spaventose maledizioni che dovevano colpire l'anima e il corpo del peccatore, non possiamo certo spiegarle richiamandoci a «vestigia di paganesimo». In ogni caso, queste stesse maledizioni venivano diffuse anche molti secoli dopo, fino alla fine del secolo XIX.

Una sorprendente, grottesca simbiosi tra formule malefiche di stregoneria e la precisione circostanziata e la logicità puramente scolastiche, una combinazione di maledizioni bibliche e di dottrina della gerarchia divina: questo documento non è forse il prodotto di un originale «incontro» di due tradizioni culturali, quella «folklorica», «magica» e quella «dotta», dei chierici? Fanatismo, barbarie, oscurantismo. Ma sarebbe un'ingiustificata semplificazione ridurre tutto al finalizzato oscurantismo di ecclesiastici calcolatori. Non esagerano la loro forza e la loro influenza quegli studiosi i quali, secondo un'antica consuetudine, che risale agli illuministi, costruiscono il quadro dei rapporti tra il clero e il popolo nel Medioevo seguendo esclusivamente il modello dei rapporti che intercorrono tra un ingannatore e uno sciocco credulone? Di inganno, da un lato, e di credulità, dall'altro, ce n'erano piú che a sufficienza, però difficilmente è possibile capire qualcosa nella storia della cultura e della religiosità medievali, se ci si attiene come in passato ad una «concezione» tanto semplificata.

Lo studio della storia delle formule di scomunica mostrerebbe che con il passare del tempo il loro testo si è completato di nuovi dettagli ed è diventato piú circostanziato e sistematico, che sono aumentate la sua chiarezza logica e la sua universalità, in particolare, proprio nell'epoca del rigoglio della scolastica, nei secoli XII e XIII, e che nello stesso tempo l'anatema ha acquisito via via una sempre maggior ferocia. I compilatori e i redattori dei testi delle scomuniche tendevano a conferire loro la forma piú efficace, e per questo era necessario rivolgersi a quel patrimonio di formule magiche cui i semplici credenti erano soliti ricorrere fin dai tempi piú remoti, alla stessa magia nera, che la Chiesa condannava e perseguitava quando si imbatteva in essa fuori della sua soglia[5].

Il terribile anatema. Doveva sconvolgere, terrorizzare, ridurre all'ubbidienza, sottomettere il peccatore. E noi sappiamo che erano pochi gli scomunicati in grado di tollerare la potenza di una tale maledizione, che faceva insorgere contro di loro tutte le forze celesti insieme alla natura e agli uomini e che creava intorno a loro tutta una zona di isolamento (l'*excommunicatio* è la rottura di qualsiasi comunicazione, di qualsiasi legame tra lo scomunicato e la società)[6]. Ho citato di proposito questa formula nel contesto comico creato da Laurence Sterne per accentuare vieppiú la maniera inadeguata in cui la recepisce un uomo che si trova fuori della sfera sacrale-magica del Medioevo. È un'« altra » cultura, a noi ormai estranea, è il « diverso ».

Nel qualificare i fenomeni sopra esaminati come manifestazioni di una cultura « estranea », « diversa », con idee e valori specifici e propri soltanto ad essa, dobbiamo nel contempo evitare di guardarla dall'alto in basso. (Da questo sguardo altezzoso-beffardo non era alieno il signor Shandy). L'avvertimento non è superfluo se ricordiamo quanto sia diventato frequente e consueto da molto tempo applicare l'etichetta di « medievale » a qualsiasi manifestazione di arretratezza, di intolleranza o di oscurantismo, dovunque la si incontri e qualunque ne sia la causa. È di gran lunga piú produttivo, mi sembra, interpretare la cultura del Medioevo proprio come una cultura « diversa », ammettendo che non è come la nostra e che i criteri per valutarla vanno ricercati al suo interno. Soltanto con questo approccio si può sperare di allacciare con essa un dialogo: il dialogo presuppone non uno sguardo dall'alto in basso né biasimo, bensí stupore e interesse di capire l'interlocutore, di decifrare la sua lingua. Tale approccio permette di scorgere un contenuto umano nella cultura del passato. Esso cura, tra l'altro, dalla morbosa tendenza a vedere nella storia un catalogo di sbagli e errori, da cui ci si è liberati, propriamente, soltanto oggi... Rassegniamoci quindi al fatto che la cultura medievale è diversa e cerchiamo di comprendere questo « diverso ».

Diverso... Ma adesso apro il libro di Axel Munthe sulla storia di san Michele. Sono annotazioni di un medico svedese che a cavallo tra il secolo scorso e il Novecento si trasferí in Italia e visse tra quella gente. Egli si stabilí a Capri e affidò la costruzione della sua casa ad un abitante del luogo, mastro Nicola. Un giorno, il venerdí della Passione, Munthe si accorse che mastro Nicola continuava a lavorare insieme ai suoi figli. «Certo, loro sapevano quanto io desiderassi terminare al piú presto la costruzione, ma non mi era neanche venuto in mente di chiedere che lavorassero il venerdí della Passione. La loro gentilezza mi commosse e mi affrettai ad esprimere loro la mia gratitudine. Mastro Nicola mi guardò sconcertato e mi disse che quello non era affatto un giorno di festa.

Come sarebbe? Possibile che non sappia che oggi è il venerdí della Passione, il giorno della crocifissione di Cristo?

– *Va bene*[7], – disse mastro Nicola, – ma Gesú Cristo non era un santo!

– No, era il piú grande di tutti i santi!

– Ma non grande quanto sant'Antonio, che ha fatto piú di cento miracoli. E quanti miracoli ha fatto *Gesú Cristo?*[8] – domandò egli con un sorrisetto maligno.

Chi meglio di me poteva sapere che sant'Antonio è un taumaturgo eccezionale? Mi aveva ricondotto al suo villaggio, ed è forse possibile compiere un miracolo piú stupefacente? E, eludendo la domanda, dissi che con tutto il mio rispetto per lui, sant'Antonio era soltanto un uomo, mentre Gesú Cristo era il figlio di Dio, che per salvarci dall'inferno aveva accettato di morire sulla croce proprio quel giorno.

– È proprio una bugia! – disse mastro Nicola, mettendosi a vangare energicamente la terra. – L'hanno fatto morire ieri, per non tirare in lungo le funzioni in chiesa»[9].

Ricordiamo i dubbi, citati in precedenza, che uomini di tutt'altra epoca nutrivano nei confronti della santità del Battista, che non era famoso per i suoi miracoli, e la malinconica sentenza di Iacopo da Varazze: gli uomini sono piú propensi a venerare i santi a loro vicini che non una divinità lontana e incomprensibile...

Ma leggiamo ancora il libro di Munthe.

Frequentando a Napoli la farmacia di don Bartolo, celebre per un preparato contro il colera, la cui efficacia era garantita da san Gennaro, e per un filtro d'amore molto richiesto, Munthe incontra gli avventori abituali. «I clienti di don Bartolo erano soprattutto gli abitanti dei monasteri vicini. Al bancone sedevano sempre sacerdoti e monaci, che commentavano vivacemente gli avvenimenti del giorno e i nuovi miracoli di questo o di quel santo, e confrontavano anche la forza taumaturgica delle varie Madonne. Dio veniva nominato assai di rado, – mai il figlio di Dio. Una volta mi arrischiai a dire ad un vecchio fraticello, col quale avevo fatto particolare amicizia, che mi stupiva non sentire il nome di Cristo nelle loro discussioni. Il vecchietto di buon grado mi comunicò che, secondo la sua opinione, se Cristo non fosse stato figlio della Madonna, non l'avrebbero affatto venerato. Per quanto ne sapeva lui, Cristo non aveva mai salvato nessuno dal colera. La sua santissima madre ha pianto tutte le sue lacrime a causa sua, e lui come l'ha ripagata? "Donna, – le disse, – che c'è tra me e te?" *Perciò ha finito male*[10], ecco perché è finito cosí male!»[11].

Già Thomas More nel *Dialogo su Tindal* si burlava di chi era convinto che esistano piú Madonne, riferendo una conversazione tra due credenti da lui sentita: «Di tutte le nostre Madonne quella che amo di piú è la Vergine di Walsingham», dice uno, e l'altro risponde: «Io invece la nostra Vergine di Ipswich»[12]. Essi non dovevano adorare la Madonna, bensí un amuleto, un feticcio taumaturgico, e l'amore per la Vergine dipendeva dalla forza curativa di questo oggetto magico...[13].

Ciò in cui s'imbatté Munthe, in cui si sono imbattuti anche molti altri, non è ateismo né indifferentismo religioso. Alla base delle opinioni dei due interlocutori di Munthe, tanto del semplice muratore, quanto del monaco, si può riscontrare la stessa disposizione, direi addirittura la polarizzazione dei personaggi sacri del cristianesimo che abbiamo osservato leggendo le opere della letteratura mediolatina: i santi taumaturghi e la Madonna, piú esattamente le Madonne (al plurale) da un lato, e Dio Padre e Cristo dall'altro. I santi e la Vergine sono comprensibili e vicini, da loro ci si può aspettare aiuto, e vengono recepiti in un aspetto specifico, come fonti di miracolo che può essere sollecitato; ed è per questo che meritano venerazione e sono amati. La divina Trinità invece è lontana e estranea, è troppo astratta per questa coscienza, con lei « non c'è niente da fare », giacché il Creatore e suo Figlio non compiono nessuna azione concreta. Il predicatore inglese del secolo XIV John Bromyard racconta di un pastore al quale avevano chiesto se sapesse chi erano il Padre, il Figlio e lo Spirito Santo. « Conosco bene il padre e il figlio, – rispose egli, – giacché pascolo le loro pecore, ma quel terzo tipo (*fellow*) non lo conosco: nel nostro villaggio non c'è nessuno con quel nome »[14]. Evidentemente questi uomini avevano un bagaglio indissolubilmente resistente di loro concezioni, formatesi non si sa quando, e nel sistema della loro visione del mondo poteva essere ammesso solo un determinato insieme di immagini e di idee rigorosamente limitato: a tutto il resto essi rimanevano sordi e poco ricettivi.

A questo proposito mi sovviene un'altra testimonianza contemporanea, che sembra quasi giungere da un'altra epoca. I contadini della Lucania, tra i quali lo scrittore e pittore Carlo Levi dovette trascorre il suo esilio durante il regime fascista, vivono fuori della storia, su « terra oscura, senza peccato e senza redenzione », dove Cristo non è sceso. Nel loro mondo, che soggiace al proprio ritmo e al proprio tempo, non esiste un confine tra la natura e gli uomini, tutto è penetrato dalle influenze magiche e dalla forza del destino. Qui la Madonna è adorata come dea della terra e anche « le cerimonie della chiesa diventano dei riti pagani, celebratori della indifferenziata esistenza delle cose, degli infiniti terrestri dèi del villaggio »[15]. L'Italia che Levi vide non è neanche medievale, era cosí, a suo parere, anche ai tempi di Enea. Lo scrittore parla di confronto tra campagna e città, tra cultura precristiana e cultura non piú cristiana.

Ma la Chiesa allora non è riuscita a instillare nel suo gregge neanche le piú elementari conoscenze del contenuto della religione cristiana? Domanda difficile, e quella risposta univoca che gli storici davano fino a non molto tempo fa, oggi soddisfa ormai pochi. Nella letteratura scientifica piú recente si dà una valutazione assai scettica del punto di vista secondo il quale nell'Europa medievale dominavano l'ideologia cristiana e la devozione (« il mito del Medioevo cristiano »). Questo scetticismo è legato al mutare degli approcci disciplinari. La sociologia della religione prende sempre piú spesso il posto della storia religiosa del Medioevo, che tradizionalmente si è concentrata sulla storia della Chiesa e delle sue istituzioni, del dogma, della teologia e della mistica: il centro dell'indagine si è spostato dai «vertici» verso il «profondo». I nuovi lavori sono dedicati prevalentemente ad un periodo piú tardo rispetto a quello la cui cultura è stata oggetto delle nostre riflessioni; tuttavia è opportuno prenderli egualmente in considerazione.

L'autore di un fondamentale studio sulla religiosità medievale, J. Toussaert, mette insistentemente in guardia da una valutazione ottimistica dei successi della Chiesa. Il vasto materiale da lui raccolto, che riguarda le Fiandre nel secolo XIV e all'inizio del XV, cosí come lo studio della letteratura sulla storia della Chiesa negli altri paesi dell'Occidente, lo hanno persuaso che l'istruzione religiosa delle masse si manteneva sempre ad un livello molto basso, che il contenuto della religione rimaneva incomprensibile e che la fede della maggioranza dei cristiani europei si esprimeva prevalentemente nell'adempimento meccanico dei rituali. L'uomo medievale non sceglieva se essere cristiano, egli nasceva e viveva in quella atmosfera, ma il suo comportamento religioso, di regola, era automatico. Toussaert è costretto ad associarsi al verdetto del sociologo della religione G. Le Bras: nella storia della Chiesa cattolica non c'è stato un «grand siècle», il mondo non è mai stato cristiano... Toussaert cita le parole dello storico olandese J. Huizinga: «... la Chiesa lottava e predicava a vuoto»[16].

Come Toussaert, anche J. Delumeau si associa allo scetticismo di Le Bras: il «Medioevo cristiano» è una leggenda, perciò sono erronei anche i ragionamenti sulla «decristianizzazione» dell'Europa con il passaggio all'età moderna. Questo «cristianesimo folklorizzato» coesisteva con la magia e la «coscienza animistica»; il comune abitante dell'Europa era cristianizzato solo superficialmente, e non ci sono motivi fondati per vedere nei secoli XII e XIII l'epoca di maggiore sviluppo del cristianesimo, e nei secoli successivi la sua decadenza. La Riforma e la Controriforma del Cinquecento[17], con tutta la loro contrapposizione, facilitarono una piú conseguente cristianizzazione della popolazione europea ed una spiritualizzazione della religiosità, almeno nelle città. Dal punto di vista di Delumeau, il divario tra il cristianesimo urbano e la religiosità rurale che mal celava il paganesimo della maggioranza della popolazione, era sostanziale. Sia la Riforma che la Controriforma rappresentarono un energico tentativo di lotta contro il politeismo e la magia a cui la Chiesa nel Medioevo aveva dovuto in un modo o nell'altro rassegnarsi. Inoltre, tanto Lutero quanto Loyola partivano dal presupposto che le masse non erano ancora cristianizzate. Il periodo comprendente i secoli XVI-XVIII non fu dunque il periodo della «decristianizzazione», bensí il periodo del «secondo cristianesimo», piú totale e vincolante del «primo», quello medievale[18]. Delumeau termina il suo libro sul cattolicesimo nei secoli XVI-XVIII con una domanda: nel «vecchio ordine» il cristianesimo non era «un miscuglio di pratiche e di credenze talvolta assai lontane dall'insegnamento evangelico?»[19].

J. Ferté, che ha studiato la vita religiosa dei contadini della zona di Parigi nel secolo XVII, constata a sua volta la superficialità della fede popolare e la mancanza nei piú di una viva devozione, una fedeltà esteriore ai rituali e ai gesti[20]. Un altro studioso della religiosità popolare, R. Manselli, piú cauto nelle sue conclusioni, nonostante ciò parla del «crescente dramma dell'incomprensione»[21] tra la Chiesa e il popolo nel secolo XIII. F. Rapp valuta la situazione dei secoli XIV-XV piú «ottimisticamente» di Delumeau. Egli ritiene che l'elevata spiritualità degli uomini colti si fosse diffusa tra i credenti comuni, che appartenevano ad «una civiltà di altro tipo», priva di letteratura scritta, e che, anche se per questo il cristianesimo doveva subire una volgarizzazione, esso non perdeva però la sua «autenticità». Il «rinnovamento» del cristianesimo nel secolo XVI era stato preparato nei due secoli precedenti[22].

Lo studio di E. Le Roy Ladurie ha mostrato all'incirca lo stesso quadro per la zona al confine tra la Francia e la Spagna, a cavallo tra il secolo XIII e il XIV: il cattolicesimo, assimilato superficialmente, per lo piú nei suoi aspetti esteriori, rituali, coesisteva nella coscienza popolare con il folklore precristiano e il «naturalismo contadino». L'unica cosa che davvero turba questi uomini è la paura della perdizione nell'oltretomba. Fu proprio il pensiero di ciò che li aspettava dopo la morte che dovette spingere molti abitanti di Montaillou ad abbracciare l'eresia albigese[23]. Anche J. Sumption parla della prevalente interpretazione magica che veniva data ai riti religiosi nella campagna medievale, delle superstizioni e della superficiale comprensione che il popolo aveva degli elementi fondamentali del cristianesimo[24].

Constatando le notevoli divergenze tra i vari studiosi, in particolare tra Rapp e Delumeau, A. Vauchez esprime la speranza che i loro pareri non si escludano a vicenda e che dipendano in notevole misura dalla prospettiva scelta per esaminare il materiale del tardo Medioevo. In questo caso a me interessa un altro aspetto: tutti gli specialisti che abbiamo appena nominato sembrano essere concordi sul fatto che l'età propriamente medievale, precedente a quella da loro studiata, non fosse un periodo di incontrastato dominio del cristianesimo ufficiale nella vita spirituale delle masse[25]. Ma qui è importante non trascurare un'osservazione di Vauchez: coloro che parlano di cristianizzazione «incompleta» o addirittura di «non cristianizzazione» dell'Europa alla fine del Medioevo, si basano evidentemente su un modello, implicitamente prestabilito, di «religione pura», mentre sono possibili anche altre concezioni di cristianesimo, piú storicamente attendibili, tra le quali appunto «la religione impura, non priva di ambiguità». Di questa, secondo Vauchez, fa parte la «religione della terra», permeata di magia, la religiosità dei contadini, di cui non è difficile incontrare ancora oggi dei paralleli nei paesi sottosviluppati del mondo, dove è penetrato il cristianesimo. Questo sincretismo è alogico per menti cartesiane, ma è reale a livello di pratica quotidiana. La «religione della cappella» contro la «religione dei prati», la religione dotta in conflitto con la religione dei semplici: tale è la conclusione che scaturisce da tutti i piú recenti studi sulla religiosità medievale. Resta da chiarirne il contenuto concreto[26].

Qui sta il problema! Se non si vuole imporre al Medioevo il tipo ideale di «fede cristiana» e non accontentandosi di dare di quest'ultima un'interpretazione elitaria, è necessario indagare con pazienza e attenzione sulla vita spirituale dell'uomo medievale, del popolano, dell'*idiota*, e l'unica via per giungere a conoscere la sua cultura è lo studio sistematico delle fonti.

Dai tempi di L. P. Karsavin questo lavoro non ha però fatto progressi sostanziali. Non si può non rilevare che nei lavori dedicati specificamente alla religione popolare del Medioevo, ben raramente sono scoperti nuovi filoni di fonti, gli autori si accontentano prevalentemente di interpretare il materiale già noto con particolare riferimento all'aspetto da loro scelto[27]. Qualsiasi conclusione che venga tratta retrospettivamente, basandosi sullo stato della religiosità nei secoli XIV-XVI o sulla descrizione del carnevale ai tempi di Rabelais, è arrischiata. Il «tramonto» del Medioevo fu caratterizzato da una serie di fenomeni nuovi, che non erano propri del nostro periodo: le epidemie di massa di paure e flagellazioni, l'immergersi dell'individuo in un rapporto mistico con la divinità, il culto della Madonna, il diffondersi delle eresie e delle guerre religiose, l'ipertrofia dell'immagine della morte e l'ossessione dell'idea di Satana, la frenetica caccia alle streghe e l'infierire dell'inquisizione, e nello stesso tempo il maggior rilievo all'aspetto «commerciale» del culto, il commercio delle indulgenze, il disgregarsi della relativa unità tra la Chiesa e la società. Mi pare che questi accenni siano sufficienti per farci accostare con piú cautela al problema di una possibile estrapolazione di fenomeni culturali riscontrabili in quest'epoca di «autunno» del Medioevo per riferirli al primo Medioevo e a quello classico.

La soluzione del problema della cultura popolare del Medioevo va ricercata rimanendo nei suoi confini cronologici.

Come il lettore ha avuto modo di convincersi, il metodo scelto qui per portare alla luce la cultura «di base» del Medioevo è consistito in una analisi articolata di determinate categorie di opere. Il metodo è stato imposto dal materiale stesso, poiché le opere dei vari generi avevano una particolare destinazione funzionale, ed estrarre da esse degli esempi uno dopo l'altro senza distinzioni (un procedimento praticato spesso, purtroppo, anche nei piú recenti lavori sulla cultura medievale) avrebbe soltanto travisato e oscurato il tutto.

Il maggior pericolo cui va incontro chi studia il passato sta nel fatto che le testimonianze fornite dalle fonti scelte per l'indagine siano considerate in grado di ricostruire un quadro autentico e completo della vita che è oggetto di studio. Invece qualsiasi testo lasciatoci dal passato contiene informazioni soltanto su un certo frammento, su un certo aspetto della realtà. Il punto di vista da cui la realtà passata è visibile nell'opera, inoltre, è determinata in enorme misura dal suo genere, dalla sua poetica; questa «griglia concettuale» viene sovrapposta al quadro caotico e infinitamente multiforme della vita che muta, scegliendo di esso soltanto ciò che risponde alla struttura interna della fonte: il resto non viene osservato né fissato.

L'analisi deve conformarsi alla logica interna delle opere comprese in un genere, e, per quanto possibile, portarla alla luce. L'atteggiamento dell'autore di questa o quell'opera della letteratura mediolatina verso l'uditorio cui egli si rivolgeva, era determinato in misura assai notevole proprio dall'obiettivo: il sermone e le vite erano chiamati ad ammonire, mentre il libro penitenziale a servire da sussidio per il confessore; l'*exemplum* raggiungeva un effetto didattico a condizione che fosse interessante e memorabile, mentre dalla divulgazione teologica di Onorio di Autun si richiedeva un'esposizione chiara ed accessibile dei dogmi, e non la narrazione di aneddoti sugli incontri tra gli abitanti di questo mondo e gli abitanti dell'aldilà. Uno stesso soggetto o motivo riceveva una diversa trattazione nelle opere dei vari generi. Voglio ricordare che le dispute tra ortodossi ed eretici raccontate da Gregorio di Tours sono trattate in modo assolutamente diverso nella *Storia*, dove egli parla di dispute dogmatiche, e nelle vite, dove viene descritta la scenetta in cui si mette alla prova la forza della fede di un cattolico e di un ariano tramite l'immersione della mano nell'acqua bollente. L'immagine del diavolo nelle *Storie memorabili* o nelle leggende agiografiche ha poco in comune con la sua immagine nell'*Elucidarium*: in un caso il maligno non è soltanto spaventoso e perfido, ma alle volte è anche comico e bonario, mentre nell'altro caso è monotonamente terrificante[28]. All'imperturbabile grandiosità delle forze celesti nell'iconografia sacra si contrappone la duplicità del loro comportamento nel *Dialogo sui miracoli*. L'escatologia della religione ufficiale, che trasferisce i premi e i castighi ultraterreni alla « fine dei tempi » e al Giudizio universale, mal si accorda con la raffigurazione di un inferno e di un paradiso in cui hanno già vagato le anime di coloro che sono temporaneamente morti, le cui testimonianze sono annotate nella letteratura delle visioni.

È ovvio che, nonostante le considerevoli differenze di genere, le fonti da me utilizzate hanno molto in comune tra loro, perché in fin dei conti erano tutte al servizio della politica perseguita dalla Chiesa, a lungo e con coerenza, per educare il suo gregge nella giusta direzione; esse nacquero quasi tutte come risultato dell'interazione tra la cultura scritta e la cultura orale. Gli stessi motivi affioravano di tanto in tanto in opere di generi diversi. I confini che le separavano erano talvolta fluttuanti. Ma non va dimenticato che le opere studiate aprono di fronte allo studioso un orizzonte assai limitato: noi possiamo vedere i parrocchiani cui l'autore si rivolge solo nella percezione che ne ha quest'ultimo, e riceviamo direttamente solo quelle informazioni che il chierico ha scelto e interpretato per il gregge, considerando il suo livello di comprensione.

Ciò con cui prima di tutto abbiamo a che fare sulle pagine delle opere della letteratura mediolatina è la coscienza del sacerdote stesso; tuttavia essa era orientata verso l'uditorio. Perciò ci guarderemo dal costruire un quadro integrale della cultura popolare del primo Medioevo sulla base delle fonti studiate: siamo forse riusciti, in una certa misura, ad esaminare una delle sue sezioni. Qualsiasi assolutizzazione delle conclusioni ottenute può indurre in errore.

Il problema stava quindi nel tentare di scoprire nelle opere della letteratura mediolatina *il modo* in cui l'uomo medievale *percepiva il mondo*, *le strutture della coscienza* che si celavano dietro di esso e il *comportamento sociale* da esse determinato. La nostra attenzione non era incentrata sul grado di devozione o di fedeltà agli ideali evangelici, né sul problema di stabilire in che misura i parrocchiani capissero il contenuto della messa e della liturgia, bensí sul quadro e sul sistema di spiegazione del mondo che erano loro propri. È ovvio che questa impostazione del problema non annulla la questione della religiosità popolare, poiché la cultura medievale è permeata di idee religiose, di fede nel soprannaturale, nella forza della magia e si basa sul rituale. Tuttavia, secondo la mia convinzione, questo problema può essere compreso soltanto nell'ambito piú ampio di un'analisi delle concezioni cardinali che l'uomo aveva: quella del mondo e di se stesso.

Nella sfera della nostra indagine non ci sono i movimenti religiosi di massa, come le eresie o le crociate, ma l'esistenza di tutti i giorni, la quotidiana pratica religioso-culturale, la routine della vita con le abitudini di coscienza e le forme di comportamento che in essa si manifestano; non ci sono i parossismi di isteria collettiva che di tanto in tanto scuotevano la società e che erano accompagnati da un brusco emergere di forze irrazionali (le confessioni e le flagellazioni di massa, l'attesa febbrile di un'immediata fine del mondo, i pogrom), ma la vita della parrocchia, nella quale vengono in primo piano le invarianti della vita spirituale del popolo, le dominanti della cultura popolare.

Il mio tentativo è stato appunto quello di discernere nelle opere della letteratura edificante quell'ambiente umano cui esse erano indirizzate, nel quale operavano i predicatori e i confessori. Nel rapporto di interazione con questo ambiente le loro opere e i loro sermoni acquistavano vita autentica e il loro contenuto si attualizzava. Al centro della nostra attenzione, propriamente, non sono stati i modelli della letteratura mediolatina, bensí *la zona di contatto tra essi e la massa dei «semplici»*, un contatto in cui interagivano *due tipi di coscienza*: la coscienza «dotta» dei chierici e la coscienza «folklorica», «magica» del popolo[29]. In questa zona di contatto tra due tradizioni culturali le opere da noi analizzate si impregnavano di un significato concreto, che veniva non soltanto dalla dottrina ufficiale della Chiesa, ma anche dalla pratica delle credenze collettive e delle abitudini della coscienza del gregge dei fedeli, a cui esse erano rivolte e per la cui comprensione venivano appunto composte. Questo contatto tra due tradizioni culturali era allo stesso tempo un *dialogo* e un *conflitto*. Un dialogo: cercando di consolidare nei parrocchiani la coscienza che era indispensabile vivere in conformità con la dottrina della Chiesa e ubbidirle, i chierici facevano inevitabilmente appello al patrimonio di tradizioni popolari, ereditate di generazione in generazione. Ma nello stesso tempo un conflitto: tale patrimonio di concezioni collettive e di abitudini mentali dei parrocchiani si trovava continuamente in contrasto con la cultura spirituale della Chiesa[30].

Dopo aver posto il problema della cultura popolare medievale, lo studioso, sotto la pressione del materiale studiato, è costretto a riformularlo in parte. Nel riferirsi al periodo qui in esame, non si deve evidentemente parlare di due culture isolate, bensí di una loro costante interazione e contrapposizione, giacché possono essere comprese in modo corretto solo se reciprocamente correlate. Ciascuna tradizione culturale va intesa non nel suo isolamento interno, bensí proprio nell'intenso intrecciarsi con l'altra.

Quale fu l'esito di questo dialogo-scontro, che si protrasse costante per secoli? È difficile dare a questa domanda una risposta chiara e univoca restando nei limiti del periodo delineato dalle nostre fonti. Ma, forse, è piú importante concentrare l'attenzione sul processo stesso di questa interazione. Si può infatti presumere che il dialogo tra le due tradizioni sia rimasto la base dello sviluppo culturale e religioso dell'Occidente. Finché la cultura della Chiesa fu capace di incorporare parzialmente elementi delle tradizioni e delle credenze popolari e mostrò una certa flessibilità nei rapporti con la « cultura dei semplici », il cristianesimo mantenne vive le sue forze. In seguito questa simbiosi si attenuò e divenne piú evidente il carattere di scontro. La religiosità popolare cominciò a essere « cacciata » nell'eresia, l'inquisizione diventò lo strumento principale della politica della Chiesa, ebbero inizio le persecuzioni di massa di eretici e streghe. Il dialogo era finito.

Il fenomeno studiato non è una ideologia nettamente formulata ponderata e strutturata, che sente la necessità di sopravvivere in qualche forma e di eliminare almeno le discordanze palesi, e non è neppure un sistema di cultura compiuto, con una sua irripetibile fisionomia: si tratta di una percezione del mondo amorfa, fluida, flessibile nonostante la presenza di certe costanti e di certi archetipi continuamente riaffioranti, una percezione del mondo che poteva inconsapevolmente unire in sé idee e credenze antitetiche. L'oscura lingua della magia e del rituale, del grottesco e delle inversioni non si lascia razionalmente scomporre e tradurre nella lingua della logica, che esclude le contraddizioni. Lo spirito dello studio universitario, del metodo di ragionamento della scolastica è infinitamente lontano da tutto questo. Ma proprio nella vaghezza, nell'apertura e nell'incompiutezza degli elementi della visione popolare del mondo non si celava forse la causa della sua natura inestirpabile?

Contrariamente alla cultura « dotta » del Medioevo, alla « religione del libro », che percepiva anche il mondo come un « libro », come un testo gerarchizzato e rigorosamente organizzato, che va letto e commentato, la cultura folklorica è caratterizzata da un fondamentale rifiuto di una definitiva e rigida fissità: la memoria sociale si fissa in questo caso come tale, nella forma orale, e il problema, a quanto pare, non sta soltanto nel fatto che la scrittura era inaccessibile ai detentori di questa tradizione, ma probabilmente anche nel fatto che non c'era la necessità di annotarla, poiché fissarla nei testi avrebbe significato conferirle un'immutabile canonicità e troncare la sua precedente forma di esistenza in quanto organismo vivo, che muta e si rinnova; fissare per iscritto la tradizione popolare avrebbe portato ad un suo «estraniarsi» da chi ne era il detentore; l'oralità, cosí intimamente connaturata alla «cultura degli idioti», non andrebbe considerata come un suo difetto o un suo punto debole, ma piuttosto come garanzia della sua forza e della sua capacità di contrapporsi alla cultura «dotta» in quell'incessante dialogo che dava vitalità a tutta la cultura medievale.

Gli storici dell'estetica, della filosofia, della letteratura e della scienza guardano a questa cultura con altezzosa incomprensione; piú esattamente, non la notano affatto. I valori che essi studiano si trovano su un altro piano. Ma la concezione elitaria della cultura non è l'unica possibile. I creatori delle opere d'arte non vivono staccati dall'ambiente sociale e non creano le loro opere senza un destinatario. Nella società esistono modi di percepire il mondo che non sono forse formulati esplicitamente, ma che esercitano un'enorme influenza sulla vita empirica degli uomini, compresi gli «uomini di cultura», e allo stesso modo si formano modelli di comportamento non espressi nei manuali, ma non per questo meno effettivi. Le abitudini della coscienza, la visione del mondo, il senso che gli uomini dànno alle loro azioni, non possono essere capiti soltanto studiando le opere culturali uniche. Questo profondo filone della cultura e il tipo di coscienza in cui esso è radicato possiedono evidentemente un proprio ritmo, che non coincide con le forme di esistenza nel tempo della cultura «alta».

L'approccio storico-antropologico alla cultura medievale, al suo reale funzionamento nelle viscere della società che l'ha creata o ereditata è un compito che si presenta soltanto ora alla medievistica.

Ma questo problema è importante non solo per la storia del Medioevo. L'importanza dell'aspetto della cultura medievale che abbiamo analizzato consiste, mi pare, nel fatto che riusciamo ad avere un'immagine un po' piú ravvicinata di quella base generale da cui si sono sviluppati i diversi tipi di civiltà preborghesi. Una cultura altamente intellettuale e raffinata è ogni volta diversa, mentre il suo substrato anonimo invece – che essa influenza e dal quale riceve indubbiamente determinati impulsi, tradizioni di pensiero e cliché di comportamento – rivela una sorprendente costanza. Non ci stiamo avvicinando qui ad un'« invariante » del processo storico-culturale? Non è legittimo supporre che nelle culture del mondo antico e di quello medievale si debbano individuare, da un lato, strutture relativamente statiche, ripetitive e in questo senso quasi « atemporali », e dall'altro fenomeni piú dinamici, individualizzati e irripetibili? Né le une né gli altri funzionano in queste culture come fattori isolati e slegati, benché all'osservatore possano anche apparire sotto tale aspetto ingannevole. Tuttavia operare tra essi una distinzione in sede d'indagine favorirebbe probabilmente una miglior comprensione della cultura, che in ogni sua concreta manifestazione è profondamente originale e irripetibile e che nello stesso tempo ha delle solide « matrici » di coscienza e di comportamento che continuano a riprodursi.

[1] Datan e Abiram, ribellatisi a Mosè, furono inghiottiti dalla terra che si spalancò sotto di loro (*Libro dei Numeri*, 16, 1-35).

[2] F. Liebermann, *Die Gesetze der Angelsachsen*, I, Aalen 1960, 1, pp. 439 sgg.

[3] *Ibid.*, p. 437.

[4] *La société féodale*, Paris 1968, p. 135 [trad. it. *La società feudale*, Torino 1981[10], p. 106].

[5] Little, *La morphologie des malédictions monastiques* cit.

[6] Nel 1465 un inglese, che era stato scomunicato, mostrò di disdegnare questo atto: se il raccolto del suo campo non era affatto peggiore di quello dei vicini, ciò era forse possibile senza l'intervento del Signore?! Conclusione: la scomunica non ha valore (Thomas, *Religion and the declin of magic* cit., p. 46). La scomunica viene intesa proprio come uno scongiuro magico. Ancora nel secolo XVIII i contadini della Franca Contea pretendevano che l'arcivescovo di Besançon scomunicasse solennemente gli insetti e i roditori che divoravano le loro seminagioni (A. Vauchez, *Eglise et vie religieuse au moyen âge. Renouveau des méthodes et de problématique, d'après trois ouvrages récents*, in « Annales ESC », 28 (1973), 4, p. 1048).

[7] In italiano nel testo [*N.d.T.*].

[8] In italiano nel testo [*N.d.T.*].

[9] A. Munthe, *Legenda o San-Mikele*, Moskva 1969, p. 253 [trad. it. *La storia di san Michele*, Milano 1978, pp. 235-36].

[10] In italiano nel testo [*N.d.T.*].

[11] Munthe, *La storia di san Michele* cit., pp. 107-8.

[12] Citato in Thomas, *Religion and the declin of magic* cit., p. 27.

[13] Gli studiosi moderni sono inclini a collegare la venerazione della Vergine Maria, che si rafforzò sul finire del periodo in esame, con il mutare dell'atteggiamento verso la donna nella società occidentale.

[14] Thomas, *Religion and the declin of magic* cit., p. 165. Si veda l'indubbia allusione proprio a questo testo nel romanzo della scrittrice inglese Iris Murdoch, che descrive la conversazione tra due ecclesiastici (l'azione si svolge ai nostri giorni): «– Io non credo piú. – In che cosa non credete? – Non credo né in Dio Padre, né nel Figlio di Dio. – E come stanno le cose con l'altro *fellow*? – Senza di loro o non esiste, o non ha nulla a che fare con il cristianesimo» (I. Murdoch, *Henry and Cato*, London 1976, p. 141).

[15] Cfr. C. Levi, *Cristo si è fermato a Eboli*, Torino 1978, pp. 4, 102, 209 sgg.

[16] Toussaert, *Le sentiment religieux* cit., p. 845.

[17] J. Delumeau, *Le Catholicisme entre Luther et Voltaire*, Paris 1971, pp. 227 sgg., 236 sgg., 243 sgg., 248 sgg.

[18] Cfr. Id., *Au sujet de la déchristianisation*, in «Revue d'histoire moderne et contemporaine», vol. 23 (1975), pp. 57 sgg.

[19] Id., *Le Catholicisme* cit., p. 330.

[20] Cfr. Ferté, *La vie religieuse* cit.

[21] Manselli, *La religion populaire* cit., p. 194.

[22] Rapp, *L'Eglise et la religion en Occident* cit.

[23] Le Roy Ladurie, *Montaillou* cit.

[24] *Pilgrimage* cit.

[25] Cfr. le osservazioni critiche di N. Zemon Davis a proposito dell'approccio alla religiosità popolare che si basi sull'idea di una «deviazione» dalla norma o dall'ideale, e a proposito della trattazione della massa dei credenti come ricettori passivi della dottrina, che non avrebbero esercitato alcuna influenza sul contenuto del cristianesimo (Zemon Davis, *Some tasks and themes* cit., pp. 308 sgg.).

[26] Vauchez, *Église et vie religieuse* cit., pp. 1048-50.

[27] Cfr. J. Leclercq, F. Vandenbrouke e L. Bouyer, *La spiritualité du Moyen Âge*, Paris 1961; Delaruelle, *La piété populaire* cit.; Vauchez, *La spiritualité* cit. Le eccezioni sono poche. Tale è lo studio di J. Le Goff sulla leggenda della cacciata del drago ad opera di Marcello Parigino: in questa leggenda si può rinvenire l'interazione tra cultura folklorica e cultura ecclesiastica (Le Goff, *Pour un autre Moyen Âge* cit., pp. 236-79). Tale è anche lo studio di J. Le Goff e E. Le Roy Ladurie sulla leggenda della donna-serpente Melusina, leggenda in cui trovavano espressione gli umori e le aspirazioni dei cavalieri (*ibid.*, pp. 307-31). In sede di studio della cultura contadina medievale è di estremo interesse la monografia innovatrice di J.-C. Schmitt sul culto di san Guinefort, il guaritore dei bambini. Questo culto, descritto in tono di condanna alla metà del secolo XIII in uno degli «esempi» di Etienne de Bourbon, identificava in modo bizzarro un santo cristiano con il levriero di una leggenda. La leggenda, riferita da Etienne de Bourbon (con certe variazioni è nota anche da altre fonti), narrava del cane di un cavaliere che faceva la guardia alla culla del suo neonato; il bimbo fu assalito da un drago, ma il cane lo salvò e sbranò il drago; come vide che il levriero aveva il muso insanguinato, il cavaliere pensò che avesse divorato il bambino e lo ammazzò. In seguito i contadini della regione che circondava il castello (a nord di Lione) presero a venerare il cane come un santo: le madri portavano i bambini appena nati e malati agli alberi sotto i quali era sepolto il cane affinché questo li guarisse. Etienne de Bourbon, in quanto inquisitore, riuscí a far proibire questa «idolatria», ma il culto di san Guinefort si conservò, con certe modificazioni, fino all'ultimo quarto del secolo XIX. Secondo J.-C. Schmitt (*Le saint lévrier* cit., p. 241 [trad. it. p. 236]) il culto scomparve con il decadere della tradiziona-

le cultura folklorica contadina e della sua antagonista, la cultura della Chiesa. Per parte mia non posso non rilevare che lo studio su un santo che assumeva le sembianze ora di un uomo ora di un cane, getta, mi pare, ancor piú luce sul modo di pensare grottesco degli uomini medievali che si riconoscevano nella cultura popolare.

[28] In questo piú tardo periodo del Medioevo il diavolo emerge in qualità di partner e avversario di Dio dotato di pari forza, e talvolta sembra addirittura piú forte di lui; la demonologia si trasforma in demonomania. L'esistenza dei demoni cominciò ad essere considerata la prova piú convincente dell'esistenza di Dio: « se non ci sono i diavoli, non c'è neanche Dio ». Quando ad una donna fu domandato quanti dèi riconoscesse, ella rispose: due, Dio Padre e il diavolo (Thomas, *Religion and the declin of magic* cit., pp. 469 sgg.). Nel secolo XIII, secondo G. Roskoff (p. 317), ha inizio il « Teufelsperiode ». Cfr. anche Delumeau, *La peur en Occident* cit., pp. 233-53.

[29] Purtroppo solo in ritardo ho potuto prendere visione della interessante monografia di R. Muchembled, nella quale viene analizzato il processo di eliminazione della cultura popolare dalla sfera della « grande cultura » alla fine del Medioevo e all'inizio dell'età moderna (*Culture populaire et culture des élites dans la France moderne (XVe-XVIIIe siècles). Essai*, Paris 1978).

[30] Occorre convenire con il pensiero di L. P. Karsavin (*Osnovy srednevekovoj religioznosti* cit., pp. 35 sgg.) circa il carattere « antinomico » della coscienza collettiva del Medioevo.

Supplemento

Ulteriori riflessioni sui problemi qui in esame, lo studio di nuovi materiali, come pure la lettura di saggi di altri studiosi che sono apparsi dopo l'uscita del mio libro o che ho potuto consultare troppo tardi per poterli utilizzare, mi inducono a fare delle aggiunte al testo, pubblicato in russo nel 1981. Al testo vero e proprio ho apportato solo precisazioni e rettifiche di minima entità. Ho ritenuto invece piú opportuno collocare separatamente le aggiunte alla fine del libro, seguendo l'ordine in cui esso è strutturato.

Aggiunte alla Prefazione

Sono già state rilevate la mancanza di chiarezza e l'imprecisione del concetto di « cultura popolare » del Medioevo, ma è forse opportuno fare ulteriori considerazioni. In primo luogo, sarebbe scorretto analizzare soltanto nel suo insieme la cultura popolare come fenomeno distinto dalla cultura ufficiale della Chiesa o « dotta ». Essa contiene già di per sé una serie di componenti o correnti che divergono molto una dall'altra. Accanto alla cultura contadina, nella società medievale si formarono una cultura cavalleresca e una cultura cittadina, con tradizioni e contenuti propri, che non coincidevano con la tradizione ecclesiastica. Nel mio libro queste correnti non sono analizzate e il discorso verte prevalentemente sulla cultura contadina. È ovvio però che quando parliamo di cultura medievale, è indispensabile tener presente tutto lo spettro delle correnti che la componevano. Georges Duby, nella prefazione alla traduzione francese del mio libro sulle categorie della cultura medievale[1], ha avuto modo di rilevare che la contrapposizione cultura dotta - cultura popolare può portare ad una pericolosa semplificazione. Tuttavia, in riferimento al periodo studiato nel libro, quando i contadini costituivano la schiacciante maggioranza della popolazione europea e il loro modo di pensare non poteva non lasciare un'impronta sulla coscienza sociale in tutto il suo spessore, tale contrapposizione conserva tutto il suo significato.

In secondo luogo, e questo è certo piú sostanziale se ci si basa su tutto il contenuto e le conclusioni del mio libro che scaturiscono dal materiale raccolto, il concetto stesso di «cultura» viene usato in un'accezione che richiede una precisazione. Nel mio studio l'attenzione non è concentrata sui prodotti concreti della creazione culturale, solitamente analizzati dagli storici della letteratura, dell'arte, della filosofia. Ho compiuto il tentativo di «scavare», mediante l'analisi di una serie di generi della letteratura mediolatina, fino a raggiungere quel terreno mentale, concettuale, emotivo e socio-psicologico sul quale propriamente la cultura nasce e del quale si alimenta. Forse sarebbe stato piú esatto parlare non di cultura, ma di quello strato della coscienza nel quale nascono i suoi elementi e si formano le linee di forza che la determinano. Questa sfera di immagini, idee, credenze e stereotipi, che aleggiavano nella coscienza sociale, è piú amorfa, non è rigorosamente strutturata e non è passata per il crogiuolo della creazione individuale.

L'attenzione è concentrata sull'analisi di quel livello di coscienza che, convenzionalmente parlando, si trova «sotto» il livello della storia delle idee o delle creazioni artistiche. Perciò si pone il problema di far affiorare le abitudini di coscienza, i punti di riferimento e gli orientamenti mentali che non erano né formulati in maniera palese, né enunciati esplicitamente, né del tutto consapevoli, e che costituivano l'*outillage* psicologico, l'«attrezzatura spirituale» degli uomini del Medioevo. Studiando il substrato mentale della cultura, lo storico tenta di scoprire, dietro le comunicazioni dirette dei testi, quegli aspetti della concezione del mondo dei loro creatori che questi ultimi potevano «lasciarsi scappare» solo involontariamente. Dietro il «piano dell'espressione» egli cerca il «piano del contenuto». Di quegli uomini e della loro coscienza egli vuole sapere quello che loro stessi forse non indovinavano neanche, vuole penetrare nel meccanismo di quella coscienza, capire come funzionava e quali suoi strati erano i piú attivi. È assolutamente evidente l'enorme vantaggio che dà lo studio di questo genere di testimonianze involontarie in confronto alle intenzionali e ben ponderate enunciazioni degli autori medievali: il grado di obiettività delle une e delle altre è completamente diverso. Nella letteratura scientifica contemporanea questo livello della coscienza sociale è chiamato «mentalità», denominazione tanto vaga quanto il fenomeno cui si riferisce.

L'attualità scientifica di questa problematica trova conferma nella storiografia piú recente[2]. Nel campo di indagine degli storici entrano sempre piú spesso gli esponenti anonimi della cultura, uomini che appartenevano a strati diversi della società feudale, fino alle classi piú basse, prive della possibilità di esprimere autonomamente le proprie opinioni e i propri umori. Gli studiosi cercano un nuovo approccio alle fonti che dia la possibilità di sentire la voce delle persone semplici e di avvicinarsi alla rivelazione della loro visione e concezione del mondo. La società medievale non viene piú analizzata solo «dall'alto», dal punto di vista dell'élite intellettuale, ma anche «dal basso», dalla posizione degli *illetterati*, dei «semplici». Questo approccio non è affatto un tributo al «populismo romantico». Al contrario, esso apre nuove vie alla conoscenza della cultura e della struttura sociale della società medievale.

Dovrebbe apparire sempre piú chiaro che le mentalità costituiscono un ambito particolare, caratterizzato da regole e ritmi peculiari, che è legato in maniera contraddittoria e indiretta al mondo delle idee nel senso proprio della parola, ma che non è affatto riducibile ad esso. Da un lato, la storia delle idee «allo stato puro», studiata dagli storici della religione e della filosofia e, dall'altro, «la storia sociale delle idee», del loro processo preparatorio e della nascita delle premesse che portano alla loro formazione nella sfera sociopsicologica, dei destini cui vanno incontro le idee quando vengono diffuse e assimilate in un certo ambiente sociale, rappresentano due ordini diversi, sovente assai divergenti tra loro, e la conoscenza di questo secondo ordine risulta essere quanto mai essenziale per la comprensione della storia della cultura e del processo storico in generale.

Infine, occorre sottolineare che il vero soggetto del libro

non è la cultura popolare in sé, giacché le strade di cui il medievista dispone per giungere a conoscerla come tale sono estremamente limitate, bensí il suo «incontro» con la cultura ufficiale, l'interazione di entrambe queste tradizioni della coscienza. Quello che si riesce a scoprire nelle fonti mediolatine studiate nel libro è una sorta di «congiunzione» delle suddette tradizioni, la zona di confine dei loro contatti, e lo studioso può vederlo solo nel loro intrecciarsi, in una sintesi complessa e contraddittoria. Mi sono dedicato al «dialogo-conflitto» di queste due forme di coscienza. Ma è anche difficile dolersi dell'incapacità a isolare la cultura popolare «allo stato puro», libera da stratificazioni cristiane: nel Medioevo infatti questa cultura «allo stato puro» non esisteva e non poteva esistere. È importante capire entrambe le tradizioni proprio nella loro dialettica, nella loro interazione storica, giacché queste tradizioni esistevano come poli indissolubilmente legati di uno stesso universum culturale. Solo nel campo di forze creato da entrambi i poli, dalla coscienza dell'élite e dalla coscienza degli *idiotae*, la cultura medievale, con gli alogismi, le «stranezze» e gli impensabili paradossi che le sono propri, acquista il suo vero significato[3].

Aggiunte al Capitolo primo.

1. La tesi sul carattere tendenzialmente immobile della letteratura religioso-didattica mediolatina, avanzata in questo capitolo, viene interpretata in maniera completamente diversa da D. Harmening[4]. Egli stabilisce dei legami testuali tra le opere degli autori medievali, in particolare dei compilatori di penitenziali, e quelle dei loro predecessori, prima di tutto di Cesario di Arles. Non solo, egli sostiene che gli autori piú tardi si limitavano a copiare i sermoni di Cesario, indipendentemente dalla realtà che li circondava. Perciò, scrive Harmening, la maggior parte delle fonti medievali che testimoniano la presenza di superstizioni ha un carattere puramente letterario-tradizionale, senza riflettere nessuna realtà.

Simili affermazioni categoriche destano i piú seri dubbi. Se si accettano, allora è assolutamente incomprensibile a che pro i teologi e gli scrittori medievali sprecassero energie, tempo e mezzi per copiare testi il cui contenuto secondo loro non aveva alcuna rispondenza nella vita. Fra questi copisti avulsi dalla realtà Harmening annovera anche una personalità attiva in campo religioso e politico quale fu Burcardo di Worms, che secondo lui sarebbe stato, al pari degli altri, del tutto dipendente da Cesario di Arles. Ma in tal caso come la mettiamo con il suo penitenziale, molte delle cui disposizioni rappresentano dei veri e propri saggi etnografici sulle superstizioni popolari che non ripetono affatto in modo pedissequo insegnamenti vecchi di cinquecento anni? La composizione di questo penitenziale era parte integrante della generale politica di Burcardo, tendente alla riorganizzazione della Chiesa e della sua attività nella diocesi di Worms, cioè perseguiva scopi puramente pratici.

Il tradizionalismo della letteratura religiosa medievale è noto, ma nulla giustifica che dietro gli stereotipi e la gran massa di citazioni non si voglia vedere l'espressione di esigenze contingenti, che imponevano la necessità di rivolgersi alle autorità antiche[5]. Occorre non dimenticare che gli autori dei penitenziali erano personalità ben consapevoli delle esigenze della vita, che si proponevano di sradicare le superstizioni e le abitudini non cristiane, diffuse nell'ambiente dei parrocchiani, esattamente come erano diffuse tra il popolo nel periodo anteriore. È impossibile trascurare il carattere dei libri penitenziali: erano manuali pratici, e non monumenti di astratta erudizione, privi di qualsiasi legame con l'epoca in cui furono composti. Il fatto che in essi si ripetano sempre le stesse prescrizioni va piuttosto interpretato come una testimonianza della stabilità dei fenomeni di vita di cui parlano.

Sostenendo che fonti medievali come i penitenziali, in forza della loro dipendenza dalla tradizione letteraria antica, non possono essere prese come testimonianze dell'esistenza di superstizioni durante il Medioevo, Harmening non tiene conto del fatto che anche altre opere, nelle quali non vengono instaurati tali legami testuali, parlano delle particolarità specifiche della religiosità popolare. Se egli si fosse rivolto ai secoli XIV-XVII, avrebbe rinvenuto nelle fonti piú diverse indizi dell'inestirpabile vitalità di quelle stesse abitudini e pratiche magiche che incontriamo nelle fonti del periodo da noi preso in esame. Di conseguenza, non si tratta della semplice copiatura di testi precedenti, bensí del perdurare nella cultura contadina di una mentalità tradizionale.

2. Ho cercato di proseguire l'analisi del problema del rapporto tra cultura orale e cultura scritta nel Medioevo basandomi sul materiale di due annotazioni di visioni dell'aldilà, scritte alla fine del secolo XII e all'inizio del XIII. Queste visioni possono essere definite «contadine». Una appartiene ad un contadino dell'Holstein, Gottschalk, ed è datata 1189, l'altra, del 1206, ad un contadino inglese dell'Essex, Thurkill. Nella prima visione vorrei rilevare l'indubbia influenza del folklore. Nell'altro mondo Gottschalk vede un albero sui cui rami crescono scarpe, indispensabili alle anime dei defunti, giacché costoro devono attraversare un campo cosparso di tremende spine. Poi egli giunge ad un torrente in cui sono immerse armi taglienti, e possono evitare le mutilazioni solo quelle anime che sono riuscite ad arrampicarsi sulle zattere. Alla fine Gottschalk raggiunge un crocevia di tre strade verso le quali un angelo indirizza le anime dei defunti. Nel racconto di Gottschalk, ritornato in vita, risulta chiaro quanto egli fosse assorbito dalle sue faccende terrene e dai rapporti con i vicini, cosa che gli impediva addirittura di considerare con il dovuto interesse ciò che aveva visto nell'aldilà, e di questo lo rimprovera l'ecclesiastico che annota la sua narrazione. Tutti coloro che Gottschalk ha avuto occasione di incontrare nel mondo ultraterreno sono suoi conoscenti dell'Holstein, che, inoltre, sono collocati «là» a seconda della loro appartenenza alla parrocchia «qui»[6].

Per quanto riguarda il racconto di Thurkill sulla sua visita nell'aldilà, la sua annotazione sembra gettare luce sul meccanismo di fissazione e organizzazione di una visione spontanea. Viene qui riferito che dapprima Thurkill riuscí a raccontare ciò che aveva visto solo «frammentariamente, ricordando ora questo ora quell'episodio e omettendo o passando sotto silenzio molte cose». Però, dopo la conversazione con il parroco, che presumibilmente gli diede le necessarie istruzioni, il suo racconto diventò connesso e compiuto; in questa definitiva forma «riveduta» Thurkill poi ripeté piú volte la sua narrazione di fronte ai parrocchiani, al lord e nei monasteri in cui lo invitavano; e appunto in questa forma venne annotata. La visione doveva perciò passare per una sorta di censura ecclesiastica e veniva accordata al canone stabilito; non poteva fissarsi come fatto della cultura popolare, ma doveva essere incorporata nella tradizione ecclesiastica, e nel

Medioevo la tradizione popolare poteva esistere appunto solo in tale simbiosi con la tradizione dotta[7].

Aggiunte al Capitolo secondo.

L'interpretazione popolare dei santi, di cui si parla in questo capitolo, non fu un tratto distintivo solo del periodo iniziale del Medioevo. Materiali di epoca piú tarda descrivono in sostanza lo stesso quadro. Il fondamentale studio di A. Vauchez[8], dopo aver rilevato un certo spostamento di accenti nei criteri di santità nei secoli XIII-XIV, dimostra nello stesso tempo che nella coscienza delle masse dominò a lungo, fino alla fine del Medioevo, lo stereotipo del santo formatosi all'inizio di quest'epoca. L'atteggiamento della Chiesa di Roma verso il culto dei santi si distinse fin dall'inizio per la sua ambiguità. Vauchez sottolinea le divergenze da un lato, tra la concezione di santità del clero colto, che poneva l'accento sulla pietà e il modo di vivere del santo, e, dall'altro, quella dei laici e del basso clero a loro vicino, che giudicavano il santo in base ai suoi atti miracolosi. Nella genesi di culto di un santo l'iniziativa partiva sempre dai credenti e destava spesso apprensione e resistenza da parte della Chiesa. Non a caso i santi locali, ai quali il popolo era incline ad attribuire la capacità di compiere miracoli, non erano canonizzati dalla curia papale. Se gli studiosi valutano in qualche centinaia il numero dei santi locali nell'Europa cattolica del secolo XIII, il numero dei processi di canonizzazione nel periodo compreso tra il 1185 e il 1431 è in tutto solo di settanta unità, e inoltre solo metà dei processi terminò con la canonizzazione. Tra i santi riconosciuti dalla curia e la massa di santi locali da essa non «approvati» esistevano considerevoli differenze e Vauchez ritiene possibile parlare di due livelli di culto.

Fino al secolo XII si veneravano i santi che erano vissuti nei primi secoli del cristianesimo, e solo successivamente prese ad aumentare il numero dei santi morti di recente: dopo la riforma gregoriana, mutò la prospettiva in cui si considerava la santità e si iniziò a porre sullo stesso piano il proprio tempo e il tempo dei padri della Chiesa. Il cristianesimo che, secondo le parole di G. Duby, nei secoli XIII-XIV da religione d'élite è diventato religione delle masse[9], si adegua alle loro esigenze e aspirazioni, e il culto dei santi quasi «atterra» e in parte si volgarizza. I nuovi santi sembravano dei protettori piú efficaci, piú vicini nello spazio e nel tempo, la gente li conosceva come contemporanei o compatrioti, li vedeva da vivi, e perciò poteva contare sulla loro protezione e provare un senso di solidarietà. Ogni cittadina e ogni villaggio aspiravano ad avere il proprio santo. Il culto dei santi, secondo Vauchez, si particolarizza. Del resto, come abbiamo avuto modo di convincerci, il particolarismo era un suo tratto peculiare anche nell'alto Medioevo.

Il culto di un santo era sempre caratterizzato da due aspetti: le sue origini popolari si associavano all'influenza del clero locale, che doveva approvarlo e sanzionarlo. Sui santi d'ispirazione popolare si sono conservate poche notizie, che sono comunque solo una piccola parte dell'iceberg nascosto allo sguardo dello studioso. In alcuni casi si sa che l'adorazione di questo o quel santo popolare provocava divieti ecclesiastici, ben lungi dall'essere sempre efficaci. Cosí, il culto di san Werner fu proibito dall'imperatore Rodolfo e dall'arcivescovo di Magonza nel 1288, l'anno successivo alla morte di Werner, ma poco dopo alcuni vescovi in pratica lo riconobbero; nel secolo XIV il culto fu di nuovo interdetto e il divieto venne tolto solo nel 1426. Nel frattempo il culto di Werner si era trasformato: la leggenda gli conferiva l'aureola di martire, morto per mano dei giudei, ma nel periodo di grande diffusione del suo culto nel secolo XVI Werner diventò protettore dei viticoltori. Il culto dei santi popolari nasceva prima di tutto nell'ambiente rurale e poco urbanizzato, indifferente alle figure dei santi proposti dalla Chiesa.

Di enorme interesse sono le osservazioni riguardanti il legame tra il modello di santità, adottato in questa o quella regione europea (Vauchez indica due «modelli»: mediterraneo e europeo-occidentale), e il carattere della struttura sociale: il tipo «popolano» di santo italiano sotto molti punti di vista era differente dal piú aristocratico santo della Francia o della Germania, dove si canonizzavano prevalentemente rappresentanti della nobiltà e vescovi. Nei confronti del santo trovavano espressione anche i rapporti di vassallaggio: il credente si affidava al santo e prometteva di restargli fedele, a condizione però di ricevere da lui un aiuto effettivo e minacciando, in caso contrario, di abbandonarlo. La fede nelle proprietà magiche del santo, che si manifestava nell'adorazione delle sue reliquie e degli oggetti a lui legati e nell'attesa dei miracoli, prima di tutto delle guarigioni, era propria di tutti gli uomini di quell'epoca, dai popolani ai gerarchi della Chiesa, era un indizio imprescindibile della mentalità medievale[10]. Le divergenze tra la concezione popolare e quella ufficiale di santità si manifestavano nella diversa interpretazione dei miracoli, che per il popolo erano il criterio decisivo, mentre per i colti erano il segno dello stato d'elezione del santo.

Uno studio interessante, anche se in molti punti discutibile, sul ruolo dell'adorazione delle reliquie nel cristianesimo occidentale e sulle differenze tra il culto dei santi in Francia, dove mise profonde radici, e in Germania, dove quasi non esistevano santi locali, appartiene allo storico canadese L. Rothkrug[11]. L'adorazione delle reliquie dei santi era direttamente legata ai pellegrinaggi. L'antropologo V. Turner considera il pellegrinaggio come uno stadio del processo di trasformazione delle condizioni o dello status dell'uomo, come una tappa nel rituale di passaggio (*rites de passage*). In una prospettiva antropologica risulta particolarmente evidente la natura feticistica delle reliquie dei santi, che erano utilizzate a scopi magici[12].

Aggiunte al Capitolo terzo.

1. Poiché il contenuto della vita religiosa delle masse viene analizzato nel suo rapporto di correlazione con la parrocchia, è indispensabile menzionare il lavoro di P. Adam, che ho potuto consultare dopo la pubblicazione del mio libro[13]. Le difficoltà in cui la Chiesa si imbatteva nel periodo precedente, continuavano a sussistere anche nel secolo XIV: l'ignoranza di una parte considerevole del clero e la sua laicizzazione, fino al punto che un prete di campagna si trasformava di fatto in un agricoltore; il fatto che sovente un villaggio restava per lungo tempo privo di un sacerdote; lo stato di abbandono e di decadenza di molte chiese, la trasformazione dei cimiteri in luoghi dove si facevano commerci e si esercitava la giustizia, dove si potevano vedere spettacoli di commedianti e danze di giovani, dove la vicinanza dei morti non ostacolava risse e spargimenti di sangue o incontri amorosi; l'indifferenza re-

ligiosa di una parte del gregge, che non frequentava le messe domenicali, o l'indecente comportamento in chiesa, la mancanza di attenzione nel seguire la predica, l'atteggiamento incurante verso le scomuniche, di cui il clero abusava; la violazione del divieto di lavorare, commerciare o far processi nei giorni festivi e delle prescrizioni di astenersi in questi giorni dai divertimenti e dai piaceri; infine, la generale diffusione della magia e di superstizioni di ogni genere.

2. Per quanto concerne i rituali magici a cui ricorrevano i parrocchiani e di cui si parla di continuo nei penitenziali, occorrerebbe confrontare questa pratica, tanto recisamente e incondizionatamente condannata dalla Chiesa, con le benedizioni e le «paraliturgie» religiose; la Chiesa adottava scongiuri contro forze della natura, i campi, le acque, il tempo, gli strumenti di lavoro, i mezzi di trasporto, gli alimenti, senza trovare in questa attività, in sostanza altrettanto ispirata alla magia, nulla che contraddicesse la dottrina cristiana[14]. È dunque chiaro che, dal punto di vista del clero, non era pericolosa la magia come tale, bensí coloro che la praticavano e gli scopi per cui veniva praticata; l'atteggiamento verso la magia dipendeva dal fatto che questa attività si trovasse sotto il controllo della Chiesa o fosse invece incontrollata. La coscienza magica invece era patrimonio di tutti, dal contadino ignorante e dal semplice artigiano al gerarca della Chiesa e al professore universitario.

3. Nel capitolo è affrontata la questione della stregoneria. Qui non può essere oggetto di un'analisi particolare (una letteratura dedicata all'atteggiamento verso le streghe e alle persecuzioni da esse subite in Europa è ampissima e sempre in aumento) e vorrei evidenziare solo una circostanza, che si delinea sempre piú chiaramente nei lavori piú recenti. Anche se le persecuzioni delle streghe erano ispirate da dotti teologi e giuristi, che tendevano a vedere dappertutto le insidie di Satana e a considerare sue serve le donne, che praticavano la magia, l'enorme espansione delle persecuzioni testimonia fuori di ogni dubbio che la paura del maligno si era impadronita di larghi strati di popolazione, assumendo sovente il carattere di psicosi collettive ispirate al terrore. A lanciare le accuse verso le presunte streghe erano sempre i vicini, che in tal modo si vendicavano di loro. Nella caccia alle streghe, se si prescinde dalle sue fonti «dotte», trovava-

no espressione i contrasti, inaspritisi nei secoli XV-XVII, della campagna e in particolare i forti attriti tra i membri della comunità e i suoi elementi marginali. La dottrina demonologica sul patto tra la strega e il diavolo e sui loro rapporti sessuali fu sviluppata dagli scolastici e dai giudici alla fine del Medioevo e denotava una rottura con la passata tradizione di condanna della fede nelle streghe: questa fede popolare invece aveva antiche origini e nella nuova situazione sfociò nelle persecuzioni e nelle punizioni di massa[15].

Aggiunte al Capitolo quarto.

Il problema della percezione della morte, delle idee sull'aldilà e della possibilità di comunicare con i suoi abitatori, quale componente essenziale del quadro medievale del mondo, è intensivamente indagato nella moderna letteratura medievistica, che cresce come una valanga. I libri di Ph. Ariès non sono stati i primi a seguire questa strada, ma è indubbio che proprio essi hanno attirato l'attenzione sulla percezione della morte come aspetto della psicologia storica. Lo storico francese M. Vovelle sottolinea che l'elaborazione di questa tematica non è affatto una moda, poiché apre nuove prospettive allo studio della coscienza collettiva[16]. Tra i numerosi lavori dedicati al problema della morte nel Medioevo vorrei soffermarmi brevemente su alcuni, che suscitano il maggior interesse. Malgrado le differenze nell'approccio al problema e nella sua impostazione, questi lavori mi sembrano accomunati dalla tendenza ad analizzare il suddetto problema in un ampio contesto socio-culturale, e ciò appunto li rende assai attuali.

1. Il libro di P. Dinzelbacher è un'analisi, ricca di contenuto e materiale concreto, della letteratura medievale delle visioni del mondo ultraterreno[17]. Tra gli aspetti analizzati nel libro, alcuni sono vicini alla nostra impostazione del problema, come lo spazio e il tempo nella percezione del visionario, i suoi rapporti con gli abitatori dell'altro mondo, la descrizione delle varie sezioni del regno ultraterreno, la funzione sociale delle visioni, la «sociologia dei visionari», cioè le loro origini sociali. L'autore esamina sia i racconti sulle peregrinazioni dell'anima nell'inferno, nel purgatorio e nel paradiso,

sia le annotazioni delle illuminazioni estatiche dei mistici del basso Medioevo, e questo gli dà la possibilità di fare dei raffronti tra questi generi letterari, diversi sotto molti punti di vista.

Secondo le osservazioni di Dinzelbacher, tra coloro che meritavano di visitare il mondo ultraterreno, nel periodo qui in esame, prevalevano i non nobili, in primo luogo monaci, cavalieri, contadini (proprio a questi ultimi appartengono alcune delle visioni piú dettagliate); alla fine del Medioevo la nobiltà e la borghesia produssero un gran numero di mistici, protagonisti delle illuminazioni. Tra il secolo VI e la metà del XII la visione fu unicamente patrimonio dei maschi; ma a partire dal secolo XIII questa situazione si modificò. Sono dell'opinione che vi siano fondamenti per parlare di una certa tendenza «democratica» nelle visioni del primo periodo, che si manifesta non solo nelle origini sociali dei visionari, ma anche nei quadri dei tormenti cui sono sottoposte le anime di vescovi, re e nobili: questa letteratura era destinata a vasti strati di popolazione, benché riuscisse a raggiungere gli analfabeti solo indirettamente, tramite l'esposizione orale.

Molto interessanti sono le osservazioni di Dinzelbacher a proposito del riflesso della struttura sociale terrena nelle rappresentazioni dell'aldilà; il paradiso si contrappone all'inferno come il regno dell'ordine e della gerarchia si contrappone al regno del caos, e alcune illuminazioni rivelano allo sguardo interiore dei visionari «un cielo molto feudale»[18]. L'autore rileva giustamente che nelle visioni, di regola, non si parla di un Giudizio universale «alla fine dei tempi», bensí di un giudizio individuale per l'anima di ogni defunto. È significativo che egli ritenga possibile parlare già di purgatorio in riferimento alle opere di Gregorio I e di Beda il Venerabile[19]. La mia osservazione circa la «frammentarietà» della raffigurazione dello spazio nelle visioni medievali (come insieme di *loci* sparsi) trova conferma nel libro di Dinzelbacher, che giustamente considera questa caratteristica tipica della coscienza di quel periodo[20]. La posizione culturologica dell'autore si manifesta chiaramente nella sezione conclusiva della sua monografia, nella quale egli inserisce la letteratura delle visioni dell'aldilà nel generale processo evolutivo della vita spirituale della società medievale[21].

Desta qualche dubbio il tentativo dell'autore di suddividere l'esteso corpus delle visioni in «autentiche» e «non autentiche». Nella percezione dell'uomo medievale (ed è proprio questo il punto di vista che in questo caso ci interessa) queste visioni erano tutte autentiche, erano rivelazioni che davano la possibilità di gettare uno sguardo al di là della vita (le voci degli scettici che echeggiavano anche allora non tolgono valore a questa affermazione). Per quanto riguarda invece la spontaneità della percezione del visionario, non ritengo possibile ritornare qui su questo problema, poiché è già stato analizzato nel capitolo IV e in un mio articolo su due visioni contadine che ho citato. Mi limiterò solo a ricordare che le visioni, come i sogni, venivano inevitabilmente modellate in base al quadro del mondo di chi le viveva, e in questo senso erano fatti di cultura che hanno un enorme interesse per lo studioso[22].

Non posso essere d'accordo con Dinzelbacher quando afferma che nel periodo del primo Medioevo la letteratura delle visioni era solo patrimonio dei colti, cioè principalmente del clero e dei monaci, dato che nessuno oltre a loro era in grado di leggere, tanto piú in latino[23]. Attenersi a questo punto di vista, a mio parere, significherebbe sottovalutare l'operosità del clero nel diffondere i sermoni nell'ambito di vasti strati della popolazione laica. Mi permetto di citare di nuovo l'esempio scandinavo: tra le opere della letteratura religiosa che il clero considerò indispensabile tradurre per prime in antico islandese, troviamo tutti i generi che ci interessano, comprese le visioni (e precisamente la *Visione di Tnugdal*). I destinatari di queste traduzioni sono chiari: sono i semplici abitanti, nella schiacciante maggioranza contadini. Nel periodo precedente le traduzioni non erano indispensabili, ma la loro funzione veniva svolta dal libero racconto orale del parroco o del monaco-missionario, con l'inevitabile risalto dato ai momenti folklorici, accessibili alla coscienza di persone ignoranti. E non poteva neanche essere diversamente in una società in cui la cultura scritta, dei libri, formava una sorta di oasi tra i sistemi di comunicazione e trasmissione orale dei valori e delle conoscenze. Il fatto che nelle visioni, come pure negli altri generi della letteratura didattica mediolatina, si percepisca chiaramente una base folklorica, è un'indubbia testimonianza della pressione che l'uditorio laico e popolare esercitava sugli autori di queste opere. Resto della convinzione che i generi della letteratura mediolatina esaminati nel mio libro, e tra questi le narrazioni sulle visite nell'aldilà, non possono essere assolutamente capiti fuori della situazione di contatto tra due diversi livelli della coscienza sociale, quello dotto e quello popolare.

2. L'indagine di Dinzelbacher, orientata verso la storia delle fonti, introduce bene nella sfera dei problemi che riguardano la percezione del mondo ultraterreno da parte degli uomini medievali. Il libro di J. Le Goff è invece dedicato ad un tema apparentemente piú circoscritto, la genesi dell'idea del purgatorio[24]. In realtà l'autore di questo studio vuol mostrare il legame esistente tra la ristrutturazione dell'immagine dell'aldilà (il passaggio dalla divisione binaria in inferno e paradiso a quella ternaria in inferno, purgatorio e paradiso) e la generale trasformazione della vita intellettuale in Occidente nei secoli XI-XIII e con ciò far rientrare i mutamenti di mentalità nello sviluppo complessivo del sistema sociale. Dopo aver minuziosamente studiato i testi teologici, Le Goff rileva in essi l'assenza, fino agli anni '70 del secolo XII, del sostantivo *purgatorium* e, di conseguenza, a suo parere, l'assenza di questo concetto; sulla mappa del mondo ultraterreno il purgatorio compare soltanto in quegli anni, per poi diffondersi nel secolo XIII e venir ufficialmente riconosciuto dalla Chiesa di Roma. L'«invenzione» del purgatorio denotava un profondo mutamento dell'atteggiamento verso la morte e l'aldilà: l'uomo prende piena coscienza del fatto che le «buone azioni» possono mutare la sorte dell'anima del defunto, possono abbreviare la sua permanenza nel fuoco purificatore. Nei rapporti con l'aldilà si fanno conti e valutazioni, l'uomo si impadronisce tanto del mondo terreno, quanto anche del mondo che c'è al di là della tomba.

Le Goff non è propenso ad attribuire un significato autonomo alle annotazioni di visioni e pone al centro della sua ricerca la letteratura scolastica e teologica. A mio giudizio, però, la prospettiva cambia se attribuiamo alle visioni il significato che meritano. Allora diventa evidente che l'immagine del purgatorio, piuttosto vaga e non del tutto differenziata dall'immagine dell'inferno, era presente nella coscienza degli uomini medievali già molto tempo prima che il purgatorio venisse riconosciuto dal pensiero scolastico e approvato dal papato. Come abbiamo visto, nelle visioni non c'è una netta struttura ternaria del mondo ultraterreno, e ciò nonostante in questa letteratura, fin dall'inizio, dai secoli VI-VIII, è presente il purgatorio, anche se non con questo nome e non raffigurato come regno a sé stante. Perciò ritengo che il purgatorio non sia nato per la prima volta nella teologia della fine del secolo XII e dell'inizio del XIII, ma molto prima; la penna degli scolastici gli conferí in seguito contorni netti, gli diede un nome e il diritto ufficiale all'esistenza. La differenza che si riscontra nella descrizione del mondo ultraterreno nelle visioni e nella scolastica è la differenza tra un complesso di immagini mentali vago e non portato a livello di concetti generali, da un lato, e un sistema ponderato, generalizzato e articolato in categorie, elaborato da un pensiero erudito disciplinato, dall'altro.

Ma poiché l'idea di uno o piú luoghi in cui le anime non subiscono semplicemente delle torture, ma una procedura purificatrice, si formò già all'inizio del Medioevo, dettata dall'insopprimibile esigenza dei credenti di conservare la speranza nella salvezza, difficilmente può essere giusto attribuire per intero agli scolastici l'iniziativa di elaborare l'idea del purgatorio. Di conseguenza, anche il mutamento della posizione dei dotti rispetto a questa idea, cui si erano opposti per tanto tempo (poiché nelle Scritture non si parla del purgatorio!), difficilmente si può spiegare esclusivamente con la generale evoluzione della vita intellettuale in una situazione di crescita delle città e del ceto cittadino: in questo processo va attribuita una considerevole importanza alla pressione esercitata sui pastori spirituali dalle masse, che sentivano l'esigenza di «impadronirsi» dello spazio ultraterreno in modo tale che l'uomo potesse conservare delle possibilità di salvezza, anche se non l'aveva raggiunta al momento della morte. Gli scolastici dovevano essere indubbiamente ricettivi nei confronti delle spinte che provenivano dalla massa dei credenti[25].

Non ho qui la possibilità di analizzare piú in dettaglio le divergenze tra la mia concezione e quella di Le Goff e mi permetto di rinviare il lettore ai lavori in cui sono esposte con la dovuta argomentazione[26]. La mia critica non contraddice in nessun modo l'altissimo apprezzamento per lo studio sottile e fruttuoso dell'eminente medievista francese. Vorrei tuttavia sottolineare che il processo della «nascita» del purgatorio andrebbe studiato anche sul piano della storia della cultura popolare medievale, e non solo su quello della cultura degli intellettuali.

3. Mentre i libri di Le Goff e di Dinzelbacher sono dedicati al problema della concezione dell'aldilà nel Medioevo, il libro di M. Vovelle sulla morte e l'Occidente dal 1300 ai giorni nostri si rivolge direttamente al tema della percezione della morte durante sette secoli di storia dell'Europa occidentale[27]. Questo studio fondamentale si pone in un certo senso in opposizione e in concorrenza con il libro pioneristico di Ph. Ariès[28], che abbraccia all'incirca lo stesso periodo (Ariès inizia da un'epoca ancora anteriore, ma tratta in modo piuttosto sommario i primi secoli del Medioevo)[29]. Tuttavia il complesso delle fonti cui Vovelle ricorre nel suo lavoro e nel quale egli tira le somme dei suoi numerosi studi, cosí come prende in considerazione i lavori di altri studiosi, è piú ampio e multiforme che in Ariès, il suo metodo è piú rigoroso ed è privo di quella tendenza «impressionistica» che in Ariès si rivela, in particolare, nell'unilaterale scelta delle fonti e nell'arbitraria utilizzazione di fonti di epoche diverse: le conclusioni di Vovelle sono perciò anche piú equilibrate. La differenza principale tra il suo nuovo libro e il libro di Ariès consiste nel fatto che Vovelle non separa l'atteggiamento degli uomini verso la morte dal loro sistema sociale. A quanto lui stesso dice, egli non crede nell'autonomia dell'immaginazione collettiva. L'immagine della morte si inserisce nell'insieme integro di un procedimento produttivo che fornisce un'«illuminazione generale» e come una sorta di specifico «etere» determina il peso e l'importanza di tutte le forme di vita in esso comprese. La società si riflette nell'immagine della morte, ma questo riflesso è deformato, ambiguo, e bisogna guardarsi dai tentativi di instaurare una dipendenza meccanica tra le mentalità e la vita materiale della società; si può parlare soltanto di determinazioni indirette. L'evoluzione degli orientamenti della società di fronte alla morte, secondo Vovelle, va analizzata in tutta la complessità dei loro rapporti con gli aspetti economici, sociali, demografici, spirituali e ideologici della vita[30].

Grazie a una ricca esperienza di studio dei testamenti in Provenza nel secolo XVIII[31], cioè di un materiale omogeneo e di massa che ammette e richiede l'adozione di metodi statistici, anche in questo lavoro piú complessivo Vovelle cerca per quanto è possibile di inserire numeri e misure nello studio di un fenomeno socio-psicologico cosí «delicato» come gli orientamenti della società nei confronti della morte. In tutte le sezioni del libro egli inserisce un'analisi dettagliata dei dati demografici per poi porre il problema del legame esistente tra questi e la soggettiva espressione della concezione della morte in una data società. Pur rilevando in un certo periodo la presenza di un clima spirituale diffuso, egli non perde di vista le specifiche variazioni, proprie della coscienza sociale di determinati gruppi e strati, e ritorna costantemente al problema della risonanza di questa o quella concezione della morte nell'ambiente sociale. A differenza di Ariès, Vovelle non è incline a parlare di «inconscio collettivo»[32], ma nello stesso tempo sottolinea che una parte considerevole di ciò che una società esprime nei riguardi della morte rimane inconscio, e che esiste un legame dialettico tra questo comune patrimonio di idee, credenze, gesti e stati psicologici e le riflessioni sulla morte – religiose, filosofiche, scientifiche o di qualsiasi altro genere – che circolano in una data società. L'analisi dell'atteggiamento verso la morte viene dunque condotta su livelli diversi, che però si intersecano, dove l'inconscio si alterna al conscio.

La storia delle modificazioni degli orientamenti nei confronti della morte è descritta dallo studioso come un lento processo evolutivo, nel quale si associano vari modelli di comportamento, ma questa evoluzione viene interrotta da sbalzi bruschi e convulsi: i cataclismi provocati dalla peste alla metà del secolo XIV, la comparsa del tema della «danza della morte» alla fine del Medioevo, il «barocco» pathos della morte della fine del Cinquecento e del Seicento... Nella storia della percezione della morte una lunga durata si combina con una breve, giacché le varie linee di sviluppo sono caratterizzate da ritmi diversi. Vovelle rivolge particolare attenzione al pericolo del silenzio nella storia della morte: per un lunghissimo periodo non abbiamo quasi testimonianze a proposito dell'atteggiamento che le masse anonime avevano verso la morte, ed è reale il pericolo di scambiare per la loro voce quello che dicevano i potenti di questo mondo.

Nel libro di Vovelle il centro di gravità viene a cadere nell'età moderna, ma mi è sembrato essenziale soffermarmi sulle premesse metodologiche della ricerca poiché esse aiutano a capire il suo approccio, innovatore e nel contempo profondamente fondato, allo studio della storia dell'immagine della morte. Per quanto riguarda invece le prime sezioni del suo lavoro, che parlano del Medioevo, l'autore individua due modelli di morte: la morte nella percezione quotidiana delle masse e la morte nelle sue sembianze cristiane. Il primo modello si basa sulla fede nell'esistenza dei « sosia », i morti che rappresentano un potenziale pericolo per i vivi, che perciò si sforzano di placarli. Come ha illustrato E. Le Roy Ladurie, che ha studiato la visione del mondo dei contadini che vivevano in un paese sui Pirenei, Montaillou, nel periodo a cavallo tra il secolo XIII e il XIV[33], essi credevano che le anime dei defunti, o piuttosto, i loro fantasmi, vagassero intorno al villaggio, senza riuscire a trovare pace; e poiché hanno un corpo, hanno bisogno di calore e di nutrimento. Solo col tempo, dopo aver espiato peregrinando intorno al villaggio dei vivi, i confinati nel villaggio dei morti muoiono definitivamente una seconda volta. La dottrina della Chiesa sul mondo ultraterreno non destava particolare interesse negli abitanti del luogo, « contaminati » dall'eresia dei catari, ed era loro nota in modo piuttosto vago, ma nonostante questo, la preoccupazione di salvarsi l'anima e di sfuggire ai tormenti infernali occupava un posto enorme nella loro coscienza.

Nel descrivere il secondo modello, cristiano, Vovelle attribuisce maggiore importanza rispetto ad Ariès al ruolo della religione nel determinare gli orientamenti nei confronti della morte. L'idea del purgatorio, a suo giudizio, diventò popolare molto piú tardi; Vovelle è giunto a questa conclusione, a mio parere discutibile, basandosi sullo studio del materiale iconografico, senza utilizzare però dati letterari. Egli condivide, con certe riserve, la tesi di Ariès sul graduale individualizzarsi del modo di percepire e vivere la morte durante il tardo Medioevo e come lui parla di passaggio dall'idea di un giudizio collettivo che avverrà « alla fine dei tempi » all'idea di un giudizio individuale al momento della morte del peccatore. Con questo punto di vista, com'è già noto al lettore del mio libro, non posso essere d'accordo. Entrambe le idee sono antiche e risalgono alle origini del cristianesimo. La paradossale coesistenza nella stessa coscienza di una « grande » e di una « piccola » escatologia (cioè dell'idea del Giudizio universale dopo la seconda venuta e dell'idea di un giudizio immediato appena il peccatore è morto), che è in contrasto con la nostra logica, ma che nel contempo però getta a mio parere molta luce sulla mentalità medievale, non è stata compresa da Vovelle, come d'altronde neanche dagli altri studiosi.

4. Per quanto riguarda la concezione medievale del rapporto tra il mondo dei vivi e il mondo dei morti, merita citare il lavoro di O. G. Oexle[34]. Egli spiega che, secondo le idee di allora, i morti continuano a vivere e mantengono rapporti reciproci con i vivi. Ai morti si riconosceva una piena capacità d'azione giuridica: un defunto poteva figurare in una causa giudiziaria in qualità di istante o di convenuto, poteva essere debitore o creditore. La stirpe, la famiglia includeva nel proprio numero anche i morti. Tra i vivi e i morti c'è uno scambio costante: preghiere funebri e offerte, da un lato, intercessione e protezione, dall'altro. Il culto dei morti era molto vicino al culto dei santi e i rapporti con questi ultimi si strutturavano in base allo stesso modello.

Commemorare un defunto non significava semplicemente ricordarlo: nel momento in cui si pronunciava il suo nome era come se egli fosse presente tra i vivi, la commemorazione religiosa era anche un preciso atto sociale, che univa i vivi ai morti, visti come soggetti attivi. Al contrario, il rifiuto del funerale simboleggiava l'esclusione del morto dalla società alla quale gli altri defunti continuavano ad appartenere.

Questa stretta intimità tra vivi e morti cominciò ad attenuarsi nel secolo XIV, durante il periodo delle pestilenze. Gli uomini, perdendo gli obblighi assunti reciprocamente uno verso l'altro, smisero di adempierli anche nei confronti dei propri morti. Oexle preferisce definire questo processo, che continuò anche nei secoli successivi, non di «decristianizzazione» o «secolarizzazione», bensí di «desocializzazione» dell'individuo. Segno evidente della rescissione del legame tra vivi e morti fu il trasferimento dei cimiteri, un tempo situati entro i confini delle città, fuori dalle mura.

5. Vorrei infine sottolineare che, a differenza di alcuni storici che concentrano la propria attenzione sulla percezione della morte e sulle concezioni del mondo ultraterreno, ritengo necessario occuparsi non di questo problema in quanto tale, ma di considerarlo come una delle componenti di un problema piú ampio, quello della concezione del

mondo da parte degli uomini del Medioevo. Penso che in questo contesto sia piú legittimo studiare il tema della morte e di tutto ciò che è ad esso legato, poiché non esiste una storia della morte a sé stante. Sulla base del materiale delle visioni dell'aldilà si possono esaminare le concezioni spazio-temporali, la trattazione dell'anima, determinati aspetti dell'autocoscienza individuale, la concezione della storia e altri aspetti del quadro medievale del mondo. Pur valutando positivamente molto di ciò che negli ultimi tempi è stato scritto nella letteratura scientifica a proposito di questo tema, nello stesso tempo non posso non osservare che sovente il tema della morte diventa assoluto e viene isolato dall'*universum* spirituale dell'uomo del Medioevo.

Aggiunte al Capitolo quinto.

Nel suo articolo sulla *Visione di Tnugdal* lo storico C. Carozzi fa alcune considerazioni riguardo alla trattazione dell'anima e alla natura dei tormenti che essa subisce nell'inferno e nel purgatorio, come sono affrontate nelle opere di Onorio di Autun[35]. Secondo l'opinione di Carozzi, Onorio si atteneva all'idea dell'immaterialità dell'anima e, di conseguenza, del carattere spirituale dei tormenti da essa patiti nel fuoco purificatore. Enunciazioni di questo genere, probabilmente ispirate dalla lettura dei lavori di Giovanni Scoto Eriugena, si incontrano effettivamente nelle opere di Onorio. Nell'*Elucidarium* però – e Carozzi lo riconosce – viene detto chiaramente che le anime dei peccatori soffrono «in forma corporum»[36]. Carozzi insiste sui contrasti che, nella risoluzione di questo problema, dividevano la corrente del pensiero scolastico, rappresentata da Ugo di San Vittore e la corrente cui apparteneva Onorio di Autun. Egli ritiene che questa controversia non avesse nulla a che fare con le credenze popolari e fosse «una battaglia tra chierici su fondamentali concetti teologici».

Con la posizione di Carozzi non è del tutto solidale J. Le Goff, secondo il quale questo studioso ha esagerato l'importanza della disputa tra «materialisti» e «immaterialisti» del secolo XII. Come sottolinea Le Goff, il punto di vista di Onorio non esercitò alcuna influenza sull'elaborazione del concetto di purgatorio da parte degli scolastici e non bloccò la penetrazione di questo concetto. Ma Le Goff trova contraddittoria anche la posizione dello stesso Onorio, giacché nell'*Elucidarium*, come abbiamo appena rilevato, si riconosce il carattere corporale dei tormenti delle anime, purificate alternativamente dal fuoco e da un freddo insopportabile. Le Goff definisce «paradossale» questa posizione. Se ho inteso bene il suo pensiero, questo carattere paradossale è prodotto dallo scontro da un lato tra la concezione metaforica dell'aldilà elaborata da Agostino e dai suoi seguaci e dall'altro i racconti dei visionari, che hanno visitato il regno dell'oltretomba e sono stati testimoni delle torture cui vengono sottoposte là le anime dei morti[37]. A ciò varrebbe la pena di aggiungere che il paradosso rilevato da Le Goff è della stessa natura di quello, da me constatato, dei due giudizi finali, uno collettivo «alla fine dei tempi» e l'altro individuale, subito dopo la morte del peccatore. Paradossi di questo genere sono una caratteristica imprescindibile della coscienza medievale, e inoltre in entrambi i casi è evidente lo scontro tra una concezione teologica e un'idea radicata nella cultura e nella religiosità popolari. Probabilmente era proprio l'interazione tra queste due tradizioni che generava la paradossalità di principio della mentalità medievale.

Possiamo ricordare a questo proposito che anche piú tardi, nei pensatori della prima metà del secolo XIII, si ritrova l'originale e contraddittoria combinazione dell'idea del purgatorio come luogo materiale con l'idea del purgatorio inteso metaforicamente. Le Goff respinge l'interpretazione che di questa contraddizione viene data nelle opere di Guglielmo di Alvernia, teologo e vescovo di Parigi impegnato ad educare il suo gregge, come di una sorta di «teoria dei due livelli»: per gli intellettuali e per se stesso Guglielmo ammetteva solo l'esistenza di uno pseudo-fuoco, mentre per la massa dei credenti sviluppava la dottrina della realtà materiale del fuoco purificatore[38]. Ma qui tornano alla mente le diverse interpretazioni dello stesso fatto che vengono date nelle opere di uno stesso autore destinate a uditori diversi, ad esempio, il racconto della disputa teologica tra cattolici e ariani nella *Storia dei Franchi* e il racconto dello stesso Gregorio di Tours sul confronto tra la potenza della dottrina ortodossa e di quella ariana attraverso la prova dell'acqua bollente nel *Libro sui miracoli*[39]. In simili casi evidentemente non si deve parlare di volontario inganno dei fedeli né di «duplicità» degli autori religiosi, bensí della loro concezione secondo cui il «pane dei teologi» non era pane per i denti dei comuni credenti e della conseguente, estrema «plasticità» dell'insegnamento impartito dagli educatori spirituali.

Aggiunte al Capitolo sesto.

1. Mi sono pronunciato a favore di una grande cautela nei tentativi di far risalire a una remota antichità il carnevale nella forma «classica» che assunse nei secoli XVI-XIX. Tralasciando fatti come il ripristino artificiale del carnevale in alcune grandi città europee (a Kieln nel 1823, a Norimberga nel 1843, a Nizza alla metà del secolo XIX), va rilevato che nella scienza contemporanea si è delineata la tendenza a non voler vedere necessariamente la presenza di aspetti arcaici in usi e istituzioni consolidatisi relativamente tardi. Riguardo al carnevale e alla festa dell'albero di maggio, queste voci echeggiano già da diverso tempo[40]. Bercé afferma che la tesi dell'immemorabilità delle feste rurali non è altro che un mito. In effetti la maggior parte degli elementi di questa cultura rurale, inventariata dai folkloristi, si formò durante i regni di Luigi XV e Luigi XVI[41].

2. La questione della percezione del maligno nel Medioevo attira oggi l'attenzione di molti studiosi. Si vedano, in particolare, gli atti del convegno tenutosi ad Aix nel 1978[42]. La leggenda del diavolo desideroso di riconciliarsi con il Creatore, che viene citata da Cesario di Heisterbach, era diffusa anche presso i popoli slavi[43].

3. Ritengo necessario ritornare all'immagine del semplice descritta in questo studio, che si può considerare sotto due punti di vista. Da un lato, per la maggior parte del lavoro figurano col nome di «semplici» appunto quegli uomini semplici, ignoranti, contrapposti ai chierici e agli scolastici che erano sapienti, colti, eruditi. I dotti chiamano «semplici» e «idioti» coloro che sono analfabeti, che non sono in grado di accedere direttamente al pozzo della sapienza, la Scrittura, alle creazioni dei padri della Chiesa, alle opere dei pensatori e compilatori medievali. Proprio per le esigenze dei

«semplici» in primo luogo venivano create quelle opere di genere religioso-didattico che abbiamo analizzate. Poiché tengono in gran conto la propria sapienza, le persone dotte non approvano l'ignoranza.

Dall'altro lato, l'ultimo capitolo del libro raccoglie del materiale che descrive il «semplice» come un eletto di Dio. Non «retori e filosofi», ma «pescatori e pastori» furono scelti dal Signore per portare fra gli uomini la sua parola, e l'estrema semplicità di alcuni di loro, che pare quasi stupidità, si trasforma in santità. E qui occorre completare e precisare il nostro discorso: nella coscienza medievale il semplice non è semplicemente l'oggetto dell'attività divulgativa del clero, che gli si contrappone dall'esterno; il semplice è un'imprescindibile ed essenziale personificazione della cultura medievale, espressione del carattere contradditorio e grottesco del pensiero medievale. Per rivolgersi al suo gregge con un sermone, una predica o un «esempio» edificante, il chierico «illuminato» doveva assumere mentalmente il suo punto di vista, e qui sorge un quesito: questo punto di vista gli era solo estraneo oppure anche in lui si celava il semplice? È necessario supporre che il dialogo tra il semplice e il dotto si svolgesse anche nella coscienza del teologo, di chi insegnava nelle università, del principe della Chiesa.

Queste considerazioni sono legate alle osservazioni di V. S. Bibler che, dopo aver letto il mio libro, insiste sulla necessità di distinguere tra il vero parrocchiano, semplice e analfabeta, e l'immagine «trasfigurata» del Semplice. Se ho ben capito il suo pensiero, il passaggio dall'«idiota» «extra-culturale» all'immagine del Semplice si può osservare muovendo dall'analisi di quei generi «di base» della letteratura mediolatina qui in esame all'esame delle opere della «grande» letteratura medievale. Ma questo è già un altro compito (e, aggiungo, destinato a un altro studioso)[44].

Aggiunte alla Postfazione.

1. Si potrebbe ampliare ulteriormente l'analisi della letteratura scientifica dedicata alla cultura e alla religiosità popolari alla fine del Medioevo e all'inizio dell'età moderna, per convincersi vieppiú che il filone della coscienza sociale che

ho analizzato rimase in sostanza quasi immutato anche allora. Ma poiché le conclusioni restano invariate, mi asterrò dal citare quanti si sono dedicati alla storia della cultura dei secoli XV-XVIII. Occorrerebbe scrivere a parte anche sulla crisi della cultura popolare, che si manifestò in quel potente parossismo sociopsicologico che fu la caccia alle streghe e negli sforzi finalizzati della monarchia assoluta e della Chiesa nel periodo che seguí la Riforma e il Concilio di Trento (le persecuzioni basate sulle accuse di stregoneria sono legate a questo attacco alla concezione del mondo dei ceti bassi)[45].

2. Rileggendo il libro per prepararlo alla traduzione, mi sono reso conto piú che in precedenza di aver usato in modo scorretto alcuni concetti chiave. È esatto parlare di «grottesco» medievale? Questo concetto ha sollevato obiezioni da parte di alcuni attenti lettori del libro. Ci si potrebbe giustificare richiamandosi all'autorità di M. M. Bachtin, che ha introdotto nell'uso scientifico il concetto di grottesco in un senso ampio, che esorbita dalla storia dell'arte. Al lettore del libro risulta chiaro che la mia trattazione del grottesco, che lo «libera» dall'obbligatorio legame con il riso e con la «cultura comica», è polemica nei confronti della trattazione del grottesco data dal mio grande predecessore.

Dubbi piú seri desta oggi in me un altro concetto, quello di «cultura popolare», e non tanto l'aggettivo quanto il sostantivo. Ma di questo si è già parlato all'inizio del supplemento, e adesso vorrei solo manifestare il mio rammarico per non aver trovato un apparato concettuale piú adeguato per interpretare l'essenza del fenomeno studiato nel libro. Malgrado tutta la sua indeterminatezza (o proprio grazie ad essa?), il termine «mentalità» è evidentemente piú adatto a descriverlo del termine «cultura» (che del resto è altrettanto ricco di significati e provoca dispute senza fine!) Al lettore sarà tuttavia chiaro l'argomento del mio lavoro: la mentalità e la coscienza in esso analizzate esprimono l'irripetibile specificità della cultura medievale.

[1] Paris 1983, p. XII.

[2] Del concetto di «mentalità» nella scienza storica contemporanea ho parlato in un articolo, *Medieval culture and mentality according to the new French historiography*, in «Archives européennes de sociologie», XXIV (1983), n. 1, pp. 167-95.

[3] Cfr. A. Ja. Gurevič, *O novych problemach izučenija srednevekovoj cul'tury* [Nuovi problemi di studio della cultura medievale], in *Kul'tura i iskusstvo zapadnoevropejskogo srednevekov'ja*, Moskva 1981, pp. 5-34.

[4] D. Harmening, *Superstitio. Überlieferung und theoriegeschichtliche Untersuchungen zur kirchlichen theologischen Aberglaubensliteratur des Mittelalters*, Berlin 1979.

[5] Il fatto che Alitgario di Cambrai fosse un compilatore, il cui penitenziale era composto per lo piú da estratti di opere anteriori, non gli impediva di scegliere e disporre questo materiale secondo i suoi criteri e in conformità con gli scopi che si proponeva; cfr. R. Kottje, *Die Bußbücher Halitgars von Cambrai und des Hrabanus Maurus. Ihre Überlieferung und ihre Quellen*, Berlin - New York 1980, pp. 253-54.

[6] Cfr. W. Lammers, *Gottschalks Wanderung im Jenseits. Zur Volksfrommigkeit im 12. Jahrhundert nördlich der Elbe*, in «Sitzungsberichte der Wissenschaftlichen Gesellschaft an der Johann Wolfgang Goethe Universität Frankfurt am Main», vol. 2 (1982), n. 2, pp. 139-62.

[7] A. Ja. Gurevič, *Ustnaja i pis'mennaja cul'tura srednevekov'ja (dva «krest'janskich videnija» konca* XII *- nacala* XIII *v.)* [Cultura orale e scritta del Medioevo (due «visioni contadine» della fine del XII - inizio del XIII secolo)], in «Izvestija AN SSSR. Serija literatury i jazyka», vol. IX (1982), n. 4, pp. 348-58.

[8] A. Vauchez, *La sainteté en Occident aux derniers siècles du Moyen Âge d'après les procès de canonisation et les documents hagiographiques*, Paris 1981.

[9] G. Duby, *Le Temps de cathédrales. L'art et la société, 980-1420*, Paris 1976, p. 261 [trad. it. *L'arte e la società medievale*, Bari 1984[3]].

[10] Cfr. C. Lecouteux, *Introduction à l'étude du merveilleux médiéval*, in «Etudes Germaniques», 36 (1981), n. 3, pp. 273-90.

[11] L. Rothkrug, *Religious practices and collective perceptions. Hidden homologies in the Renaissance and Reformation*, in «Historical reflections - Réflexions historiques», vol. 7 (1980), n. 1. Cfr. L. Rothkrug, *Popular religion and holy shrines. Their influence on the origins of the German Reformation and their role in German cultural development*, in *Religion and the people, 800-1700*, a cura di J. Obelkevich, Chapel Hill 1979, pp. 20-86.

[12] V. Turner e E. Turner, *Image and pilgrimage in christian culture. Anthropological perspectives*, New York 1978.

[13] P. Adam, *La vie paroissiale en France au* XIV*e* *siècle*, Paris 1964.

[14] A. Franz, *Die kirchlichen Benediktionen im Mittelalter*, 2 voll., Graz 1960.

[15] A. Macfarlane, *Witchcraft in Tudor and Stuart England: a regional and comparative study*, New York 1970; Thomas, *Religion and the decline of magic* cit.; R. Kieckhefer, *European witch trials: their foundations in popular and learned cultures, 1300-1500*, Berkeley - Los Angeles 1976; R. Muchembled, *The witches of the Cambrésis world in the sixteenth and seventeenth centuries*, in *Religion and the people* cit.; Id., *La sorcière au village (*XV*e*-XVIII*e* *siècle)*, Paris 1979; H. E. Naess, *Trolldomsprosessene i Norge pa 1500-1600-tallet*, Oslo 1982.

[16] M. Vovelle, *Encore la mort: un peu plus qu'une mode?*, in «Annales ESC», 37 (1982), n. 2, pp. 276-87.

[17] P. Dinzelbacher, *Vision und Visionsliteratur im Mittelalter*, Stuttgart 1981.

[18] Id., *Klassen und Hierarchien im Jenseits*, in *Soziale Ordnungen in Selbstverständnis des Mittelalters* (Miscellanea Mediaevalia, vol. 12/1), Berlin - New York 1979, pp. 35-40; Id., *Reflexionen irdischer Sozialstrukturen im mittelalterlichen Jenseitsschilderungen*, in «Archiv für Kulturgeschichte», vol. 61 (1979), n. 1, pp. 16-34.

[19] Cfr. oltre il pensiero di J. Le Goff.

[20] Dinzelbacher, *Vision und Visionliteratur* cit., pp. 125-26.

[21] *Ibid.*, pp. 233-65.

[22] Cfr. P. Burke, *L'histoire sociale des rêves*, in «Annales ESC», 28 (1973), n. 2, pp. 329-42; J. Le Goff, *Les rêves dans la culture et la psychologie collective de l'Occident médiéval*, in Id., *Pour un autre Moyen Âge* cit., pp. 299-306.

[23] Dinzelbacher, *Vision und Visionliteratur* cit., p. 238.

[24] J. Le Goff, *La naissance du purgatoire*, Paris 1981 [trad. it. *La nascita del Purgatorio*, Torino 1982].

[25] Cfr. ciò che si è detto in precedenza sulla posizione della Chiesa rispetto al culto dei santi.

[26] A. Ja. Gurevič, *Popular and scholarly medieval cultural traditions: notes in the margin of Jacques Le Goff's book*, in «Journal of Medieval History», 9 (1983), pp. 71-90; *«Vozniknovenie čistilišča» i voprosy metodologii istorii cul'tury* [«La nascita del purgatorio» e questioni di metodologia della storia della cultura], in *Kategorii srednevekovoj cul'tury*, Moskva 1984², pp. 328-34.

[27] M. Vovelle, *La mort et l'Occident de 1300 à nos jours*, Paris 1983.

[28] Ariès, *L'homme devant la mort* cit.

[29] Le osservazioni critiche di un medievista si vedano in A. Borst, *Zwei mittelalterliche Sterbefälle*, in «Mercur», 34 (1980), pp. 1081-98. La mia polemica con Ariès si veda in A. Ja. Gurevič, *Au Moyen Âge: conscience individuelle et image de l'au-delà*, in «Annales ESC», 37 (1982), n. 2, pp. 255-75; A. Gurjewitsch, *Die Darstellung von Persönlichkeit und Zeit in der mittelalterlichen Kunst (in Verbindung mit der Auffassung vom Tode und der jenseitigen Welt)*, in *Architektur des Mittelalters. Funktion und Gestalt*, a cura di F. Möbius e E. Schubert, Weimar 1983, pp. 87-104.

[30] M. Vovelle, *Les attitudes devant la mort: problèmes de méthode, approches et lectures différentes*, in «Annales ESC», 31 (1976), n. 1, p. 286.

[31] Id., *Piété baroque et déchristianisation en Provence au XVIIIe siècle*, Paris 1978; Id., *De la cave au grenier. Un itinéraire en Provence au XVIIIe siècle. De l'histoire sociale à l'histoire des mentalités*, Quebec 1980.

[32] Id., *Y a-t-il un incoscient collectif?*, in «La pensée», 1979, n. 205.

[33] Le Roy Ladurie, *Montaillou* cit.

[34] O. G. Oexle, *Die Gegenwart der Toten*, in *Death in the Middle Ages*, a cura di H. Braet e W. Verbeke, Leuven 1983, pp. 19-77.

[35] C. Carozzi, *Structure et fonction de la Vision de Tnugdal*, in *Faire croire. Modalités de la diffusion et de la réception des messages religieux du XIIe au XVe siècle*, Roma 1981, pp. 223-34.

[36] *Elucidarium*, 9.

[37] Le Goff, *La naissance du purgatoire* cit., pp. 184-88 [trad. it. pp. 151-54].

[38] *Ibid.*, pp. 329-30 [trad. it. pp. 272-77].

[39] Cfr. sopra, cap. 1.

[40] H. Moser, *Maibaum und Maienbrauch. Beiträge und Erörterungen zur Brauchforschung*, in «Bayerisch Jahrbuch für Volkskunde», 1961, pp. 115-59; H. Rosenfeld, *Fastnacht und Karneval. Name, Geschichte, Wirklichkeit*, in «Archiv für Kulturgeschichte», 51 (1969), n. 1, pp. 175-81. Sul carnevale come festa essenzialmente cittadina cfr. anche P. Goubert, *La vie quotidienne des paysans français au XVIIe siècle*, Paris 1982, p. 295.

[41] Y.-M. Bercé, *Fête et révolte. Des mentalités populaires du XVIe au XVIIIe siècle. Essai*, Paris 1976, p. 9.

[42] *Le diable au Moyen Âge (Doctrine. Problèmes moraux. Représentations)*, in «Senefiance n. 6», Aix-en-Provence 1979.

[43] L. Kretzenbacher, *Des Teufels Sehnsucht nach der Himmelsschau. Zu einem Motiv der slovenischen Legendenballade*, in «Zeitschrift für Balkanologie», IV (1966), pp. 57-66.

[44] *La culture populaire au moyen âge*, Quebec 1979.

[45] Cfr. nota 15.

Stampato per conto della Casa editrice Einaudi
presso le Industrie Grafiche G. Zeppegno & C. s. a. s., Torino

C.L. 59717

Ristampa	Anno
1 2 3 4 5 6 7 8	88 89 90 91 92

Letture consigliate dal catalogo Einaudi.

Per chi voglia approfondire il definirsi dei gruppi e dei ceti sociali che vediamo attivi nel presente volume non solo per quanto riguarda le espressioni piú propriamente culturali, ma anche per quanto interessa i caratteri politici e sociali, il costituirsi dei legami di dipendenza, e il variegarsi di questi rapporti a seconda del territorio di insediamento, *La società feudale* di M. Bloch («Reprints») offre un efficace quadro di riferimenti. Una notevole consonanza di interessi, per quanto concerne i problemi di mentalità, si può ritrovare in un'altra grande sintesi, *Civiltà dell'Occidente medievale* di J. Le Goff («Pbe»), che evidenzia i tratti piú permanenti e caratterizzanti del mondo medievale. Georges Duby, nell'*Anno Mille. Storia religiosa e psicologia collettiva* («Paperbacks»), indaga un momento particolare nella storia delle aspettative, delle credenze e delle ansie di rinnovamento di un'intera società, sottolineando l'interazione di sentimenti e di esperienze tra i diversi ceti sociali, con una sensibilità non dissimile da quella che, per un piú ampio spettro di manifestazioni, ha indotto Gurevič alla sua ricerca.

Quasi gli estremi cronologici del periodo preso in esame dallo storico russo, i secoli VI-XIII, un'attenzione privilegiata per i temi agiografici in quanto rilevatori dei processi di trasformazione e di assestamento di una cultura è presente anche nelle analisi di P. Brown, *Il culto dei santi. L'origine e la diffusione di una nuova religiosità*, e di M. Bloch, *I re taumaturghi* (entrambi nella «Biblioteca di cultura storica»), mentre J.-C. Schmitt, ne *Il santo levriero* («Microstorie»), espande a quasi un millennio l'arco temporale in cui osservare il costituirsi e il permanere di una peculiare espressione della religiosità popolare.

Proprio nell'affrontare i temi della religiosità popolare, nella sua capacità di influenzare anche le espressioni piú colte della cultura, Gurevič è spesso in sottile ed elegante polemica con i risultati dell'imponente lavoro di Le Goff, *Il Purgatorio* («Biblioteca di cultura storica»). Già nel precedente libro di Gurevič, *Le categorie della cultura medievale*, in questa stessa collana, si era delineato un fecondo dibattito a distanza con Le Goff, in particolare con i risultati delle analisi confluite in *Tempo della Chiesa, tempo del mercante* («Paperbacks»). Uno degli aspetti metodologicamente piú interessanti in questo nuovo libro di Gurevič è costituito dall'uso delle fonti in senso regressivo, la scelta di valutare il testo finito, il documento come risultato ultimo di un processo di cui vanno ricostruiti anche gli originali elementi costitutivi. Su questi e altri problemi di metodologia della ricerca storica si vedano i contributi di Duby, *Le società medievali* e di Postan, *Storia e scienze sociali. Scritti di metodo*, entrambi nella «Pbe».

Einaudi Paperbacks

Ultimi volumi pubblicati

118. La stregoneria, *a cura di* Mary Douglas
Confessioni e accuse, nell'analisi di storici e antropologi

119. John V. Murra, Formazioni economiche e politiche nel mondo andino
Saggi di etnostoria

120. Jacques Lacan, Della psicosi paranoica nei suoi rapporti con la personalità *seguito da* Primi scritti sulla paranoia

121. Norberto Bobbio, Studi hegeliani
Diritto, società civile, stato

122. Emilio Sereni, Terra nuova e buoi rossi
E altri saggi per una storia dell'agricoltura europea

123. Pierangelo Garegnani, Marx e gli economisti classici
Valore e distribuzione nelle teorie del sovrappiú

124. Max Horkheimer, Studi di filosofia della società
Ideologia e potere

125. Noam Chomsky, Riflessioni sul linguaggio
Grammatica e filosofia

126. Christopher Hill, Il mondo alla rovescia
Idee e movimenti rivoluzionari nell'Inghilterra del Seicento

127. P. Garegnani, J. Eatwell, S. Vicarelli, B. Miconi, D. M. Nuti, M. Cini, R. Panizza, Valori e prezzi nella teoria di Marx
Sulla validità analitica delle categorie marxiane

128-29. Franco Basaglia, Scritti
I. 1953-1968. Dalla psichiatria fenomenologica all'esperienza di Gorizia
II. 1968-1980. Dall'apertura del manicomio alla nuova legge sull'assistenza psichiatrica

130. Karel Teige, Arte e ideologia
1922-1933

131. Karel Teige, Surrealismo, Realismo socialista, Irrealismo
1934-1951

132. Ludwig Wittgenstein, Osservazioni sui colori
Una grammatica del vedere

133. Georges Dumézil, Mito e epopea
La terra alleviata

134. J.-P. Vernant, L. Vandermeersch, J. Gernet, J. Bottéro, R. Crahay, L. Brisson, J. Carlier, D. Grodzynski, A. Retel-Laurentin, Divinazione e razionalità
I procedimenti mentali e gli influssi della scienza divinatoria

135. Göran Therborn, Scienza, classi e società
Uno studio sui classici della sociologia e sul pensiero di Marx

136. A. N. Veselovskij, A. A. Potebnja, N. S. Trubeckoj, M. M. Bachtin, D. S. Lichačëv, Ju. M. Lotman, B. A. Uspenskij, Vl. N. Toporov, Viač. Vs. Ivanov, E. M. Meletinskij, La cultura nella tradizione russa del XIX e XX secolo, *a cura di* D'Arco Silvio Avalle

137. Gianfranco Contini, Esercizî di lettura sopra autori contemporanei con un'appendice su testi non contemporanei. Edizione aumentata di «Un anno di letteratura»

138. Emmanuel Le Roy Ladurie, Tempo di festa, tempo di carestia
Storia del clima dall'anno mille

139. Gianfranco Folena, L'italiano in Europa
Esperienze linguistiche del Settecento

140. Alexandre Koyré, Studi newtoniani
141. Giovanni Nencioni, Tra grammatica e retorica
Da Dante a Pirandello
142. Ludwig Wittgenstein, Tractatus logico-philosophicus *e* Quaderni 1914-1916
143. A. Ja. Gurevič, Le categorie della cultura medievale
144. Peter Brown, Il culto dei santi
L'origine e la diffusione di una nuova religiosità
145. Jacques Lacan, Il seminario
Libro xx. Ancora (1972-1973)
146. Ludwig Wittgenstein, Libro blu e Libro marrone
147. Maria Corti, La felicità mentale
Nuove prospettive per Cavalcanti e Dante
148. Ludwig Wittgenstein, Ricerche filosofiche
149. Jean Piaget, Biologia e conoscenza
Saggio sui rapporti fra le regolazioni organiche e i processi cognitivi
150. Ernst Fraenkel, Il doppio Stato
Contributo alla teoria della dittatura
151. Umberto Eco, Semiotica e filosofia del linguaggio
152. Cesare Segre, Teatro e romanzo
Due tipi di comunicazione letteraria
153. Dante Isella, I Lombardi in rivolta
Da Carlo Maria Maggi a Carlo Emilio Gadda
154. Claude Lévi-Strauss, Lo sguardo da lontano
Antropologia, cultura, scienza a raffronto
155. Giuliano Baioni, Kafka: letteratura ed ebraismo
156. Hyman P. Minsky, Potrebbe ripetersi?
Instabilità e finanza dopo la crisi del '29
157. Arnaldo Momigliano, Sui fondamenti della storia antica
158. Herbert Marcuse, Il «romanzo dell'artista» nella letteratura tedesca
Dallo «Sturm und Drang» a Thomas Mann
159. Roman Jakobson, Poetica e poesia
Questioni di teoria e analisi testuali
160. Jacques Lacan, Il seminario
Libro III. Le psicosi (1955-1956)
161. Luisa Mangoni, Una crisi fine secolo
La cultura italiana e la Francia fra Otto e Novecento
162. Georges Dumézil, Gli dei sovrani degli indoeuropei
163. Thomas S. Kuhn, La tensione essenziale
Cambiamenti e continuità nella scienza
164. Norberto Bobbio, Stato, governo, società
Per una teoria generale della politica
165. Cesare Segre, Avviamento all'analisi del testo letterario
166. Mario Lavagetto, Freud la letteratura e altro

167. Ludwig Wittgenstein, Zettel
Lo spazio segregato della psicologia

168. Gilbert Rouget, Musica e trance
I rapporti fra la musica e i fenomeni di possessione

169. A. Ja. Gurevič, Contadini e santi
Problemi della cultura popolare nel Medioevo